Heinrich Kreissle von Hellborn

Franz Schubert

Heinrich Kreissle von Hellborn: Franz Schubert

Erstdruck: Wien (Carl Gerolds Sohn) 1865.

Vollständige Neuausgabe
Herausgegeben von Karl-Maria Guth
Berlin 2014

Der Text dieser Ausgabe folgt:
Kreissle von Hellborn, Heinrich: Franz Schubert. Wien: Carl Gerold's Sohn, 1865.

Die Paginierung obiger Ausgabe wird hier als Marginalie zeilengenau mitgeführt.

Umschlaggestaltung von Thomas Schultz-Overhage unter Verwendung des Bildes: Wilhelm August Rieder: Aquarell Franz Schubert, Mai 1825, unten signiert von Rieder und Schubert.

Gesetzt aus Minion Pro, 11 pt

Die Sammlung Hofenberg erscheint im
Verlag der Contumax GmbH & Co. KG, Berlin
Herstellung: BoD – Books on Demand, Norderstedt

Die Ausgaben der Sammlung Hofenberg basieren auf zuverlässigen Textgrundlagen. Die Seitenkonkordanz zu anerkannten Studienausgaben machen Hofenbergtexte auch in wissenschaftlichem Zusammenhang zitierfähig.

ISBN 978-3-8430-3843-0

Bibliografische Information der Deutschen Nationalbibliothek

Die Deutsche Nationalbibliothek verzeichnet diese Publikation in der Deutschen Nationalbibliografie; detaillierte bibliografische Daten sind im Internet über www.dnb.de abrufbar.

Vorwort.

Nahezu sechs und dreißig Jahre – ein Menschenalter – sind vorübergezogen, seit, Franz Schubert nach kurzem Erdenwallen aus dieser Welt geschieden ist. Während des Verlaufes dieser drei Decennien und darüber, nach seinem Tod, ganz hauptsächlich aber in neuester Zeit, war man rühmlichst darauf bedacht, den reichen Schatz seines inneren Lebens, insoweit dieser in der musikalischen Kunst zur Erscheinung gelangte, allgemach aufzudecken und die volle Würdigung seiner erstaunlichen in ihrer Vielseitigkeit noch zu wenig erfaßten künstlerischen Thätigkeit zu ermöglichen.

Die Schilderung seiner stillen anspruchslosen äußeren Existenz dagegen beschränkte sich bis zur Stunde auf ein Paar dürftige Lebensumrisse, die bald nach des Tondichters Ableben in öffentlichen Blättern dem Publikum geboten wurden, und auf die von dem Verfasser dieses Buches vor drei Jahren herausgegebene »Biographische Skizze«, welcher von wohlwollenden, den Schwierigkeiten eines ersten derartigen Versuches Rechnung tragenden Personen, das Verdienst zugestanden wurde, eingehender, als es bis dahin der Fall war, auf die Lebensverhältnisse und die musikalische Produktivität Schubert's hingewiesen zu haben.

Jene Skizze aber, so bescheiden ausgestattet sie war, barg doch den
3 fruchtbringenden Keim neuen Lebens in sich; denn bald nach ihrem Erscheinen öffneten sich da und dort zwar spärlich fließende, aber dennoch höchst willkommene Quellen, deren Existenz mir entweder gar nicht bekannt war, oder die ich für versiegt gehalten hatte. So sah ich mich denn durch Mittheilungen verschiedener Art, welche theils Neues, theils Berichtigungen thatsächlicher Irrthümer enthielten, sowie durch eigene Bemühung allmälig in dem Besitz eines *verhältnißmäßig* reichhaltigen Materiales, welches zu benützen und aufs neue zu verarbeiten ich mich durch mehrfache Gründe bestimmen ließ. Auch konnte ich mir nicht verhehlen, daß mein innigeres Vertrautwerden mit der Schubertschen Muse und die mir über seine äußeren Verhältnisse mittlerweile gewordenen Aufklärungen auf so manche in der »Skizze« ausgesprochene Ansicht modificirend eingewirkt hatten. Die Schwierigkeiten, mit welchen eine Darstellung von Schubert's Leben zu kämpfen hat, sind freilich in Wesenheit dieselben geblieben. Sie gipfeln in der Unmöglichkeit, ein Leben, »in welchem es nicht Berg nicht Thal, sondern nur gebahnte, Fläche gab, auf der sich unser Tondichter in gleichmäßigem Rhythmus fortbewegte«, – als interessant und bedeutend hinzustellen, ohne dem Leser an Stelle der Wahrheit Phantasiestücke zu bieten, die wohl für den Augenblick Anregung und Erheiterung gewähren mögen, der Sache selbst aber in keiner Weise förderlich sind[A1]. Eben aus dieser Ursache haben

A1 Derlei poetisch und gemüthlich gefärbte »Phantasien« über Schubert sind auch im Druck erschienen. Ihr Inhalt gehört zum bei weiten größten Theil in das Reich der

auch Personen, in deren Macht es gestanden, über Schubert's Leben viele 4 und zuverlässige Aufschlüsse zu geben, nach wiederholten Anläufen zu größeren Arbeiten in dieser Richtung, sich schließlich auf die Erklärung zurückgezogen, daß eine Biografie Schubert's ein geradezu unausführbares Unternehmen sei, weil sich dieser Tondichter, dessen äußere Existenz so ganz von alle dem losgelöst war, was geistig in ihm lebte und webte, nur aus seinen musikalischen Inspirationen darstellen und begreifen lasse[A2]. Es liegt in der That ein Körnchen Wahrheit in dieser Behauptung; – jede Biografie Schubert's wird wegen des Mangels an innigen Wechselbeziehungen zwischen innerem und äußerem Leben mehr oder weniger das Gepräge des Skizzenhaften an sich tragen, und die Aufzählung und Würdigung seiner künstlerischen Leistungen immerdar einen unverhältnißmäßig großen Raum in Anspruch nehmen. Dennoch konnte mich diese Ansicht, da sie eben zu viel behauptet, in keiner Weise abhalten, den verpönten Versuch abermals mit verstärkter Kraft zu wagen und die Lösung der mir gestellten Aufgabe nach Thunlichkeit anzustreben. Es ist meine auf Erfahrung gestützte Ueberzeugung, daß in nicht ferner Zeit bei dem allmäligen Heimgange der noch lebenden Zeugen von Schubert's äußerer Existenz eine Biografie dieses 5 Tondichters schlechterdings zu den Unmöglichkeiten gehören wird, und daß fürder, ungeachtet so mancher unvermeidlicher Lücken, im Wesentlichen kaum ein Mehreres geboten werden dürfte, als in dieser Darstellung enthalten ist, es müßte denn Jemand, auf rein musikalischen Boden sich stellend, Lust und Muse finden, die an die Zahl von Eintausend hinanreichenden Compositionen Schubert's kritisch zu zergliedern.

Für dieses Mal erkannte ich es als eine dringende Aufgabe, von dem allerorts zerstreuten trümmerhaften Materiale, das mir von vielen, in dieser Darstellung namhaft gemachten, Personen mit dankenswerther Bereitwilligkeit zur Verfügung gestellt wurde, zu retten, was zu retten war, und das Gesammelte, in chronologischer Reihenfolge geordnet, nach Möglichkeit zu einem Ganzen zusammenzufassen.

Indem ich das Ergebniß meiner Forschungen der Oeffentlichkeit übergebe, darf ich wohl dem Wunsche Ausdruck verleihen, daß es mir gelungen sein möge, zu der Wiederbelebung von Schubert's Andenken, welche man gerade

Fabel, und ist nur geeignet, den Tondichter in einem ganz anderen Licht erscheinen zu lassen, als dieß in Wirklichkeit der Fall war.

A2 Schon im Jahre 1842 begann Herr *Philipp Neumann* in Wien Materialien zu einer Biografie Schubert's zu sammeln; *Anselm Hüttenbrenner* übermittelte, wie mir sein Bruder Josef mittheilte, dem Dr. *Franz Lißt* Aufzeichnungen über Schubert; die Herren *Franz Flatz* und *Ferdinand Luib* in Wien waren längere Zeit hindurch mit biografischen Studien nach dieser Seite hin beschäftigt. Die beiden, Freunde Schubert's: *Bauernfeld* und v. *Schober* erklärten sich gegen jeden Versuch, eine Biografie dieses Tondichters zu verfassen.

jetzt theils durch liebevolles Eingehen in seine künstlerische Gesammtwirksamkeit, theils auf monumentalem Wege zu erzielen bestrebt ist, nach meiner Weise erfolgreich mitgewirkt zu haben.

Wien, am Engelbertstag 1864.

Heinrich v. Kreißle.

I.

(1797–1813.)

Die Familie der Schubert's, aus welcher der Tondichter *Franz Schubert* hervorgegangen ist, stammt aus der Gegend von *Zukmantel* in Oesterreich-Schlesien[1]. Franz Schubert's *Vater* war der Sohn eines Bauers und Ortsrichters in Mährisch-Neudorf. Der Studien halber von dort nach Wien gekommen, trat er im Jahr 1784 bei seinem Bruder Carl – Lehrer in der Vorstadt Leopoldstadt – als Gehülfe ein, und wurde zwei Jahre darauf als Schullehrer bei der Pfarre zu den heil. 14 Nothhelfern in der Vorstadt Lichtenthal angestellt[2]. Er galt als ein tüchtiger Schulmann, und unter den Trivialschulen des Pfarrbezirkes war die von ihm geleitete eine der besuchtesten. Seine erste Ehe schloß er in einem Alter von neunzehn Jahren mit der um drei Jahre älteren *Elisabeth Fitz*, einer Schlesierin, welche damals in Wien als Köchin in Diensten stand. Diese Ehe war mit vierzehn Kindern gesegnet, von denen sich nur fünf, nämlich: *Ignaz, Ferdinand, Carl, Franz* und *Therese* am Leben erhielten. Nach dem, im Jahre 1812 erfolgten Tod seiner Gattin verheirathete sich Vater Franz ein Jahr darauf mit *Anna Klayenbök*, einer Fabrikantenstochter aus Gumpendorf in Wien, und es wurden ihm in dieser Ehe noch fünf Kinder geboren, die sich – bis auf eines – alle am Leben erhielten.

Von den Kindern aus der ersten Ehe lebt *derzeit* nur noch *Therese*, Witwe des Mathias *Schneider*, Oberlehrers in der Vorstadt St. Ulrich in Wien, von jenen aus der zweiten Ehe: *Andreas*, k.k. Rechnungs-Official, und *Anton* (mit dem geistlichen Namen *Hermann*), Capitular im Stift Schotten in Wien[3].

1 Die Angaben über Sch's. Familienverhältnisse beruhen zum Theil auf schriftlichen Notizen *Ferdinand Sch's.*, zum Theil auf mündlichen Mittheilungen der Frau Therese *Schneider* (Franzens Schwester) und des Herrn *Anton Schubert*.

2 Die Schule befand sich in dem Haus Nr. 10 (derzeit Nr. 12) in der *Säulengasse* auf dem Himmelpfortgrund. Dasselbe gehörte Sch's. Vater, und ist derzeit Eigenthum der Milchhändler *Georg* und *Therese Schreder*. Die Gestalt und Anordnung der Zimmer weist auch jetzt noch auf ihre ehemalige Bestimmung hin. Vater Schubert hat daselbst bis zum Jahre 1817 oder 1818, um welche Zeit er die Pfarrschule in der Rossau übernahm, gewohnt und Schule gehalten. Uebrigens ist sowohl auf diesem Haus, als auf jenem Nr. 41 in der nahegelegenen »Krongasse« ober der Eingangsthür ein »Rössel« aufgemalt, was zu Verwechslungen der beiden Häuser, als ehemaligen Schulen, Veranlassung gegeben hat.

3 Der älteste der Brüder – *Ignaz* – Schullehrer in der Rossau, ist im Jahre 1844, *Ferdinand*, Director der Normalhauptschule zu St. Anna in Wien, im Jahre 1859, und *Carl*, Landschaftsmaler und Schreibmeister, im Jahre 1855 gestorben. Franz Sch's. Halbschwestern *Marie* (unverehlicht) und *Josefa*, verehlichte Bitthan (Oberlehrersgattin in Wien), sind, erstere im Jahre 1834, letztere im Jahre 1861, der Vater am 9. Juli 1830 und die Stiefmutter im Jänner 1860 mit Tod abgegangen. – Das Pädagogenthum spielt in der Schubert'schen Familie eine hervorragende Rolle, und selbst Franz ist demselben nicht

2 *Franz Peter Schubert*, der jüngste der erwähnten vier Söhne aus erster Ehe, wurde am 31. Jänner 1797 zu Wien in der Vorstadt Himmelpfortgrund, Pfarre Lichtenthal geboren[4]. Die Kinder- und Knabenzeit bis zu seinem eilften Jahre verlebte er im väterlichen Hause. Unter den Augen seiner Eltern,
3 im Kreise seiner Geschwister[5], wuchs er in jenen mehr oder weniger beschränkten Verhältnissen heran, welche die Existenz eines mit zahlreicher Familie gesegneten Schullehrers zu kennzeichnen pflegen. Seine Neigung zur Musik machte sich in frühester Zeit und bei den geringsten Anlässen bemerkbar. Einer Mittheilung seiner Schwester Therese zufolge schloß sich der Knabe besonders gerne einem Tischlergesellen an, der – ebenfalls ein Schubert und Verwandter des Franz – diesen zu öfteren Malen in eine Clavierwerkstätte mit sich nahm. Auf den daselbst befindlichen Instrumenten und dem abgenützten Clavier im elterlichen Hause hat Franz ohne alle Anleitung seine ersten Exercitien durchgemacht, und als er später – ein siebenjähriger Knabe – eigentlichen Musikunterricht erhielt, stellte sich bald heraus, daß er das, was der Lehrer ihm beibringen wollte, schon vorweg sich angeeignet hatte.

entgangen. Mehrere seiner jüngeren Verwandten haben sich ebenfalls wieder dem Lehrfach zugewendet.

4 Ein von der fürsterzbischöflichen Pfarre zu den h. 14 Nothhelfern im Lichtenthal am 3. Jänner 1827 ausgestellter Taufschein bezeugt, »daß Franz Schubert ein ehelich erzeugter Sohn des Herrn Franz Schubert, Schullehrers, und dessen Ehegattin *Elisabeth*, geborne *Fitz*, beide kath. Religion, am Himmelpfortgrund Nr. 72 geboren und am 1. Februar 1797 von dem damaligen Cooperator *Johann Wanzka* im Beisein des Herrn *Carl* Schubert, Schullehrers, als Pathen, in hiesiger Pfarre nach christkatholischem Gebrauch getauft worden ist.« – Das Geburtshaus, »zum rothen Krebsen« benannt, in der, nach der Nußdorfer Linie führenden oberen Hauptstraße gelegen, trägt *derzeit* die Nr. 54 und ist Eigenthum der Frau *Barbara Leithner*. Ueber dem Eingangsthor befindet sich eine, aus grauem Ranna-Marmor angefertigte Gedenktafel mit der Inschrift: »Franz Schubert's Geburtshaus;« auf der rechten Seite ist eine Lyra, auf der linken ein Lorbeerkranz mit dem Datum der Geburt angebracht. Die feierliche Enthüllung dieses, von dem Wiener Männergesang-Verein gestifteten und durch den Steinmetzmeister Wasserburger ausgeführten Gedenkzeichens fand am 7. October 1858 statt. Eine Seitengasse der »Nußdorferstraße« (früher Brunngasse genannt) heißt jetzt *Schubertgasse*.

5 Unter den Geschwistern war es vorzugsweise *Ferdinand*, der in späterer Zeit dem, um 3 Jahre jüngeren Franz im Leben nahe stand, und dem daraus Scheidenden die Augen schloß. – Ferdinand Sch., 1794 geboren, wurde im Jahre 1809 Schulgehülfe im Waisenhaus in Wien, 1816 Lehrer daselbst, 1820 *regens chori* in Altlerchenfeld, 1824 Lehrer an der Normalhauptschule zu St. Anna in Wien, und 1851 Director daselbst. Er war musikalisch gebildet, und verfaßte auch mehrere Kirchencompositionen und theoretische Schriften über Musik. Der reiche musikalische Nachlaß des Franz befand sich längere Zeit hindurch in seinem Besitz, und was davon nach seinem im Jahre 1859 erfolgten Tode noch vorhanden war, ging schließlich auf seinen Neffen, *Dr. Eduard Schneider* in Wien, über.

In den Aufzeichnungen seines Vaters findet sich darüber folgende Stelle: »In seinem fünften Jahr bereitete ich ihn zum Elementar-Unterricht vor, und in seinem sechsten Jahre ließ ich ihn die Schule besuchen, wo er sich immer als der erste seiner Mitschüler auszeichnete. Schon in seiner frühesten Jugend liebte er die Gesellschaft, und niemals war er fröhlicher, als wenn er 4
seine freien Stunden in dem Kreise munterer Kameraden zubringen konnte. In seinem achten Jahre brachte ich ihm die nöthigen Vorkenntnisse zum Violinspiel bei, und übte ihn soweit, bis er im Stande war, leichte Duetten ziemlich gut zu spielen; nun schickte ich ihn zur Singstunde des Herrn *Michael Holzer*, Chorregenten im Lichtenthal.« Dieser versicherte mehrmals mit Thränen in den Augen, einen solchen Schüler noch niemals gehabt zu haben. »Wenn ich ihm was neues beibringen wollte,« sagte er, »hat er es schon gewußt. Folglich habe ich ihm eigentlich keinen Unterricht gegeben, sondern mich mit ihm bloß unterhalten, und ihn stillschweigend angestaunt.«

Als *Holzer* ihn einmal ein gegebenes Thema durchführen hörte, kannte seine Freude keine Grenzen, und entzückt rief er aus: »Dieser hat doch die Harmonie im kleinen Finger!« *Holzer* unterrichtete ihn auch im Clavier- und Orgelspiel und im Generalbaß.

Sein ältester Bruder *Ignaz* ließ es sich ebenfalls angelegen sein, ihm die Anfangsgründe des Clavierspielens beizubringen. »Ich war sehr erstaunt – erzählt dieser – als er kaum nach einigen Monaten mir ankündigte, daß er nun meines ferneren Unterrichtes nicht mehr bedürfe, und er sich schon selber forthelfen wolle. Und in der That brachte er es in kurzer Zeit so weit, daß ich ihn selbst als einen, mich weit übertreffenden und nicht mehr einzuholenden Meister anerkennen mußte.«

So war denn Franz Schubert eine jener begnadeten Naturen, welchen der Genius der Kunst bei ihrem Eintritt in das Leben den Weihekuß auf die Stirne gedrückt hat, und wenn man von Wolfgang *Mozart* absieht, der – ein echtes Wunderkind – in seinem sechsten Lebensjahre ein Clavierconcert zu 5
Papier brachte, oder vielmehr darauf hinkleckste, und in seinem achten eine Sinfonie für Orchester schrieb[6], so ist vielleicht bei keinem der großen Tondichter der Schaffenstrieb so frühzeitig erwacht und mit so unwiderstehlicher Gewalt zum Durchbruch gekommen, als bei Franz Schubert.

Sein Bruder *Ferdinand* bezeichnet[7] zwar die, im Jahre 1810 entstandene vierhändige *Fantasie* als dessen *erste* Claviercomposition, und den im Jahre

6 Mozarts erste Sinfonie datirt aus dem Jahre 1764 (s.v. *Köchel* them. Catalog).

7 In den Aufsätzen »Aus Franz Sch's Leben«, enthalten in der »Neuen Zeitschrift für Musik« Nr. 33–36 Band 10, Jahrg. 1839. Das darin vorkommende Verzeichniß umfaßt alle jene Schubert'sche Compositionen, welche sich damals (1839) entweder im Besitz *Ferdinand* Sch's. oder der Verlagshandlung *Diabelli* befanden, ist daher nicht erschöpfend. Der Werth dieser Zusammenstellung besteht aber darin, daß in derselben Schubert'sche Compositionen, namentlich aus der frühesten Periode, aufgezeichnet erschei-

1811 componirten »*Klagegesang der Hagar*« als sein erstes Lied; es ist aber außer allem Zweifel, daß Franz schon vor dieser Zeit Lieder, Clavierstücke und selbst Streichquartette geschrieben hat, wie denn auch unter seinen Gesangscompositionen einige, deren Entstehungszeit nicht angegeben ist, durch ihre Unbedeutendheit auf jene früheste Periode des Schaffens hinweisen.

Eilf Jahre alt und im Besitze einer hübschen Sopranstimme, ließ sich Schubert auf dem Chor der Lichtenthaler Pfarrkirche als Solist im Gesang
6 und als Violinspieler verwenden und trug nach den Versicherungen noch lebender Ohrenzeugen mit schönem und richtigem Ausdruck vor.

Den Bemühungen des Vaters gelang es, den Knaben nunmehr in die kaiserliche Hofcapelle zu bringen und ihm dadurch einen Platz als Zögling in dem Stadtconvicte zu verschaffen. Es war im October 1808, daß Franz den damaligen beiden Hofcapellmeistern *Salieri* und *Eybler*[8] und dem Gesangsmeister *Korner* zur Ablegung der Probe vorgestellt wurde. Als die zu gleichem Zweck erschienenen Knaben des kleinen Schubert gewahr wurden, der, nach damaliger Sitte mit einem hechtgrauen fast weißlichten Rocke angethan, daher kam, meinten sie, das wäre gewiß eines Müllers Sohn, dem könne es nicht fehlen.

Wie nicht anders zu erwarten, erregte Schubert's Probesingen die Verwunderung der prüfenden Herren; er löste die ihm vorgelegte Aufgabe so trefflich, daß seine Aufnahme als Sängerknabe in die Hofcapelle und als Zögling in das Convict ohne weiters erfolgte. Die Uniform, mit der goldenen Borte daran, für deren Glanz auch Schubert nicht unempfänglich war, mußte über den schweren Abschied hinaushelfen, den der Knabe von allen jenen, die ihm bisher im Leben nahe gestanden, für längere Zeit hinaus zu nehmen hatte.

Er war nun Sängerknabe der kais. Hofcapelle; da er übrigens auch die Violine mit ziemlicher Fertigkeit zu spielen verstand, wurde er dem sogenannten kleinen Convictisten-Orchester zugetheilt, dessen Aufgabe es war,
7 größere Tonwerke, namentlich die Sinfonien von Haydn und Mozart, dann die damals noch mit verwundertem Blicke angesehenen Werke Beethoven's in fast täglichen Uebungen einzustudiren und zur Aufführung zu bringen.

Von diesen Orchesterstücken waren es namentlich einige Adagio's aus Haydn'schen Sinfonien und die*G-Moll*-Sinfonie[9] von Mozart, welche auf

nen, welche, da sie in der Zwischenzeit verloren gegangen sind, ohne diese Zusammenstellung auch dem Namen nach nicht mehr gekannt sein würden.

8 *Eybler Josef*, geb. 1764 zu Schwechat bei Wien, ein Schüler Albrechtsbergers, wurde 1792 *regens chori* in der Karmeliterkirche in Wien, 1801 kais. Musiklehrer, 1804 Vice- und 1825 Hofkapellmeister. Er starb in Wien 1846.

9 Man höre die Engel darin singen, pflegte er zu sagen. (Aus *JosefSpaun's* Aufschreibungen.)

den mehr ernsten, gegen seine Umgebung nicht besonders freundlichen Knaben tiefen Eindruck machten, der sich aber beim Anhören der Sinfonien von Beethoven sofort zum Entzücken steigerte. Seine Vorliebe für diesen letzteren trat schon damals entschieden hervor; war es doch ihm, wie keinem sonst beschieden, dem großen Meister, zu welchem er als zu seinem Ideale fortan hinausblickte, unter Wahrung vollster Selbstständigkeit, in immer stolzerem Fluge nachzustreben.

Die Sinfonien von *Krommer*[10], die ihres heiteren Charakters wegen damals
gerne gehört wurden, fanden in seinen Augen wenig Gnade, wogegen er jene 8
des *Kozeluch*[11], wenn ihr etwas veralteter Styl von den Musikern bespöttelt wurde, den Krommer'schen gegenüber, mit Wärme zu vertheidigen pflegte. Die Ouverture zur »Zauberflöte«, zu »Figaro's Hochzeit« und die Mehul'schen zählte er zu seinen Lieblingen.

Es konnte nicht fehlen, daß Schubert, der in dem kleinen Orchester alsbald zur ersten Violine vorgerückt war, vermöge seines eminenten Musiktalentes und des Ernstes, womit er die Kunst betrieb, auf dasselbe einen nicht unerheblichen Einfluß gewann, in Folge dessen ihm auch für den Fall der Abwesenheit des Dirigenten *Ruczizka* die Leitung des Orchesters an der ersten Violine übertragen wurde.

Gleichzeitig war aber auch in dem dreizehnjährigen Knaben der Schaffenstrieb mit unwiderstehlicher Gewalt erwacht; schon vertraute er den Kameraden unter dem Siegel der Verschwiegenheit an, daß er öfter seine eigenen
Gedanken zu Papier bringe. 9

10 *Krommer* (Franz), geboren 1759 zu Kamenitz in Mähren, war ein noch zu Anfang dieses Jahrhunderts beliebter Componist. Sein Lehrer war seines Vaters Bruder, *regens chori* in Turas, der ihn zum Organisten erzog; alle weitere Musikbildung erwarb er sich durch eifriges Selbststudium. Bekannt als tüchtiger Violinspieler kam er in die Capelle des Grafen Agrum nach Simonthurn in Ungarn, wurde später Chordirector in Fünfkirchen, dann Capellmeister beim Regiment Karoly, ging endlich mit dem Fürsten Grassalkowitz als Musikdirector nach Wien, wo er nach dessen Tod privatisirte, und theils durch Unterricht theils durch den Ertrag seiner beliebt gewordenen Compositionen ein anständiges Auskommen fand. Nach *Kozeluch's* Ableben (1814) wurde er Kammercompositeur, und starb in Wien am 8. Jänner 1831, nachdem er schon geraume Zeit seinen Ruhm überlebt hatte. Er componirte sehr viel, und zwar in einem gemüthlich heiteren, nicht selten an das Hausbackene streifenden Styl.

11 *Kozeluch* (Leopold), geboren 1753 zu Wellwarn, starb in Wien 1814. Anfangs zur Jurisprudenz bestimmt, verließ er diese Bahn, um sich ausschließlich der Musik zu widmen. 1778 übersiedelte er nach Wien, wo er als Musiklehrer sehr geachtet, bei Hof und in den höchsten Adelskreisen Lectionen gab. 1792 wurde er als Mozart's Nachfolger zum kaiserlichen Kammercompositeur ernannt. Er schrieb eine große Anzahl von Musikstücken aller Art, die aber derzeit der Vergessenheit anheimgefallen sind. Seine Tochter Katharina, verehelichte Cibbini, Kammerfrau am kais. Hofe, war bekannt als gute Clavierspielerin.

Diese strömten ihm bereits in Hülle und Fülle zu, und es fehlte nur zu oft an Notenpapier, um sie darauf festzuhalten. Da Schubert nicht in der Lage war, sich solches um Geld anzuschaffen, sorgte eine gütige Freundeshand[12] dafür, und der Verbrauch davon wurde nun ein ganz außerordentlicher.

Sonaten, Messen, Lieder, Opern, ja selbst Sinfonien lagen, nach dem Zeugnisse von Gewährsmännern, zu jener Zeit bereits fertig vor, wovon er jedoch den größten Theil, als bloße Vorübung, vertilgte.

Wie bereits erwähnt, schrieb Franz im Jahre 1810 (April) eine große vierhändige Fantasie (die sogenannte »Leichenfantasie«), welcher im Jahre 1811 und 1813 noch zwei Fantasien von kleinerem Umfang folgten. Das ersterwähnte Clavierstück dehnt sich über 32 enggeschriebene Seiten aus, und enthält ein Dutzend in verschiedenem Charakter gehaltener Tonstücke, deren jedes in einer anderen, als der ursprünglichen Tonart endet. Claviervariationen, die er seinem Vater als erstes Product seines Tonsatzes vorspielte, trugen schon das ihm eigene Gepräge[13].

In das Jahr 1811 fällt die Composition der Lieder: »*Hagar's Klage*«, »*der Vatermörder*«, mehrerer Instrumentalstücke[14] und der eben erwähnten zweiten *Clavierfantasie.*

»*Hagar's Klage*«[15] ist darum beachtenswerth, weil es das erste *bedeutendere* Gesangsstück ist, welches Schubert componirt hat. Er schrieb es als vierzehnjähriger Knabe am 30. März im Convict nieder und erregte damit *Salieri's* Aufmerksamkeit in so hohem Grad, daß dieser die weitere Pflege des seltenen Talentes durch Unterricht im Generalbaß sofort veranlaßte. Die Composition des umfangreichen Klaggesanges dehnt sich über 28 geschriebene Seiten aus und zerfällt in mehrere, durch Tonart und Rhythmus geschiedene Theile, worunter auch ein Paar kurze Recitativstellen. Dieselbe leidet allerdings noch an einer gewissen Zerrissenheit; die Stimmführung ist zuweilen gesucht, die Accordenfolge hart und die Clavierbegleitung hie und da an Zumsteg und Mozart erinnernd. Demungeachtet ist die Composition im Ganzen genommen von Bedeutung und verfehlte niemals ihres Eindruckes, wenn sie von Sängern gut vorgetragen wurde. Einige Stellen darin athmen unverkennbar

12 Ohne Zweifel *Josef Spaun.*

13 Ferdinand Schubert: »Aus Franz Sch's. Leben«, 1839.

14 Nach Ferdinand Sch's Verzeichniß: Eine Quintett-Ouverture (für Ferdinand Sch. comp.) und ein Streichquartett.

15 »Hagars Klage« hat den Convictisten wahrscheinlich in einer der deutschen Chrestomathien, wie solche in den Gymnasien in Gebrauch waren und noch sind, vorgelegen. Der Gesang beginnt in *Largo Es-Dur* $^3/_4$ auf die Worte:
Hier am Hügel heißen Sandes sitz' ich,
Und mir gegenüber liegt mein sterbend Kind u.s.w.

Schubert'schen Geist, und wenn auch noch leise, vernimmt man doch schon den Flügelschlag des Genius. Das Lied ist nicht im Stich erschienen[16].

Die zweite Gesangscomposition heißt »Der *Vatermörder*«, eine Parabel[17] (Autor nicht genannt). Sie trägt das Datum 26. Dec. 1811. Auch von dieser 11
gilt im Allgemeinen das über »Hagar's Klage« Bemerkte; doch ist das letztere Lied umfangreicher und an sich werthvoller.

Sonderbarer Weise findet sich unter den Liedern, deren Entstehungszeit angegeben ist, ein einziges mit der Jahreszahl 1812. Es ist dies: »*Klagelied*«[18] von Rochlitz, eine kleine unbedeutende Composition. Um so reicher ist die Kirchen- und Instrumentalmusik[19] vertreten.

Ueberschaut man die Thätigkeit des in das fünfzehnte Lebensjahr eingetretenen Knaben, so liegt die Vermuthung nahe, daß er sich in und außer den Schulstunden mehr mit dem Beschreiben von Notenpapier, als mit den Vorträgen der Professoren und Ausarbeiten der Pensa beschäftigt haben mag. Dem war auch so. Er componirte heimlich in der Schule und schrieb für die Donnerstags-Concerte der Zöglinge Ouverturen und Sinfonien für Orchester, die gelegentlich daselbst gespielt wurden. Dieser seiner Verwendung wurde auch in den von der Convictsvorstehung an die Oberbehörde 12
erstatteten Berichten nach beiden Seiten hin Erwähnung gethan, und während seine musikalischen Leistungen darin auf das beste hervorgehoben erscheinen, ist dies bezüglich seiner Fortschritte in den eigentlichen Fachgegenständen nur in beschränktem Maß der Fall gewesen[20].

16 Hagar's Klage, und *alle* noch folgenden *Lieder* und mehrstimmigen Gesänge sind, mit fast verschwindender Ausnahme, in der *Witteczek'schen* Sammlung (derzeit im Besitz des Herrn Hofrathes Freiherr Josef von *Spaun* in Wien) in *Abschrift*, und größtentheils mit Angabe des Datums ihrer Entstehung enthalten.

17 Das Autograf besitzt Herr *Spina* in Wien.

18 Es ist in *op.* 131 enthalten. Ohne Zweifel hat Sch. auch in diesem Jahre noch mehrere Lieder componirt, worüber die Originalien Aufschluß geben würden, da er auf allen seinen Compositionen das Jahr, – auch den Monat und Tag, an dem er sie niedergeschrieben, bei größeren Werken auch den Zeitpunkt des Beginnes und der Beendigung anzumerken pflegte.

19 In dem erwähnten Verzeichniß Ferd. Schubert's finden sich aufgeführt:
Ein *Salve regina* und *Kyrie* (im Stich erschienen), eine Sonate für Clavier, Violine und Cello, zwei Streichquartette (in *B* und *C*), eine Quartett-Ouverture (in *B*), Andante und Variationen (in *Es*), eine Ouverture für Orchester (in *D*) und 30 für seinen Bruder Ignaz componirte Menuette mit Trios, welch letztere die Bewunderung des *Dr. Anton Schmidt*, eines Freundes Mozart's und trefflichen Violinspielers, in so hohem Grad erregten, daß er sagte: »Wenn diese Stücke ein halbes Kind geschrieben hat, so wird aus diesem noch ein Meister hervorgehen, wie es wenige gegeben.« Diese Menuette gingen schon damals durch Wegleihen verloren, und Schubert kam ungeachtet wiederholter Aufforderung nicht mehr dazu, sie aus dem Gedächtniß wieder aufzuschreiben.

20 Nur im ersten Jahrgange soll sich Sch. durchaus guter Zeugnisse erfreut haben; in den folgenden Jahrgängen wurden Nachprüfungen nothwendig. – Curator der Anstalt war

Hier möge vorerst einiger, zum Theil noch am Leben befindlicher Männer gedacht werden, die, obgleich an Jahren verschieden, sich mit Schubert zu gleicher Zeit im Convict befanden, und von welchen mehrere auch in der
13 Folgezeit ihre innigen Beziehungen zu dem mittlerweile berühmt gewordenen Tondichter fortsetzten. Diese Convicts-, wenn auch nicht Classengenossen, waren: Josef *Spaun*, Josef *Kenner*[21], Leopold *Ebner*[22], Josef *Kleindl*[23], Max *Weiße*[24], Franz *Müllner*, Carl *Rueskäfer*[25], der Dichter Johann *Senn*, Benedict *Randhartinger*[26], Joh. Baptist *Wisgrill*[27], Anton *Holzapfel* und Albert *Stadler*. Von den eben Genannten sind *Spaun, Stabler, Senn* und *Holzapfel* als seine intimeren Freunde zu bezeichnen.

Josef *Spaun* (derzeit Frh. v. Spaun, k.k. jubilirter Hofrath in Wien), damals schon und auch in späterer Zeit einer der wahrsten, uneigennützigsten Freunde Schuberts, versorgte den (um neun Jahre jüngeren) Convictszögling mit Notenpapier und unterstützte ihn auf mannigfache Weise[28]. In Folge
14 seiner Beamtenlaufbahn zu wiederholten Malen räumlich von ihm geschieden, stand er mit dem wunderbar fortschreitenden Tondichter fortan in lebhaftem Verkehr und bewahrte ihm seine aufrichtige Neigung und Verehrung bis

um jene Zeit Josef Carl Graf *Dietrichstein*. Den Unterricht ertheilten regulirte Priester des Piaristen-Ordens. Director war der Piarist *Innocenz Lang*, Doctor der freien Künste, und Rector der akademischen Kirche. Das Vicedirectorat bekleidete (von 1811 an) Franz *Schönberger*; akademische Prediger waren Markus *Haas*, Andreas *Platzer* (1812) und Georg *Kugelmann*; (1813) Katechet Egid *Weber* und *Josef Tranz* (von 1811 an). In den zwei unteren Classen lehrten Pius *Strauch* und Mathias *Rebel*; in den oberen Alois *Vorsix*; die übrigen Professoren waren: Vincenz *Kritsch* und Benedikt *Lamb* (Poetik), Amadäus *Brizzi* und Josef *Walch* (Mathematik), Benedict *Rittmannsberger* (Geografie und Geschichte), *Josef Lehr* (Kalligrafie), Leopold *Baille* und Carl *Bernard* (französische Sprache), Carl von *Molira* (italienisch), Johann *Votter* und *Böttner* (Zeichnen). Als Inspector fungirte Gottfried *Kerschbaumer*.

21 *Kenner* absolvirte 1816 im Convict, wurde später Magistratsrath in Linz und 1854 Bezirks-Vorsteher in Ischl, wo er gegenwärtig in Pension lebt. Er war auch Belletrist, und Schubert componirte mehrere seiner Lieder.

22 *Ebner* lebt als jubil. Cameralrath in Innsbruck.

23 *Kleindl*, Rath des obersten Gerichtshofes in Wien.

24 *Weiße*, der nachherige Professor und Advocat.

25 *Rueskäfer*, k.k. Unterstaats-Secretär; derzeit Reichsrath in Wien.

26 *Randhartinger*, geb. 1802 zu Ruprechtshofen, ebenfalls ein Schüler Salieri's, trat 1832 als Tenorist in die Hofcapelle, wurde 1844 Vice-Hofcapellmeister und nach Aßmayer's Tod 1862 Hofcapellmeister in Wien.

27 *Wisgrill*, der nachherige *Dr*. Med. und Professor, gest. 1851.

28 Wie es in Spaun's Aufzeichnungen heißt: »Der damals arme Schubert war durch Wochen und Monate der Gast eines Freundes im Wirthshause, und dieser theilte oft Zimmer und Schlafstätte mit ihm, so ist damit wohl Niemand anderer, als eben Spaun gemeint.«

an dessen Lebensende. Schubert war diesem Mann – und es liegen viele Beweise dafür vor – auf das herzlichste zugethan[29].

Albert *Stadler*[30] (geb. 1794 in Steyr, derzeit k.k. Statthaltereirath in Pension in Wien) trat im Jahre 1812 aus dem Stifte Kremsmünster in das Stadtconvict über, wo er bis 1815 blieb, und absolvirte 1817 die juridischen Studien. Er hatte Neigung zur Musik und Dichtkunst[31], spielte Clavier, componirte auch, und war Zeuge des Entstehens und Vortrages fast aller in der damaligen Zeit von Schubert aufgeschriebenen Compositionen, die er sich auch so schnell als möglich in Abschrift anzueignen wußte. Nach vollendeten Studien prakticirte Stadler bei dem Kreisamt in Steyr und kam um Ostern 1821 als Beamter zu der Landesregierung in Linz. Als Schubert in den Jahren 1819 und 1825 Oberösterreich besuchte, fanden sich die beiden Jugendfreunde in Steyr und Steyeregg zusammen, wo sie, insbesondere in dem Koller'schen und Paumgartner'schen Hause sowie auf dem gräflich Weißenwolf'schen Schloß in Steyeregg (bei Linz) genußreiche Stunden verlebten.

Anton Holzapfel befand sich bereits im Convict, als Stadler in dasselbe
eintrat, und absolvirte mit letzterem zugleich die juridischen Studien. Er 15
hatte, sowie auch Schubert, ursprünglich einen Stiftplatz im Stadtconvict aus der sogenannten Ferdinandeischen Sängerknaben-Stiftung »am *Hof*.« Holzapfel durfte sich rühmen, der älteste Jugendfreund Schuberts zu sein, und er war es, der sich schon der Erstlinge von dessen Liedern, als diese über die Schwelle des Convicts noch nicht hinausgedrungen waren, mit jugendlicher Begeisterung bemächtigte. Er galt als ein durchgebildeter Musiker, war im Besitz einer hübschen Tenorstimme, spielte auch das Cello und blieb Schubert fortan in treuester Anhänglichkeit ergeben[32].

Johann Michael Senn (geb. am 1. April 1795 zu Pfunds in Tirol), befand sich gleich anderen Söhnen von Tiroler Führern des Jahres 1809 gleichzeitig mit Schubert im Convict. Er war ein begabter feuriger Jüngling[33], verlor aber um das Jahr 1814 oder 1815 seinen Stiftplatz, weil er an einer Emeute der Zöglinge, welche aus Anlaß einer über einen Kameraden verhängten

29 Er dedicirte ihm die Sonate *op*. 78 und mehrere Lieder.

30 Ich verdanke ihm die hier folgenden Mittheilungen.

31 Von Stadler's Gedichten componirte Schubert das Singspiel »Fernando« (1815), das Lied: »Lieb Minna« (1816), ein zweites Lied für Josefine Koller (1820) und eine Cantate zu Ehren Vogl's (1819).

32 Nach absolvirten Studien begann er seine ämtliche Laufbahn bei den Landrechten in Wien (seiner Vaterstadt), wurde später Magistratsrath und lebt nun seit vielen Jahren als Pensionist in dem, nahe bei Wels gelegenen Schloß Aistersheim.

33 Die von L. *Kupelwieser* entworfene Porträtzeichnung *Senn's* zeigt einen schönen interessanten Kopf mit seinen Gesichtszügen. – Senn war einige Zeit hindurch Lehrer des Eduard von Sonnleithner, und auch Instructor im *Dr*. Gredler'schen Hause in Wien.

Carcerstrafe ausbrach, in hervorragender Weise theilgenommen hatte. Ueberzeugt von der Ungerechtigkeit der Strafe, und unbeugsamen Sinnes, zog er es vor, aus der Anstalt entlassen zu werden, als wegen seines Vergehens Abbitte zu leisten. Senn widmete sich um das Jahr 1823 dem Wehrstand
16 und wurde Offizier bei dem Regiment »Tiroler Kaiserjäger«. Sein Leben gestaltete sich in späteren Jahren zu einem düsteren Nachtstück. Im Kampf mit den Verhältnissen, seiner Umgebung und der Censur, verbittert und menschenscheu geworden, ohne Freunde und Stütze, ergab er sich zuletzt dem Trunk und starb 1857 einsam und verlassen im Militär-Spital zu Innsbruck. Von seinen Gedichten (die im Jahre 1838 daselbst bei Wagner erschienen) componirte Schubert das »Schwanenlied«. Senn widmete dem Freunde das Gedicht: »An S., den Tondichter«, und dem Dichter J. Mayerhofer, dessen Verhältniß zu Schubert noch zur Sprache kommen wird, zwei Sonette mit der Ueberschrift: »Andenken an M., den Dichter«. Es scheint übrigens, daß Senn nicht schon im Convict, sondern erst später bei Spaun oder Schober Schuberts nähere Bekanntschaft gemacht hat.

Das musikalische Treiben im Convict gestaltete sich damals zu einem ungewöhnlich belebten.

Dr. Josef Hauer (Fabriksarzt »in der Oed«), der im Jahre 1816 in dasselbe eintrat, spricht sich darüber folgendermaßen aus:[34]

»Mir war Schubert, mit dem ich aber erst um das Jahr 1825 persönlich bekannt wurde, sehr zugethan. Ich weiß nicht, ob diese Geneigtheit meiner musikalischen Befähigung oder vielmehr dem Umstande zuzuschreiben war, daß ich auch im Stadtconvict als Sängerknabe meine Bildung erhielt. Denn *hier* war die praktische Schule für Schubert. Tagtäglich wurden da des Abends Sinfonien, Quartette und Gesangsstücke aufgeführt. Dazu kam noch die Mitwirkung in der classischen Kirchenmusik. Ich erinnere mich, daß ich
17 daselbst noch Ouverturen und Sinfonieen von Schubert vorfand, die wir aufzuführen versuchten, wobei mir einzelne Stimmen als Schuberts Handschrift vorgewiesen wurden. Ich selbst schrieb mir einen Band seiner Lieder ab, unter denen einige waren, die ich in späteren Jahren weder gestochen noch geschrieben wieder vorfand. Leider ist dieß alles verloren.«

In einem Aufsatz *Kenners*[35] findet sich ebenfalls eine darauf Bezug habende Stelle. Da heißt es: »In dem Clavierzimmer übten sich nach dem Mittagessen in freier Zeit Albert *Stadler*, selbst Componist, und Anton *Holzapfel*, sein Classengenosse, im Vortrag Beethoven'scher und Zumstegscher Compositionen, wobei ich das ganze Publicum vorstellte, denn das Locale war nicht geheizt und daher schauerlich kalt. Dann und wann kam auch *Spaun*, und nach seinem Austritt aus dem Convict auch *Schubert* dazu. Stadler schlug

34 In einem an mich gerichteten Schreiben.

35 Wurde mir von Herrn Stadler mitgetheilt.

das Clavier, Holzapfel sang, hie und da setzte sich Schubert an den Flügel. Leopold *Ebner* lernte den Componisten erst kennen, nachdem dieser das Convict schon verlassen hatte; denn Schubert kam noch ein Paar Jahre hindurch von Zeit zu Zeit in die Anstalt, um seine Freunde zu besuchen und mit ihnen neue Lieder. Clavierstücke u.s.w. durchzumachen.« – Holzapfel und Stadler wirkten auch häufig in Vater Schuberts »Hausmusiken« mit. Im Convictsorchester spielte Holzapfel das Cello, Kleindl und Spaun die Violine; Senn blies das Horn und Randhartinger bearbeitete die Pauke.

Daß Franz während der Convictszeit, wenigstens was die materiellen Bedürfnisse anbelangt, nicht auf Rosen gebettet war, ergibt sich aus dem folgenden, vom 24. November 1812 datirten, an einen seinen Brüder (wahr- 18
scheinlich an Ferdinand) gerichteten Schreiben[36], welches durch seinen gemüthlich derben Inhalt zur Charakteristik des damals in das 16. Lebensjahr eingetretenen Jünglings immerhin Einiges beiträgt. Die Herzensergießung des armen Convictszöglings läuft in die folgende Bitte aus:

»Gleich heraus damit, was mir am Herzen liegt, und so komme ich eher zu meinem Zwecke, und Du wirst nicht durch liebe Umschweife lang aufgehalten. Schon lange habe ich über meine Lage nachgedacht und gefunden, daß sie im Ganzen genommen zwar gut sei, aber noch hie und da verbessert werden könnte; Du weißt aus Erfahrung, daß man doch manchmal eine Semmel und ein Paar Aepfel essen möchte, umsomehr, wenn man nach einem mittelmäßigen Mittagsmahle nach $8^{1}/_{2}$ Stunden erst ein armseliges Nachtmahl erwarten darf. Dieser schon oft sich aufgedrungene Wunsch stellt sich nun immer mehr ein, und ich mußte *nolens volens* endlich eine Abänderung treffen. Die paar Groschen, die ich vom Herrn Vater bekomme, sind in den ersten Tagen beim T–, was soll ich dann die übrige Zeit thun?

Die auf dich hoffen, werden nicht zu Schanden werden. Matthäus Cap. 2, V. 4.« So dachte auch ich. – Was wär's denn auch, wenn Du mir monatlich ein paar Kreuzer zukommen ließest. Du würdest es nicht einmal spüren, indem ich mich in meiner Klause für glücklich hielte und zufrieden sein würde. Wie gesagt, ich stütze mich auf die Worte Apostels Matthäus, der
da spricht: »Wer zwei Röcke hat, der gebe einen den Armen. Indessen 19
wünsche ich, daß Du der Stimme Gehör geben mögest, die Dir unaufhörlich zuruft,

Deines

Dich liebenden, armen hoffenden,
und nochmals armen Bruders Franz

zu erinnern.«

36 Abgedruckt in Ferdinand Schubert's Aufsätzen: »Reliquien«. (Neue Zeitschrift für Musik Jahrg. 1839.)

Mit dem väterlichen Hause blieb er während der Zeit seines Aufenthaltes im Convicte dadurch in Berührung, daß an Ferialtagen die von ihm componirten Streichquartette, oft unmittelbar nach ihrem Entstehen, in den dort üblichen Quartett-Uebungen[37] der Reihe nach aufgeführt wurden. Der alte Schubert pflegte dabei das Cello, Ferdinand die erste, Ignaz die zweite Violine und Franz die Viola zu spielen. Da war nun der Jüngste unter Allen der Empfindlichste. Fiel wo immer ein Fehler vor, und war er noch so klein, so sah er dem Fehlenden ernsthaft, zuweilen auch lächelnd ins Gesicht; fehlte der Vater, so ging er beim ersten Mal darüber hinaus; wiederholte sich aber der Fehler, so sagte er ganz schüchtern und lächelnd: »Herr Vater, da muß etwas gefehlt sein,« welche Belehrung dann ohne Widerrede hingenommen wurde. Den Mitspielenden gewährten diese Uebungen große Genüsse, dem Componisten aber den Vortheil, sich von der Wirkung, die seine Compositionen auf die Ausübenden und Zuhörenden hervorbrachten, sogleich zu überzeugen.

In der Ferienzeit pflegte Franz auch das Theater zu besuchen. Von den damals gegebenen Opern interessirte ihn ganz besonders Weigl's »Schwei-
20 zerfamilie«, die erste Oper, die er überhaupt hörte, und in welcher *Vogl* und die *Milder*[38] sangen; dann Cherubini's »Medea«, Boildieu's »Johann von Paris«, »Aschenbrödl« von Isouard, ganz besonders aber Gluck's »Iphigenia auf Tauris«, in welcher die oben genannten Künstler ebenfalls Vorzügliches leisteten. Diese letztere Oper versetzte ihn jedesmal in Entzücken und er

37 Diese fanden gewöhnlich an den Sonntagen Nachmittags statt.

38 *Anna Milder* wurde am 31. December 1785 in Constantinopel geboren, wo ihr Vater (Felix), ein geborner Salzburger, bei dem österr. Gesandten Baron *Herbert* als Conditor in Diensten stand. Um 1790 verließ die Familie Constantinopel, und begab sich zunächst nach Bukarest, dann aber, nach Ausbruch des Krieges zwischen Oesterreich und der Pforte, nach Pest und endlich nach Wien. Daselbst erhielt Anna von dem Dorfschulmeister *Tull* in Hütteldorf die erste Anleitung im Gesang; später übernahm S. Neukomm (aus Salzburg) ihre weitere Ausbildung, und machte sie auch mit seinem Lehrer J. Haydn bekannt. Durch Schikaneder zum Auftreten auf der Bühne bestimmt, sang sie 1803 zuerst die Rolle der Juno in Süßmayer's »Spiegel von Arkadien« mit großem Beifall. Cherubini componirte für sie die »Faniska«, Beethoven den »Fidelio«, Weigl das »Waisenhaus« und »die Schweizerfamilie«. Im Jahre 1810 verheirathete sie sich mit dem Juwelier *Hauptmann* in München; 1812 unternahm sie ihre erste Kunstreise und 1816 trat sie in ein festes Engagement in Berlin, welches bis 1829 währte. Von dieser Zeit an sang sie nur noch in Concerten in verschiedenen großen Städten; so in Wien noch im Jahre 1836, wo sie Schubert's Lied »Hermann und Thusnelda« vortrug. Während ihres Aufenthaltes in Berlin stand sie mit *Schubert* in brieflichem Verkehr, dessen noch erwähnt werden wird. »*Suleikas* (zweiter) *Gesang*« ist ihr gewidmet, und das Lied »Der Hirt auf dem Felsen« über ihre Bestellung von Schubert componirt. Milder starb im Jahre 1838 in Berlin.

zog sie, ihrer edlen Einfachheit und Erhabenheit wegen schließlich allen übrigen Opern vor[39].

Dieser Theaterbesuch erklärt auch einigermaßen die Thatsache, daß der geniale Jüngling sich alsbald mit staunenswerther Sicherheit in dramatisch- 21
musikalischen Arbeiten versuchte, wie denn bereits im Jahre 1813 von ihm die Composition der Zauberoper von Kotzebue: »Des *Teufels Lustschloß*« in Angriff genommen und im Jahre 1814 vollendet wurde, im Jahre 1815 aber mehrere Opern und Singspiele entstanden, von welchen an geeigneter Stelle die Rede sein wird.

Unter jenen Männern, welche auf Schubert's musikalische Bildung von Einfluß waren (wenn überhaupt bei Schubert von einem andern als etwa Beethoven'schen Einfluß die Rede sein kann), muß der damalige k.k. Hofcapellmeister Anton *Salieri* in erster Reihe genannt werden, da er es war, der das seltene Talent des Convictszöglings zuerst erkannte und ihm mehrere Jahre hindurch in der Composition Unterricht ertheilte. Aufmerksam gemacht durch das Lied: »Hagar's Klage« und einige Streichquartette, übergab er den jungen Componisten dem Musikdirector *Rucziczka* zur Unterweisung im Generalbaß. Als aber die Lectionen begannen, wiederholte sich das schon früher vorgekommene Schauspiel: Der Lehrer erklärte nämlich, daß sein Schüler schon Alles wisse. »*Der,*« sagte er, »hat's vom lieben Gott gelernt.« Die Folge davon war, daß sich Salieri seiner noch wärmer annahm und bald darauf die weitere Ausbildung dieses ungewöhnlichen Talentes selbst zu leiten begann. Da Salieri in Schubert's Lehrjahren die hervorragendste Rolle spielt, so möge ein kurzer Lebensabriß desselben hier seine Stelle finden und sein Verhältniß zu Schubert näher beleuchtet werden.

Salieri (Antonio), im J. 1750 in der venetianischen Stadt und Festung Legnago geboren, war der Sohn eines wohlhabenden Kaufmannes, der ihn
frühzeitig die lateinischen Schulen besuchen und durch den ältesten Sohn 22
Franz in der Musik unterrichten ließ[40]. Im sechszehnten Jahre traf ihn das traurige Schicksal, eine vater- und mutterlose Waise zu werden. Ein Freund seiner Familie, Giovanni Mocenigo, nahm ihn zu sich nach Venedig, wo er die begonnenen Studien mit neuem Eifer fortsetzte. So fand ihn der k.k. Hof- und Kammercapellmeister Florian *Gaßmann*[41], der nach Venedig ge-

39 Aus J. Spaun's Aufzeichnungen.

40 Ignaz Mosel: »Leben Salieris«.

41 *Gaßmann* (Florian Leopold), geb. 1729 zu Brüx in Böhmen, zeichnete sich als zwölfjähriger Knabe durch Gesang und Harfenspiel aus. Um dem Krämerstand zu entgehen, wozu ihn sein Vater bestimmt hatte, entfloh er in seinem dreizehnten Jahre aus dem väterlichen Hause, ging nach Carlsbad, wo er sich als Musikant in kurzer Zeit viel Geld verdiente, von da nach Venedig, um bei Pater *Martini* Musikunterricht zu nehmen. Nach zwei Jahren wurde er Organist in einem Nonnenkloster, und bald bemühten sich Kirchen und Theater um seine Compositionen. 1763 folgte er einem Rufe nach Wien als Balletcomponist. 1766 kehrte er mit Bewilligung des Kaisers, der ihn zum

kommen war, um für die Fenice eine neue Oper zu componiren. Er nahm ihn gleichsam an Kindesstatt an und wurde für die ganze Dauer seines Lebens sein Freund und Wohlthäter. An Gaßmann's Seite fuhr Salieri am 15. Juni 1766 in Wien's Mauern ein, die beinahe sechs Decennien später ihm die
23 letzte Ruhestätte gewähren sollten. Da ging es nun an ein eifriges Lernen. Gaßmann nahm mit ihm die contrapunctischen Studien nach Joh. Jos. Fux's[42] »*gradus ad Parnassum*« vor; ein anderer Lehrmeister unterrichtete ihn – allerdings mit kläglichem Erfolg – im Deutschen und Französischen; lateinische und italienische Poesie, Declamation, Rhythmik und Prosodie bildeten die übrigen Lerngegenstände. So ausgerüstet wurde er Kaiser Josef II. vorgestellt, wirkte sofort in der kaiserlichen Kammermusik mit und beschäftigte sich alsbald mit der Composition von Gesangs- und Instrumentalstücken, so wie von Kirchenmusik jeder Gattung. Im J. 1770 componirte er seine erste Oper : »*Le donne letterate*«, die sich großen Beifalls erfreute. Dieser folgten in den nächsten sechs Jahren ein Dutzend anderer Opern und Operetten. Im J. 1778 ging er auf einige Zeit nach Italien, wo er für die Theater in Venedig, Mailand und Rom abermals fünf Opern von Stapel ließ. Im J. 1781 schrieb er im Auftrag des Kaisers die deutsche Oper: »Der *Rauchfangkehrer*«, welche glänzenden Erfolg hatte. Auf Gluck's Empfehlung componirte er nun auch für Paris mehrere Dramen, die er daselbst persönlich zur Aufführung brachte. Unter diesen gilt »Tarare,« später als »Axur König von Ormus,« für die italienische Bühne umgearbeitet und gar bald eine Zierde aller deutschen Theater, für sein Meisterstück. Es war dies eben jene Oper, welche
24 auch Schubert's Beifall hatte.

Nach dem Tode des Hofcapellmeisters *Bono*[43] rückte Salieri auf dessen Posten vor, dem er nun bis an sein Lebensende mit größtem Eifer vorstand. Im J. 1789 dispensirte ihn Kaiser Leopold II. von der Operndirection, die sofort dem Capellmeister *Weigl* übertragen wurde. Mit erneuertem Eifer warf er sich wieder auf die Composition von Opern, Cantaten, Gesangstücken, Kirchenmusik, Sinfonien, Concertstücken u.s.w. Am 16. Juni 1816 feierte er sein 50jähriges Dienstjubiläum, an welchem auch Franz Schubert Antheil nahm und wovon noch ausführlich die Rede sein wird.

Hof- und Kammerorganisten ernannt hatte, nach Venedig zurück, um daselbst – und auch in Mailand – seine Opern aufzuführen. Von Venedig nahm er den jungen Salieri mit sich nach Wien. Im Jahre 1771 wurde er (nach Reuter's Tod) Hofcapellmeister, und 1772 stiftete er in Wien die (noch bestehende) Witwencasse für inländische Tonkünstler. G. starb in Folge eines Sturzes vom Wagen 1772 in Italien. Von seinen Kirchencompositionen pflegte auch Mozart mit Achtung zu sprechen.

42 *Fux*, geb. 1660 in Ober-Steiermark, wurde 1715 Hofcapellmeister. Er schrieb Kirchen-, Kammer- und dramatische Musik, und ist Verfasser des *gradus ad Parnassum*. Er starb zu Wien 1741.

43 *Bono*, Hofcapellmeister, geboren 1710 zu Wien, gestorben daselbst 1788.

Von nun an trat er nicht mehr als schaffender Meister öffentlich auf, da er wohl fühlte, wie weit der Zeitgeschmack von jenem abzuweichen begann, den er für den einzig richtigen gehalten hatte. In seiner Eigenschaft als Vicepräses des Institutes der Tonkünstler[44] (dessen Präses im J. 1818 Graf Kuefstein, später Graf Moriz Dietrichstein war), dann als Oberleiter der Singschule, womit von der Gesellschaft der Musikfreunde der Grund zur Errichtung des vaterländischen Conservatoriums gelegt wurde, hatte er noch immer ein reiches Feld der Thätigkeit vor sich, und es war ihm in der That eine Art Befriedigung, mehrere Male in der Woche in den Vormittagsstunden jungen Talenten beiderlei Geschlechtes unentgeltlichen Unterricht im Gesang, Generalbaß und in der Composition zu ertheilen. 25

Seit seinem Eintritt in das siebenzigste Lebensjahr kränklich, bat er im Jahre 1824 um seine Pensionirung und starb am 7. Mai 1825 in Wien, wo er auch begraben liegt.

Salieri galt bei seinen Zeitgenossen nicht nur als ein fleißiger[45], melodienreicher, warm fühlender und tiefdenkender Meister, sondern auch als ein höchst liebenswürdiger Mensch. Freundlich, gefällig, wohlwollend, lebensfroh, witzig, unerschöpflich in Anecdoten und Citaten, ein seines, niedlich gebautes Männchen, mit feurig blitzenden Augen, gebräunter Hautfarbe, immer nett und reinlich, lebhaften Temperamentes, leicht aufbrausend, aber ebenso leicht auch zu versöhnen, – so schildert ihn Hofrath Friedrich v. *Rochlitz*[46], der im Jahre 1822 mit ihm in Wien zusammenkam. Die deutsche Sprache erlernte er nie; im Feuer der Rede warf er französische und italienische Wörter dazwischen und pflegte sich damit zu entschuldigen, daß er erst seit 50 Jahren sich in Deutschland aufhalte.

Salieri wohnte im Innern der Stadt. Seilergasse im eigenen Hause. Dahin wanderte nun (in den Jahren 1813 bis 1817) der junge Schubert, die Notenhefte unter dem Arm, um dem Maestro seine Ausarbeitungen vorzulegen und von diesem die Instructionen zu empfangen, wie er es zu machen habe, 26
wenn er ein guter Componist werden wolle[47]. Salieri war mit Schuberts

44 Secretär des Institutes war im Jahre 1824 der Vice-Hofcapellmeister Eybler, der nach Salieri's Pensionirung Hofcapellmeister wurde.

45 Er schrieb an 40 Opern, 12 Oratorien, Cantaten, Messen, ein Requiem, 4 Concerte für verschiedene Instrumente, eine Sinfonie (1776), Ouverturen, Serenaden, Ballet-Musik, endlich dramatische Musik in tragischem, tragikomischem, heroischem, heroisch-komischem und »akademischem« Styl.

46 In dem Buch: »Für Freunde der Tonkunst«, Leipzig 1832, IV. Bd. – *Mozart* gegenüber, dessen Ueberlegenheit S. instinctartig fühlte, war er übrigens schlau und intriguant genug, um sein Emporkommen im Stillen zu hindern. (O. Jahn »Mozart« III. Bd., S. 61 u.s.f.)

47 Damals schon konnte man, wenn Salieri's Unterricht vor abgelaufener Stunde beendet war, den genialen einen »guten Tropfen« liebenden Schüler in eine, der Behausung des Hofcapellmeisters ganz nahe gelegene Weinhandlung hineinschlüpfen sehen, wo

Compositionsweise und namentlich mit den dichterischen Vorwürfen, die dieser sich wählte, um sie in Musik zu setzen, nicht ganz einverstanden; er verlangte, daß Franz von seinen Versuchen, Göthe'sche und Schiller'sche Verse zu componiren, ablasse, mit seinen Melodien haushalte, bis er reifer sein werde, und sich dafür an italienischen Stanzen übe[48]; er anerkannte aber das außerordentliche Talent seines Schülers, und als ihn dieser wieder einmal mit verschiedenen Compositionen überrascht hatte[49], rief er aus: »Der kann doch alles; er ist ein Genie! Er componirt Lieder, Messen, Opern, Streichquartette, kurz Alles, was man will.« Welch freudigen Stolz er über Schubert's erste Messe (in *F*) empfunden, wird zur Stelle erwähnt werden.

Es unterliegt keinem Zweifel, daß Schubert aus Salieri's Unterricht jenen Nutzen gezogen hat, welchen jeder hochbegabte Schüler aus den praktischen
27 Andeutungen eines in der musikalischen Kunst seit einem halben Jahrhundert herangebildeten und selbstschaffenden Meisters immerdar schöpfen wird. Aber die Geistes- und Geschmacksrichtung des durch und durch an den Traditionen der alt-italienischen Schule festhaltenden Lehrers und jene seines Schülers, der, von dem Schwung seiner Phantasie hingerissen, bereits anfing, das beflügelte Rößlein im Land der Romantik zu tummeln, war eine so total verschiedene, daß an ein längeres Zusammengehen Beider nicht zu denken war. Schubert vertraute schon der eigenen Kraft; ihm lag der Weg klar vor Augen, den er zu wandeln hatte, um seine Mission zu erfüllen, und von Salieri hatte er eben so wenig mehr zu lernen, als vor ihm Beethoven, der ja auch einige Zeit dahin in die Schule gegangen war, um dramatische Musik zu studiren[50]. Es ist daher ganz gleichgültig, aus welchem der verschiedenen Anlässe, die von Zeitgenossen angegeben werden, Schubert sich von dem alten Maestro plötzlich losgesagt hat[51]; der Bruch war unvermeidlich und

er in Gesellschaft eines ehemaligen Gespielen *Franz Doppler* (der mir dies mittheilte) manch Stündchen vertrank und verplauderte.

48 Die Composition einer solchen Stanze besitzt A. Stadler in Wien. Sie trägt das Datum 1813.

49 Als Curiosum dieser Art theilte mir Herr Josef Hüttenbrenner mit, daß Schubert, nachdem ihm Salieri gesagt hatte, er könne nun schon eine Oper schreiben, von dem Unterricht mehrere Wochen weggeblieben sei, und sodann dem überraschten Meister die fertige Partitur von »des Teufels Lustschloß« (1813–1814) zur Durchsicht vorgelegt habe.

50 Bekanntlich sagten Albrechtsberger, bei welchem Beethoven Generalbaß, und Salieri, bei dem er das Opernfach studirt hatte, von ihrem Zögling, er werde zu seinem Schaden später lernen, was er sich geweigert, auf ihr Wort zu glauben.

51 So führt z.B. Herr Doppler (Geschäftsführer der Musikalien-Verlags-Handlung Spina) als Hauptmotiv von Schubert's Bruch mit Salieri das Factum an, daß letzterer in der Schubert'schen *B*-Messe alle Stellen durchstrich und corrigirte, die an Haydn oder Mozart erinnerten. Schubert sei mit der corrigirten Messe zu ihm (Doppler) gekommen, habe sie zornig auf den Tisch geworfen und erklärt, er wolle nun von Salieri nichts

die ganz natürliche Folge von Schubert's in den riesigsten Sätzen fortstürmender musikalischer Entwicklung. Des Schülers dankbares Gemüth hielt 28
übrigens das Andenken des Lehrers bis an sein Lebensende hoch in Ehren, was auch einige Aufzeichnungen in dem Tagebuch und das zu Ehren der Jubelfeier, von Schubert selbst verfaßte Festgedicht bezeugen.

Was Schubert's musikalische Thätigkeit anbelangt, so fallen in das Jahr 1813 die Anfänge einer *Oper*, eine *Sinfonie*, eine *Cantate*, wenige *Lieder* und eine unverhältnißmäßig große Anzahl mehrstimmiger *canonartiger Gesänge*.

Die Sinfonie in *D*, die *erste* der von Schubert ganz oder zum Theil vollendeten acht Sinfonien[52], sollte die Namens- oder Geburtstagsfeier des Convicts-Directors Innocenz Lang verherrlichen, und wurde von Zöglingen der Anstalt aufgeführt. Sie besteht aus vier Sätzen[53] und ist noch unverkennbar im Stil der älteren Meister gehalten. – Die Cantate enthält nur ein Terzett (für 2 Tenore und 1 Baß) »Zur Namensfeier des Vaters, die Worte gedichtet und mit Guitarrebegleitung componirt von F. Schubert am 27. September 1813«. Das Terzett, ein einfach melodiöser Gesang, beginnt mit einem kurzen Andante (*A-dur* $^{12}/_{8}$) und schließt bewegter mit einem Allegretto ($^{6}/_{8}$), das den eigentlichen Glückswunsch des Sohnes enthält[54]. – Die *Canons*, zumeist auf 29

mehr wissen. – Andere meinen wieder, die Anforderung an Sch, italienische Stanzen zu componiren, habe diesen aus S's. Nähe vertrieben.

52 Ferdinand Schubert erwähnt auch der Skizze einer neunten, die er 1846 an Mendelssohn übergeben haben will.

53 Einleitung (*Adagio*) und *Allegro vivace* $^{4}/_{4}$, Andante *G-Dur* $^{6}/_{8}$ Menuett und Trio (*Allegro D-Dur*), Finale (*Allegro vivace D-Dur* $^{4}/_{4}$). – Das Manuscript mit dem Datum 28. Oct. 1813 besitzt *Dr.* Schneider in Wien. Am Schluß der Partitur stehen die Worte:*Finis et fine*.

54 Das Schubertsche Gedicht lautet:
(*Andante*) Ertöne Leyer
Zur Festesfeier.
Apollo steig hernieder,
Begeistre unsere Lieder.
(*Allegretto*) Lange lebe unser Vater Franz,
Lange währe seiner Tage Chor
Und in ewig schönem Flor
Blühe seines Lebens Kranz.
Wonnelachend umschwebe die Freude
Seines zürnenden Glückes Lauf,
Immer getrennt vom trauerndem Leide
Nehm' ihn Elisiums Schatten auf.
Endlos wiedertöne holde Leyer –
Bringt des Jahres Raum die Zeit zurück –
Sanft und schön an dieses Tages Feier
Ewig währe Vater Franzen's Glück.
Das Autograf des Terzettes mit der Aufschrift: »Auf die Namensfeier meines Vaters, 27. Sept. 1813«, besitzt *Dr.* Schneider, deßgleichen ein zweites: »Namensfeyer« betitelt

Gedichtfragmente von Schiller componirt, sind als Studien in dieser Form, vielleicht auch für die Kameraden im Convict geschrieben[55]. Sie sind fast durchweg dreistimmig und von Männerstimmen vorzutragen. Ein schöner
30 Gesang ist das (nicht canonartige) Terzett: »Todtengräberlied« von Hölty (für 2 Sop. und 1 Baß). Auch Streichquartette, drei Kyrie, drei Menuette mit Trio's für Orchester, die dritte »Clavierfantasie,« eine Fuge für Clavier[56] und ein Octett[57] für Blasinstrumente gehören dieser Zeit an.

Und hier endet bereits die erste Periode von Schubert's eben so kurzer als fruchtbarer Künstlerlaufbahn. Es ist dies eine Zeit rastlosen, fast unbewußten Schaffens, in welcher der kaum noch an das Jünglingsalter herangereifte Knabe, einerseits dem reichen Spiel seiner Fantasie sich überlassend, anderseits immerhin noch an den Formen der vorausgegangenen Meisterwerke festhaltend, in seinen Instrumentalcompositionen vorwiegend Zwittergebilde zu Tage förderte, die allerdings auf eine ungewöhnliche Begabung schließen lassen, während in einigen seiner Lieder die Eigenthümlichkeit seines Genius schon prägnanter zu Tage tritt.

Die nächstfolgenden Jahre dürfen insoferne mit dem Namen »Schuberts Lernjahre« bezeichnet werden, als er bei Salieri sistematischen Unterricht in der Compositionslehre nahm, und sich nebenbei mit gewohnter Rührigkeit in den verschiedensten Musikgattungen als schaffender Künstler versuchte. Diese Lernzeit läßt sich allerdings nicht mit der strengen Zucht vergleichen, unter welcher andere große Meister – wie beispielsweise Mozart und Men-
31 delssohn – gestanden und durch eine Reihe von Jahren in stetem methodischem Fortschreiten ihre Geisteskraft harmonisch entwickelt haben; Schubert's wunderbar rasche Entfaltung erinnert vielmehr an das Voranstürmen ihm verwandterer Geister, wie Beethoven und Schumann; – anderseits widerlegt aber die verbürgte Thatsache, daß Schubert damals schon, und nach seinem eigenen Zeugniß auch später in der *Instrumentalmusik* dem Studium anerkannter Meisterwerke mit allem Eifer obgelegen habe, den vielverbreiteten Glauben, daß er im Grund nie etwas Rechtes gelernt habe und nur als ein höchst genialer Naturalist anzusehen sei. Im *Lied* trat allerdings in frü-

(27. Sept. 1815), bestehend aus einem Gesangsstück: »Du Erhabener« u.s.w. (*Adagio Es-Dur*).

55 Die große Anzahl dieser nacheinander entstandenen Canons erinnert an Mozart, der an *Einem* Tag (2. Sept. 1788) deren zehn niederschrieb. (O. Jahn »Mozart« III. Bd.) – Das Gedicht von Schiller: »Elisium« ist für diese Canons hauptsächlich ausgebeutet, und zwar die 1., 2., 4. und letzte Strophe.

56 Das Autograf derselben besitzt Herr Josef Hüttenbrenner in Wien.

57 Das Octett mit dem Datum 19. Sept. ist für Clarinette, Fagott, Trompete und Horn geschrieben, und in Ferd. Schubert's Verzeichniß als »Franz Schubert's Leichenfeier« eingetragen. Vielleicht hatte es einen Bezug zu dem Leichenbegängniß von Schubert's Mutter. Diese Composition ist mir nie zu Gesicht gekommen.

hester Zeit schon eine so vollendete Meisterschaft und Originalität zu Tage, daß Schubers künstlerische Erscheinung nach *dieser* Seite hin geradezu ohne Gleichen ist.

II.

(1814.)

Schubert's Aufenthalt im Convict währte vom October 1808 bis zu Ende desselben Monats 1813, mithin volle fünf Jahre. In dem Stimmorgan des nun bald siebenzehnjährigen Jünglings war nämlich um diese Zeit jene Wandelung eingetreten, welche man mit »Mutiren« der Stimme zu bezeichnen pflegt, und er konnte demnach als Sängerknabe nicht mehr verwendet werden. Franz hätte zwar seine Studien daselbst noch über die erste Humanitätsclasse hinaus fortsetzen können, denn der Kaiser, welcher von dem Verhalten der Convictszöglinge fortan auf das genaueste unterrichtet war, gestattete sein ferneres Verbleiben darin[1]; er hatte aber keine Lust noch weiter zu studiren, zumal er sich einer Wiederholungsprüfung hätte unter- 33
ziehen müssen, und verließ die Anstalt, um zunächst in das väterliche Haus zurückzukehren[2].

Nach einer Angabe Ferdinand Schubert's[3] war die Aufforderung zum Militärdienst, nach einer anderen Version aber das Bestreben des Vaters, ihn vom Componiren abzuhalten und einer anderen Beschäftigung zuzuführen, die Ursache, daß Franz sich längere Zeit hindurch dem Lehrfach widmen mußte. Während des Schuljahres 1813–1814 studirte er zu diesem Ende bei St. Anna Pädagogik und übernahm sodann in des Vaters Schule das Amt eines Gehülfen in der Vorbereitungsclasse (ABC-Schule), das er nun durch drei Jahre zwar mit innerlichem Widerstreben, aber trotzdem mit Pflichttreue und einem Eifer versah, der sich mitunter, wenn er es mit einem störrigen Kinde zu thun hatte, zu Ungeduld und Jähzorn steigerte[4].

Um so erstaunlicher erscheint seine Productivität, namentlich im Jahr 1815. Schon im Beginn des Pädagogenthums fand er Gelegenheit, sich durch

1 Dies geschah mit Entschließung vom 21. Oct. 1813 unter *der* Bedingung, daß er die 2. Fortgangsclasse während der Ferialzeit verbessere, daher die Prüfung wiederhole. In diesem Falle sollte ihm ein sogenannter Merveldt'scher Stiftplatz verliehen werden. (Nach einer Mittheilung des Herrn Ferd. Luib.) – Die Behauptung eines nahen Freundes Schubert's, daß dieser aus dem Convict *entwichen* sei, wird von anderen Zeitgenossen, namentlich auch von A. *Stadler* als irrig bezeichnet.

2 Der Tag seines Austrittes liegt zwischen dem 26. October und dem 6. November 1813.

3 In den Aufsätzen: »Aus Franz Sch's Leben«.

4 Seine Schwester Therese theilte mir mit, daß Franz in der Schule strenge und jähzornig gewesen sei, und die Kinder oft in *handgreiflicher Weise* bestraft habe.

eine Kirchencomposition hervorzuthun, die seinen Namen in weiteren
Kreisen bekannt machte und ihm die Anerkennung seiner musikalischen
Freunde, insbesondere seines Lehrers Salieri, in hohem Grad eintrug. Es war
dies die Messe in *F*, welche er zur Feier des hundertjährigen Jubiläums der
Lichtenthaler Pfarrkirche schrieb, und deren Aufführung (am ersten Sonntag
34 nach dem Theresentag) er unter Mitwirkung Josef Mayseder's an der ersten
Violine in Person dirigirte. Die Sopranpartie sang *Therese Grob*[5], eine Lieb-
35 lingssängerin des Componisten und einer Familie angehörend, zu welcher
Schubert damals und bis gegen das Jahr 1820 hin in freundschaftlichen Beziehungen stand. Salieri, hoch erfreut über die Arbeit seines Zöglings, um-
armte diesen am Schluß der Aufführung, indem er ihm zurief: »Franz, du
bist mein Schüler, der mir noch viele Ehre machen wird«[6].

Die Messe[7] wurde bald darauf in der Augustinerkirche unter Umständen wiederholt, welche die Aufführung zu einem Familienfest gestalteten. Franz

5 *Therese Grob* war die Tochter des (um jene Zeit 1814 schon verstorbenen) *Heinrich Grob* und seiner Frau *Therese*, welch letztere im Lichtenthal ein Seidenfabriksgeschäft besaß. Schubert kam in dieses Haus nach seinem Austritt aus dem Convict, ohne Zweifel angezogen durch die schöne Stimme des Mädchens *Therese* (damals beiläufig 15 Jahre alt) und das musikalische Talent ihres Bruders *Heinrich*, der Violoncell und besonders gut Clavier spielte. Für *Therese*, deren glockenreine Stimme bis in das hohe *D* reichte, schrieb Schubert ein *Tantum ergo* und ein *Salve regina*. *Heinrich* G. dirigirte zu Schubert's Zeiten (und auch später noch) mitunter die Kirchenmusik auf dem Lichtenthaler Chor, während Schubert sich gewöhnlich unten in der Kirche aufhielt, um die Musik besser zu hören. Selbstverständlich wurde in diesem Familienkreis viel musicirt, und namentlich auch Schubert's Messen für die Aufführungen im Lichtenthal, in Grinzing, Heiligenstadt u.s.w. unter des Componisten Leitung einstudirt. Schubert, der daselbst wie ein Kind des Hauses aufgenommen war, brachte seine Lieder mit (das erste, welches Therese zu Gesicht bekam, war jenes: »Süße heilige Natur«) und schrieb unter anderem auch für seinen Freund *Heinrich* G. (im Oct. 1816) ein *»Adagio et Rondo concertant pour le Pianoforte avec accompagnement de Violine, Viola et Cello«* (im Besitz des Herrn Spina). Sein Verkehr mit dem Grob'schen Haus dauerte bis beiläufig zum Jahr 1820, um welche Zeit *Therese* sich verheirathete und der Tondichter in andere Kreise hineingezogen wurde. Um das Jahr 1837 übersiedelte Heinrich Grob mit seinem Geschäft in die innere Stadt, wo es seit seinem im Jahr 1855 erfolgten Tod von seiner Witwe (einer gebornen *Müllner*, Holzhändlerstochter) und den zwei Söhnen derzeit noch betrieben wird. *Therese*, welcher ich diese Mittheilungen verdanke, seit mehr als zwanzig Jahren Witwe des Bäckermeisters *Bergmann*, lebt noch, als eine frische und heitere Frau, in Wien. – Die Familie Grob soll noch unbekannte Compositionen Schubert's besitzen, deren Einsicht ich aber nicht erlangen konnte.

6 Einer Mittheilung des Herrn Doppler entnommen, welcher bei der Aufführung mitwirkte.

7 Wie auf dem, in Händen des *Dr*. Schneider in Wien befindlichen Autograf zu lesen ist, schrieb Sch. diese Messe in der Zeit vom 17. Mai bis 22. Juli 1814. Das *Kyrie* entstand am 17. und 18. Mai, das *Gloria* am 21. und 22., das *Gratias* vom 25.–28., das Quoniam am 28. Mai, das *Credo* vom 30. Mai bis 22. Juni, das *Sanctus* und *Benedictus* am 2. und 3., das *Agnus Dei* am 7. und das *Dona nobis* vom 15.–22. Juli. Die*F*-Messe ist nicht im Stich erschienen.

stand am Dirigentenpult, sein Bruder Ferdinand spielte die Orgel, den Sopranpart trug wieder Therese Grob vor und in die übrigen Stimmen hatten sich Freunde und Bekannte getheilt. Als *regens chori* fungirte Michael Holzer. Der Vater beschenkte seinen Sohn Franz nach diesem Fest mit einem fünfoctavigen Clavier[8].

Auch ein *Salve regina*[9] für Tenor, ein *Lied*: »Wer ist wohl groß« mit Chor und Orchesterbegleitung, fünf *Menuette* und sechs *Deutsche*, für Streichquartett und Waldhörner gesetzt, drei *Streichquartette*[10] eine mäßige Anzahl 36
Lieder (darunter zehn auf Gedichte von Mathisson) fallen in diese Zeit. Unter den letzteren befindet sich eines: »*Auf den Sieg der Deutschen*« betitelt, ein tanzartiges unbedeutendes Strofenlied[11] mit Begleitung von Saiteninstrumenten, ohne Zweifel eine Gelegenheitscomposition, die auf die glückliche Beendigung des Krieges gegen Frankreich Bezug hatte und vielleicht im Freundeskreis gesungen wurde. Endlich ist noch einer großen vierhändigen *Sonate*[12] in *C-Moll* zu erwähnen, welche aber unvollendet geblieben ist.

Am 15. Mai 1814 beendete Franz die im Jahre 1813 in Angriff genommene »natürliche Zauberoper«: *Des Teufels Lustschloß*[13] in drei Acten von Kotzebue. Das Stück ist, so weit es den musikalischen Theil betrifft, in gereimten 37
Jamben geschrieben, enthält aber viel gesprochenen Dialog.

Der Inhalt desselben ist folgender: Oswald Ritter von Scharfeneck hat Luitgarde, die Nichte des Grafen von Schwarzberg, da dieser die Verbindung beider nicht zugeben wollte, heimlich aus des Oheims Schloß entführt und geheirathet. Nach längerer Abwesenheit kehrt er mit ihr in die Heimat zurück, um sich auf seinem Besitzthume niederzulassen. (Hier beginnt das

8 So erzählt Ferdinand Sch. in: »Aus Franz Sch's. Leben«. – Therese *Grob* erinnert sich nicht dieser zweiten Aufführung.

9 Das Autograf besitzt *Dr.* Schneider. Die Begleitung des *Salve regina* bilden Violine, Viola, Oboe, Fagott, Horn und Contrabaß.

10 In *B*- und *D-Dur* und in *C-Moll*. Jenes in *B* wurde in einer von Herrn Josef Hellmesberger's Quartettproductionen im Jahre 1862 – aber mit Kürzungen und Einschaltungen von Theilen aus anderen Quartetten – zur Aufführung gebracht, und ist in neuester Zeit bei Spina, der das Autograf davon besitzt, in Stimmen im Stich erschienen.

11 Die Textworte lauten:
Verschwunden sind die Schmerzen,
Weil aus beklemmten Herzen
Kein Seufzer wiederhallt.
Drum jubelt hoch ihr Deutsche,
Denn die verruchte Peitsche
Hat endlich ausgeknallt.

12 Das Clavierstück besteht aus einem *Adagio*, einem *Andante amoroso* in *B*, einem *Allegro* in *B* und einem *Adagio* in *Des*. Das Autograf dieser etwas ungeklärten Arbeit besitzt Herr Statthaltereirath Albert Stadler in Wien.

13 Die Original-Partitur besitzt *Dr.* Schneider.

Stück.) Die Scene stellt eine rauhe Gegend dar; der Wagen des Ritters ist eben auf dem schlechten Wege entzwei gebrochen; Diener sind um Luitgarde beschäftigt, und Robert, Oswald's treuer Begleiter, eilt voraus, um für sie und das Gefolge Unterkunft zu suchen, die er denn auch in einem nahen Wirthshause findet. Oswald und Luitgarde folgen ihm nach. Die Wirthin begrüßt die beiden Fremdlinge und läßt sich mit ihnen in ein Gespräch ein. Bald darauf tritt ein Bauer in die Stube, um dem Ritter kundzuthun, daß die Gegend ringsumher unter dem Banne eines Zauberschlosses leide, welches, dem nächtlichen Spuk nach zu urtheilen, nur des Teufels Schloß sein könne. Oswald beschließt, allen Warnungen zum Trotz, den Bann zu brechen, und eilt mit Robert in das Schloß. Sie treten in einen fantastisch aufgeputzten, mit Statuen und einem Grabdenkmal geschmückten Saal. Alsbald beginnt der Zauberspuk. Eine colossale, aus der Erde herausreichende Hand versetzt Robert einen Schlag und verschwindet, worauf dieser eine der Statuen zu Boden wirst und Oswald das Gleiche mit einer zweiten Statue versuchen will. Diese aber wirst ihm ihren Handschuh zu Füßen, den er aufhebt und
38 mit ihr den Kampf beginnt, an welchem alsbald noch weitere vier Statuen mit gezückten Schwertern theilnehmen. Während des Gefechtes steigt eine schwarzgekleidete Amazone vom Grabdenkmal herab und bietet dem Ritter Herz und Hand, mit dem Bedeuten, daß er sterben müsse, wenn er sie nicht annehme. Oswald, eingedenk seiner Luitgarde, weist das Anerbieten zurück, worauf ein aus dem Boden herauftauchender Käfig ihn umfängt und mit ihm versinkt. – Im zweiten Act finden wir Robert weheklagend auf der Erde liegen und nach seinem Gebieter rufen; zu ihm gesellt sich Luitgarde, die den Gatten sucht. Diesen, der in eine gräßliche Höhle hinabgesunken, erwartet das Blutgericht. Ein türkischer Marsch ertönt, welchem ein Chor der Jungfrauen folgt. Die Amazone sucht den Ritter abermals zu überreden, aber auch diesmal widersteht er ihren Lockungen. Da erschallt der Ruf zur Rache; Oswald soll vom Felsen gestürzt werden. Die Todtenglocke läutet, ein Trauermarsch spielt und die Todtenbahre wird herbeigebracht. Männer und Jungfrauen singen im Chor. Ein Knappe ruft Oswald zu, der Gattin zu vergessen; ein Sclave flüstert ihm in's Ohr, sich zu verstellen und dem Wunsch der Amazone nachzukommen, da er nur so sich retten könne. Der Verrath des Sclaven aber wird entdeckt und dem Ritter befohlen, zum Zeichen seiner Liebe für die Fürstin den Sclaven mit dem Schwerte zu durchbohren. Er weigert sich dessen, und mit der Waffe, die man ihm in die Hand gegeben, bahnt er sich den Weg auf einen Felsen. Dort von allen Seiten angegriffen und nicht mehr im Stande zu widerstehen, wirst er die Waffe von sich und stürzt sich von der Klippe in den Abgrund.

Im dritten Act erscheint Luitgarde, um ihren Gemahl trauernd. Robert
39 tritt zu ihr. Da taucht aus der Erde Oswald's Waffenrüstung heraus. Luitgarde eilt auf diese zu; die Trophäe verschwindet. Verzweifelnd an der Rettung

des Gatten, befiehlt sie Robert, in seine Heimat zurückzukehren und sie hier sterben zu lassen. Robert aber erklärt, bei ihr ausharren zu wollen, und um seinen Muth zu zeigen, stürzt er sich auf das in einer alten Mauer im Hintergrunde befindliche große Thor und führt gegen dasselbe gewaltige Stöße. Das Thor springt krachend auf, die Mauer bricht zusammen und man erblickt nun auf einem Felsen den Knappen mit dem Beil, neben ihm den Block. Ein zweiter Knappe verkündet der trostlosen Luitgarde, daß Oswald seit einer Stunde todt sei. Entschlossen, ihrem Gatten in das Grab zu folgen, klimmt sie auf den Felsen, legt ihr Haupt auf den Block und erwartet den Todesstreich.

Da wird Oswald, gefesselt und mit verbundenen Augen, daher gebracht. Man nimmt ihm die Binde weg, und als er Luitgilden erblickt, entwindet er sich den Armen seiner Häscher, eilt auf den Felsen, stürzt den Henker in die Tiefe und schließt sein Weib in die Arme. – Die kaum Geretteten sehen sich neuen Gefahren preisgegeben. Von allen Seiten ergießen sich Wasserströme und drohen, fortan anschwellend, allem Lebenden den Untergang. – Ein Donnerschlag und die Felsen stürzen zusammen, an ihrer Stelle erscheinen Rosenbeete, die Wasser verlaufen sich. Nun erscheint Graf Schwarzberg mit Gefolge und beruhigt das vor seinem Anblick zurückprallende Paar mit der Erklärung, daß er selbst den ganzen Zauberspuk ersonnen und mittelst Maschinerien, unterirdischer Gänge, Vermummungen seiner Leute u.s.f.
durchgeführt habe, um Oswald und seiner Gattin Treue auf die Probe zu 40
stellen. Da diese sich so glänzend bewährt habe, so sei ihnen auch ihr Vergehen verziehen.

Der Oper geht eine Ouverture[14] voraus, ein rasch dahinbrausendes charakteristisches Tonstück von unverkennbar Schubert'schem Gepräge. Der erste Act beginnt mit einer *Introduction*, in welcher Robert und die Bedienten des Grafen Oswald beschäftigt sind. Im weitern Verlauf gesellen sich einige Bauern dazu, und es entwickelt sich ein lebhaftes *Ensemble*, womit dieses erste Musikstück abschließt. Die zweite Nummer ist ein in Strofenform gehaltenes *Trinklied* Robert's; diesem folgt ein *Duett* zwischen Oswald und Luitgarde, eine *Arie* der letzteren, ein *Quartett* (Oswald, Robert, ein Bauer und die Wirthin), eine *Baßarie* des Bauers, ein *Terzett* (Oswald, Robert und die Wirthin), eine *Arie* der Wirthin und ein *Lied* Oswald's. Nach diesem beginnt der *Geisterspuk* und ein *Ensemble*, an welchem sich Oswald, Robert, eine Amazone und vier Statuen betheiligen[15]. Die Scene verwandelt sich

14 Diese Ouverture wurde als Einleitung zu Schuberts Operette: »*Der häusliche Krieg*« (die Verschwornen) in einem Gesellschaftsconcerte in Wien am 1. März 1861, wahrscheinlich zum ersten Male öffentlich aufgeführt, und ist wohl das einzige bis jetzt bekannt gewordene Musikstück dieser Oper.

15 Das Eingreifen der Statuen in den Gesang bezeichnet jedesmal Horn- und Posaunenbegleitung.

sodann in den antiken Tempel mit dem Grabmal, und eine *Arie* Robert's
41 schließt den ersten Act[16].

Der zweite beginnt der Situation gemäß mit einem düsteren *Vorspiel* (*Grave D-moll* $^4/_4$). An dieses reihen sich Recitativgesänge Robert's und Luitgarden's und eine *Arie* des ersteren an. Aus der Ferne ertönt sanfte Musik[17], die immer näher herankommend in einen mit dem vollen Lärmapparat türkischer Musik ausgestatteten *Marsch* übergeht. Jungfrauen erscheinen mit Lauten. Flöten und Cimbeln, ihren Gesang (ein Strofenlied) begleitend. Bald aber ändert sich die Situation; dem Triumphmarsch folgt ein *Trauermarsch*, an welchen sich der Chor der Männer und Jungfrauen anschließt. Ein *Ensemblestück* (Oswald, der Knappe, die Schöne, der Sclave und der Chor) beendet diesen Act[18].

Der dritte enthält nur zwei Musikstücke: Ein *Terzett* (Oswald, Robert, Luitgarde) und einen *Schlußchor*. Vollendet wurde die Oper am 14. Mai 1814. Zu öffentlicher Aufführung ist sie nie gelangt. Schubert hat übrigens dieses Zauberspiel in demselben Jahr noch einmal componirt, und soll diese zweite Bearbeitung eben jene gewesen sein, mit welcher er seinen Lehrer
42 Salieri überraschte[19]. Von den drei Acten sind nur der erste und der letzte erhalten, der zweite ist der Vernichtung anheimgefallen[20].

In den letzten Tagen des Jahres 1814 machte Schubert die Bekanntschaft eines Mannes, zwischen welchem und ihm sich bald darauf ein Verhältniß eigenthümlicher Art bilden und befestigen sollte, welches, wenn man die beiden Persönlichkeiten in Betracht zieht, in dieser Weise kaum seines Gleichen gehabt hat. Jener Mann war der durch seine poetischen Leistungen und sein tragisches Lebensende bekannte Dichter *Mayrhofer*.

Johann Mayrhofer[21] wurde am 3. November 1787 – mithin beinahe ein Decennium vor Schubert – in Stadt Steyr in Oberösterreich geboren. »Aus demselben Füllhorn«, sagt Ernst Freih. v. *Feuchtersleben*, »welches jenes

16 Derselbe wurde am 11. Jänner 1814 beendet.

17 *Andante con moto F-Dur* $^4/_4$, von Oboe, Clarinette, Horn und Fagott getragen.

18 Schubert vollendete die Composition am 16. März 1814.

19 Der erste Act, in der Originalpartitur 128 Seiten ausfüllend, wurde am 3. September, der dritte am 22. October 1814 bearbeitet. Inwieweit die zweite Bearbeitung sich von der ersten unterscheidet, bin ich nicht im Stande anzugeben. Die Ouverture ist bei beiden dieselbe, nur ist in die später entstandene als Mittelsatz (*Largo*) die Musik zum Geisterspuk aufgenommen. – Der musikalische Theil der beiden Bearbeitungen ist mir nicht näher bekannt geworden.

20 Das Autograf besitzt Herr *Josef Hüttenbrenner*, dem es Schubert an Zahlungsstatt einer kleinen Geldschuld als Eigenthum überließ. Mit dem 2. Act heizten die Hausleute des Herrn Hüttenbrenner im Jahr 1848 den Zimmerofen!

21 Die hier folgende Schilderung Mayrhofers ist Mittheilungen der Herren v. Feuchtersleben, Franz v. Schober und v. Gaby entnommen.

herrliche Land mit allen Reizen der Natur überschüttet hat, fielen auch die Blumen auf seine Wege, die sein Leben schmückten. Das Gefühl für die Schönheit der Welt war seine eigentliche Muse, die ihn auf dem dunklen Lebenswege geleitete, seine erste Erinnerung, und die ihm am längsten treu geblieben ist. Er absolvirte die Gymnasialstudien und sodann die philosofischen im Lyceum zu Linz. Auf seines Vaters Wunsch, der ihn zur Theologie
bestimmt hatte, trat er als Kleriker in das Stift Sct. Florian, wo er drei Jahre 43
hindurch verblieb und sich während dieser Zeit viel mit alten Sprachen beschäftigte, deren Kenntniß ihm in seinen späteren Bestrebungen sehr zu Statten kam. Nachdem er bereits das Noviziat abgelegt hatte, entschloß er sich, seinem bisherigen Beruf zu entsagen und in Wien die Rechte zu studiren, die er denn auch, Dank der ihm eigenen Beharrlichkeit, mit bestem Erfolg absolvirte. Hier nun war es, wo sein Streben eine entschiedenere Richtung und seine poetische Productionskraft lebendigere Impulse erhielt. Dem bisher fast ausschließlich nach innen gewendeten, einsamen Autodidakten that sich eine bedeutende, reiche Außenwelt auf, die, in Verbindung mit dem ihm innewohnenden Ernst und sittlichen Gehalt, nur Erfreuliches wirken konnte. Bald schloß er sich strebenden, fröhlichen und mannigfach begabten jungen Männern gesellig an, und es entwickelte sich da eine Seite seines Wesens, die früher bei einer Art jugendlichen Einsiedlerthums nie recht herausgetreten war, eine gemüthliche frohe Laune von der besten kernhaften Qualität. Sie war ein Element in der Complexion dieser ernsten tüchtigen Natur, und ist auch später nicht ganz von ihm gewichen, wenn sie sich gleich allmälig mehr verbarg und jenen minder schuldlosen Charakter annahm, den er selbst als *kaustisch* zu bezeichnen pflegte. Wurde aber der Witz in ihm seltener, so wirkte er, wo er hervorbrach, nur um so schlagender.«

»Das in seinem Nachlaß vorgefundene Gedicht ›Mephistofeles‹ drückt diese gemüthliche Bitterkeit vollkommen aus. Es ist die Stimmung, die einen tüchtigen Menschen befällt, der gern mit andern des Lebens froh werden möchte, und nun sehen muß, wie diese *sich* das Leben verderben und *ihm*
dazu. Für solche Stimmungen erfand er sich eine Dichtungsform, die er 44
›*Sermone*‹ nannte, und worin er seine Galle über dasjenige ausließ, was an den Menschen gemein und für ihn verletzend war. Denn so derb sein Charakter auf der einen Seite, so sittlich-zart bis zum Krankhaften war sein Gemüth auf der andern. Er hatte darin eine große Aehnlichkeit mit dem Verfasser von*Dia-Na-Sore Wilhelm Meyern*[22], der überhaupt auf Mayrhofer

22 *Meyern* (Wilhelm Friedrich), geb. 1762 zu Ansbach, studirte in Altdorf die Rechte, verlegte sich aber nebstbei auf andere Wissenschaften. Er trat als Artillerie-Lieutenant in österreichische Dienste, folgte 1807 der österreichischen Gesandtschaft nach Sicilien, in späterer Zeit jener in Rom und Madrid und wurde schließlich der Bundes-Militär-Commission in Frankfurt am Main beigegeben, wo er 1829 starb. Er galt als ein Mann von Geist und seltenen Kenntnissen, den jedoch seine Abgeschlossenheit und Unfähigkeit, auch dem äußerlichen Leben einen Werth beizulegen, verhinderten, eine entspre-

am bleibendsten einwirkte. Beide machten an die Welt und an sich selbst übertriebene Ansprüche und zerfielen dadurch mit sich und der Welt; beide waren gleich rechtlich und gleich hypochondrisch, nur daß Mayrhofer sich durch poetische Gestaltung mit den Dingen der Außenwelt eher abzufinden wußte«.

»Diesen Vorzug verdankte er ganz hauptsächlich dem Einflusse Goethe's, der ihm in jener Epoche zum größten Heile gedieh. Er lebte noch jene Zeit mit, in welcher neue Werke des Dichterfürsten erschienen und auf das Publicum wirkten. Ihm war übrigens dieser gerade damals alles, als die Welt anfing, sich vom Dichter abzuwenden, und der nicht mehr verstandene Goethe interessirte ihn mehr als der allbewunderte. Ward ihm Goethe auf
45 diesem Wege nützlich, so war dagegen Herders Art, Alles im Großen und Ganzen anzuschauen und die Elemente des Weltalls in Einem Glauben und Einer Religion versöhnend zu einigen, seiner Denkart am angemessensten«.

»Wird nun noch *Feßler*[23] genannt, dessen ahnungsvolle Betrachtungen über Musik, Weiblichkeit, ethische und religiöse Simbolik in dem Buch: ›Rückblick auf meine siebenzigjährige Pilgerfahrt‹ wohl geeignet waren, den eigenen Ansichten Mayrhofer's einen gewissen Nimbus zu verleihen, so dürften die Hauptmomente angegeben sein, welche in der *ersten* Bildungsperiode entscheidend auf Mayrhofer einwirkten. Im Zug der letzten Denkreihen gelangte er dann bis zu den fabelhaften Büchern, die dem dreimal großen Hermes zugeschrieben werden, und über deren Inhalt er sich in den aben-
46 teuerlichsten Gesprächen ergehen konnte«.

Solcher Art war der wunderliche Mann, der im Jahre 1814, also im 27. seines Lebens, zu dem damals achtzehnjährigen Schubert in ein geistiges Verhältniß trat, das in Mayrhofers Leben den Mittelpunkt ausmachte, und mehr als alle anderen Vorkommnisse den Dichter in ihm zur Reise brachte, –

chende Lebensstellung einzunehmen. Sein wunderlicher Roman *Dia-Na-Sore* (1787–1791) fand großen Beifall.

23 *Feßler* (Ignaz Aurelius), 1756 zu Czurendorf in Nieder-Ungarn geboren, trat 1773 in den Kapuzinerorden, und wurde 1783 Professor der orientalischen Sprachen an der Universität in Lemberg. Da er zugleich Freimaurer geworden war, verließ er den Kapuzinerorden. Sein im Jahre 1787 in Lemberg aufgeführtes, als gottlos verschrieenes Trauerspiel nöthigte ihn zur Flucht nach Schlesien. 1791 trat er zum Protestantismus über, lebte dann (1796) in Berlin, wo er mit Fichte die Humanitätsgesellschaft stiftete. Im Jahre 1806 verlor er das ihm verliehene Amt eines Consulenten für die katholischen Provinzen, und ging 1809 als Filosofie-Professor nach Petersburg. Des Atheismus beschuldigt und sofort des Dienstes entlassen, übersiedelte er nach Wolsk, um daselbst philantropische Ideen zu realisiren. 1817 wendete er sich nach Sarepta, dem Hauptsitz der Herrenhuter, wo er in seiner Weise wirkte. 1820 wurde er Superintendent, 1833 Kirchenrath in St. Petersburg, und starb daselbst 1839. Sein abenteuerliches Leben beschrieb er in dem Buch: »Rückblick auf meine 70jährige Pilgerschaft«. (1826.)

ein Verhältniß, welches, da Schubert ein musikalisches Genie war, in seiner Art eben einzig dasteht.

»Meine Bekanntschaft mit Schubert,« so erwähnt Mayrhofer in seinen Aufzeichnungen, »wurde dadurch eingeleitet, daß ihm ein Jugendfreund mein Gedicht: ›Am See‹ zur Composition übergab. An des Freundes Hand betrat Schubert das Zimmer, welches wir fünf Jahre später (1819) gemeinsam bewohnen sollten. Es war in einer düstern Gasse. Haus und Gemach haben die Macht der Zeit gefühlt, die Decke ziemlich gesenkt, das Licht von einem großen gegenüberstehenden Gebäude beschränkt, ein überspieltes Clavier, eine schmale Bücherstelle – so war der Raum, welcher mit den darin zugebrachten Stunden meiner Erinnerung nicht entschwinden wird[24]. Wie der 47
Frühling die Erde erschüttert, um ihr Grün, Blüthen und milde Lüfte zu spenden, so erschüttert und beschenkt den Menschen das Gewahrwerden seiner productiven Kraft; denn nun gilt Goethe's:

Weit, hoch, herrlich der Blick
Rings in's Leben hinein,
Von Gebirg zu Gebirg
Schwebet der ewige Geist
Ewigen Lebens ahndevoll.

Dieses Grundgefühl und die Liebe für Dichtung und Tonkunst machten unser Verhältniß inniger; ich dichtete, er componirte was ich gedichtet, wovon vieles seinen Melodien Entstehung, Fortbildung und Verbreitung verdankte«.

Schon im Jahre 1815 wurde Mayrhofer durch dieses gemeinsame Streben zu größeren dichterischen Versuchen aufgemuntert. Er verfaßte zwei Operntexte, von welchen Schubert den einen, »Die beiden Freunde von Salamanca«, in Musik setzte, der andere »Adrast«, sich im Nachlaß des Dichters vorfand.

24 Das hier erwähnte Haus, in welchem Mayrhofer und Schubert zwei Jahre hindurch zusammen wohnten, stand in der Wipplingerstraße und trug die Nummer 420. »Der Dichter und der Tonsetzer« (wie die beiden Musensöhne nach dem Titel einer damals beliebten Operette von den Freunden genannt wurden) hatten ihr Zimmer im dritten Stock, und waren Miethleute der Tabaktrafikantin *Sanssouci*, Witwe eines französischen Emigranten. Herr Josef Hüttenbrenner wohnte um dieselbe Zeit in dem nämlichen Haus (bei einem gewissen Irrsa) und bezog später das von M. und Sch. bewohnte Zimmer, dasselbe, welches Theodor Körner während seines Aufenthaltes in Wien innegehabt hatte. Frau Sanssouci (in späteren Jahren an den Gefängnißwärter Jaworek verheirathet) gab sich viele Mühe, die Wirthschaft ihrer beiden Zimmerherren in Ordnung zu halten. Das Haus Nr. 420 – auch darum merkwürdig, weil einstens die Zusammenkünfte der Jacobiner in demselben stattfanden – hat in den Vierziger-Jahren einem Neubau Platz gemacht.

In den Jahren 1817 und 1818 verband sich Mayrhofer mit einigen Freunden (Spaun, Kenner, Ottenwald, Kreil[25] u.s.w.) zur Herausgabe einer Zeitschrift, welche die Förderung echt menschlichen und zugleich vaterländischen Sinnes bei den Jüngeren zum Zweck hatte, und von welcher unter dem Titel: »Beiträge zur Bildung für Jünglinge« (bei Härter in Wien) zwei
48 Bände erschienen.

Die Gefühle, welche in der kurz vorher abgeschlossenen denkwürdigen Kriegsepoche jeden Deutschen ergriffen, hatten sich auch Mayrhofers bemächtigt. Patriotischer Sinn, der sich mit den Idealen von Humanität und Selbstbeglückung durch den Glauben an eine in Natur und Geschichte sich offenbarende Vorsehung verband, sammelte seine Strahlen zu dem letzten Gestirn, das von nun an die immer dunkler werdenden Pfade des gemüthskranken Dichters noch erleuchtete.

Dem Studium der Alten lag er mit Eifer ob. Von einem Versuch einer Uebersetzung Herodot's fanden sich in dem Nachlaß Fragmente vor; auch an Horaz übte er seinen Geist, die Stoiker aber blieben ihm Vorbild. Jemehr sich übrigens diese und ähnliche Anschauungen der Gegenwart gegenüberstellten, desto dichter woben sie den Schleier, der seine Seele umfing. Das Studium der Geschichte, in welches er sich durch thätige Theilnahme an den österreichischen Jahrbüchern und an Hormayers Archiv versenkte, war der beste Ableiter dafür; auch wußte der tüchtige Mann den inneren Wirren einen kräftigen Damm entgegenzustellen – angestrengte Beruftsthätigkeit. Mayrhofer wurde als Beamter bei der *Censur*behörde angestellt und übte als Regierungs-Concipist und Bücherrevisor seine Pflicht mit so ängstlicher Gewissenhaftigkeit, daß es wohl schien, er suche den Zwiespalt zwischen Ideal und Leben, den er früher in glücklichen Stunden durch poetisches Schaffen auszugleichen fähig war, nunmehr durch grillenhafte Pflichterfüllung
49 zu beseitigen[26].

25 Von den beiden Letzteren wird später (1819) die Rede sein.

26 Bauernfeld gibt (in dem »Buch von uns Wienern in lustig-gemüthlichen Reimlein« von *Rusticocampius*) folgendes Bild von dem Sonderling:
Halbvergessen ist auch jener
Wiener Dichter, hieß Mayrhofer;
Viele seiner Poesien
Componierte sein Freund Schubert.
So die zürnende Diana
Philoktet und manche andre;
Waren tief ideenreich
Aber schroff, – sowie der Dichter.
Kränklich war er und verdrießlich,
Floh der heitern Kreise Umgang,
Nur mit Studien beschäftigt;
Abends labte ihn das Whistspiel.
So mit älteren Herren saß er,

Im Jahre 1819 wurde er Schubert's Zimmergenosse, bei Frau Sanssouci, und blieb es bis in das Jahr 1821, in welchem letzterer aus dieser Wohnung 50
fort in Schobers nahegelegene Behausung (Landskrongasse) übersiedelte. »Während unseres Zusammenseins,« sagt Mayrhofer in einem Tagebuchsaufsatz[27], »konnte es nicht fehlen, daß Eigenheiten sich kundgaben; nun waren wir jeder in dieser Beziehung reichlich bedacht, und die Folgen blieben nicht aus. Wir neckten einander auf mancherlei Art und wendeten unsere Kanten zur Erheiterung und zum Behagen einander zu[28]. Seine frohe gemüthliche Sinnlichkeit und mein in sich abgeschlossenes Wesen traten schärfer hervor und gaben Anlaß, uns mit entsprechenden Namen zu bezeichnen, als spielten wir bestimmte Rollen. Es war leider meine eigene, die ich spielte.«

Im Jahre 1824 gab Mayrhofer auf Drängen seiner Freunde (bei Volke in Wien) im Subscriptionswege ein Bändchen Gedichte heraus, die jedoch bei den damaligen der Lyrik, zumal der österreichischen, ungünstigen Verhältnissen nur geringen Anklang fanden[29]. 51

Mit Beamten, mit Philistern,
Selbst Beamter, *Bücher-Censor*
Und der strengste, wie es hieß.
Ernst war seine Miene, steinern,
Niemals lächelt' oder scherzt' er.
Flößt uns losem Volk Respekt ein,
So sein Wesen und sein Wissen.
Wenig sprach er, – was er sagte,
War bedeutend; allem Tändeln
War er abgeneigt, den Weibern
Wie der leichten Belletristik.
Nur Musik konnt' ihn bisweilen
Aus der stumpfen Starrheit lösen,
Und bei seines Schuberts Liedern
Da verklärte sich sein Wesen.
Seinem Freund zu Liebe ließ er
In Gesellschaft auch sich locken,
Wenn wir Possen trieben, sah ihn
Stumm dort in der Ecke hocken.

27 In Hormayer's »Archiv« abgedruckt.

28 Ein Lieblingsscherz Mayrhofer's bestand darin, daß er plötzlich mit bajonnetartig gefälltem Stock auf Schubert losging, diesem mit satyrischem Lachen und im oberösterreichischen Dialect zurufend: »Was halt mich denn ab, du kloaner Raker« – worauf ihn Sch. mit den Worten: »Waldl, wilder Verfasser!« – zurückwies. *Gaby* war mehrmals Zeuge dieser Scenen.

29 Unter den Subscribenten finden sich die Namen: Justina v. *Bruchmann, Endres, Gahy, Groß, Hölzl, Hönig, Hüttenbrenner, Kenner, Kreil,* Sophie *Linhart, Ottenwalt,* Caroline *Pichler, Pinterics, Sanssouci,* Freih. v. *Schlechta,* von *Schober,* Moritz *Schwindt, v. Sonleithner, Spaun, Vogl, Watteroth und Witteczek*; – Personen, die auch mit Schubert mehr oder weniger in Verbindung standen. – In der *alten* Ausgabe der Mayrhoferschen

Von Schubert trennte ihn in den folgenden Jahren »der Strom der Verhältnisse und der Gesellschaft, Krankheit und geänderte Anschauung des Lebens. Doch was einmal war, ließ sich sein Recht nicht nehmen.« Nach Schubert's Tod betrat er an dem Tag, an welchem für diesen das Requiem abgehalten wurde, wieder jenes Haus, in welchem er in früheren Jahren den Freund so oft aufgesucht hatte. Zu dichterischer Production regte es ihn seit dem Hingang des liederreichen Sängers immer weniger an. Dazu kam noch die Aufopferung an das reale Leben, die ihn der Muse für lange Zeit entfremdete. Bei Goethe's Tod erklangen die verstummten Saiten noch einmal wieder.

Im Jahr 1835 unternahm er einen Ausflug nach Salzburg, Gastein und in das Fuscher-Bad, und kehrte aus diesem so gestärkt zurück, daß er den Plan zu einem epischen Gedicht[30] entwarf. Das Leben schien ihm noch einmal wiederkehren zu wollen. Es war aber nur das letzte Aufflackern der sterbenden Flamme. Der alte Dämon des unglücklichen Mannes, die Hypochondrie, nahm wieder Besitz von dem Dasein, das ihm verfallen war, und führte am 5. Februar 1836 zu jener Katastrofe, welche den Faden seines Lebens gewalt-
52 sam entzweiriß[31].

Gedichte sind die von Sch. componirten durchweg enthalten, während sie in der neuen Ausgabe, mit wenigen Ausnahmen, fehlen.

30 »Der Vogelsteller«, in der neuen Ausgabe der Gedichte enthalten.

31 Einmal kam er frühen Morgens
Ins Burreau, begann zu schreiben
Stand dann wieder auf – die Unruh
Ließ ihn nicht im Zimmer bleiben.
Durch die düstern Gänge schritt er
Starr und langsam, wie in Träumen
Der Collegen Gruß nicht achtend
Stieg er nach den obern Räumen.
Steht, und stiert durchs offne Fenster.
Draußen wehen Frühlingslüfte,
Doch den Mann, der finster brütet,
Haucht es an, wie Grabesdüfte.
An dem offnen Fenster kreiselt
Sonnenstaub im Morgenschein,
Und der Mann lag auf der Straße
Mit zerschmettertem Gebein.

(Rusticocampius.)

Nach einer Mittheilung von M's. damaligem Amtsvorstand (dem derzeit pens. Herrn Regierungsrath *Hölzl*), hatte sich M. schon früher einmal in einem Anfall von Schwermuth in die Donau gestürzt, war aber herausgezogen und dem Leben wiedergegeben worden. Den Freunden, die ihm Vorwürfe machten, antwortete er apathisch: er hätte nicht gedacht, daß das Donauwasser so wenig kalt sei. – Unmittelbar vor der *letzten* Katastrofe kam er frühzeitig in das Amt, trat sodann zu einem Beamten, den er um eine Prise Tabak ersuchte, und begab sich in das obere Stockwerk des Amtsgebäudes (am Laurenzerbergl), von wo er sich herabstürzte. Er brach das Genick, lebte aber noch 40 Stunden. Uebrigens hat ihn damals nicht Lebensüberdruß, sondern die

Zur Vervollständigung von Mayrhofer's Charakteristik möge noch Folgendes dienen. Sogenannte Litteraten vermied er auf's ängstlichste. Der unbe-
fangene, gesunde, kräftige Naturmensch war ihm der liebste. Die Späße eines
derartigen witzigen Menschen, der einer lustigen Abendgesellschaft angehörte,
trug er des Morgens darauf in sein Tagebuch ein, wo sie unter Young's
»Nachtgedanken« und Herme's »Trismegistos« ihren Platz fanden. Seine
Haushaltung war höchst einfach, an Mäßigkeit und Entsagung glich er einem
Stoiker. Einige Bücher, eine Guitarre und die Pfeife bildeten seinen Haus- 53
schmuck, ein kurzer Schlaf nach Tisch und ein Spaziergang seine Genüsse.
Einfach bis zur Vernachlässigung war sein Anzug. Seine Beschäftigungen
kehrten Tag für Tag in derselben Ordnung und mit derselben Pünktlichkeit
wieder. Seine äußere Repräsentation hatte etwas Starres, wie dies Einsamen
oft eigen ist. Unbeugsamer Ernst wurde von grellem Lachen unterbrochen.
Sein Gang war fest, seine Handschrift stellte in jedem Buchstaben einen
Lanzenschaft vor. Sein Körperbau war gedrungen, mittelgroß, seine Gesichts-
formen wenig bedeutend, eher gemein; nur der Mund verzog sich gerne zu
einem bedeutenden sarkastischen Lächeln; das Auge blitzte scharf und
weitaus mit Adlerblick. Stolz hegte er nur in seinem Innern, andere Menschen
überschätzte er. Beifall war ihm gleichgültig, und wer ihm über seine Gedichte
Schönheiten sagte, beleidigte ihn.

Nach diesem, von einer gütigen Freundeshand[32] entworfenen Bild war
Mayrhofer eine ernste, tüchtige, durch und durch sittliche Natur, welche
aber von einer nicht geringen Dosis von Pedantismus und Schwerfälligkeit
eingeschränkt und niedergehalten wurde. Ein Vergleich mit dem Naturell
Schubert's, welches im Verlauf dieser Darstellung geschildert werden wird,
läßt auf den ersten Blick die Eigenschaften erkennen, welche sie gemeinschaftlich hatten, sowie auch die gegenseitigen Kanten, die sich bei ihrer Berührung
reiben und abstoßen mußten. Wie sehr sich Schubert von den poetischen
Gebilden Mayrhofer's angezogen fühlte, bezeugen die vielen und größtentheils 54
bedeutenden Lieder, die er auf dessen Gedichte componirt hat. Darüber,
daß sich beide werthschätzten, kann kein Zweifel sein; ebenso verbürgt ist
es aber auch, daß Franz nicht gerne längere Zeit hindurch mit Mayrhofer
allein zu sein liebte, weil dieser, mit heiteren Neckereien beginnend, im
weiteren Verlauf zu Reibungen Anlaß gab, welche Schubert belästigten.

fortwährende *Angst vor der Cholera* zu dem verzweifelten Schritt getrieben. So wenigstens behaupten Herr *Hölzl* und der Kunsthändler Herr M. *Beermann* in Wien.

32 Feuchtersleben. Vorrede zur neuen Ausgabe von Mayrhofer's Gedichten.

Mayrhofer hat seinen Gefühlen für den zu früh ihm Entrissenen in mehreren Gedichten Ausdruck gegeben[33]; diesem aber war es beschieden, so manches poetische Gebilde des Freundes in Tönen zu verklären, und das vergänglichere Wort des Dichters in festem Bund mit seinem unvergänglichen Lied der fernen Nachwelt zu überliefern.

III.

(1815.)

Wir treten in das Jahr 1815, Schubert's achtzehntes Lebensjahr. Dasselbe erscheint, was die *Zahl* der in diesem Zeitraum entstandenen Compositionen anbelangt, als das reichste. Ueber hundert Lieder, ein halbes Dutzend Opern und Singspiele, Sinfonien, Kirchen-, Kammer- und Claviermusik drängen sich da zusammen, und es ist geradezu unbegreiflich, woher der in der Schule und bei Salieri Vielbeschäftigte die fisische Zeit genommen hat, eine solche Masse von Notenzeichen auf das Papier hinzuzaubern.

Unbekümmert um Form, inneren Gehalt, Länge oder Kürze der Gedichte griff er für seine Lieder und Gesänge bald nach umfangreichen Balladen von Goethe, Schiller, Hölty, Bertrand, Körner, bald nach kurzen Strofenliedern der damals beliebten Dichter Schulze, Kosegarten, Mathisson, Klopstock, Fellinger, Stollberg u.s.f., oder nach den Gesängen Ossian's, nie verlegen um das musikalische Gewand, in welches er dieselben kleiden wollte. Einige von den in diese Zeit fallenden Liedern reihen sich schon dem Besten an, was Schubert auf diesem Gebiet geschaffen; dagegen finden sich unter der großen
56 Masse auch solche, die einen verhältnißmäßig geringen Werth haben[1]. Mit besonderer Vorliebe wendete er sich damals der Composition großer Balladen zu, und »*Emma* und *Adelwold*« – von *Bertrand*[2] – ist wohl das umfangreichste Gesangstück, das Schubert je niedergeschrieben hat.

Der Zeitfolge nach ist die Ballade »*Minona*« von Bertrand (componirt am 8. Februar) die erste. Diese Composition ist schon unverkennbar von Schu-

33 »Geheimniß«, »Nachgefühl an Franz Sch.« (19. Nov. 1828) und »An Franz«, von welchen das erste und die zweite Strofe des zuletzt genannten, dieses unter dem Titel: »Heliopolis«, von Sch. componirt, im Stich erschienen ist.

1 Herr *Spina* besitzt die Autografe von *sieben* Liedern, die an ein und demselben Tag (15. Oct. 1815) componirt wurden; am 19. Oct. folgten abermals *vier* Lieder.

2 Wer der Verfasser der obengenannten Balladen (Bertrand) seinem Stande nach gewesen, und wie Schubert auf diese, wie es scheint, nie im Druck erschienenen Gedichte verfallen sein mochte, darüber ist mir keine Sicherheit geworden. Möglich, daß es Anton Franz Bertrand war, der das Duodrama: »Pyramus und Thesbe« (Halle 1787) für den Componisten Benda schrieb. Die Autografe der Balladen: »Emma und Adelwold«, »Minona«, »die Nonne«, und »Amphiaraos« besitzt die Verlagshandlung *Spina*.

bert'schem Geist durchweht und erinnert, namentlich in der Clavierbegleitung, an die Ossian'schen Gesänge, von welchen einige zu eben dieser Zeit entstanden sind. Noch mehr ist dies der Fall mit »*Amphyaraos*« von Theodor Körner, welches große Gedicht er in der unglaublich kurzen Zeit von fünf Stunden (wie auf dem Original bemerkt ist) in Musik setzte. Die Composition ist bedeutend und verfehlt nicht des Eindruckes, wenn sie von einem tüchtigen Sänger ausdrucksvoll vorgetragen wird.

Am 7. Juni nahm er Bertrand's Ballade: »*Emma* und *Adelwold*« in Angriff.
Die zu diesem Gedicht geschriebene Musik füllt nicht weniger als *fünfund-* 57
fünfzig Seiten im Manuscript aus. Die Composition zerfällt in viele, durch Tonart und Rhythmus getrennte Theile, ist stellenweise bedeutend und zeichnet sich durch jene prägnante Charakteristik aus, die bei Schubert's Tondichtungen aus dieser Zeit überhaupt schon hervortritt. Einmal im Zug mit den Balladen, componirte er (am 16. Juni) die bekannte Schauergeschichte von Hölty: »Die *Nonne*«;

Es lebt in Welschland irgendwo
Ein schöner junger Ritter, u.s.w.

Auch dieses ausgedehnte Gesangsstück besteht aus mehreren Theilen, Vor- und Nachspielen, Recitativen u.s.f. und ist mit einer Sicherheit und Freiheit in der Sing- und Begleitungsstimme componirt, welche den Meister nicht verkennen läßt[3].

Nach einer Mittheilung des Frh. *Josef v. Spaun* fällt in die letzten Tage
dieses Jahres, oder spätestens in den Beginn des Jahres 1816[4] auch noch die 58
Composition des »Erlkönig«, jenes nächst dem bald darauf entstandenen »Wanderer« populärsten Liedes von Schubert, welches sechs Jahre später

3 Nebst den erwähnten Balladen gehören noch »die Bürgschaft« (von Schiller), »Die Spinnerin«, »Der Sänger«, »Der Rattenfänger« (von Goethe) und »Der Liedler« (von Kenner) diesem Jahre an. – Unter den anderen (im Gesammt-Verzeichniß enthaltenen) Liedern befindet sich »Punschlied« (von Schiller), dessen Schluß mit jenem in »Lodas Gespenst« ein und derselbe ist; ferner »Mignons Gesang« mit Nr. 4 bezeichnet; Schubert hat nämlich dieses Gedicht vier Mal als Lied, außerdem ein Mal als Duett und ein Mal als Quintett, componirt; sodann »Der Kampf« (»Freigeisterei der Leidenschaft« von Schiller), von welchem nur ein Paar Strofen in Musik gesetzt sind, und eine »Improvisation« von Schiller:
Es ist so angenehm, so süß,
Um einen lieben Mann zu spielen,
Entzückend wie im Paradies
Des Mannes Zauberkraft zu fühlen.

4 Das Datum ist ohne Zweifel auf dem Manuscript angegeben. Dieses besitzt Frau *Clara Schumann*. Das Lied ist übrigens von Sch. zweimal componirt worden, das zweite Mal mit der, auch in den Stich übergegangenen *Triolen*begleitung.

den Ruf desselben zuerst begründete und in kurzer Zeit Gemeingut der ganzen musikalischen Welt wurde. Schubert schrieb dieses Lied an einem Nachmittag auf seinem Zimmer in dem väterlichen Haus am Himmelpfortgrund. Spaun kam eben dazu, als sein Freund sich in Mitte der Arbeit befand. Er hatte das Gedicht in steigender Aufregung ein Paar Mal durchgelesen, und da während dieser Beschäftigung auch der musikalische Inhalt zu vollkommener Klärung gelangt war, wühlte er das Lied in jener Spanne Zeit auf das Papier hin, die eben zur Vollbringung der nur mehr noch mechanischen Arbeit erforderlich war. Die fertige Composition wurde am Abend desselben Tages in das Convict gebracht, wo sie Schubert und nach ihm Holzapfel den Freunden vorsang[5]. Da diese bei der Stelle: »Mein Vater, jetzt faßt er mich an«, bedenkliche Gesichter schnitten, übernahm es der Musikmeister Ruczizka, sie über die Zulässigkeit der musikalischen Dissonanz (die heut zu Tage sich ganz harmlos ausnimmt) aufzuklären und zu beruhigen. Als *Vogl* mit Schubert bekannt wurde, bemächtigte er sich sogleich dieses für ihn wie
59 geschaffenen Liedes und sang es häufig in Privatcirkeln, bis er endlich im Jahre 1821 bei Gelegenheit einer im Operntheater veranstalteten Akademie
60 den »Erlkönig« in die Oeffentlichkeit einführte[6].

5 Damit entfallen die mannigfachen Ausschmückungen, mit welchen die geschäftige Fantasie die Genesis des »Erlkönig« zu umgeben wußte.

6 Nach dem Erscheinen des »Erlkönig« im Stich wurde die Composition in verschiedener Weise ausgenützt. So schrieb *Anselm Hüttenbrenner* »*Erlkönig-Walzer*«, über welche Profanirung Schubert etwas ungehalten war, und die in der Musikzeitung des bekannten Tondichters und Schriftstellers *Friedrich August Kanne* darüber erschienenen Disticha sich herausschrieb, um sie Herrn Jos. Hüttenbrenner, wahrscheinlich zur weiteren Mittheilung an Anselm, zu übergeben. Die Disticha lauteten:

1. *Das Gefühl.*
(Frage.)
Sag mir, strömt das Gefühl der jetzigen Welt nur dem Bein zu?
Antwort:
Seit sich die Menschen geschnürt, sanken die Herzen hinab.

2. *Köder.*
(Frage.)
Sage mir, lieblicher Kauz, was siehst in den Werken des Goethe?
Antwort:
Titelchen stör' ich mir auf; – Erlkönig – Deutsche, ich sind's.

3. *Dreiachteltact.*
(Frage.)
Sprich, wie tanzt man den deutlich der Geisterwelt furchbare Schauder?
Antwort:
Kann man nicht jegliches Lied tanzen der heutigen Welt?

An Bearbeitungen der Schubertschen Ballade in Cantatenform, für Orchester und an mannigfachen Transcriptionen fehlt es nicht. – Auch über den Werth des Liedes wurde gestritten, und während es die einen zum Himmel erhoben, meinte ein Kritiker in der allgem. musik. Leipziger Zeitung, alles was der König sage, sei unwahr, da an

Von *mehrstimmigen* Gesängen sind »Der Morgenstern«, »Jägerlied« und »Lützow's wilde Jagd« – (von Th. Körner) – sowie zwei *Mailieder* von Hölty, als solche zu erwähnen, welche für zwei Singstimmen oder zwei *Waldhörner* componirt sind. Auch dreistimmige Gesänge finden sich vor, wogegen das Vocalquartett beinahe gar nicht vertreten ist. Von den Liedern aus diesem Jahr ist beiläufig ein halbes Hundert unveröffentlicht und unbekannt; die bedeutendsten unter diesen sind jedenfalls die früher erwähnten *Balladen.*

Welche erstaunlichen Fortschritte Schubert's musikalische Entwicklung schon um diese Zeit gemacht hatte, bezeugen einige Lieder (Ossian's Gesänge, Mignonlieder), die den Stempel der Meisterschaft an sich tragen, vor allem aber die *Messe* in *G*, von ihm im März 1815 für den Lichtenthaler Pfarrchor, und »insonderheit für jene seiner musikalischen Jugendfreunde geschrieben, die ebenfalls Schüler des *regens chori* Holzer gewesen waren«[7]. »Es ist diese Messe eines der gediegensten Kirchenwerke und namentlich das *Kyrie, Credo* und *Agnus Dei* von tiefer Conception. Im großen Ganzen wurde sie selbst von den später entstandenen Kirchencompositionen Schubert's nicht mehr übertroffen. Und dieses Meisterwerk ist die Arbeit eines *achtzehnjährigen* Jünglings – der freilich ein Genie war. Eine zweite Messe (in *B*)[8], das erste *Stabat mater* (in *B*)[9], ein großes *Magnificat* und ein Paar kleinere 61
kirchliche Musikstücke[10] gehören ebenfalls dieser Zeit an. Im Gebiet der Kammermusik schrieb er für die ›Hausmusikanten‹ ein Streichquartett in *G-moll*, von welchem der erste und der letzte Satz sowie der erste Theil des *Scherzo* reizend, stellenweise bedeutend gehalten, die Schubert'sche Eigenart unverkennbar zur Anschauung bringen, während der zweite Satz und das Trio des dritten sich noch in den von Haydn beliebten Formen bewegen[11].«

Die Claviermusik repräsentiren unter anderem[12] auch zwei Sonaten (in *C* und *F*), wie es scheint, die ersten *größeren* Versuche in dieser Musikgat-

diesen schmeichelnden Melodien vielleicht eine weibliche Tugend, nimmermehr aber ein Kind vor Grausen in den schützenden Armen des Vaters sterben werde.

7 Nach einer Mittheilung des Herrn Doppler.

8 Sie ist als *op.* 141 bei Haslinger im Stich erschienen, und wird in Wien öfter als andere Messen Sch's. aufgeführt.

9 Für gemischten Chor mit Begleitung von Streich- und Blasinstrumenten und Orgel.

10 Es sind dies ein *Salve regina*, ein *Offertorium* und das zweite *Dona nobis* zu der *F*-Messe (1814). – Das Autograf des erstgenannten (mit dem Datum 5. Juli) besitzt *Dr.* Schneider in Wien.

11 Das *Scherzo* erinnert in Gestalt und Ausdruck an den energisch gehaltenen ersten Theil des *Scherzo* der *G-Moll* Sinfonie von Mozart, für welche Sch. große Vorliebe hegte. – Das Manuscript des Quartettes besitzt der Musikverein in Wien. Herr Josef Hellmesberger hat es im Jahre 1863 aufgeführt.

12 12 Deutsche mit *Coda*, 10 Variationen und Ecossaisen (Frl. Maria Spaun gewidmet).

tung, welchen aber nach einer kurzen Spanne Zeit eine Reihe schöner gediegener Compositionen folgte, als sprechende Zeugen der Energie und hohen Begabung, mit welcher Schubert auch auf diesem Feld voranschreiten sollte.

Damit war aber die Thätigkeit des rastlos schaffenden Tondichters noch nicht abgeschlossen. Auch die Orchestermusik und die Oper wollten ihren Theil abbekommen, und Schubert fand noch Muße, in diesem Jahr zwei
62 Sinfonien und sechs Singspiele, darunter eines in drei und eines in zwei Acten, zu vollenden.

Die *Sinfonien* sind jene in *B* und *D*[13]. Die erstere scheint niemals zu *öffentlicher* Aufführung gelangt zu sein; von jener in *D* wurde der letzte Satz in einem Gesellschaftsconcert in Wien (am 2. Dec. 1860) als »sinfonisches Fragment« zuerst aufgeführt und erfreute in hohem Grade durch seine Originalität, Frische und Formvollendung[14].

Die *Opern* und *Singspiele* sind der Zeit der Entstehung nach folgende: »*Der vierjährige Posten*« (Mai), »*Fernando*« (Juli), »*Claudine von Villabella*« (Juli und August) und »*Die beiden Freunde von Salamanka*« (November
63 und December). Auch »Der *Spiegelritter*«, »Der *Minnesänger*«[15] und »Adrast« (welche beide letzteren sich aber bis jetzt nicht vorgefunden haben) dürften in eben diese Periode fallen.

»*Der vierjährige Posten*«, Operette in einem Act von Theodor Körner, wurde am 13. Mai beendet[16]. Der Inhalt des Stückes ist folgender: Duval war als Feind mit seinem Regimente in ein deutsches Grenzdorf gekommen und hatte auf einem nahen Hügel die Wache bezogen. Als das Regiment weiter marschirte, vergaß man ihn abzulösen. Müde vom langen Wachstehen,

13 Die Sinfonie in *B* wurde, wie auf dem, in Händen des Herrn *Dr.* Schneider befindlichen Manuscript zu ersehen ist, am 10. December 1814 begonnen und am 24. März 1815 beendet. Sie besteht aus vier Sätzen: Einem Largo $^4/_4$, als Einleitung zu einem *Allegro vivace*, einem *Andante* in *Es* $^3/_4$, einem Menuet mit Trio in *Es* $^3/_4$ und dem Finale: *Presto vivace* in*B-Dur* $^2/_4$: die Sinfonie in *D* (mit dem Datum 24. Mai 1815 auf der Original-Partitur) hat ebenfalls vier Sätze: ein *Adagio maestoso* $^3/_4$, ein *Allegro con brio* übergehend, ein *Allegretto*, einen Menuet mit Trio (*Allegro vivace D-Dur* $^3/_4$) und das Finale (*Presto vivace D-Dur* $^6/_8$).

14 Die übrigen Fragmente bildeten: der erste und zweite Satz der tragischen Sinfonie in *C-Moll* (1816) und das *Scherzo* der sechsten in *C* (comp. 1818).

15 In C.M. v. Webers Biografie (von Max Weber) wird einer Operette gleichen Namens erwähnt.

16 Die Original-Partitur ist im Besitz des Herrn *Dr.* Schneider. – Auf dem Titelblatt des Körner'schen Singspieles findet sich folgende Bemerkung: »Die Absicht des Dichters war, daß dieses Singspiel durchgängig wie ein Finale componirt werden sollte. Auf diese Art ist es von Steinaker in Musik gesetzt und im Theater an der Wien aufgeführt worden.« – *Steinaker* (Carl), 1785 in Leipzig geboren, studirte in Wien und schrieb mehrere Operetten, darunter »Die *Vedette*«. Er machte, wie Körner, den Befreiungskrieg mit und starb 1815.

steigt er Abends in das Dorf herab und vernimmt, daß seine Cameraden bereits fortgezogen seien. Er beschließt im Dorfe zu bleiben, lernt Käthchen, die Tochter des Dorfrichters Walther, kennen und heirathet sie. Der Zufall will, daß dasselbe Regiment nach vier Jahren wieder durch das Dorf marschirt – und damit beginnt das Stück. Duval – befürchtend, daß er als Ausreißer vor ein Kriegsgericht gestellt werden könnte, ersinnt folgende List: Er stellt sich in seiner Uniform wieder auf jenen Posten, von welchem er nicht abgelöst worden war, und da der Hauptmann, der ihn erkennt, den Soldaten befiehlt, ihn als Deserteur gefangen zu nehmen, droht Duval, sich auf das Recht der Wache stützend, jeden, der ihm nahe kommen würde, zu erschießen. Während dieses Wortwechsels mit dem Hauptmann und den 64
Soldaten erscheint der General, der, von dem ganzen Hergang in Kenntniß gesetzt, dem vierjährigen Posten Pardon ertheilt und ihm einen ehrenvollen Abschied ausstellen läßt.

Das Stück, zum Theil in Prosa, zum Theil in gereimten Versen verfaßt, enthält neun Scenen, und Schubert's Musik dazu, nebst der ziemlich umfangreichen (56 Seiten im Manuscript ausfüllenden) Ouverture, acht Nummern. Die Ouverture (comp. 13–16. Mai) beginnt mit einem Larghetto (*D-Dur* $^6/_8$) als Einleitung zu einem lebhaften Satz, welcher bis zum Schluß ohne Unterbrechung fortbraust. Die *Introduction* (*Allegretto con moto B-Dur* $^6/_8$, comp. 8. Mai) besteht aus einem *Chor* der Landleute, an welchem *Käthe* (Sopran), Duval (Tenor) und Walter (Baß) im Soloterzett theilnehmen. Auf diesen folgt ein *Duett* zwischen Duval und Käthchen; sodann ein *Vocalterzett* dieser beiden und Walthers, ein kurzes *Recitativ* Veit's und eine große *Gebet-Arie* Käthchens[17]. Ein *Marsch*, aus der Ferne ertönend, und der damit zusammenhängende *Soldatenchor* (*tempo di marcia B-Dur* $^4/_4$, begleitet von Oboe, Clarinette, Fagott, Horn und Trompeten), sodann ein *Ensemble* und der *Schlußchor* mit Soloquartett bilden die noch übrigen Musikstücke der Operette, in welcher der gesprochene Dialog eine bedeutende Rolle spielt. 65

Zur Aufführung im Theater ist das Singspiel nie gelangt; der *Soldatenchor*, ein munteres, charakteristisches Musikstück, wurde im Jahre 1860 in einer Abendunterhaltung des Wiener »Singvereins« mit Beifall zu Gehör gebracht[18].

Zu Schubert's Convictgenossen zählte, wie bereits erwähnt worden, auch *Albert Stadler*, welcher nach des Ersteren Austritt aus der Anstalt noch in

17 Der erste Theil der Arie (*Adagio Es-Dur* $^3/_4$) ist von Clarinette, Horn und Fagott begleitet; in dem *Allegro affettuoso (E-Moll* $^2/_4$), welches mit den Worten beginnt: »Nein, das kannst du nicht gebieten«, tritt die volle Orchesterbegleitung ein. Die Arie liegt sehr hoch und ist schwierig auszuführen.

18 Das musikalische *Detail* der im Jahre 1815 componirten Singspiele ist mir, einige Musikstücke ausgenommen, nicht bekannt geworden. – Die Operette: »Der vierjährige Posten« ist auch von *Reineke* componirt.

derselben verblieb und im Jahre 1815 das zweite Jahr der juridischen Studien absolvirte. Er kam mit dem damaligen Lichtenthaler Schulgehülfen öfters zusammen, und da dieser um jene Zeit von einer wahren Leidenschaft, Opern zu componiren, besessen war, und in der That auch eine Oper nach der andern in Angriff nahm, machte sich Stadler anheischig, für ihn ein kleines Drama zu verfassen, welches Anerbieten Schubert mit Freuden aufnahm. So entstand *Fernando*, ein Stück, in welchem (wie der Verfasser desselben jetzt darüber urtheilt) »dem Blitz und Donner, Schmerz und Thränen, als Lieblingsvorwürfen schwärmerischer Jugend,« eine Hauptrolle zugedacht ist. Die Musik dazu wurde innerhalb *sechs* Tagen componirt. Schubert erschien bei Stadler mit der fertigen Partitur[19], die sie denn auch sogleich
66 durchnahmen. Dann ward die Arbeit bei Seite gelegt und weder Dichter noch Componist haben sich mehr darum bekümmert.

Die in dem Singspiele (verfaßt im April 1815) vorkommenden Personen sind: Fernando de la Porta, Eleonore seine Gattin, Filipp deren zwölfjähriger Sohn, ein Bauer, ein Jäger und ein Köhler.

Die Handlung spielt in einer rauhen Gegend der Pyrenäen in der Nachtzeit und währt bis zum anbrechenden Morgen.

Der Inhalt des Stückes, in welchem übrigens der gesprochene Dialog[20] einen viel größeren Raum einnimmt, als der gesangliche Theil, ist folgender: Fernando de la Porta hat den Bruder seines Weibes erschlagen, weil dieser ihn verläumderischer Weise eines Verbrechens angeklagt hatte, und ist nach Verübung dieser That entflohen. Das Inquisitionsgericht verurtheilte den Mörder zum Tod und setzte einen Preis auf seinen Kopf. Einflußreiche Freunde erwirkten später (nach Aufhebung der Inquisition) seine Begnadigung, wovon aber Fernando, der sich in die Pyrenäen zurückgezogen hat und dort als Eremit verkleidet lebt, keine Kunde zugekommen ist. Eleonore, die, überzeugt von der Unschuld ihres Gatten, ihm das an dem Bruder im Jähzorn verübte Verbrechen verziehen, macht sich mit ihrem Sohne auf, um Fernando zu suchen und ihn seiner Familie wiederzugeben. In der Nähe der Klausner-Hütte angelangt, werden sie von einem Gewitter überfallen; Filipp, im Dunkel sich verirrend, verliert seine Mutter aus den Augen und
67 ruft wehklagend ihren Namen. (Beginn des Singspieles). Da erblickt er im Hintergrunde einen Wolf sich zwischen den Bäumen durchschleichen und mit einem Angstschrei läuft er davon.

19 Auf der Original-Partitur (im Besitz des Herrn *Dr.* Schneider) steht geschrieben:
Fernando,
ein Singspiel in Einem Aufzug von A.... St....
Die Musik ist von Franz Schubert, Schüler des Herrn Salieri.
Den 3. Juli 1815 angefangen den 9. Juli geendigt.

20 Das Textbuch umfaßt 42 vollgeschriebene Seiten.

Das Gewitter verzieht sich; Fernando, als Eremit gekleidet, tritt aus der Klause. Von Gewissensbissen gefoltert, wiederholt er sich die letzten Worte, welche das Opfer seiner Rache ihm zugerufen. Filipp tritt zu ihm, erzählt ihm sein Schicksal und bittet ihn um Schutz und Hülfe. In der Ferne fällt ein Schuß. Fernando verspricht dem Knaben, ihm in seinem Unglück beizustehen; als er ihn aber weiter um das Ziel seiner und seiner Mutter Reise befragt, singt ihm Filipp ein Lied vor, das er von seiner Mutter gehört, und welches die von Fernando verübte Mordthat zum Gegenstand hat. Dieser erblaßt, Filipp aber theilt ihm mit, daß die Mutter dem Mörder vergeben habe, und daß dessen Begnadigung mittlerweile erwirkt worden sei. Da kommt ein Bauer mit einem blutbefleckten Tuch, das er im Gestripp gefunden. Filipp und Fernando ergreift Entsetzen, denn sie ahnen, daß Eleonore die Beute jenes reißenden Thieres geworden sei, welches sich kurz vorher im Dickicht gezeigt hatte; der Bauer entfernt sich, Fernando hält nun mit seinem Geheimniß nicht länger mehr zurück und gibt sich seinem Sohne zu erkennen. Beide beklagen Leonorens Tod. Da erscheint diese, von einem Jäger und einem Köhler geführt. Fernando gebietet dem Sohne Schweigen; dieser stürzt in die Arme seiner Mutter. Der Köhler, der Jäger und Eleonore erzählen nun abwechselnd, wie der Wolf schon darangewesen, Eleonoren zu zerreißen, als er durch die Kugel des Jägers getroffen und von des Köhlers Art vollends getödtet worden sei. Diese beiden entfernen sich. Fernando
fragt Leonoren, welch ein Geschick sie hieher getrieben habe, und als er aus 68
ihrem eigenen Munde vernimmt, daß sie dem Mörder verziehen habe, eilt er in seine Klause, um bald darauf in spanischer Tracht aus derselben hervorzutreten. Eleonore, die bereits von Filipp erfahren, daß der Eremit Fernando sei, wiederholt das Wort *Verzeihung*, und ein allgemeiner Freudengesang schließt das harmlose, fast kindische Textbuch.

Der musikalische Theil des Singspieles beginnt mit einer *Introduction* (Largo *D-moll* $^4/_4$, nach 12 Tacten in *Presto* gehend), während welcher (im 30. Tact) der Vorhang emporrollt. Diese Einleitung, ein immer heftiger werdendes Gewitter darstellend, endet mit dem *Recitativ* Filipp's (Sopran), der in Klagetönen nach seiner Mutter ruft. Auf dieses folgt eine Art von Gebet mit Harmoniebegleitung, sodann eine *Arie* Fernando's, eine *Romanze*[21] Filipp's, ein *Duett* zwischen Fernando und Filipp, eine *Arie* der Eleenore, ein *Duett* zwischen Fernando und Eleonore und das *Finale*, beginnend mit einem Duett zwischen den zuletzt Genannten, an welches sich ein Ensemble (Eleonore, Filipp, Fernando, Bauer, Köhler und Jäger) anschließt. Mit einem die Gattenliebe preisenden allgemeinen Freudengesang endet das Singspiel.

Auch »Fernando« ist noch nie auf einer Bühne aufgeführt worden; das *Finale* brachte Ferdinand Schubert wenige Jahre nach Franzens Tod in einem

21 Die *Romanze* als Strofengesang fehlt beinahe in keiner der Schubert'schen Opern.

seiner Concerte mit noch andern Schubert'schen Opern-Bruchstücken zu Gehör.

Das dritte, für die Bühne bestimmte Stück ist *Claudine von Villabella*,
69 Singspiel in drei Acten von Goethe. Der Inhalt desselben faßt sich, soweit er den noch erhaltenen ersten Act der Partitur betrifft, in Folgendem zusammen: Die beiden Brüder Carlos und Pedro von Castellvechio hatten von ihrem Vater eine sehr ungleiche Behandlung erfahren. Carlos, der ältere, wurde nämlich seiner rauhen Gemüthsart wegen von diesem verstoßen, und treibt sich seit längerer Zeit unter dem Namen *Rugantino* als Anführer einer Räuberbande in den sizilischen Gebirgen herum; *Pedro* hat nach des Vaters Tod den Alleinbesitz der Güter übernommen, welchen er gerne mit seinem Bruder theilen würde, sobald er ihn nur ausfindig gemacht hätte. Verlobt mit *Claudinen*, der Tochter *Alonzo's*, Herrn von Villabella, auf welchem Schloß er eben einige Zeit zugebracht hat, verabschiedet sich Pedro, da sein Urlaub zu Ende, von der Familie, um seinen Verpflichtungen am Hofe des Königs nachzukommen. (Anfang des Singspieles.) Rugantino hat seinerseits einen Anschlag auf das Schloß von Villabella vor, aus welchem er Alonzo's schöne Nichte *Lucinde* mit Gewalt zu entführen gedenkt. Ein Theil der Vagabunden hält zu ihm, andere schließen sich dem Spießgesellen Rugantino's, *Bosko* an, um auf Beute anderer Art auszugehen. (Schluß des ersten Actes.)

Schubert hat alle drei Acte dieses Singspiels in Musik gesetzt. Leider aber sind dem Eigenthümer der Original-Partitur[22] Herrn Josef *Hüttenbrenner*
70 in Wien, die letzten zwei Acte auf gleich trostlose Art wie jene zu »des Teufels Lustschloß« abhanden gekommen, so daß man sie als für immer verloren ansehen muß[23]. Die Musik des noch erhaltenen Bruchstückes ist zwar liedartig, aber reizend und charakteristisch gehalten, und die verloren gegangenen Theile, in welchen dem Componisten mehr Spielraum zur Entfaltung dramatisch-musikalischer Behandlung geboten ist, als in dem ersten Act, werden sich ohne Zweifel auf gleicher Höhe behauptet haben. Schubert selbst hielt etwas auf diese Composition, die er in dem Zeitraum von ein paar Monaten auf's Papier hinwarf, denn schon im November war er mit der zweiactigen Oper: »Die beiden Freunde von Salamanka« beschäftigt.

22 Das Manuscript trägt ebenfalls die Aufschrift: Die Musik ist von F. Schubert, Schüler des Herrn von Salieri, 1815. – Der erste Act hat das Datum 26. Juli und 5. August als Zeitpunct der Inangriffnahme und Beendigung desselben. Schubert componirte daher denselben in 11 Tagen. – Johann Andrä in Offenbach, der Freund Goethe's, hat dasselbe Singspiel 1774 in Musik gesetzt. (O. Jahn Mozart III. Band S. 79.) Auch Jos. *Drechsler* (1823–1829), Kapellmeister in dem Leopoldstädter Theater, componirte es.

23 Mit den beiden Acten ist nämlich, nach Herrn Hüttenbrenners Mittheilung, während seiner Abwesenheit von Wien im Jahre 1848, von seinen Hausgenossen *eingeheizt worden*. Auch die angefertigte Copie ist auf diese Weise zu Grunde gegangen.

Dem Singspiel »Claudine« geht eine *Ouverture*[24] (*E-Dur* $^4/_4$) voraus, mit einem *Adagio* beginnend, das sodann in einen frischen Satz (*Allegro vivace* $^4/_4$) übergeht.

Die *Introduction* bildet ein *Terzett* zwischen Luzinde, Alonzo und Pedro von Rovero, an welche sich ein *Chor* der Landleute anreiht. Auf diesen folgt eine von Streichinstrumenten begleitete *Ariette* der Luzinde, sodann eine *Arie* Claudinen's, eine Arie des Pedro (Tenor), eine *Ariette* der Claudine, 71
ein humoristisches *Lied* des Rugantino mit *Chor* der Vagabunden und das *Finale* (Wortwechsel zwischen Rugantino und Bosco, erster und zweiter Chor der in zwei Parteien sich scheidenden Vagabunden) – eine belebte Scene. Auch »Claudine« wurde nie scenisch dargestellt, und erstand aus dem Notenverließ, nicht um gekannt, sondern um verbrannt zu werden.

Die zweiactige Oper »*Die beiden Freunde von Salamanka*« verdankt ihr Entstehen dem Freundschaftsverhältnisse zwischen Schubert und Mayrhofer, welch letzterer das Textbuch verfaßte. Die Musik dazu wurde in dem Zeitraume vom 18. November bis 31. December 1815, mithin beiläufig in sechs Wochen componirt. Die Originalpartitur (im Besitz des Herrn *Dr.* E. Schneider) ist umfangreich und füllt der erste Act allein 320 geschriebene Seiten. Das Textbuch ist verloren gegangen[25]. So weit sich die Handlung der Oper aus der Partitur entnehmen läßt, strebt Graf Tormes nach dem Besitz der Gräfin Olivia, ohne sie persönlich zu kennen, nur angezogen von dem Ruf ihrer Schönheit. Don Alonso haßt den Grafen, und um ihm Olivia's 72
Besitz streitig zu machen, bestimmt er seinen Jugendfreund Fidelio zur Ausführung folgenden Planes: Diego, beider Freund, soll auf die Gräfin scheinbar einen Raubanfall ausführen, Alonso und Fidelio würden dann zu Hilfe eilen und sich auf diese Weise bei Olivia einführen.

Da nun diese, von unbestimmter Sehnsucht getrieben, an einem einsamen Orte, »wo der Giesbach über Felsen schäumt, ein tiefes Roth die Beeren säumt, und holder sind der Blumen Sterne«, umher wandelt, überfällt sie Diego; auf ihren Hilferuf stürzen die beiden Freunde herbei, Diego entspringt, Olivia's Leute kommen heran; Eusebia, die Vertraute der Gräfin, erkennt in

24 Eine Copie der Ouverture besitzt Herr Witzendorf in Wien. – Von Reineke existirt ebenfalls eine Ouverture zu »Claudine«.

25 Freiherr v. Feuchtersleben wollte es in die von ihm besorgte neue Ausgabe der Mayrhofer'schen Gedichte aufnehmen; wie er aber selbst bemerkt, kam er auf mehrseitigen Rath und mit Rücksichtnahme auf den größeren Theil des Lesepublicums von diesem Vorhaben wieder ab, und blieben sowohl »die Freunde von Salamanka«, als auch »Adrast« von der Sammlung ausgeschlossen. Die Folge davon ist, daß die Texte beider Stücke höchst wahrscheinlich gar nicht mehr existiren, da von Mayrhofer's literarischem Nachlaß, der sich im Besitze des Herrn v. Feuchtersleben befand, *derzeit*, mit Ausnahme einiger Citate aus Herder, nichts mehr zu finden ist, und die Manuscripte, wie man mir sagte, »wahrscheinlich von den Mägden verstreut und vernichtet wurden.«

Fidelio ihren Geliebten; alles zieht in Jubel auf das nahegelegene Schloß. Olivia verliebt sich in ihren Retter, verzeiht ihm nach erfolgter Aufklärung die Angst, in die er sie durch den von ihm veranstalteten Ueberfall gesetzt hat, und beide werden ein Paar.

Graf Tormes wird von Fidelio zu Eusebia geführt, die er für Olivia hält, und um deren Hand er sich nun bewirbt. Eusebia, in das Geheimniß eingeweiht, gibt sich nicht zu erkennen, bis endlich Olivia selbst kommt und Tormes erfahrt, daß er getäuscht worden sei.

Nebenbei bewirbt sich Diego, ein junger Jurist, um des Alkalden Tochter Laura. Dieser überträgt ihm, nachdem er die Prüfung aus den Digesten gut überstanden, mit Einwilligung der Gräfin seine Richterstelle und gibt seine Einwilligung zu der gewünschten Heirath. Alonso geht allenthalben leer aus.

Der Oper geht eine *Ouverture* voraus und dieser folgen achtzehn Gesangsstücke. Der erste Act enthält deren sieben: Eine *Introduction* als Einleitung
73 zu einem Terzett zwischen Alonso (Tenor), Diego (Tenor) und Fidelio (Baß); eine *Arie* des letzteren, ein *Quartett* (die Vorigen und Tormes), eine *Arie* der Olivia (Sopran), ein *Terzett* (Olivia, Eusebia und ein Bauer), ein *Duett* (Alonso und Diego) und das *Finale*, ein Ensemblestück, an welchem außer den Genannten auch der Alcalde, Laura, der Chor der Männer und der Frauen theilnehmen.

Der *zweite* Act beginnt in anmuthig heiterer Weise. Es ist Weinlese; Winzer und Winzerinnen sind, mit dem Einsammeln der Trauben beschäftigt, des Festes gewärtig, das ihrer nach der Arbeit harrt. Das Orchester[26] spielt eine Introduction im ländlichen Stil. (*Allegretto F-Dur* $^2/_4$.) Der Schaffner tritt unter das Winzervolk, um es zur Arbeit aufzumuntern.

Laßt nur alles leichtfertige Wesen,
Hurtig die Trauben gelesen,
Was soll das Grüßen,
Das Flüstern und Küssen?

ruft er den Arbeitern zu; diese antworten im Chor:

Zum Moste stampfen wir die Beeren,
Der Most muß gähren,
Sich veredeln und zum Wein,
Zum süßen Blute roth und rein u.s.w

Ein allgemeiner Chor, der zum Feste ruft, schließt die belebte, musikalisch *alla Pastorale* gehaltene Scene.

26 Violine, Viola, Cello, Oboe, Fagott und Baß.

Das nächste Musikstück ist ein national-charakteristisches *Lied* eines Guerillas (Baß):

Guerillas zieht durch Feld und Wald
In rauher Kriegeslust u.s.w.,

welches nach dem Hinzutreten eines zweiten Guerillas von beiden wiederholt
wird. Darauf folgt eine *Arie* des Tormes, eine Arie des Xilo (Baß), ein *Duett* 74
zwischen diesem und Tormes, ein *Duett* zwischen Diego und Laura, eine *Arie* der Olivia, ein *Duett* zwischen ihr und Alonso, eine *Romanze* des Diego, ein *Terzett* zwischen dem Alcalden, Laura und Diego, eine *Arie* der Laura und endlich das *Finale*, an welchem alle Personen des Stückes theilnehmen.

Auch diese Oper, in welcher übrigens Schubert, ohne seine Eigenthümlichkeit völlig zu verleugnen, im Ganzen sich vorwiegend dem Stil des Singspieles der *älteren* Componisten anschließt, ruht bis zu dieser Stunde ungekannt in des Tondichters musikalischem Nachlaß.

Nebst den oben genannten Opern und Singspielen sind noch: »Die *Minnesänger*«, »*Adrast*« und »Der *Spiegelritter*« zu erwähnen. Daß Schubert das Singspiel: »Der Minnesänger« (wahrscheinlich jenes von Kotzebue) in Musik gesetzt hat, wird mit Bestimmtheit versichert[27]; auch von der Oper »Adrast«[28] von Mayrhofer soll Einzelnes componirt sein, es fehlt aber bis jetzt jede Spur davon. Die dreiactige Oper von Kotzebue »*Der Spiegelritter*« dürfte er vollständig in Musik gesetzt haben. Von dieser hat sich ein Bruchstück vorgefunden[29]. Der Operntext enthält Arien, Duette, Ensemblestücke und Chöre,
und ist vorwiegend von possenhaftem Charakter. Der Inhalt des Singspieles, 75
soweit er das musikalische Bruchstück anbelangt, faßt sich in Folgendem zusammen: Prinz Almador, Sohn des Königs von Dummistan, bisher in üppigem Hofleben aufgewachsen, wird von seinem Vater auf Reisen und Abenteuer gesendet, auf daß er sich zum Manne bilde und Ruhmesthaten vollbringe. Schmurzo, das Stichblatt des Witzes bei Hof, soll ihn begleiten. Als Sinnbild und Wahlspruch überreicht der Zauberer Burrudusasussi dem Prinzen einen blauen Schild, worauf ein Spiegel mit den Worten: »Der Tugend treu.« Das Spiegelglas hat die Eigenschaft, bei drohenden Gefahren zu erbleichen; das Geheimniß, daß, wenn seine Strahlen das Bild *Milnis*, der verzauberten Königin der schwarzen Inseln, zurückwerfen sollten, diese von

27 Ferd. Schubert und Bauernfeld erwähnen dieser Oper.

28 Wahrscheinlich der Peripathetiker und musikalische Schriftsteller Adrastrus von Philipoppolis. Herr Jos. Hüttenbrenner behauptet, daß Schubert einen Chor daraus componirt habe.

29 Bei Ferd. Schubert's Familie. Dasselbe besitzt jetzt der Wiener Musikverein.

dem auf ihr lastenden Fluch ewigen Hungers erlöst werden würde, bleibt dem Ritter verborgen. Almador und Schmurzo treten die Reise an.

Das aufgefundene Bruchstück enthält die Arie des Königs[30], ein humoristisches Quintett des Schmurzo und der ihn neckenden und verspottenden Damen[31]; eine Arie[32] des Prinzen (Tenor), ein Duett[33] der Eltern des Prinzen
76 (Sopran und Tenor), ein Ensemblestück[34] mit Chor, eine Arie[35] des Prinzen, eine Arie[36] des Zauberers mit Chor und ein Fragment der Arie des Prinzen.

Ueber die Entstehung und das Schicksal dieser Oper ist nichts weiter bekannt geworden.

Alle diese in rascher Aufeinanderfolge entstandenen Singspiele sind in erster Linie als Versuche Schubert's anzusehen, sich die dramatisch-musikalischen Formen in kleinerem Rahmen durch Selbstschaffen eigen zu machen. Nebstdem unterliegt es keinem Zweifel, daß der Drang, Opernmusik zu schreiben, welchen wir bei so vielen großen Meistern schon in frühester Zeit erwachen sehen, auch bei Schubert unwiderstehlich zum Durchbruch gekommen ist, der freilich einem derartigen Verlangen nach seiner Weise durch Massenproduction Genüge zu leisten wußte. Der musikalische Gehalt dieser Operetten reiht sich wohl nicht dem Bedeutenderen an, was Schubert überhaupt geschaffen, auch würden dieselben, als Theaterstücke gesehen, von der Bühne herab der jetzigen Geschmacksweise wahrscheinlich nicht mehr zusagen, zumal wenn man die Naivetät einiger der benützten Textbücher in Betracht zieht[37]; andererseits aber wäre es ein Irrthum, wollte man glauben, daß in diesen Erstlingen der dramatischen Muse Schuberts nur die Schülerhaftigkeit eines – allerdings hochbegabten – Anfängers zu Tage trete; denn
77 der in Melodien unerschöpfliche, mit den Gesetzen der Harmonie und der Kunst der Instrumentirung vollkommen vertraute Tondichter, welcher um jene Zeit schon mehrere seiner schönsten Lieder geschrieben und das Zeug in sich hatte, ein Werk, wie es die *G*-Messe ist, zu schaffen, bewegt sich auch in diesen dramatisch-musikalischen Arbeiten mit einer Leichtigkeit und Si-

30 Arie für Baß in *C-Dur* $^4/_4$:
Der Sonnenstrahl ist warm,
Doch wärmer ist Mutterliebe u.s.w.

31 Wir gratuliren Dummkopf u.s.w.

32 Ach es ist schön, fremde Länder zu seh'n u.s.w.

33 Wohl ist nur halbe Freude, die Vaterland nicht gab, u.s.w.

34 Ein Sinnbild auf dem blanken Schild, u.s.w.

35 Schweigt, haltet graues Haar in Ehren, u.s.w.

36 So nimm, du junger Held,
Den Spiegel im blauen Feld.

37 An läppischen Operntexten fehlt es zwar auch jetzt nicht; aber die Methode, nach welcher in Unsinn gemacht wird, ist eine andere, – zeitgemäße geworden.

cherheit in der Behandlung des vocalen und instrumentalen Theiles, daß da von schülerhaften Versuchen nicht die Rede sein kann[38]. Eine Aufführung des musikalischen Theiles der Operetten im kleinen Concertraum würde manch' reizendes Stück zu Tage fördern.

Die Lust Opern zu schreiben hat übrigens Schubert nie verlassen. Es trat wohl hie und da eine längere Pause ein, im Ganzen genommen ist aber seine Thätigkeit auf diesem Felde eine überraschend fruchtbare, und trotzdem, daß in späterer Zeit die Ungunst der Theaterverhältnisse seinen zwei größeren Bühnenwerken die ihnen gewissermaßen schon zugesicherte Aufnahme in das Repertoir verwehrte, sehen wir doch den Unermüdlichen noch am Ende seiner Tage abermals mit dem Gedanken an eine neue Oper beschäftigt.

Was von Schubert's dramatisch-musikalischen Arbeiten während seiner Lebzeiten auf der Bühne zur Aufführung gelangte, gehört ausschließlich dem Melodram und der musikalischen Posse an.

IV.

(1816.)

Auch das Jahr 1816 repräsentirt in Franz Schubert's kurzem Erdenwallen eine Zeit rastlosen, durch keinen wichtigen Zwischenfall unterbrochenenen Schaffens, nur daß hier neben der immer mehr anschwellenden Liedermasse an Stelle der Oper (welche nur durch ein Bruchstück vertreten ist) die *Cantate*, und zwar in der Gestalt dreier »Gelegenheitscompositionen«, in den Vordergrund tritt, von welchen der auf einen poetischen Text in Musik gesetzte »*Prometheus*« über die beiden anderen wenig bedeutenden entschieden hinausragt.

Der Zeitfolge nach ist unter den Cantaten jene als die erste vorzuführen, welche Schubert anläßlich des Jubiläumsfestes des Hofcapellmeisters Salieri selbstdichtend in harmlose Reime brachte und ebenso anspruchslos mit Tönen umkleidete.

Am 16. Juni 1816 beging Antonio Salieri den fünfzigsten Jahrestag seines Eintrittes in den kaiserlichen Dienst. Dem bevorstehenden Jubelfest hatten er und seine Familie schon lange mit Freuden entgegengesehen und beschlossen, es mit einer angemessenen Feier zu begehen; diese jedoch auf eine den 79
Verdiensten des Jubilars entsprechende Weise zu erhöhen, war sein Monarch selbst bedacht[1].

38 Aus einigen Bruchstücken, welche mir bekannt geworden sind, läßt sich – bei Schubert – wohl auf das Ganze schließen.

1 s. J. Mosel: »Salieri's Leben.« – Wiener Zeitung 19. Juni 1816.

Am frühen Morgen des 16. Juni, desselben Tages, an welchem Kaiser Franz von seiner Reise nach Italien (zunächst von dem Schloß Bösenbeug) nach Schönbrunn zurückkehrte, begab sich Salieri, eingedenk des ersten Ganges, welchen er am 16. Juni 1766 mit seinem (mittlerweile verstorbenen) Meister *Gaßmann* durch die Straßen der Residenz gemacht hatte, begleitet von seinen vier Töchtern, zu einem Dankgebet in die italienische Kirche. Um 10 Uhr Vormittags fand sich vor seinem Haus (in der Spiegelgasse Nr. 1154) ein Hofwagen ein, der ihn in das Hôtel des Obersthofmeisters Fürsten zu Trauttmannsdorf-Weinsberg führte. Dieser erschien mit dem Hofmusikgrafen von Kuefstein im Vorsaal und führte Salieri in ein zur Feierlichkeit bestimmtes Gemach, wo ihm nach kurzer Ansprache in Gegenwart des im Kreise aufgestellten Hofmusik-Personales die große goldene Civil-Ehren-Medaille mit Kette umgehängt wurde. Salieri dankte für die ihm zu Theil gewordene Auszeichnung und den versammelten Künstlern für ihren Eifer, und nachdem er huldvoll entlassen worden, fuhr er, da eben Sonntag war, in die Hofcapelle, um dort seinen gewöhnlichen Dienst zu versehen und die Musik des Hochamtes (diesmal eine seiner Messen) zu leiten.

Die Mittagsstunden füllte ein fröhliches Mahl im Kreise seiner Kinder und einiger vertrauten Freunde aus. Gegen 6 Uhr Abends versammelten sich, einer vorläufig an sie ergangenen Einladung zufolge, seine sämmtlichen
80 ehemaligen und wirklichen Schüler und Schülerinnen in seiner Wohnung. Graf Kuefstein beehrte die Gesellschaft mit seiner Gegenwart. Sobald Alles versammelt war, begann die musikalische Feier. Salieri, von seinen vier gleichgekleideten Töchtern umgeben, nahm am Clavier Platz. Zur Rechten in einem Halbkreise saßen vierzehn theils ehemalige theils noch wirkliche Schülerinnen, nämlich die Damen: *Rosenbaum* und *Fux* (beide geborne *Gaßmann*), *Correga, Flamm, Klüber, Schütz, Milani, Hähnel, Canzi, Franchetti, Teyber, Fery, Weiß* und *Mathes*; zur Linken zwölf ebenfalls theils schon absolvirte theils noch wirkliche Schüler, und zwar Schüler in der Composition[2]: Carl Freiherr von *Doblhoff*, Josef *Weigl, Stunz, Aßmayr* und Franz *Schubert. Hummel* und *Moscheles*, eben auf Kunstreisen abwesend, beschränkten sich darauf, ihre Compositionen einzusenden. Als Schüler im Gesang erschienen: *Mozatti, Fröhlich, Platzer* und *Salzmann*. Dem Jubelgreise gegenüber waren zwei ausgezeichnete Plätze für die beiden oben erwähnten Vorgesetzten bereitet, in Mitte derselben aber die Büste Kaiser Josef II., seines ersten »Gebieters und Wohlthäters«, aufgestellt. Als Jedermann seinen Platz eingenommen, sprach Salieri den Anwesenden seinen Dank aus, worauf ein die Gefühle gegen Gott, Kaiser, Vaterland, Familie und Freunde ausdrückender Chor (Text und Musik von Salieri) gesungen wurde. Sofort begannen

2 Auch ein Lißt findet sich unter den Schülern aufgeführt. *Franz Lißt* stand damals *im sechsten* Lebensjahr.

seine Schüler in der Composition, von dem Jüngsten angefangen, einer nach dem andern, die von ihnen für diese Gelegenheit componirten Gesangsstücke vorzutragen, nach welchen die Compositionen von Hummel und Moscheles an die Reihe kamen. 81

Schubert fand sich zu dieser Feier, wie bereits erwähnt, mit einer von ihm gedichteten und in Musik gesetzten Cantate ein, die er als »Beiträge zur fünfzigjährigen Jubelfeier des k.k. ersten Hofkapellmeisters Anton Salieri von seinem Schüler Franz Schubert« – bezeichnete.

Die Composition besteht aus einem Vocalquartett für vier Männerstimmen (*Adagio B-dur* $^{4}/_{4}$) auf die Worte:

Gütigster, Bester!
Weisester, Größter!
So lange ich Thränen habe
Und an der Kunst mich labe,
Sei beides Dir gebracht, (geweiht?)
Der beides mir verleiht.

An dieses schließt sich eine Arie mit Clavierbegleitung (*Andantino G-dur* $^{2}/_{4}$):

So Gut als Weisheit ströme mild
Von Dir, o Gottes Ebenbild.
Engel bist Du mir auf Erden,
Gern' möcht' ich Dir dankbar werden,

worauf ein dreistimmiger Canon (*Moderato G-dur* $^{2}/_{4}$)

Unser aller Großpapa
Bleibe noch recht lange da!

die Cantate[3] abschließt, welche mehr durch die Gelegenheit, der sie ihre Entstehung verdankte, als durch ihren musikalischen Werth Interesse zu erregen geeignet ist. 82

Ungleich bedeutender als diese war eine kurz darauf entstandene, bei Schubert bestellte Composition, welche von den noch lebenden Zeugen ihrer Aufführung einstimmig als ein schönes Werk gepriesen wird, und auch dem

3 Die Composition findet sich in Abschrift bei Jos. von Spaun, bei dem Musikalienhändler Hrn. Witzendorf und bei Frau *Dr*. Lumpe in Wien. Letztere besitzt auch ein *Terzett* mit Clavierbegleitung auf dieselben Worte, und ebenfalls componirt im Juni 1816, das von dem obigen Quartett zwar nicht wesentlich, aber doch in Einigem abweicht.

bescheidenen Tondichter, der ihr den Empfang des ersten Honorars zu danken hatte[4], solche Befriedigung gewährte, daß er sie, mehrere Jahre später, zu öffentlicher Aufführung bringen wollte.

Es ist dies die Eingangs erwähnte Cantate: »*Prometheus*« für Solostimmen, Chor und Orchester. Mehrere Hörer der Rechte, unter diesen Graf Constantin *Wickenburg* (österr. Handelsminister a.D.) und als Hauptveranstalter Herr v. *Managetta*[5] beschlossen, den Professor der politischen Wissenschaften, Heinrich *Watteroth*[6], an seinem Namenstag (12. Juli) mit einer musikalischen Feier zu überraschen, welche in dem zu seinem Wohnhaus in der Vorstadt Erdberg gehörigen Garten stattfinden sollte. Der Studirende Filipp *Dräxler von Carin* (derzeit Hofrath und Kanzlei-Director des k.k. Obersthofmeisteramtes) dichtete auf Ersuchen mehrerer Collegen während eines Spazierganges durch die Gebirgsthäler von Baden die Cantate »*Prometheus*«, welche sofort dem ihm persönlich ganz unbekannten Schubert zur Composition übergeben wurde. Die Proben für die Aufführung fanden in dem Consistorial-Saal der
83 Universität statt und wurden daselbst eifrig betrieben. Die Aufführung, des ungünstigen Wetters wegen zu wiederholten Malen verschoben, konnte endlich am 24. Juli vor sich gehen.

Frl. Maria *Lagusius* (später verehelichte Griesinger, gest. 1861) und Josef *Goetz* hatten die Solopartien der »Gea« und des »Prometheus« übernommen; Studirende wirkten im Chor und Orchester mit. Die Anrede an den Gefeierten hielt Graf *Wickenburg*; auf diese folgte die Cantate und noch andere Musikstücke. Die Aufführung scheint eine gelungene gewesen zu sein, und der Eindruck, welchen das originelle, schön instrumentirte Werk zurückließ, war ein entschieden günstiger[7]. Der bedeutenden Musik wegen schlug es

4 Franz erhielt dafür 40 fl. C.M. (S. Tagebuch.)

5 Vermuthlich der vor Kurzem verstorbene Hofrath Filipp v. Managetta.

6 Watteroth war der Schwiegervater des bekannten Schubertfreundes v. *Witteczek*.

7 In der Theaterzeitung erschien wenige Tage darauf folgendes Gedicht von Herrn F. v. Schlechta (derzeit jubil. Sectionschef des k.k. Finanz-Ministeriums):
An Franz Schubert, als seine Cantate »Prometheus« gegeben wurde.
In der Töne tiefem Leben,
Wie die Saiten jubelnd klangen,
Ist ein unbekanntes Leben
In der Brust mir aufgegangen.
In dem Sturmeston der Lieder
Klagt die Menschheit jammernd Ach,
Kämpfend steigt Prometheus nieder,
Und das schwere Dunkel brach.
Mich hat's wunderbar erhoben
Und der Wehmut neue Lust
Wie ein schimmernd Licht von oben
Kam in die bewegte Brust.
Und in Thränen und Entzücken

Dr. Leop. v. *Sonnleithner* für die Concerte des Musikvereins vor, drang aber mit seinem Antrag nicht durch, da man »von einem so jungen, noch nicht anerkannten Tonsetzer« nichts wissen wollte. In Schubert's letzten Lebensjahren wurde es mehrfach verlangt, so auch von dem Stift *Göttweih*, wohin auch die Partitur und die von Schubert selbst herausgeschriebenen Stimmen gesendet wurden. Von dort auf Schubert's Verlangen zurückgestellt, da man es anderswo benöthigte, wurde die Cantate in seine Wohnung (damals auf der Wieden Nr. 694) gebracht, aus welcher sie um die Zeit von Schubert's Tod verschwand und bis jetzt nicht wieder zum Vorschein gekommen ist[8]. 84 85

Eine dritte Composition gleicher Gattung ist die zu Ehren des Schuloberaufsehers Josef *Spendou*[9] auf Textworte von Hocheisel für Soli, gemischten Chor und Orchester componirte, unter der Aufschrift: *Empfindungsäußerungen des Witwen-Institutes der Schullehrer Wiens für den Stifter und Vorsteher desselben* (Josef Spendou) veröffentlichte Cantate[10].

Fühlte ich mein Herz zerstücken,
Jauchzend hätte ich mein Leben
Wie Prometheus hingegeben.

8 Auch das Gedicht ist nicht mehr aufzufinden. – Im Jahre 1842 erließ Herr Alois Fuchs in der Wiener Musikzeitung einen Aufruf um Nachricht über die verloren gegangene Composition, der aber resultatlos blieb. In der »Reue Zeitschrift für Musik« Nr. 8 aus dem Jahre 1842 wurde dieser Aufruf bezogen und daran die Bemerkung geknüpft: »Wenn doch die wirklich vorhandenen, noch ungedruckten Compositionen Schubert's erst an's Tageslicht gebracht würden! So liegt in der Bibliothek in Berlin eine große Oper (Alfonso und Estrella) von ihm und in Wien über 50 größere Werke. Es geschieht nichts von selbst: die es angeht sollten sich darum bekümmern, daß die Welt endlich zur vollen Würdigung Schubert's gelange.« – Die Zurückstellung des »Prometheus« von Göttweih vermittelte Herr Frühwald, und*Dr.* Leop. v. Sonnleithner (welchem ich diese Notiz verdanke) schickte die Partitur an Schubert, der ihn in einem Zettel, den Frühwald überbrachte, darum ersucht hatte. Leider wurde die Cantate, von welcher Schubert selbst die Stimmen herausgeschrieben hatte, nicht copirt. Auch nach *Innsbruck* war sie gesendet und daselbst vom Capellmeister *Gänsbacher* zur Aufführung gebracht worden. Im J. 1819 wurde der »Prometheus« im Sonnleithner'schen Hause gegeben, wobei *Dr.* Ignaz v. Sonnleithner den Prometheus sang. Schubert war im Jahre 1816 und auch diesmal bei der Aufführung anwesend, und die Zeugen jener Productionen, *Dr. Leopold* v. S., Albert *Stadler*, der nachherige Oberfinanzrath Ant. *Müllner, v. Schlechta* und Herr Jos. *Hüttenbrenner* wirkten (letzterer im J. 1819) im Chor mit. Im J. 1820 wollte Schubert die Cantate im Augarten aufführen, kam aber davon zurück, da die Probe nicht gut zusammenging. Die Aufführung der Cantate währte beiläufig $^3/_4$ Einer Stunde.

9 *Spendou* war Domscolasticus, *Dr.* der Theologie, Regierungsrath, Mitglied der Studien-Hofcommission in Angelegenheiten der deutschen Schule, infulirter Prälat und Schuloberaufseher.

10 Die Cantate ist als *op.* 128 in dem von Ferd. Schubert verfaßten Clavierauszug im Stich erschienen.

Die Composition besteht aus Recitativen (für Baß), einer Arie, einem Duett und mehreren Chören.

Das erste Baßrecitativ (*Grave G-Moll* $^4/_4$) »Da liegt er starr vom Tode hingestreckt« schildert, auf den todten Vater hindeutend, in kurzen kräftigen Sätzen die traurige Lage der verwaisten Kinder. An dasselbe reiht sich der Klagegesang der Witwe und der diesen begleitende Chor der sie tröstenden Kinder (*Andante F-Moll* $^4/_4$). Ein zweites Baßrecitativ zeigt auf den Retter hin, welchen das nun folgende Duett der Witwe und Einer Waisen (*Allegro mod. B-Dur* $^2/_4$) als solchen begrüßt. Folgt abermals eine Recitativstelle
86 (*Andante molto* $^4/_4$); auf dieses ein Chor der Witwen und Waisen (*Allegro maestoso D-Dur* $^4/_4$) zum Lob und Preis Spendou's, und endlich ein kurzes Baßsolo (*Adagio con moto D-Dur* $^4/_4$), welches in den Schlußchor (B-Dur $^4/_4$) leitet, der mit einem Quartett (Gattin, Waise, Tenor und Baß) beginnend, den Sologesang des Soprans (Gattin) bis zu Ende begleitet.

Die Recitative sind in dieser Cantate schön und ausdrucksvoll behandelt; die übrigen Gesangsstücke – ohne Zweifel auf den Vortrag durch die Waisenkinder berechnet – bewegen sich in schön dahinfließenden Melodien. Der hausbackene Gesangstext war nicht geeignet, den Tondichter zu schwungvoller musikalischer Darstellung einzuladen; der Zweck aber, den Wohlthäter der Witwen und Waisen durch angemessenen Gesang zu ehren, dürfte bei Aufführung der Cantate vollständig erreicht worden sein.

Die *Kirchenmusik* ist durch die Messe in*C*[11], ein verhältnißmäßig weniger hervorragendes Werk, durch das große *Magnificat*[12] in *C*, eine sogenannte
87 *Duett-Arie*[13] für Sopran und Tenor, das Fragment eines *Requiems*[14] und das

11 Es ist dies Schubert's *vierte* Messe (auf dem Titelblatt als *dritte* bezeichnet). Sie ist für vier Singstimmen mit Orchesterbegleitung geschrieben, Herrn *Holzer* »zur freundlichen Erinnerung« gewidmet und als *op.* 48 bei Diabelli im Stich erschienen.

12 Das Magnificat ist für Solo und gemischten Chor mit Instrumentalbegleitung (Violine, Viola, Oboe, Fagott, Trompete, Pauke) und Orgel componirt. Es beginnt mit einem Chor (*Allegro maestoso* $^4/_4$) *Magnificat anima mea Dominum etc.*, auf diesen folgt ein Soloquartett (*Andante* $^3/_4$) *Deposuit potentes de sede etc.* und aus dasselbe als Schluß ein Chor gemischter Stimmen mit Soloquartett (*Allegro vivace* $^3/_4$) *Gloria patri et filio et spiritui sancto Amen.* Das Autograf mit dem Datum 25. Sept. 1816 besitzt Herr Spina.

13 Dieser umfangreiche Doppelgesang (Moderato*G-Dur* $^4/_4$) ist von Violine, Viola, Oboe, Fagott, Cello und Contrabaß begleitet. Die Textworte lauten:*Auguste jam coelestium Divis recepte sedibus dignare te colestium piis adesse mentibus. Omnem per orbem gloriae tuae eriguntur simbola. Per te impetratae gloriae ubique stant insignia.* – Das Autograf besitzt Herr Spina.

14 Das *Requiem* reicht bis (einschließlich) zur Fuge des *Kyrie.*

Stabat mater – nach der deutschen Nachbildung von Klopstock – endlich durch ein Paar kleinere Einlagen[15] reichlich vertreten.

Unter diesen Kirchencompositionen ist das *Stabat mater* für Soli, Chor und Orchester[16] die umfangreichste und unstreitig auch bedeutendste. Es besteht aus vier Arien (je eine für Sopran und Baß und zwei für Tenor), einem Duett für Sopran und Tenor, zwei Terzetten für Sopran, Tenor und Baß, wovon das eine mit Chorbegleitung und aus fünf Chören für gemischte Stimmen. Diese letzteren bilden auch die gelungensten Theile des ganzen Werkes, und ist namentlich der Doppelchor (Nr. 5), ein Wechselgesang von Frauen- und Männerstimmen – von schönem Ausdruck. Auch das Sopransolo (Nr. 2) und das Terzett (Nr. 10) sind in edlem, echt kirchlichem Styl gehalten, und das erstere von ergreifender Wirkung. Die Baßarie könnte auch von Mozart sein, so sehr ist sie dem Styl dieses Meisters nachgebildet. 88

Den im vorausgegangenen Jahre entstandenen zwei Sinfonien (in *B* und *D*) folgten in diesem Jahre abermals zwei sinfonische Werke: die Sinfonie in (*C*-Moll[17]) (die sogenannte tragische) und eine zweite in *B-Dur*. Von den zwei Sinfonien in *B* ist die eine bekannt als »Sinfonie *ohne Trompeten und Pauken*«, was vielleicht darin seinen Grund hatte, daß in jener Gesellschaft von Dilettanten, für welche damals Schubert seine Kammer- und Orchestermusik zu componiren pflegte, sich damals weder ein Trompeter noch ein Paukenschläger vorfand.

Der kleine Kreis von Freunden und Bekannten, welche sich nach und nach den schon erwähnten, bei Vater Schubert abgehaltenen Streichquartett-Uebungen angeschlossen hatten, erweiterte sich nämlich allmälig derart, daß Haydn's Sinfonien in Quartettauszügen mit doppelter Besetzung aufgeführt werden konnten. Zu den Theilnehmern zählten Hr. Josef *Doppler* (Geschäftsführer der Hofmusikalienhandlung C.A. Spina), welcher mit Franz schon

15 Klopstocks Halleluja (dreistimmig) in Lief. 41 enthalten, und ein *Salve regina*.

16 Das *Stabat mater* trägt das Datum Februar 1816. Die Instrumentalbegleitung besteht aus Violinen, Viola, Oboe, Posaunen und Contrabaß. – Im Jahre 1841 wurde es in Wien im Musikvereinssaal aufgeführt, wobei Staudigl, Lutz und Frl. Tuczek die Solo sangen. Im Jahre 1858 brachte die Wiener Singakademie das Terzett mit Chor zu Gehör; am 3. April 1863 kam es in der Altlerchenfelderkirche in Wien vollständig zur Aufführung.

17 Die *C-Moll*-Sinfonie, componirt im April, besteht aus vier Sätzen: einer Einleitung *Adagio molto* $^{3}/_{4}$ mit daran sich schließendem *Allegro*, einem *Andante (As-Dur* $^{2}/_{4}$), einem Menuett mit Trio (*Allegro vivace Es-Dur* $^{3}/_{4}$) und dem Finale (*Allegro C-Moll* $^{4}/_{4}$); jene in *B* hat ebenfalls vier Sätze: ein *Largo* und *Allegro*, ein *Andante*, Menuett und Finale. – Der zweite Satz der *C-Moll*-Sinfonie kam am 2. Dec. 1860 in einem Gesellschaftsconcert in Wien als sinfonisches Fragment zur Aufführung. – Eine Copie der*B*-Sinfonie besitzt der Wiener Musikverein, eine Abschrift von jener in *C-Moll Dr.* Schneider.

89 von den Kinderjahren her bekannt war, die Violoncellisten *Kamauf* und *Wittmann* und der Contrabaßspieler *Redlpacher*.

Als Vater Schubert's Wohnung für diese Zusammenkünfte nicht mehr ausreichte, nahm der Handelsmann Franz *Frischling* die Musiker in seiner Wohnung (Dorotheergasse Nr. 1105) bereitwilligst auf. Der Beitritt mehrerer neuer Mitglieder bewirkte, daß im Herbst 1815 schon kleinere Sinfonien (von Pleyel, Rosetti, Haydn, Mozart) aufgeführt werden konnten, und einige Zuhörer sich einfanden.

Der Raum wurde abermals zu enge, und so übersiedelte die Gesellschaft zu Ende des Jahres 1815 in die Wohnung des Otto *Hatwig* (vordem Mitglied des Burgtheater-Orchesters) im Schottenhof, und im Frühjahr 1818 in desselben neue Behausung im Gundelhof. Fortwährende regelmäßige Uebungen und das Hinzutreten tüchtiger Musiker ermöglichten die Aufführung der größeren Sinfonien von Haydn, Mozart, Krommer, Romberg und der beiden ersten von Beethoven, sowie der Ouverturen von Cherubini, Spontini, Câtel, Mehul, Boildieu, Weigl, Winter u.s.w. Für *diese* Gesellschaft nun schrieb Schubert die beiden erwähnten Sinfonien und im Jahre 1818 die Sinfonie in *C*, sowie auch 1817 die Ouverturen im italienischen Stil, von welch letzteren noch die Rede sein wird, und eine Ouverture in *B*[18] (comp. im September 1816). Die Uebungen währten bis in den Herbst 1820, wo sie wegen Mangels einer geeigneten Localität eingestellt und nicht wieder aufgenommen
90 wurden[19].

Auch zur Composition einer dreiactigen Oper: Die *Bürgschaft*[20] nahm Schubert einen ernsten Anlauf, ohne aber damit zu Ende zu kommen. Diese Oper, mit dem Datum 2. Mai auf der Original-Partitur, enthält zwei vollständig ausgearbeitete Acte, und von dem dritten eine Arie mit Chor, im Ganzen 15 Musikstücke. Der Verfasser des Textbuches ist nicht angegeben, und das *Libretto* aufzufinden ist mir bis jetzt nicht gelungen. Einer mündlichen Mittheilung zufolge soll es von einem Studiosus herrühren[21]. Die Verse und

18 Das Autograf der *B*-Ouverture besitzt *Dr.* Schneider in Wien.

19 Von Hatwig übersiedelte die Gesellschaft noch in die Wohnung des Spediteurs Anton *Pettenkoffer* (am Bauernmarkt). Als dieser Wien verließ und kein geeignetes Locale unentgeltlich zur Verfügung gestellt wurde, löste sich der Verein auf. – Zu den ständigen Mitgliedern zahlten in den Jahren 1815–1818 auch Ferdinand und *Franz Schubert* (letzterer als Altviolaspieler) und *Josef Doppler* (Fagott); Ferd. *Bogner* (Flöte) wirkte hie und da mit, desgleichen betheiligten sich als Gesangssolisten: v. *Gymnich, Goetz, Tieze* und Frl. *Josefine* und *Babette Fröhlich*. – S. Aufsätze über das musikalische Altwien von *Dr.* L. v. Sonnleithner in den »Recensionen« Jahrgang 1862.

20 Das Autograf besitzt *Dr.* Schneider.

21 In demselben Jahre (1816) erschienen: *Die Freunde zu Syrakus*, neues Schauspiel in Jamben und 5 Acten, von Elise Bürger (geb. Hahn), von welchem Proben in der Wiener Theaterzeitung (Sept. 1816) abgedruckt sind.

die in denselben enthaltenen Ausdrücke entziehen sich stellenweise jeder Kritik und bilden den schlagendsten Beweis für die Unbefangenheit, mit welcher Schubert an die Composition von Operntexten ging. Gefiel ihm nur die Idee des Ganzen und fand er darin einige Anhaltspunkte für dramatische Entfaltung der Musik, so setzte er sich über andere Gebrechen mit unglaublicher Leichtigkeit hinweg. Was ihn von der Vollendung der Oper abgehalten (vielleicht doch auch des Dichters Machwerk), ist mir nicht bekannt geworden. Die Handlung ist der Schiller'schen Ballade nachgebildet, welche 91
Schubert um diese Zeit als solche ebenfalls componirt hat.

Die Oper beginnt mit einem *Chor* des um Rettung aus Noth und Tyrannei flehenden Volkes (*All. mod. C-moll* $^4/_4$, von Violinen, Viola, Cello, Fagott, Horn, Posaunen und Baß begleitet). Moeros (Baß) tritt zu dem versammelten Volkshaufen und gibt seinen Rachegedanken in einer Arie[22] (*All. agitato F-moll* $^4/_4$) Ausdruck. Hierauf stimmt der *Chor* einen wildcharakteristischen Gesang an, der den flammenden Etna und den »meuterischen Thor«, der heute noch das Kreuz zieren Werde, zum Gegenstande hat[23]. Der Tyrann von Syrakus gewährt dem Meuchler einen Tag Frist zur Ordnung seiner 92
Angelegenheiten. Dieser dankt ihm für die Gnade in einer Arie[24] (*Moderato*

22 Moeros singt u.a. folgende Verse:
Muß ich fühlen in tiefer Brust!
Tiefes Elend, tiefe Schmach,
Und mit dieser Rachelust!
Und ich bin so klein und schwach!
Feste gibt es heute wieder
Bei dem König an dem Hof,
Uebermuth singt üpp'ge Lieder
Bei den Prassern zu dem *Soff* u.s.w.

23 Der Chor gibt nachstehenden Unsinn zum Besten:
Auf löscht ihm (dem Etna) die schmachtende Qual,
Erfrischt ihm den brändigen glühenden Mund
Mit purpurner Welle bis auf den Grund.
Er labe die brennende Sonne einmal
Und singe bachantische Lieder. –
Es lebe der meuter'sche Thor,
Er zieret das Kreuz mit dem schönen Leib.
Er stellet die Fülle vor;
Und langet und presset das lüsterne Weib,
Sie möchte ihn gerne für sich befreien;
Er lebe gesund und stark, der Blüten nur schmauset,
Nicht Krankheit und Pest.
Er muß sich dem Henkertod weih'n.
Er sei ihm ein Opfer, ein herrliches Fest.
Wir schauen's noch heute am Kreuze vollbracht.

24 Diese Gnade dank' ich dir,
Werd' sie stets dir *denken*,
Und ich eile froh von hier,

D-moll $^4/_4$), Dionisos aber spricht seinen Zweifel über dessen Rückkehr in einem Recitativ[25] aus.

Die Scene verwandelt sich in das Innere des Hauses des Theages. Sein Weib *Anna* singt *eine Romanze* von einem verloren gegangenen und als Schäfchen auf der Weide wiedergefundenen Kinde. Die beiden Kinder des Theages, *Julus* und *Ismene,* wiederholen jedesmal mit der Mutter den Schlußvers. Auf dieses reizende Musikstück folgt ein *Zwiegesang* der beiden Kinder: – die Erzählung eines Märchens. – Die nächste Nummer ist ein *Duett* zwischen Anna und Theages. Dieser, der sich für Moeros verbürgt, soll, da letzterer nicht zurückkehrt, in den Kerker geworfen werden. Anna
93 wehklagt, Theages sucht sie zu trösten[26]. Der *Chor der Wache* fordert Theages auf, ihm zu folgen[27], und es entwickelt sich nun ein *Ensemblestück* (Anna, Julus, Ismene, Theages und Chor), mit welchem der erste Act schließt.

Der zweite ist von diesem durch eine Ouverture getrennt, die (mit einem *Andante C-dur* $^3/_8$ beginnend, sodann in *Allegro agitato* übergehend) in eine *Arie* des auf der Rückkehr begriffenen Moeros hinüberleitet, in welcher er, seine Rettung aus den Fluthen erzählend, den Göttern dankt.

Die Scene verwandelt sich in Anna's Zimmer. Diese, von einem Traum über ihres Mannes Geschick aufgeschreckt, spricht ihre Angst und Seelenpein in stürmisch bewegten Recitativen aus. Julus und Ismene versuchen es, sie zu trösten. Ihr Zwiegesang endet mit einem Terzett, an welchem Anna sich
94 betheiligt[28].

Mein Geschäft zu *lenken.*

25 Ob er wohl zurückkehrt?
Ich kann es nicht glauben,
Die That wär unerhört,
Sie ist *gar nicht zu glauben.*

26 *Anna.*
Du gehst in Kerker – du,
Du eilst in Kerker – du,
Zur finstern Kerkersnacht hinab,
Das geht nimmer rechtlich zu.
Theages.
Geliebtes Weib gib dich in *Ruh*
Ich geh in den Kerker, doch nicht zum Grab!
Anna.
Nein, nein, das war noch nicht erhört,
Das geht nicht an, du *bürgst* ihn nicht u.s.w.

27 Anna sagt bei dieser Gelegenheit:
Die rauhen Männer führen ihn
Zum finstern Kerkersort,
Er *klirrt* in Ketten fort,

28 Ja so sind wir ganz verlassen,
Statt des Freundes muß er sterben,

Philostratus, der Freund des Hauses, tritt ein und sucht das gesunkene Vertrauen in Moeros Treue wieder aufzurichten. Anna antwortet ihm beruhigter, es folgt ein Duett beider. Philostratus schließt diese Scene mit folgenden Worten:

Liebet unbeschreiblich ihn,
Er gibt zehnmal sein Leben hin,
Um Freundes Leben zu erretten,
Wenn nur von traurigen Ketten,

welch hehren Spruch Anna und die beiden Kinder wiederholen.

Der Schauplatz verwandelt sich in eine Waldgegend. Räuber lauern auf Beute und singen ein charakteristisches Quartett (Strofenlied). Das Orchester fällt in ein *Allegro furioso* ein ›Moeros‹ Kampf mit den Wegelagerern darstellend. Folgen nun mehrere Recitativstellen; Moeros besiegt die Räuber, findet sodann die labende Quelle und dankt den alles vermögenden »*Schöpfern*«. Forteilend ruft er noch aus:

Wenn ich *verbliebe*!
Mitleidiger Gott!
Ohn' Erbarmen – wär' er todt.
Und mir winkt ein Ziel,
Heiliger Andacht großes Gefühl.

Damit schließt der zweite Act.

Der dritte enthält nur mehr zwei ausgearbeitete Musikstücke. Er beginnt mit einem Chor des vor dem Richtplatz versammelten Volkes, welcher von einem kurzen Vorspiel (*Andante H-moll* $^3/_8$) eingeleitet wird. Der Chor läßt sich also vernehmen:

Der Abend rückt heran,
Du *büßt* für deinen Wahn;
Man führt sogleich dich fort
Zum *strengen* Kerkerort. 95

Darauf antwortet Theages:

Schweigt, Ihr seid im Wahn
Durch Euch spricht der Tyrann,

Herzlich muß ich Moeros hassen,
Da wir *alle* nun verderben.

Euch *wurmt* mein fester Muth,
Mein hohes Glaubensgut.

Nun folgt noch eine interessante musikalische Stelle. Theages, zum Tod bereit, ruft der Menge zu:

Ein böser Geisterchor,
Der sich voll Zweifel seitwärts steckt;
Nun schweigt, ich laß mich tödten,
Und werd' ihn so erretten,

während diese gleichzeitig in spottender, von dem Componisten charakteristisch wiedergegebener Weise ihm erwidert:

Die Sonne sinkt, nun gute Nacht,
Du hast's gebüßt, du hast's vollbracht,
Das *hast* für deinen Glauben,
Den dir kein Mensch kann rauben.
Seht, wie der Freund zu lösen eilt,
Und seinem Freund die Wunden heilt,
Da ihn die *Stunden schlugen*,
Die sie *zusammentrugen*.

Von dieser Stelle an erscheint das Solo und der Chor, doch ohne Text, durch fünf Seiten der Partitur weitergeführt, dann folgt noch eine kurze Gesangsstelle des Theages:

Wenn dreimal sich der Abend neiget,
Und er sich noch nicht *findet*,
Meint ihr, der Glaube schwindet?

Dieser Sologesang läuft noch durch sechs Seiten ohne Text weiter, und damit schließt die unvollendete Oper, von welcher wohl nie irgend ein Theil
96 in die Oeffentlichkeit gedrungen ist.

Auch an Instrumentalcompositionen anderer als der schon erwähnten Art (Clavier- und Kammermusik) fehlt es nicht; ein großer Theil derselben ist noch unveröffentlicht[29]. Von *mehrstimmigen*, ebenfalls wenig oder gar

29 Dahin gehören: Ein Streichquartett in *F*, ein Streichtrio, ein Violinconcert in *D*, ein Rondo für die Violine in *A*, eine Claviersonate in *F*, ein *Adagio* und*Rondo concertant* für Pianoforte, der erste Satz und der Anfang eines *Allegro* einer Claviersonate in *E*, zwei Märsche für Pianoforte *in E-Dur* und *H-Moll*. Märsche mit Trio in *E-Dur*, zwölf Deutsche mit *Coda* und sechs Ecossaisen. Auf den letzteren findet sich, von Schuberts

nicht gekannten Gesangsstücken sind zu erwähnen: »An die Sonne«, ein umfangreiches, in religiösem Styl gehaltenes Quartett für gemischten Chor mit Clavierbegleitung; »Das Grab« von Salis (Vocalquartett für Männerstimmen); »Chor der Engel[30]« aus Goethes Faust, für gemischte Stimmen; »Trinklied[31]« (für Tenorsolo und Männerchor mit Clavierbegleitung); »der Geistertanz« von Mathisson (Quartett für Männerstimmen) und ein Vocalterzett: »Am Seegestade«[32]. 97

Was die Anzahl der *Lieder* betrifft, so reiht sich das Jahr 1816 auch in dieser Beziehung dem unmittelbar vorausgegangenen an, und stellen sich diese beiden Zeitperioden überhaupt als die liederreichsten dar. Es finden sich darunter die »Gesänge des Harfner«, »Der Wanderer[33]«, »Fragment aus dem Aeschylus«, »An Schwager Kronos« etc., durchweg Compositionen, die von der vollendeten Reise des neunzehnjährigen Tondichters im Liederfach lautsprechendes Zeugniß geben. Ein schönes (nicht veröffentlichtes) Lied ist: »Abschied«[34], von Mayrhofer, nach einer Wallfahrtsmelodie – also im 98
Volkston – mit Clavierbegleitung bearbeitet.

Hand geschrieben, die Bemerkung: Als Arrestant in meinem Zimmer in Erdberg componirt. Mai. Am Schluß stehen die Worte: Gott sei Dank! – Da Witteczek, Mayrhofer und Spaun einige Zeit hindurch in Erdberg wohnten, so hängt die Arrestantengeschichte wahrscheinlich mit einem Scherz zusammen, den diese sich mit Franz erlaubten, als er bei ihnen zu Besuch war. – Ferd. Schubert, in dessen Aufzeichnungen die hier genannten Compositionen sich vorfinden, erwähnt auch einer Sinfonie in *C* (componirt im September), von welcher aber keine Spur vorhanden ist. Die drei Sonatinen für Clavier und Violine (*op.* 137) gehören ebenfalls dieser Zeit an.

30 Erschien im J. 1839 als Beilage der »Neue Zeitschrift für Musik.«

31 Das »Trinklied« erschien im Jahre 1844 bei Mecchetti als Beilage der Wiener Musikzeitung.

32 Die Autografe von »Geistertanz« und »Am Seegestade« besitzt Herr A. *Stadler* in Wien.

33 Das Original des »*Wanderer*« ist in Händen des *Dr.* Carl Enderes in Wien. Es trägt das Datum October 1816. Der Tag der Composition ist, wie es scheint von Schubert, durchstrichen; ebenso sind in der Clavierbegleitung einige Stellen durch dicke Striche unkenntlich gemacht, und an ihrer Statt von Schubert eine andere Begleitung beigefügt worden. Auf das Gedicht des Lübeckers Georg Filipp Schmidt (geb. 1766, gest. 1849) machte ihn der Geistliche *Horni* in Wien aufmerksam, der es wahrscheinlich in den, von Deinhartstein im Jahre 1815 herausgegebenen »Dichtungen für Kunstredner« vorfand, wo es als »Der Unglückliche« von *Werner* bezeichnet ist, daher Schubert auf das Original schrieb: Von *Zacharias Werner.*

34 Das Gedicht ist *Lunz* – der Name eines in Niederösterreich im Oetschergebiet gelegenen Ortes – überschrieben und beginnt:
Ueber die Berge
Zieht ihr fort,
Kommt an manchen
Grünen Ort;
Muß zurücke
Ganz allein,

Es gilt als eine unbestrittene Thatsache, daß Briefe, Tagebücher und andere Aufzeichnungen, wenn sie in größerer Anzahl vorhanden und durch längere Zeit fortgesetzt, in einen inneren Zusammenhang gebracht werden können, ganz hauptsächlich geeignet sind, die Kenntniß des Charakters einer bestimmten Person zu fördern und zu erweitern. Der reiche Briefschatz, welchen wir von den Mozart's besitzen, und die jüngst veröffentlichten Briefe Felix Mendelssohns gewähren einen tieferen Einblick in das Denken und Fühlen dieser Künstlernaturen, als die Darstellung ihres äußeren bewegten Lebens zu bieten vermag, und während sie nicht selten das Verständniß und die Würdigung ihrer Werke erleichtern, sind sie dem Biografen ein wichtiger Behelf für das Entwerfen eines getreuen Bildes dessen, der geschildert werden soll. Von Schubert sind bis jetzt wenige Briefe bekannt geworden, vielleicht weil er nicht schreibselig war (wofür übrigens kein Beweis vorliegt), vielleicht auch, weil Briefe verloren gegangen, oder aus falscher Scheu mit der Veröffentlichung derselben zurückgehalten wird.

Von Tagebuchnotizen liegen nur einige aus den Jahren 1816 und 1824 vor, welche hier und im weiteren Verlauf ihre Stelle finden. Ob Franz längere Zeit hindurch Aufschreibungen geführt, konnte ich nicht ermitteln[35]. Weder
99 diese noch die Briefe sind geeignet, durch ihren Inhalt an sich das Interesse des Lesers in höherem Grad in Anspruch zu nehmen, da Schubert sich fast nie veranlaßt fand, von seinem reichen inneren Leben selbst seinen vertrautesten Freunden Kunde zu geben; nachdem aber die Quellen über seine äußere Existenz ohnehin nur spärlich fließen, muß es dem Biografen wohl gestattet sein, alle Behelfe, deren er habhaft geworden, und wären diese noch so unbedeutend, wo möglich unverkürzt mitzutheilen, da sie im Ganzen immerhin Streiflichter auf das zu schildernde Individuum werfen, des äußerlichen Momentes nicht zu gedenken, daß derlei kleine Episoden die Monotonie der Aufzählung von Schubert's Compositionen, welch' letztere immerdar den hauptsächlichen Theil seiner Lebensgeschichte bilden wird, in erwünschter Weise unterbrechen.

Lebet wohl,
Es muß so sein u.s.w.

35 Der bekannte Autografensammler Alois *Fuchs* bemerkt in seinen *Schubertiana*: Vor einigen Jahren fand ich zufällig bei einem Autografensammler in Wien das *Fragment* eines von Franz Schubert eigenhändig geführten Tagebuches, woran aber bereits mehrere Blätter fehlten. Auf meine Frage, wohin das Mangelnde gekommen sei, erwiderte mir der unglückliche Besitzer dieser Reliquie, daß er bereits seit geraumer Zeit einzelne Blätter dieser Handschrift an Schubertianer oder Autografensammler vertheilt habe. Nachdem ich über diesen Vandalismus meine Entrüstung geäußert, war ich bemüht, den Rest in folgenden Blättchen zu salviren. – Das Autograf des Tagebuchfragmentes besitzt Herr G. *Petter* in Wien.

Die vorgefundenen Fragmente aus Schubert's Tagebuch vom Jahre 1816 umfassen nur die Tage vom 13. bis einschließlich 16. Juni, und sind folgenden Inhaltes:

»13. Juni 1816. Ein heller, lichter, schöner Tag wird dieser durch mein ganzes Leben bleiben. Wie von ferne, leise hallen mir noch die Zaubertöne von Mozart's Musik. Wie unglaublich kräftig und wieder so sanft ward's durch Schlesinger's[36] meisterhaftes Spiel, in's Herz tief, tief eingedrückt. So 100
bleiben uns diese schönen Abdrücke in der Seele, welche keine Zeit, keine Umstände verwischen und wohlthätig auf unser Dasein wirken. Sie zeigen uns in den Finsternissen dieses Lebens eine lichte, helle, schöne Ferne, worauf wir mit Zuversicht hoffen. O Mozart, unsterblicher Mozart! wie viele und wie unendlich viele solche wohlthätige Abdrücke eines lichten besseren Lebens hast du in unsere Seele geprägt. Dieses Quintett ist so zu sagen eines seiner größten kleineren Werke. Auch ich mußte mich produciren bei dieser Gelegenheit. Ich spielte Variationen von Beethoven, sang Goethe's ›rastlose Liebe‹ und Schiller's ›Amalia.‹ Ungetheilter Beifall ward jenem, diesem minderer. Obwohl ich selbst meine ›rastlose Liebe‹ für gelungener halte, als ›Amalia‹, so kann man doch nicht läugnen, daß Goethe's musikalisches Dichtergenie viel zum Beifall wirkte. Auch lernte ich Mad *Jenny*, eine außerordentlich geläufige Clavierspielerin, kennen; doch scheint ihr der wahre reine Ausdruck einigermaßen zu fehlen.

Am 14. Juni 1816. Nach einigen Monaten machte ich wieder einmal einen Abendspaziergang. Etwas angenehmeres wird es wohl schwerlich geben, als sich nach einem heißen Sommertage Abends im Grünen zu ergehen, wozu die Felder zwischen Währing und Döbling eigens geschaffen scheinen. Im zweifelhaften Dämmerschein in Begleitung meines Bruders Carl ward mir 101
so wohl um's Herz. Wie schön, dacht' ich und rief ich und blieb ergötzt stehen. Die Nähe des Gottesackers erinnerte uns an unsere gute Mutter. So kamen wir unter traurig traulichen Gesprächen auf den Punkt, wo sich die Döblinger Straße theilt. Und wie aus himmlischer Heimat hörte ich von einer haltenden Chaise herab eine bekannte Stimme. Ich schaute auf und es war Herr Weinmüller[37], welcher eben ausstieg und sich in seinem herzlichen, biederen Tone empfahl. Gleich wandte sich unser Gespräch auf die äußere

36 Martin Schlesinger, geb. 1751 zu Wildenschwert in Böhmen, gest. in Wien am 12. August 1818, war ein vortrefflicher Violinspieler. Von seinen Compositionen sind wenige, und zwar unbedeutende im Druck erschienen.

37 Weinmüller (Carl), wurde 1765 in der Nähe von Augsburg geboren. Anfangs mit wandernden Theatergesellschaften herumziehend, ließ er sich um 1795 bleibend in Wien nieder, wo er, von Stufe zu Stufe steigend, bald der auserkorne Liebling des Publikums wurde. Er war im Besitz einer herrlichen Baßstimme, und seelenvoller, zum Herzen dringender Deklamation. Auch als Hofcapellsänger excellirte er. Um 1825 trat er in Pension und starb im März 1828 in seiner Villa in Döbling.

Herzlichkeit in Ton und Sprache der Menschen. Wie mancher bemüht sich, sein redliches Gemüth vergebens in ebenso herzlicher biederer Sprache zu zeigen; wie mancher würde darum zum Gelächter der Menschen dienen. Man kann solches nicht als ein erstrebtes Gut, sondern nur als Naturgabe ansehen.

15. Juni 1816. Gewöhnlich ist's, daß man sich von zu Erwartendem zu große Vorstellungen macht. So ging es auch mir, als ich die bei St. Anna gehaltene Ausstellung vaterländischer Gemälde sah. Unter allen Gemälden sprach mich ein Madonnenbild mit einem Kind von Abel am meisten an. Sehr getäuscht wurde ich durch den Sammtmantel eines Fürsten. Uebrigens
102 sehe ich ein, daß man dergleichen Sachen öfter und länger sehen muß, um den gehörigen Ausdruck und Eindruck zu finden und zu erhalten.«

Die nun folgenden mitunter etwas verworrenen Bemerkungen sind am 16. Juni 1816 Abends, nachdem Schubert von Salieri's Jubelfeier nach Hause gekommen war, niedergeschrieben:

»Schön und erquickend muß es dem Künstler sein, seine Schüler alle um sich versammelt zu sehen, wie jeder sich strebt, zu seiner Jubelfeier das Beste zu leisten; in allen diesen Compositionen bloße Natur mit ihrem Ausdruck, frei von aller Bizarrerie zu hören, welche bei den meisten Tonsetzern jetzt zu herrschen pflegt und einem unserer größten deutschen Künstler beinahe allein zu verdanken ist; von dieser Bizarrerie, welche das Tragische mit dem Komischen, das Angenehme mit dem Widrigen, das Heroische mit Heulerei, das Heiligste mit dem Harlequino vereint, verwechselt, nicht unterscheidet, die Menschen in Raserei versetzt, statt in Liebe auflöst, zum Lachen reizt, anstatt zu Gott zu erheben. Dieses Bizarre, aus dem Zirkel seiner Schüler verbannt, um dann auf die reine heilige Natur zu blicken, muß das höchste Vergnügen dem Künstler sein, der von einem *Gluck* geleitet, die Natur kennen lernt, und sie trotz der unnatürlichsten Umgebungen unserer Zeit erhalten hat.

Herr Salieri feierte, nachdem er 50 Jahre in Wien und beinahe eben so lange in kaiserlichen Diensten gewesen, sein Jubelfest, wurde von Sr. Majestät mit einer goldenen Medaille belohnt, ladete viele seiner Schüler und Schülerinnen ein. Die dazu verfertigten Compositionen seiner Compositionsschüler wurden nach der Ordnung, in welcher sie bei ihm eintraten, von Oben nach Unten, producirt. Das Ganze war von einem Chor aus dem Oratorium ›*Jesu*
103 *al limbo*‹[38], beides von Salieri eingeschlossen. Das Oratorium echt *Gluckisch* gearbeitet; die Unterhaltung war für jeden interessant.

38 Jesus in der Vorhölle.

An *diesem* Tage componirte ich das erste Mal für Geld. Nämlich eine Cantate[39] für die Namensfeier des Herrn Professors Watteroth von Dräxler. Das Honorar ist 100 fl. W.W.

Der Mensch gleicht einem Ball, mit dem Zufall und Leidenschaften …

Ich hörte oft von Schriftstellern sagen: Die Welt gleicht einer Schaubühne, wo jeder Mensch seine Rolle spielt. Beifall und Tadel folgt in der andern Welt. *Eine* Rolle aber ist aufgegeben, also ist auch unsere Rolle aufgegeben und wer kann sagen, ob er sie gut oder schlecht gespielt hat? Ein schlechter Theater-Regisseur, welcher seinen Individuen solche Rollen gibt, die sie nicht zu spielen im Stande sind. Nachlässigkeit läßt sich hier nicht denken. Die Welt hat kein Beispiel, daß ein Acteur wegen schlechten Recitirens verabschiedet worden sei. Sobald er eine ihm angemessene Rolle bekommt, wird er sie gut spielen. Erhält er Beifall oder nicht, dies hängt von einem tausendfältig gestimmten Publikum ab. Drüben hängt der Beifall oder Tadel von dem Weltregisseur ab. Der Tadel hebt sich also auf.

Naturanlage und Erziehung bestimmen des Menschen Geist und Herz. Das Herz ist Herrscher, der Geist *soll* es sein.

Nehmt die Menschen, wie sie sind, nicht wie sie sein sollen. 104

Glücklich, der einen wahren Freund findet; glücklicher, der in seinem Weibe eine wahre Freundin findet. Ein schreckender Gedanke ist dem freien Manne in dieser Zeit die *Ehe*; er vertauscht sie entweder mit Trübsinn oder grober Sinnlichkeit.

Monarchen dieser Zeit, ihr seht dies und schweiget! oder seht ihr's nicht? – Dann, o Gott! umschlei're uns Sinn und Gefühl mit Dumpfheit! doch nimm den Schleier einmal wieder ohne Rückschade!

Der Mann trägt Unglück ohne Klage, doch fühlt er es desto schmerzlicher. – Wozu gab uns Gott Mitempfindung?

Leichter Sinn, leichtes Herz: *zu* leichter Sinn birgt meistens ein zu schweres Herz. –

Ein mächtiger Antipode der Aufrichtigkeit der Menschen gegeneinander ist die städtische Höflichkeit. Das größte Unglück des Weisen und das größte Glück des Thoren gründet sich auf die Convenienz.

Der edle Unglückliche fühlt die Tiefe seines Unglücks und Glücks, ebenso der edle Glückliche sein Glück und sein Unglück.

Nun weiß ich nichts mehr! Morgen weiß ich gewiß wieder Etwas! Woher kommt das? Ist mein Geist heute stumpfer als morgen? Weil ich voll und schläfrig bin? Warum denkt mein Geist nicht, wenn der Körper schläft? Er geht gewiß spazieren. Schlafen kann er ja nicht!

39 Prometheus.

Sonderbare Fragen!
Hör' ich alle sagen;
Es läßt sich hier nichts wagen,
Wir müssen's duldend tragen.
Nun gute Nacht
105 Bis ihr erwacht.«

Wie schon erwähnt, versah Franz seit dem Jahre 1814 das Amt eines Gehülfen in des Vaters Schulhaus. Nach dreijähriger Qual unerhörter Selbstverleugnung, und da sich ihm keine Aussicht auf baldige Befreiung aus seiner peinlichen Lage eröffnete, beschloß er, selbst um den Preis, Wien verlassen zu müssen, sich um eine musikalische Anstellung zu bewerben, wozu sich eben die Gelegenheit darbot.

Die damalige Central-Organisirungs-Commission hatte nämlich im December 1815 die Errichtung einer öffentlichen Musikschule an der deutschen Normalschul-Anstalt in Laibach bewilligt. Bezüglich der Lehrerstelle, mit welcher ein Gehalt von 450 fl. W.W. und eine Remuneration von 50 fl. verbunden war, wurde der Concurs ausgeschrieben, und der Termin zur Einbringung der Gesuche, der in Niederösterreich befindlichen Competenten, bei der Landesregierung, auf den 15. März 1815 festgesetzt.

Unter den Aspiranten befand sich auch Franz Schubert, dessen Eingabe folgendes Attest[40] Salieri's beilag:

Io qui Sottoscritto affermo, quanto nella supplica di Francesco Schubert in riguardo al posto musicale di Lubiana sta esposto.

Vienna, 9 Aprile 1816.

Antonio Salieri,

primo maestro di cappella della

106 *Corte Imp. reale.*

Die Gesuche wurden durch die damalige Stadthauptmannschaft[41] in Wien der n.ö. Regierung übermittelt, und jenes des Schubert an dieselbe in nachstehender Weise einbegleitet:

»Das anliegende Gesuch des Franz Schubert um die Musikdirectorsstelle in Laibach wird der hohen Landesstelle nachträglich zum hierortigen Berichte

40 Das Original dieses Attestes ist in meinem Besitz; die übrigen Daten sind Actenstücken der ehemaligen n.ö. Regierung entnommen, welche mir von dem Herrn Statthalterei-Vicepräsidenten Riedl von Riedenau freundlichst mitgetheilt wurden.

41 Eine Art Kreisamt; wurde 1819 aufgelöst.

vom 3. April 1816 über die gleichlautenden Gesuche des Hanslischek und Wöß überreicht.

Man hat den Bittsteller aus dem Grunde nicht erst zu einer neuerlichen Prüfung seiner musikalischen Fähigkeiten angehalten, weil er ein Zeugniß *ddo*. 9. April 1816 des k.k. Hofkapellmeisters Anton Salieri seinem Gesuche beilegte, welches ihn zu der angesuchten Stelle fähig erkläret.

Da eben Salieri es ist, welcher auch die übrigen Bittwerber um diese Stelle prüfte, so ist dessen ausgesprochenes Urtheil für Schubert sehr rühmlich.

Nicht minder empfehlenswerth lautet die Aeußerung des Regierungsraths und deutschen Schul-Oberaufsehers Domherrn Josef Spendou[42], über des Bittstellers Methode in Behandlung der Jugend.

Da Schubert ein Zögling des k.k. Convicts ist und Singerknabe an der k.k. Hofcapelle war, *derzeit noch* als Schulgehülfe am Himmelpfortgrund dienet, so dürften auch diese Umstände nach hierortigem Ermessen demselben zum Verdienste und Vorzuge angerechnet werden.

Wien, am 14. April 1816.

Mertens *m.p.* Freih. v. Haan *m.p.* Unger m.p.« 107

Schubert's Bewerbung blieb erfolglos; die Stelle wurde einem Anderen verliehen[43], und der Schulgehülfe sah sich vorläufig dem Druck beengender Verhältnisse abermals überantwortet.

Die Stunde der Erlösung ließ übrigens nicht lange mehr auf sich warten. Zu Ende 1815 war nämlich der damals achtzehnjährige Studiosus *Franz von Schober* nach Wien gekommen, um seine Studien an der Universität daselbst fortzusetzen. Im Jahre 1798 zu Torup in Schweden geboren, wo sein (um 1784 dahin ausgewanderter) Vater das Amt eines Güterdirectors bekleidete, kehrte Franz von Schober nach dem im J. 1802 erfolgten Tode des Vaters, mit seiner Mutter Katharine (geb. *Derffel* aus Wien) und seinen Geschwistern zunächst nach Deutschland zurück, begann um 1808 seine Studien in dem Stift Kremsmünster, und begab sich nach Beendigung derselben aus Oberösterreich nach Wien, wo er für lange Zeit seinen bleibenden Aufenthalt nahm. Er fand schon im J. 1813 im Spaunschen Hause in Linz Gelegenheit, einige Lieder Schubert's, welche Josef Spaun von Wien aus dahin mitgebracht hatte, zu hören, und das hohe Interesse, welches ihm die schönen eigenthümlichen Melodien einflößten, trieb ihn, den Componisten selbst aufzusuchen. Er fand ihn im väterlichen Hause Schulaufgaben corrigirend und mit Geschäften derart überhäuft, daß es unbegreiflich scheint, wie er gerade um

42 Dessen bereits erwähnt wurde.

43 Salieri schlug einen gewissen *Jacob Schaufl* als den für die Laibacher Lehrerstelle geeignetsten vor.

108 jene Zeit so massenhaft produciren konnte. Was Schober da von Schubert's Compositionen hörte, war nur geeignet, seine Bewunderung für den jungen Tondichter zu steigern. Ueberzeugt, daß dieser, um seinem Beruf leben zu können, aus der geisttödtenden Lage in des Vaters Schule herausgerissen werden müsse, faßte er den Gedanken, Schubert zu sich zu nehmen. Er erwirkte dafür die Einwilligung seiner (Schobers) Mutter, und nachdem sich auch der alte Schubert damit einverstanden erklärt hatte[44], zog Franz in Schober's Wohnung, damals in der »Landskrongasse« gelegen. Dort blieb er etwas über ein halbes Jahr, so lange nämlich, bis ein Bruder des Letzteren, österreichischer Husaren-Officier, mit Urlaub nach Wien kam, und das einzig verfügbar gewesene Zimmer in Beschlag nahm, wo sodann wegen Schubert's Unterbringung auf neuen Rath gesonnen werden mußte. Josef Spaun nahm sich der Sache an, und bewirkte, daß Schubert schließlich zu *Mayrhofer* zog, der in der Wipplingerstraße wohnte, und nun seine Behau-
109 sung zwei Jahre hindurch mit Schubert theilen sollte[45].

Während der Bücherrevisor in seinem Amt eifrigst beschäftigt war, arbeitete Schubert mit gleicher Ausdauer zu Hause bis zur Essenszeit, nach welcher er entweder auf Schober's Zimmer kam, oder in das Kaffeehaus[46], wo er mit diesem und anderen Freunden den Rest des Tages zubrachte. Die späteren Jahre verlebte Schubert zum großen Theil wieder im Schober'schen Hause.

Franz von Schober nimmt in Schubert's Leben eine hervorragende Stelle ein, da er zu diesem frühzeitig in ein nahes Verhältniß trat, und, kurze Unterbrechungen abgerechnet, den vertrauten persönlichen Verkehr mit ihm bis zu dessen Tod fortsetzte. Mit Ausnahme der Jahre 1817, 1824 und 1825, die Schober in Schweden und Preußen zubrachte, dann der zwei Jahre (1819–1821), während welcher Schubert der Zimmergenosse Mayrhofer's

44 In Nr. 42 Jahrgang 1847 der Wiener »Sonntagsblätter« erzählt Ferd. Nic. *Schmidtler* ein Geschichtchen aus dem Lichtenthal, wornach Schubert in Folge einer tüchtigen Ohrfeige, die er einem etwas begriffstützigen Schulmädchen applicirt, mit dem darüber ungehaltenen Vater eine heftige Scene bestanden, und von diesem endlich die *licentia abeundi* erhalten habe, worauf Franz das Lehramt aufgab. Ob und wie viel an der Erzählung Wahres, ist mir nicht bekannt geworden.

45 Obige Daten verdanke ich einer Mittheilung des Herrn von Schober. – Da Schubert sich im Schuljahr 1816 (laut Regierungs-Attest) noch in des Vaters Dienst befunden, Herr von Schober das Jahr 1817 in Schweden zugebracht, und Mayrhofer erst im *Jahre* 1819 gemeinschaftlich mit dem Tondichter gewohnt hat, so erscheinen Schobers Angaben, *insoweit sie bestimmte Zeitabschnitte betreffen,* mit *diesen* Thatsachen schwer in Einklang zu bringen.

46 Schubert pflegte das Bognersche Kaffeehaus in der Singerstraße zu besuchen, wo es einem Marqueur gelang, durch die komische Art, mit der er die von den Gästen gemachten Bestellungen in die Kaffeeküche hineinrief, Schubert's Lachmuskeln jedesmal in fieberhafte Bewegung zu versetzen.

war[47], hatte Schubert fortan Quartier im Schober'schen Hause, oder wenigstens ein Zimmer daselbst zur Verfügung gestellt[48]. 110

Unter allen Freunden Schubert's hat Schober auf diesen den nachhaltigsten Einfluß ausgeübt, und der Kreis junger strebender Männer, der ihn umgab, wurde auch Schubert's vertrautere Umgebung. Die Musik als schaffende Kunst war zwar unter diesen fast gar nicht vertreten; dagegen fehlte es nicht an anderen Kunst- und Geistesrichtungen, welchen ein um so freierer Spielraum gestattet werden durfte, als ja das musikalische Element durch Franz Schubert auf das glänzendste repräsentirt war. Dieses Freundeskreises[49], welchen Schober um sich versammelte, und dem Schubert als eines der geehrtesten und geliebtesten Mitglieder fortan enge verbunden war, wird später ausführlicher gedacht werden.

V.

(1817.)

Die poetisch-musikalische Trias zu vervollständigen, welche in Schubert's Leben allenthalben in den Vordergrund tritt, und auf die Entwicklung des Tondichters in mannigfacher Beziehung veredelnd einwirkte, ist hier vor Allem abermals einer Persönlichkeit zu gedenken, mit welcher Franz bald nach Schober's Begegnung auf seiner Lebensbahn bekannt wurde, und zu

47 Mayrhofer wohnte im Jahre 1816 in der Wipplingerstraße Nr. 420, im darauf folgenden Jahr (mit Spaun) in der Erdberggasse Nr. 97. Im Jahre 1818 kehrte er wieder nach 420 zurück, wo er (mit Schubert) bis 1821 blieb, und dann in das Haus Nr. 389 (ebenfalls Wipplingerstraße) zog.

48 Schubert wohnte zunächst bei Schober (Landskrongasse, später Göttweiherhof), dann bei Mayrhofer, Wipplingerstraße, sodann (1821 bis 1823) wieder bei Schober (Tuchlauben neben dem Musikverein), in den Jahren 1824–1826 auf der Wieden neben der Carlskirche Nr. 100, von 1826 auf 1827 in einem Hause auf der Carolinenthor-Bastei, dann abermals bei Schober (Bäckerstraße, Währing, Tuchlauben) und endlich vom September 1828 an bei seinem Bruder Ferdinand, neue Wieden Nr. 694, wo er starb.

49 Von hervorragenden Theilnehmern an den geselligen Zusammenkünften (Schubertiaden) sind noch *Moriz v. Schwind, Bauernfeld, Spaun* und *Franz v. Schober* am Leben. – Letzterer begab sich nach Schubert's Tod (zu Anfang der Dreißigerjahre) für einige Zeit nach Ungarn auf eine Herrschaft des Grafen L. Festetics, kehrte nach dem, 1833 erfolgten Tod seiner Mutter wieder nach Wien zurück, wo er die Verwaltung eines in der Nähe der Residenz gelegenen Gutes übernahm. Nachdem er später Italien und Frankreich bereist hatte, trat er als Legationsrath in die Dienste des Großherzogs von Weimar, übersiedelte aber um 1856 nach Dresden, wo er bis jetzt seinen Aufenthalt genommen hat. Die Familie Schober wurde 1801 in den österreichischen Adelstand erhoben. Eine Schwester Franz v. Schober's war an den berühmten Sänger Siboni verheirathet. – Schober's Gedichte, von welchen Schubert eine nicht unbedeutende Anzahl in Musik gesetzt hat, erschienen 1840 bei Cotta.

der er ebenfalls in ein nahes, vom künstlerischen Standpunkt aus folgenreiches Verhältniß trat. Der junge Tonsetzer durfte in seinen Freunden Mayrhofer und Schober die Dichter vieler seiner schönsten Lieder begrüßen; es war ihm aber auch beschieden, in früher Zeit den ausgezeichnetsten musikalischen Verdolmetscher derselben fast ohne alles Zuthun für seine Zwecke zu gewinnen, und dauernd an sich zu fesseln.

Dieser enthusiastische Freund der Schubert'schen Muse war der bekannte Sänger *Vogl*, der, beinahe um zwanzig Jahre älter als Schubert, damals im kräftigsten Mannesalter stehend, durch seine Leistungen auf der Bühne schon
112 seit Jahren sich der vollsten Simpathie des jungen Tondichters erfreute.

Die erste Zusammenkunft beider scheint Schober vermittelt zu haben; wenigstens war *er* es, der in Schubert's Gesellschaft bei dem spröden, den sogenannten Genie's gegenüber mißtrauisch gestimmten Sänger mehrere Male anklopfte, bis dieser sich entschloß, die beiden Freunde in ihrer gemeinschaftlichen Wohnung (damals in der Spiegelgasse im »Göttweiherhof«) in Person aufzusuchen[1].

1 In den Aufzeichnungen des Freih. Josef v. *Spaun* findet sich dagegen hinsichtlich Sch's. ersten Zusammentreffens mit Vogl folgende Stelle: »Schubert, der bis dahin seine Lieder meist selbst gesungen hatte, richtete sein Augenmerk ganz vorzüglich auf den von ihm vielbewunderten Hofopernsänger Vogl, von dem es jedoch bekannt war, daß er schwer zugänglich sei.« Es galt vor allem, ihm die Gelegenheit zu verschaffen, Schubert's Compositionen kennen zu lernen: das weitere, dachten die Freunde, würde sich dann finden. Schon öfter hatte ihm Schober mit Begeisterung von dem jungen Compositeur gesprochen, und ihn aufgefordert einer Art Probe beizuwohnen; an dem Widerwillen des von Musik schon lange gesättigten, und bei dem Worte »Genie« durch vielfache Erfahrungen mißtrauisch gewordenen Sängers, prallten vorerst alle Versuche ab. Endlich aber konnte er den wiederholten Bitten von Schubert's Freunden nicht länger widerstehen; der Besuch wurde zugesagt, und um die verabredete Stunde trat Vogl eines Adends nicht ohne Gravität in Schubert's Zimmer, der sich ihm mit einigen linkischen Kratzfüßen und unzusammenhängend herausgestammelten Worten vorstellte. Vogl rümpfte gleichgiltig die Nase, nahm das ihm zunächst liegende Stück Notenpapier, das Lied »Augenlied« enthaltend, summte es herunter, fand es zwar hübsch und melodiös, aber nicht bedeutend, sang dann noch mehrere andere Lieder mit halber Stimme, die ihn, namentlich »Ganymed« und »Des Schäfers Klage«, freundlicher stimmten, und klopfte Schubert beim Fortgehen mit den Worten auf die Achsel: »Es steckt etwas in Ihnen, aber Sie sind zu wenig Comödiant, zu wenig Charlatan; Sie verschwenden Ihre schönen Gedanken, ohne sie breit zu schlagen.« Er ging dann fort, ohne Zusage, wiederzukommen. Günstiger sprach er sich über Schubert gegen dritte Personen aus, ja er erging sich in Ausdrücken der Bewunderung über die Reise und Geistesfrische des jungen Mannes. Nach und nach wurde der Eindruck von Schubert's Liedern auf ihn ein überwältigender; er kam oft unaufgefordert und studirte mit Schubert bei sich zu Hause dessen Compositionen, an denen er nun sich selbst, und jene, die ihm zuhörten, begeisterte.

Johann Michael Vogl, geboren am 10. August 1768 in Stadt Steyr, war der Sohn eines Schiffmeisters[2]. Frühzeitig eine Waise geworden, erhielt er seine Erziehung im Hause seines Oheims, und erregte als fünfjähriger Knabe durch seine helle Stimme und richtige Intonation die Aufmerksamkeit des*regens chori* der dortigen Pfarrkirche. Dieser ertheilte ihm sofort gründlichen Musikunterricht, und schon in seinem achten Jahre wurde Vogl besoldeter Sopransänger. Dabei ward seine Schulbildung nicht vernachlässigt. Der Trieb zum Lernen, der Vogl sein ganzes Leben hindurch begleitete, erwachte frühzeitig in ihm. Hinlänglich vorbereitet, trat er in die Lehranstalt des Stiftes Kremsmünster, wo er das Gymnasium und die filosofischen Studien mit Auszeichnung absolvirte. In dem genannten Kloster fand er zuerst Gelegenheit, Proben seines Darstellungstalentes abzulegen. Bei den kleinen Schau- und Singspielen, die daselbst zur Aufführung kamen, waren eben Vogl und sein Landsmann *Franz Süßmayer*[3] (der nachherige Famulus Mozart's) unter den thätigst Mitwirkenden, die sich denn auch des Beifalles der zu diesen Productionen herbeiströmenden Bewohner der Umgebung in vollem Maße erfreuten.

113 114

Es währte nicht lange, so kamen die beiden Jünglinge überein, zusammen der Kaiserstadt zuzuwandern. In Wien absolvirte Vogl die juridischen Studien und trat sodann in die ämtliche Praxis ein. Bald aber sollte er seinen eigentlichen Beruf kennen lernen. Süßmayer wurde Kapellmeister am Hofoperntheater, und auf seinen Antrieb erhielt der junge Beamte einen Ruf dahin, dem er ohne Zaudern folgte. Am 1. Mai 1794 trat er in den Künstlerkreis der deutschen Oper, welchem er durch 28 Jahre angehören sollte. Es war damals eine schöne Zeit deutscher Gesangskunst, und die Namen *Weinmüller, Saal*, Sebast. *Mayer, Baumann* und *Baucher*, Anna *Milder* und *Buchwieser, Wild* und *Forti* bezeichnen jene mit vorzüglichen Gesangskräften gesegnete Kunstepoche. Vogl's Eintritt in diesen Kreis war von den günstigsten Folgen begleitet. Der gebildete Mann brachte nämlich in der vom rein-musikalischen Standpunkt aus vortrefflichen Gesellschaft den Geist zum Durchbruch. An seinem Geberdenspiel fand man zwar so manches auszusetzen, dagegen galten eine imposante Persönlichkeit, ausdrucksvolle Miene, edler Anstand und eine wohlthuende Baritonstimme als seine unbestrittenen Vorzüge. Im Gesang verfolgte er mit bewußter Consequenz den Weg dramatischer Gesangskunst. In der Darstellung des Charakteristischen, in der künstlerischen

2 Die hier folgende Schilderung Vogl's ist zum Theil einem im Jahre 1841 im Druck erschienen Aufsatz Bauernfeld's, zum Theil Mittheilungen der Herren von Schober und *Dr.* L. v. Sonnleithner entnommen.

3 *FrauXaver Süßmayer*, geboren 1766 in Stadt Steyr, gestorben 1803 in Wien. Die Singspiele und Cantaten, die damals in Kremsmünster aufgeführt wurden, waren zum großen Theil von S. in Musik gesetzt.

Verbindung der Wahrheit mit der Schönheit lag seine Stärke. Er besaß ein seines Gefühl für den Rhythmus der Verse, war des recitirenden Vortrages
115 vollkommen mächtig, und in Folge gründlicher theoretischer Studien auch mit den Gesetzen der Harmonie hinlänglich vertraut. Trotzdem wurde ihm von mancher Seite dasjenige, was man Gesangs*methode* im strengsten Sinn des Wortes nennt, nicht zuerkannt; man warf ihm insbesondere vor, daß er den gebundenen Gesang der Arie zu sehr vernachlässige, und stellte ihm in dieser Beziehung den Sänger *Wild* entgegen, während man Vogl's geistige Ueberlegenheit ohne weiters zugab. Als seine bedeutendsten Bühnenleistungen galten Orest (in »Ifigenie«), Graf Almaviva (in »Figaro's Hochzeit«), Cheron (in Cherubini's »Medea«) und Jakob (in der »Schweizerfamilie«[4] und in »Josef und seine Brüder«), von welchen namentlich die erste und die beiden zuletzt genannten auf den Knaben Schubert großen Eindruck machten. Seine letzte Rolle war angeblich der Castellan in Gretry's »Blaubart«, der im Jahre 1821 neu in Scene gesetzt wurde. In diesem Jahr ging das Operntheater in Barbaja's Pacht über, und zu Ende des nächsten trat der Opernsänger Vogl in Pension, um als Liedersänger die bereits angetretene zweite Künstlerlaufbahn mit ebenso großem Erfolg durch eine Reihe von Jahren fortzusetzen. Noch im Jahr 1821 bahnte sein Vortrag des »Erlkönig« dem jungen Schubert die Wege unvergänglichen Ruhmes, und vier Jahre später finden wir beide auf einer gemeinschaftlichen, durch die Kunst belebten und verschönten Reise in Oberösterreich und dem Salzburger-Ländchen begriffen.
116 Im Herbst des darauffolgenden Jahres begab sich der von Gichtleiden gequälte, schon alternde Sänger nach Italien, wo er bis zum nächsten Frühjahr verweilte; nach seiner Rückkehr aber zeigte der Hagestolz den erstaunten Freunden seine bevorstehende Vermählung mit *Kunegunde Rosas*[5] an, einem fast außer allem Zusammenhang mit der Welt erzogenen weiblichen Wesen, zu welchem er schon seit Jahren in einer Art ethisch-pädagogischem Verhältniß gestanden hatte. In seinem 58. Jahr vollzog der Sänger diese Verbindung, welche ihn noch im Herbst seiner Tage mit einem Töchterlein beglückte.

Vogl war keine gewöhnliche Erscheinung, und erfreute sich einer, größtentheils selbst erworbenen, Bildung, wie sie bei Theatersängern selten vorzukommen pflegt. Die klösterliche Erziehung aber, welche er in seiner Jugend genossen hatte, war auf seinen Charakter nicht ohne Einfluß geblieben, und hatte dazu gedient, in ihm eine gewisse Beschaulichkeit zu nähren, die mit

4 Diese Oper wurde im März 1809 zum ersten Mal in Wien aufgeführt. Auch Graf Dunois in »Agnes Sorel«, der Oberst im »Augenarzt« (von Gyrowetz) und Telasko in der »Vestalin« waren berühmte Rollen Vogl's.

5 Tochter des ehemaligen Gallerie-Directors am Belvedere in Wien-Vogl's Witwe lebt derzeit in Stadt Steyr.

seinem Stand und seinen Verhältnissen in sonderbarstem Contrast stand. Der Grundton seines Innern war eine moralische Skepsis, ein grübelndes Zergliedern seiner selbst, so wie der Welt; der Trieb, täglich besser zu werden, verfolgte ihn durch sein ganzes Leben, und wenn ihn, wie alle kräftigen reizbaren Naturen, die Leidenschaft zu gefährlichen Schritten hinriß, so ward er nicht müde, sich darüber selbst anzuklagen, zu zweifeln, ja fast zu *ver*zweifeln. Ein neuer Fehltritt – neue Vorwürfe und Zerknirschung. Lectüre und Studium standen mit dieser Lebensrichtung in innigem Zusammenhang. 117

Das alte und neue Testament, die Evangelien der Stoiker, Marc-Aurel's Betrachtungen, Epiktet's »Enchiridion« und Thomas a Kempis »Taulerus« waren die steten Begleiter und Rathgeber seines Lebens[6]. Der im Kloster ansponnene religiöse Faden zog sich sein ganzes Leben hindurch. Auch die Lehren der »Stoa« sagten seiner Denkweise zu; er wußte sie übrigens recht gut mit dem Gefühl für das Schöne zu vereinigen, wie er denn überhaupt einen, für Kunstwerke jeder Art höchst empfänglichen Sinn hatte. Sein Lieblingsschriftsteller war Goethe, der auch auf seine Denk- und Anschauungsweise, sowie auf seinen Styl entschieden einwirkte[7].

Die Aufzeichnungen in seinen Tagebüchern, – und er führte solche schon von früher Zeit her – zeigen am anschaulichsten, auf welchen Grundlagen sein inneres Leben beruhte. Unter diesen Tagebuchsnotizen befindet sich auch eine, welche, da sie auf Schubert's Lieder Bezug hat, hier anzuführen kommt: »Nichts hat« – so lautet die Stelle – »*den* Mangel einer brauchbaren Singschule so offen gezeigt, als Schubert's Lieder. Was müßten sonst diese wahrhaft göttlichen Eingebungen, diese Hervorbringungen einer musikalischen *clairvoyance* in aller Welt, die der deutschen Sprache mächtig ist, für allgemein ungeheure Wirkung machen. Wie viele hätten vielleicht zum ersten Mal begriffen, was es sagen will: Sprache, Dichtung in Tönen, Worte in 118
Harmonien, in Musik gekleidete Gedanken. Sie hätten gelernt, wie das schönste Wortgedicht unserer größten Dichter übersetzt in solche Musiksprache noch erhöht, ja überboten werden könne. Beispiele ohne Zahl liegen vor. Erlkönig, Gretchen am Spinnrad, Schwager Kronos. Mignon's und Harfner's Lieder, Schiller's Sehnsucht, der Pilgrim, die Bürgschaft.«

Zu dem Ausdruck *clairvoyance*[8] fand sich Vogl durch folgende Thatsache veranlaßt: Schubert brachte ihm eines Morgens mehrere Lieder zur Durch-

6 Er liebte überhaupt die Griechen, und copirte ein Werk Epiktets in vier Sprachen. In der Theatergarderobe blätterte er in müßigen Augenblicken griechische Classiker durch, und sein Wissen und strenges Auftreten flößte den Theaterleuten nicht wenig Respect ein.

7 So bemerkt Bauernfeld.

8 In einem Brief, datirt vom 15. November 1831, schreibt Vogl an A. Stadler: »Wenn aber vom Fabriciren, Erzeugen, Schöpfen die Rede ist, mache ich mich aus dem Spiel, besonders seitdem ich durch *Schubert* erkennen gelernt, daß es zweierlei Arten Com-

sicht. Der Sänger, eben beschäftigt, beschied den Tondichter auf eine andere Zeit und legte die Lieder bei Seite. Später sah er dieselben allein durch, und fand eines darunter, das ihm besonders zusagte. Da aber die Tonart, in welcher es gesetzt war, für seine Stimme zu hoch lag, ließ er es transponiren und die Uebertragung copiren. Nach etwa vierzehn Tagen musizirten die beiden Kunstgenossen gemeinschaftlich, bei welcher Gelegenheit einiges Neue, darunter auch das besagte Lied, vorgenommen wurde, welches Vogl, ohne ein Wort darüber zu sagen, in der Handschrift des Uebersetzers auf
119 das Clavier gelegt hatte. Als Schubert die nur in der Tonart umgeänderte Composition angehört, rief er erfreut im Wiener Dialect aus: »Schaut's, das Lied is nit uneb'n, von wem ist denn das?« – Er hat also in diesem Fall nach Verlauf von ein paar Wochen sich seiner eigenen Arbeit nicht mehr erinnert[9].

Vogl befaßte sich auch mit Schriftstellerei. Er verfaßte eine Singschule, und sammelte die Erfahrungen, die er als Opernsänger und später als Gesangslehrer gemacht, zu einem Werk zusammen, welches aber unvollendet blieb.

Wie bereits erwähnt, traten der Tondichter und der ausübende Künstler um das Jahr 1817 zu einander in ein näheres Verhältniß. Vogl erkannte alsbald den hohen Werth der Schubert'schen Gesänge, und dieser sah über alle Erwartung erfüllt, was ihm als unausgesprochener Wunsch in der Seele gelegen hatte. Der ernste, gebildete, in Jahren schon vorgerückte Sänger konnte auf Schubert's musikalische Entwicklung einen im Ganzen nur vortheilhaften Einfluß ausüben. Er leitete seine Wahl auf gewisse Gedichte, nachdem er sie ihm vorher mit hinreißendem Ausdruck vordeclamirt hatte, und seine eigenthümliche Auffassung der Schubert'schen Gesänge mußte auf diesen ebenfalls wieder anregend und bildend einwirken.

Schubert kam gewöhnlich in den Vormittagsstunden zu Vogl (der damals
120 in der »Plankengasse« wohnte[10]), um daselbst zu componiren oder neue Lieder durchzuprobiren. Er hielt viel auf des Sängers Urtheil, legte ihm die meisten seiner Gesangscompositionen zur Durchsicht vor und nahm von

position gibt, eine, die wie eben bei Schubert, in einem Zustand von *clairvoyance* oder *sonnambulisme* zur Welt kommt, ohne alle Willkühr des Tonsetzers, wie er muß, durch höhere Gewalt und Eingebung. Ein solches Werk läßt sich wohl anstaunen, mit Entzücken genießen, aber ja nicht – beurtheilen, eine andere – die reflectirte u.s.w.« (Das Schreiben besitzt Herr A. Stadler in Wien.)

9 Freiherr von Schönstein theilte mir obiges Factum mit, welches ganz geeignet war, auch *seine* Lieblingsansicht, Schubert sei ein musikalischer Hellseher gewesen, ihm als die richtige erscheinen zu lassen. An den Namen des Liedes konnte er sich nicht mehr erinnern.

10 In späterer Zeit wohnte Vogl auf der Wieden »Alleegasse«.

ihm ausnahmsweise – auch sogenannten guten Rath an[11]. Vogl führte ihn durch seinen trefflichen Liedervortrag zuerst in die Kunstwelt ein, vermittelte sein Bekanntwerden mit musikliebenden Personen und Familien, und daß Schubert auf Wahrheit des Ausdruckes, richtige Accentuirung und makellose Declamation vorzugsweise bedacht war, darf wenigstens zum Theil als Vogl's Verdienst bezeichnet werden. Im Leben war er ihm ein verständiger Führer, ein väterlicher Rathgeber, und wo ihm die Möglichkeit gegeben war, auch für Schubert's äußeres Wohlergehen thätig.

Ungeachtet dieses geistigen Bundes und eines mehrjährigen Verkehres blieb doch das Verhältniß der beiden Musensöhne zu einander ein befremdend – eigenthümliches. Vogl gefiel sich nämlich darin, dem jüngeren, in
mancher Beziehung wenig herangereiften Schubert gegenüber die Protectors- 121
rolle zu spielen, und dieser, ein Freund der Ungebundenheit, konnte sich einer gewissen Scheu und Zurückhaltung vor dem rigoros-wunderlichen Manne nicht entschlagen. Von einem Freundschaftsverhältniß im eigentlichen Sinne des Wortes war bei diesem Gegensatz der Naturen nicht die Spur; und selbst die reinmusikalische Seite ins Auge gefaßt, läßt sich nicht in Abrede stellen, daß, so herrliche Früchte auch die gegenseitige Einwirkung des produzirenden und ausübenden Künstlers auf einander getragen hat, dieses im Künstlerleben vielleicht einzig dastehende Verhältniß auch seine Kehrseite hatte. Es unterliegt nämlich keinem Zweifel, daß Schubert unter des Sängers Einfluß viele Lieder für eine Stimmlage schrieb, die sich eben selten vorfindet, während Vogl, dessen Organ sie angepaßt waren, gerade dadurch, daß er mit einem tonlos gesprochenen Wort, einem Aufschrei oder Falsetton von dem natürlichen und künstlerisch allein zu rechtfertigendem Gesang abwich, die gewaltigsten Effecte zu erzielen wußte. Als eine weitere nicht eben erwünschte Folge darf auch *die* Thatsache bezeichnet werden, daß Schubert dem Sänger zu Gefallen sich mit der Production von Liedern überhaupt, und insbesondere von solchen kleinerer Art angelegentlicher beschäftigt hat, als dies sonst der Fall gewesen sein würde.

11 Aber auch Transponirungen und allerlei ungerechtfertigte Aenderungen in den Liedern ließ sich Schubert von Vogl gefallen, der aus Rechthaberei, oder um Effecte zu erzielen, derlei »Verbesserungen« ungescheut vornahm. Von diesen sind auch welche in den Stich übergegangen, und die Herstellung der Original-Leseart aller bekannten Schubert'schen Lieder würde eine mit Dank begrüßte Aufgabe sein, zumal die neueren Auflagen nicht durchweg mit den ersten Ausgaben übereinstimmen. – *Dr.* Standharthner und Herr Spina besitzen (geschriebene) Schubert'sche Lieder mit Vogl'schen Verballhornirungen, die, auf den *Theatersänger* hinweisend, dem Original entschiedenen Abbruch thun. Die »Verbesserungen« in den »Müllerliedern« zählen allein nach Einem Dutzend. In dem Lied: »Der Einsame«, in der »Altschottischen Ballade« finden sich ganz abscheuliche Abänderungen, und dasselbe mag noch bei andern Liedern der Fall sein.

Nach Schubert's Tod sang der bereits in das 60. Lebensjahr eingetretene Mann die Lieder, denen er so großen Ruhm verdankte, in Privatzirkeln wacker fort; ja den »Erlkönig« trug er noch im Jahre 1834 in einem öffentlichen Concert in Wien vor. Allerdings sah er sich da genöthigt, seine Routine und die noch vorhandenen Stimmreste in vollem Maße aufzubieten, um
122 Effecte zu erzielen, und er gab sich dabei einer gewissen Selbstgefälligkeit und einer Affectirtheit des Vortrages hin, die sich im Verhältniß der Abnahme seiner Stimmmittel naturgemäß noch steigerten und den Sänger geradezu lächerlich erscheinen ließen. Die letzten Lebensjahre wurden ihm durch eine Krankheit verbittert, welche bei seinem hohen Alter große Leiden zur Folge hatte, und ihn fortan an das Zimmer fesselte. Geduld war keine seiner Tugenden. Zurückgezogen von der Außenwelt fand er nur noch Trost und Linderung in der altgewohnten geistigen Beschäftigung. Seine innere Welt mußte ihn für längst aufgegebene Genüsse und die Verwirrung schadlos halten, die ihm von außen allenthalben hereinzubrechen schien. Die übelste Laune und unbehaglichste Stimmung bemächtigte sich des greisen Mannes, und die krankhafte Ansicht, daß die Welt ihrem Untergange nahe sei, erfüllte ihn in Stunden körperlicher Pein, wogegen er in schmerzfreien Augenblicken wieder meinte, daß ihm jetzt erst der Inhalt des Lebens aufgegangen sei, und er sich von seligen Empfindungen durchströmt fühlte.

Seine Gattin harrte in Liebe und Ergebenheit bis zu dem letzten Athemzug des Scheidenden aus.

Vogl starb am 19. Nov. 1840 – an demselben Tage, nur zwölf Jahre später als Schubert – im 73. Lebensjahre. Kurz vor seinem Ableben hatten ihm seine und zugleich Schubert's Freunde einen Ehrenbecher, mit des Letzteren Bildniß darauf, als Zeichen der Erinnerung an jenen Geistesbund überreicht.

Vogl's Name bleibt mit Franz Schubert's Lied immerdar auf das innigste verwoben. Seine eigenthümliche Auffassung und die Art des Vortrages *ge-*
123 *wisser* Lieder wird von allen jenen, die noch Zeugen der *Blütezeit* dieses Künstlers waren, als unübertroffen und für alle Zeiten mustergültig hingestellt. Daß Schubert selbst diese Ansicht, wenigstens nach einer Seite hin, theilte, läßt sich aus einer Briefstelle entnehmen, welche im weiteren Verlauf dieser Darstellung sammt dem übrigen Inhalt des Schreibens mitgetheilt werden wird[12].

Nebst Vogl sind hier noch mehrere musikalische Personen zu erwähnen, deren Bekanntschaft mit Schubert in diese Zeit fällt und sich alsbald zu einem freundschaftlichen Verhältniß gestaltete. Es sind dies die Brüder *Anselm* und

12 »Die Art und Weise, wie Vogl singt« – schreibt Franz (1825) an seinen Bruder Ferdinand – »und ich accompagnire, wie wir in einem solchen Augenblick *Eins* zu sein scheinen, ist diesen Leuten etwas ganz Neues, Unerhörtes.«

Josef Hüttenbrenner[13], ersterer selbst Componist, letzterer Musikdilettant, und *Josef Gahy* (Staatsbeamter), ein fertiger Clavierspieler. Mit Anselm
Hüttenbrenner war Franz schon im Jahre 1815 bei Salieri zusammengetroffen; 124
im Sommer 1817 lernte er seinen Bruder Josef kennen, der – zu jener Zeit Verwalter der väterlichen Herrschaft Rothenthurm, bei Judenburg in der Steiermark – auf Besuch nach Wien gekommen war und zwei Jahre später mit Schubert und Mayrhofer ein und dasselbe Haus (Wipplingerstraße) bewohnte. Schon früher hatte der Tondichter dem ihm persönlich noch Unbekannten einige Lieder (»Minona«, »Rastlose Liebe«) übersendet; im Jahre 1818 übermittelte er ihm durch Anselm das in der Nacht des 21. Februar componirte Lied »Die Forelle« unter Anschluß folgender Zeilen[14]:

»Theuerster Freund! Es freut mich außerordentlich, daß Ihnen meine Lieder gefallen. Als einen Beweis meiner innigsten Freundschaft sende ich Ihnen hier ein anderes (›Die Forelle‹), das ich so eben Nachts 12 Uhr bei Anselm schrieb. Aber welch' Unheil! Statt der Streusandbüchse nehme ich das Tintenfaß. Ich hoffe, bei einem Glase Punsch nähere Bekanntschaft mit Ihnen in Wien zu schließen. *Vale* Schubert.«

Franz stand mit diesem Brüderpaar – wenn auch aus verschiedenen Motiven – fortan auf freundschaftlichem Fuß. Zu *Anselm* hegte er eine wahre und aufrichtige Zuneigung, welcher sich noch der Antheil beigesellte, den er den musikalischen Bestrebungen des Freundes angedeihen ließ. *Josef* aber gerirte sich im weiteren Verlauf seiner Bekanntschaft mit dem Tondichter als ein so enthusiastischer Bewunderer Schubert's und zeigte sich um diesen
so eifrig beschäftigt, daß Franz ihn vielmehr von sich abzuwehren, als an 125
sich zu ziehen bestrebt war, und seine Lobhudeleien ironisch mit den Worten zurückwies: »Dem da gefällt doch Alles von mir«[15]. Die Dienstbeflissenheit

13 *Anselm* H., 1794 in Graz geboren, studirte in Wien, und kehrte wieder zu bleibendem Aufenthalt in die Steiermark zurück, wo er ein Gut besitzt. Der Musik lebend hat er bis jetzt eine ungeheure Masse von Compositionen jeder Art geschrieben, von welchen aber nur wenige, darunter das »Requiem«, bekannt geworden sind. Zum Vorstand des steirischen Musikvereins gewählt, übernahm er um das Jahr 1834 die Redaction des musik. Heller-Magazins. Anselm lebt derzeit zurückgezogen in Graz, im Sommer auf seinem Gute Rothenthurm bei Judenburg. *Josef* H. befindet sich als pensionirter Registraturs-Beamter des Ministeriums des Innern in Wien; mit dem dritten Bruder *Heinrich*, *Dr.* der Rechte, scheint Schubert weniger vertrauten Umgang gepflogen zu haben. Heinrich H. befaßte sich auch mit der Dichtkunst, und Schubert componirte ein Paar seiner Lieder.

14 Das Original des Schreibens besitzt Herr Josef Hüttenbrenner, dem ich auch die übrigen ihn und Anselm betreffenden Mittheilungen verdanke.

15 Diese Zurückweisung seiner übertriebenen Lobpreisungen pflegt Herr *Josef* H. selbst mit Vorliebe als Thatsache zu bezeichnen. – Ein mit Schubert und Hüttenbrenner wohlbekannter Mann schilderte mir (vielleicht etwas übertreibend) beider Verhältniß zu einander in einer Art, daß man zu glauben versucht ist, die Freundschaft habe nur so lange gedauert, als sich beide nicht näher gekannt haben. Da heißt es: »*Josef* H.,

dieses Hüttenbrenner aber, insofern sie sich auf die Besorgung des Stiches Schubert'scher Compositionen, auf das Arrangiren seiner Sinfonien für Clavier, auf die Correspondenz mit auswärtigen Verlegern und andere kleinere Dienstleistungen bezog, ließ sich der behagliche Schubert gerne gefallen, und daß er wenigstens nach Außen hin zu Josef in gutem Einvernehmen stand, bezeugen verschiedene in Händen des Herrn Hüttenbrenner befindliche Briefchen Schubert's, in welchen dieser den bereitwilligen Freund mit
126 allerlei Aufträgen musikalischer Art beehrt[16]. Wie sehr sich Josef Hüttenbrenner in der Folgezeit – doch vergeblich – bemüht hat, der Schubert'schen Muse Anerkennung und Absatz im In- und Auslande zu verschaffen, ein Verdienst, das ihm kaum abgestritten werden dürfte, wird noch wiederholt zur Sprache kommen. Daß eben *diesem* Schubertfreund *drei* Acte von Opern seines bewunderten Meisters auf die erwähnte jämmerliche Art abhanden gekommen sind, darf wohl als eine bittere Ironie des Schicksals bezeichnet werden.

Josef Gahy[17], in der musikalischen Kunst theoretisch bewandert, außerdem vortrefflicher Clavierspieler, ward von Schubert auserkoren, mit ihm seine eigenen und auch andere vierhändige Compositionen, insbesondere die Sinfonien Beethoven's, auf dem Pianoforte durchzunehmen, wobei Franz die Oberstimme spielte. Da Gahy rein und ausdrucksvoll vortrug, und (worauf sein Partner viel hielt) fertig vom Blatte las, so vereinigten sich die beiden Freunde, besonders in den spätern Jahren, und da oft mehrere Male
127 in der Woche, in der Wohnung des einen oder anderen Bekannten[18] zu diesem gemeinschaftlichen Vergnügen. Schubert war kein Virtuose im modernen Sinn des Wortes, aber abgesehen davon, daß er seine Lieder vortreff-

der sich mit einer unabweislichen Verehrung und Dienstfertigkeit zu ihm (Schubert) hielt, war ihm fast zuwider, er wies ihn häufig rauh ab, und behandelte ihn so hart und schonungslos, daß derselbe in unserem Kreise immer nur ironisch ›Der Tyrann‹ genannt wurde.«

16 So schreibt Schubert (im Jahre 1819) auf einem Zettel: »Lieber Hüttenbrenner! Ich bin und bleibe der Ihrige. Mich freut es außerordentlich, daß Sie mit der Sinfonie fertig sind. Kommen Sie heute Abends damit zu mir und zwar um 5 Uhr. Ich wohne in der Wipplingerstraße bei Mayrhofer.« Ein ander Mal schickt er den Unermüdlichen zu Diabelli, auf daß er seine Tanzmusik zum Stich übergebe, und »dringend benöthigtes Geld« in Empfang nehme u.s.w. Die früher erwähnte Sinfonie war jene Schubert's in *D* (1813), von der ein vierhändiger Clavierauszug verfaßt wurde, welchen Schubert und Hüttenbrenner auf einem abgenützten Milpitz'schen Clavier zusammen durchspielten. – Auch zu *Groß* (Hofkammerbeamter), der ebenfalls in der Wipplingerstraße wohnte, kam Schubert öfter, um allein oder zu vier Händen (mit Groß, Szalay) Clavier zu spielen.

17 J. *Gahy*, zuletzt k.k. Sectionsrath in Pension in Wien, gest. im März 1864.

18 Bei Schober, Lascny, Vogl (welch letzterer in den Jahren 1827 und 1828 in der »Alleegasse« wohnte) und bei Pinterics, von welchem noch die Rede sein wird.

lich begleitete, wobei er, beiläufig bemerkt, sich strenge im Tact hielt, bewältigte er mit seinen kleinen dicken Fingern die schwierigsten seiner Sonaten[19] und trug sie mit schönem Ausdruck vor. Gahy versichert, daß die Stunden, die er mit Schubert im Zusammenspiel verlebt, zu den genußreichsten seines Lebens gehören, und daß er jener Zeit nicht gedenken könne, ohne auf das tiefste ergriffen zu sein. Nicht nur, daß er bei solchen Gelegenheiten viel Neues kennen lernte, so gewährte ihm das reine geläufige Spiel, die freie Auffassung, der bald zarte bald feurig energische Vortrag seines kleinen, dicken Partners große Freude[20], welche dadurch noch erhöht wurde, daß sich gerade bei diesen Anlässen Schubert's Gemüthlichkeit in ihrem vollen Glanz entfaltete, und er die verschiedenen Compositionen durch launige Einfälle, mitunter auch durch sarkastische aber immer treffende Bemerkungen zu charakterisiren pflegte. Gahy's freundschaftliches Verhältniß zu Schubert 128
(mit dem er auf Bruderfuß stand) währte ungetrübt bis zu des Letzteren Scheiden fort.

Was die Compositionen Schubert's aus dieser Zeitperiode anbelangt, so finden wir die Orchestermusik mit den zwei sogenannten »*Ouverturen im italienischen Styl*« vertreten. Die Opern von Rossini mit ihren süßen Cantilenen und dem sinnlich leidenschaftlichen Ausdrucke erfreuten sich bekanntlich zu jener Zeit auch in Wien einer überschwänglich beifälligen Aufnahme. Schubert besuchte öfters das Theater, und es darf nicht Wunder nehmen, daß der liederreiche Tondichter sich von dem Melodienstrom Rossinischer Musik angeregt fühlte, wobei freilich Niemand weniger als er die schwachen Seiten des genialen *Maestro* übersehen konnte. Als er nun eines Abends mit mehreren Bekannten (darunter auch Herr Doppler, der Gewährsmann dieses Geschichtchens) aus der Oper »Tancred« nach Hause wanderte, ergingen sich diese derart in Lobeserhebungen über Rossini's Musik und insbesondere über seine Opernouverturen, daß Schubert, dem des Lobes zu viel sein mochte, zum Widerspruch gereizt, erklärte, es würde ihm ein Leichtes sein, derlei Ouverturen, in ähnlichem Styl gehalten, binnen kürzester Zeit niederzuschreiben. Seine Begleiter nahmen ihn beim Wort, und versprachen ihrerseits die That durch ein Glas guten Weins zu belohnen. Schubert machte

19 Nur der Fantasie (*op.* 15) konnte er selbst nicht vollständig Herr werden. Als er sie einmal im Freundeskreis spielte, und im letzten Satz stecken blieb, sprang er von seinem Sitz mit den Worten auf: »Das Zeug soll der Teufel spielen!« (Kupelwieser, Spaun und Gahy waren Zeugen dieser Production.)

20 Als Sch. einmal dem (im Jahre 1861 in Hitzing verstorbenen) Pianisten und Compositeur Johann *Horzalka* eine seiner Sonaten vorspielte, rief dieser entzückt aus: »Schubert, ich bewundere Ihr Clavierspiel mehr als Ihre Compositionen!« ein Ausspruch, der später zu Mißdeutungen Veranlassung gab. – In Concerten begleitete Sch. mitunter seine Lieder; so z.B. in Jansa's und Frl. Salomon's Concert (1827), »Normans Gesang« und den »Einsamen«, welche *Tieze* vortrug.

sich sogleich an die Arbeit und componirte eine Ouverture für Orchester, welcher später noch eine zweite folgte, und die unter dem Namen: »Ouver-
129 turen im italienischen Styl« bekannt, bei seinen Lebzeiten in Concerten mit Beifall aufgeführt wurden[21].

Unter den *Liedern*[22] dieses Jahres ragen die zu Gedichten von Mayrhofer und Schober componirten durch inneren Werth hervor. Die Wahl derselben deutet auf Vogl's Einfluß hin, der einige davon zu seinen besten Vortragsstücken zählte.

130 Von *mehrstimmigen* Gesängen ist die erste Bearbeitung[23] des Goethe'schen Gedichtes: »*Gesang der Geister über den Wassern*« für vier Männerstimmen zu erwähnen, die den Keim der späteren großartigen Conception schon in sich trägt.

Eine höchst beachtenswerthe Erscheinung sind die um diese Zeit entstandenen *Claviersonaten.*

Wenige ahnten wohl damals, daß Schubert, während er dem Sänger seiner Weisen Lied auf Lied entgegenbrachte, mit gleicher Rührigkeit sich der Composition von Claviermusik hingab. Dieselbe Wahrnehmung, die sich früher bei der massenhaften Production von Liedern und Theatermusik, später hinsichtlich seiner Arbeiten in der »Kammermusik« aufdringt, daß nämlich Schubert, sobald er eine bestimmte Musikgattung zum Gegenstand seines Studiums und Schaffens wählte, mit voller Energie und rastlosem Fleiß die Sache anfaßte, nicht eher ruhend, als bis er durch bedeutende Tonwerke den Geheißen seines Genius Genüge geleistet hatte – diese

21 Das Original der Ouverture in *D* (componirt im Mai) und in *C* (componirt im November 1817) besitzt Herr Spina. Schubert arrangirte die beiden Ouverturen für Clavier zu vier Händen. – Eine derselben wurde am 1. März 1818 in des Violinspielers *Jaell* Concert im Saal »zum römischen Kaiser« in Wien aufgeführt. In der Wiener Theater-Zeitung vom 14. März ist darüber zu lesen: »Die zweite Abtheilung begann mit einer wunderlieblichen Ouverture von einem jungen Compositeur Franz Schubert. Dieser, ein Schüler des hochberühmten Salieri, weiß schon jetzt alle Herzen zu rühren und zu erschüttern. Obwohl das Thema bedeutend einfach war, entwickelte sich aus demselben eine Fülle der überraschendsten und angenehmsten Gedanken mit Kraft und Gewandtheit ausgeführt u.s.w.«

22 Von unveröffentlichten Liedern kommen zu erwähnen: »*La pastorella al prato*«, eine italienische Canzonette, leicht und anmuthig gehalten; ein *Lied* für Sopran mit Begleitung von Streich- und Blasinstrumenten, und die Lieder: »Einsiedelei«, »Fischerlied« und »Geist der Liebe,« später als Vocalquartette componirt. – Eine *italienische Arie* mit Recitativ von respectabler Ausdehnung, ist im Styl der Mozartschen Concertarien gehalten.

23 Den »Gesang der Geister« hat Schubert dreimal componirt, und zwar im J. 1817 als Vocalquartett, im J. 1820 als Männerchor mit Clavierbegleitung, und bald darauf als achtstimmigen Männerchor mit Instrumentalbegleitung. Den ersten Entwurf besitzt Herr Josef Hüttenbrenner, die zweite Bearbeitung blieb Fragment, die letzte besitzt die k. Bibliothek in Berlin.

Wahrnehmung tritt auch hier zu Tage, wo er plötzlich und in freiem Anlauf die Claviermusik in den Bereich seiner Thätigkeit zog, und in dem Zeitraum eines einzigen Jahres nicht weniger als fünf große Sonaten[24] schrieb, nach deren Vollendung wieder eine mehrjährige Pause auf diesem Felde musikalischer Production eintrat. 131

Nicht ohne eine Anwandlung von Rührung und Bewunderung blickt man auf diese reizenden Früchte einer stillen bienenartigen Emsigkeit, von welchen ein großer Theil erst geraume Zeit nach Schubert's Tod geistiges Eigenthum der musikalischen Welt geworden ist. 132

VI.

(1818 und 1824.)

Gleichwie Mozart und Beethoven eine entschiedene Abneigung gegen methodisches Unterrichtertheilen hegten, so auch Schubert. Und doch waren alle drei – Beethoven allerdings nur in seiner Jugendzeit[1] – durch äußere Verhältnisse darauf angewiesen. Mozart plagte sich ein gut Theil seines Lebens hindurch mit Lectionengeben, und Schubert, wollte er seine materielle Lage verbessern, hätte sich ebenfalls – wenigstens in den ersten Jahren nach seinem Austritt aus dem väterlichen Hause – dazu bequemen müssen. Der Grund der Abneigung war bei diesen dreien derselbe, und bedarf keiner weiteren Erklärung. Schubert gewann es zwar über sich, mehrere Jahre hindurch den Schülern der untersten Classe die Geheimnisse des »Namenbüchleins« beizubringen, wobei ihn freilich nicht selten die Geduld verließ; – Unterricht in der Musik zu geben erschien aber dem rastlos Producirenden als eine geradezu unerträgliche Beschäftigung. Thatsache ist, daß er sich von 133
allen Verpflichtungen dieser Art, wo solche etwa bestehen mochten, losmachte, um vollkommen Herr seiner Zeit und Neigungen zu sein.

Nur auf Ein Anerbieten, welches ihm in mehrfacher Beziehung von Vortheil war, und seinen Drang nach Unabhängigkeit in keiner Weise bedrohte, ging er ohne Bedenken ein. Der Wirthschaftsrath des Baron Hakelberg – *Unger*[2] (Vater der nachmals berühmt gewordenen Opernsängerin

24 Es sind dies die Sonaten in *Es-* und *As-Dur*, in *A-*, *F-* und *H-Moll*, und wahrscheinlich auch das Fragment, *op.* 145 des them. Cataloges. – Eine eingehendere Würdigung von Schubert's Claviermusik folgt in der »Ueberschau« seiner Gesammtwerke.

1 Auch in späteren Jahren ging Beethoven, – wie früher in Bonn – als »übellauniges Eselein« an das Geschäft, welches er sich, namentlich beim Erzherzog Rudolf, möglichst zu erleichtern suchte.

2 Von demselben Unger ist das Gedicht zu Schubert's bekanntem Vocal-Quartett: »Die Nachtigall«.

Caroline *Unger*-Sabatier) empfahl ihn nämlich um diese Zeit dem Grafen *Johann Esterhazy* als Musiklehrer, und dieser machte Franz den Vorschlag, daß er im Winter in der Stadt, und den Sommer über auf seinem Landgut Zelész[3] als Musikmeister seiner Familie fungiren möge.

Da mit dieser Stellung ein Honorar (nach einer Mittheilung des Herrn Doppler zwei Gulden für die Stunde) und die Aussicht auf so manche Annehmlichkeiten verbunden war, an welchen in wohlhabenden, begüterten Familien auch deren nächste Umgebung theilzuhaben pflegt, so nahm Schubert den Vorschlag gerne an, und begab sich im Sommer 1818 zum ersten Mal nach Zelész.

Graf *Johann Carl Esterhazy* war vermählt mit Gräfin *Rosine Festetics* aus Tolna, und hatte aus dieser Ehe drei Kinder: *Marie, Caroline und Albert*
134 *Johann.*

Die ganze Familie war musikalisch. Der Graf befand sich im Besitz einer Baßstimme; die Gräfin und ihre Tochter Caroline sangen Alt, und die ältere Comtesse *Marie* erfreute sich eines »wunderschönen« hohen Soprans. Da nun auch Freiherr *Carl von Schönstein*[4], ein trefflicher Tenorbariton, das Esterhazysche Haus oft zu besuchen pflegte, so stand das Vocal-Quartett fertig da, jenes Quartett, welches mit einer der schönsten Schubert'schen Compositionen: »*Gebet vor der Schlacht*« (von *de la Motte Fouqué*) in unauflöslicher Verbindung steht. Die beiden Töchter spielten auch Clavier, und während die, von den besten italienischen Meistern gebildete Marie sich hauptsächlich an den Gesang hielt, befaßte sich *Caroline*, deren Stimme zwar lieblich, aber schwach war, bei mehrstimmigen Gesängen ausschließlich mit der Begleitung am Flügel, worin sie excellirte.

Als Schubert in diese Familie eingeführt wurde, hatte er sein 21. Lebensjahr vollendet. Der Graf stand im rüstigen Mannesalter. Die Gräfin Rosine zählte achtundzwanzig Jahre, ihre ältere Tochter (Marie) deren dreizehn, die jüngere (Caroline) eilf Jahre; der Sohn war damals ein fünfjähriges Kind.

Es versteht sich von selbst, daß Schubert's musikalisch-schöpferisches
135 Talent diesem Kreis nicht lange verborgen bleiben konnte. Er wurde ein Liebling der Familie, blieb der Verabredung gemäß auch den Winter über als Musikmeister in ihren Diensten, und ging mit derselben zu wiederholten

3 Zelész (Zselics) eine am Waagfluß gelegene, zum Barscher und Honther Comitat gehörige Herrschaft mit Dorf, diesseits der Donau gelegen, von Wien 14 Poststationen entfernt. – Die Wintermonate brachte die Familie Eßterhazy gewöhnlich in der Residenz zu, wo sie in der »Herrengasse« wohnte.

4 Freiherr Carl von *Schönstein*, geboren am 27. Juni 1796 in Ofen, begann seine Beamten-Laufbahn im J. 1813 bei der königl. ungarischen Statthalterei, wurde 1831 Hofsecretär der allgemeinen Hofkammer, 1845 Hofrath daselbst, und trat 1856 in Pension. Seiner Zuvorkommenheit verdanke ich die, auf Schubert's Verhältniß zu der Familie Eßterhazy bezüglichen Mittheilungen.

Malen auf das erwähnte Landgut in Ungarn. Er verweilte überhaupt, und zwar bis an sein Lebensende, und auch außer den Musikstunden, viel im Hause des Grafen. In den ersten Jahren seiner Bekanntschaft wurde fleißig musicirt, wobei hauptsächlich Haydn's »Schöpfung« und »Jahreszeiten«, desselben vierstimmige Gesänge und Mozart's »Requiem« herhalten mußten. Auch Anselm Hüttenbrenner's Vocal-Quartett: »Der Abend«[5], welches Schubert wohl gefiel, wurde da öfters gesungen. Freiherr von Schönstein, der bis zu seinem Zusammentreffen mit Schubert ausschließlich der italienischen Gesangsmusik gehuldigt hatte, erfaßte nun das deutsche Lied, wie ihm dieses in seiner vollen Schöne von Schubert dargebracht wurde, mit Enthusiasmus, und widmete sich von da an vorzugsweise dem Vortrag der Schubert'schen Gesänge, in welchem er nebst Vogl alsbald unerreicht dastand, ja den letzteren an Schönheit der Stimme übertraf. Der Tondichter trat zu ihm in ein näheres Verhältniß und musicirte gerne und viel in seiner Gesellschaft. Schönstein trug die Schubert'schen Lieder *zumeist* in dem ihm sehr befreundeten *Eßterhazy*'schen Hause vor, von welchem jedes Familienglied für den Componisten begeistert war; seine sociale Stellung gab ihm aber auch Gelegenheit, im Verlauf der Zeit noch andere »hohe« und »höchste
Kreise« mit diesen Compositionen bekannt zu machen. 136

Es versteht sich von selbst, daß der Landaufenthalt (in den Jahren 1818 und 1824) in musikalischer Beziehung nicht ungenützt vorüberging.

Zweihändige und vierhändige Clavierstücke, besonders Märsche, Sonaten und Variationen, dann Lieder und mehrstimmige Gesänge, entstanden in jener Zeit und zeugen von Schubert's unermüdlicher Thätigkeit. In Zelész hörte er auch ungarische und slavische Nationalweisen, die er sich, wie sie eben von Zigeunern gespielt oder von den Mägden im Schloß gesungen wurden, sogleich aufzeichnete, um sie in künstlerischer Weise auf das reizendste zu verarbeiten.

Das Divertissement *à la Hongroise* (*op.* 54) besteht ausschließlich aus derlei aneinandergereihten meist schwermüthigen Melodien; das Thema dazu holte sich Schubert in der Eßterhazy'schen Küche, wo es eine Magd, am Herd stehend, sang, und er, mit Schönstein eben von einem Spaziergang zurückkehrend, die Melodie im Vorübergehen hörte. Er brummte das Lied im Weitergehen vor sich hin, und im nächsten Winter erschien es als Thema in dem Divertissement. Auch in einigen der *Impromptus, Moments musicals*, Sonaten, und selbst in sinfonischen Sätzen finden sich ungarisch-nationale Anklänge vor.

Bei seinem ersten Besuch in Zelész ist Schubert mindestens bis in den Spätherbst daselbst geblieben, denn das »Abendlied«, »Du heilig glühend

5 Es ist im Stich erschienen und wurde im J. 1862 in einem musikalischen »Kränzchen« in Wien gesungen.

Abendroth« (von Schreiber), dessen Manuscript sich in den Händen der Frau Gräfin *Rosa v. Almasy*, geb. Gräfin Festetics und Muhme der Gräfin Caroline Eßterhazy, in Wien befindet, trägt das Datum: Zelész, November 1818. Auch das Lied: »Blondel zu Marien« (in Lief. 34 enthalten), componirt
137 im September, und *Singübungen*, im Manuscript fünf Seiten ausfüllend, mit dem Datum Juli 1818, fallen bereits in die Zeit jenes Landaufenthaltes, und wurden letztere, da sich die Handschrift[6] davon im Nachlaß der Gräfin Caroline vorfand, wahrscheinlich für deren Schwester Marie geschrieben.

Im Jahr 1824, also sechs Jahre später, treffen wir Schubert zum zweiten Male in Zelész. Auch Baron Schönstein hatte sich daselbst eingefunden, und es fallen in diese Zeit: das große *Duo* für Clavier *op.* 140, vierhändige Variationen (*op.* 35) und das erwähnte Gesangsquartett: »Gebet vor der Schlacht«. Die Entstehungsweise des letztgenannten Musikstückes charakterisirt abermals Schubert's erstaunliches Schaffensvermögen.

Eines Morgens in den ersten Tagen des September 1824 forderte die Frau des Hauses während des gemeinschaftlichen Frühstückes den Meister auf, ein Gedicht von *de la Motte Fouqué* (es war das oben genannte) für das Hausquartett in Musik zu setzen. Schubert nahm das Buch und entfernte sich damit, um in Tönen zu dichten. Noch am Abend *desselben Tages* wurde
138 die umfangreiche Composition aus dem Manuscript heraus am Clavier durchgesungen. Die Freude über das vortreffliche Musikstück steigerte sich am folgenden Abend, wo dasselbe aus den, von Schubert selbst mittlerweile herausgeschriebenen Stimmpartien mit größerer Sicherheit vorgetragen werden konnte, und das Ganze an Klarheit und Schönheit des Ausdrucks wesentlich gewann. Das Quartett war innerhalb *zehn* Stunden componirt und fehlerlos niedergeschrieben worden.

Die Composition wurde damals nicht veröffentlicht, da sie für die Familie Eßterhazy geschrieben, das Manuscript unter der Bedingung der Nichtherausgabe erstanden *war*, und die Gräfin Rosine einen besonderen Werth darauf legte, eine Schubert'sche Composition allein zu besitzen. Erst einige Jahre nach Schubert's Tod übergab Frh. v. Schönstein mit Einwilligung jener Dame das Manuscript einer Wiener Verlagshandlung zur Veröffentlichung[7].

6 Die in dem musikalischen Nachlaß der Gräfin Caroline noch vorgefundenen Schubert'schen Autografe sind folgende: Das Trio in *Es* (1827), zwei vierhändige Ouverturen in *C* und *D* (Dec. 1817), Walzer (Jän. 1824), Deutsche (Oct. 1824); die Lieder: »Abendlied« und »Blondel zu Marien« und Singübungen. Diese Manuscripte finden sich in Aufbewahrung der Gräfin Rosa von Almasy; die Müllerlieder: »Ungeduld«, »Morgengruß« und »des Müllers Blumen« hat diese Dame Herrn Julius Stockhausen übergeben. – Die französische Romanze in *E-Moll*, welche Schubert als Thema zu *op.* 10 wählte, besitzt ebenfalls die Familie Almasy.

7 »Gebet vor der Schlacht« erschien bei Diabelli und Comp. als *op.* 139.

Schubert machte sich über das Verliebtsein der Freunde zu wiederholten Malen lustig, war aber gegen diese Leidenschaft nichts weniger als gefeit. Auch er hatte – gewiß nicht zu seinem Schaden – Herzenskämpfe zu bestehen. Von einer dauernden Liebschaft ist zwar nichts bekannt geworden, und an das Heirathen scheint er überhaupt niemals gedacht zu haben; aber an Liebeständeleien, und wohl auch an ernsterer, tieferer Neigung hat es bei ihm nicht gefehlt. Bald nach seinem Eintritt in das Eßterhazy'sche Haus knüpfte er ein Verhältniß mit einer Dienerin daselbst an, welches aber sofort
einer poetischeren Flamme weichen mußte, die für die jüngere Tochter 139
Gräfin *Caroline* in seinem Herzen emporschlug. Und diese loderte fort bis an sein Lebensende. Caroline schätzte ihn und sein Genie, erwiederte aber seine Liebe nicht, und ahnte vielleicht nicht einmal *den Grad*, in welchem diese thatsächlich vorhanden war. Denn *daß* die Neigung für sie bestand, mußte ihr durch eine Aeußerung Schubert's klar geworden sein. Als sie ihm nämlich einmal im Scherz vorwarf, daß er ihr noch gar kein Musikstück dedicirt habe, erwiederte er: »Wozu denn, Ihnen ist ja ohnehin *alles* gewidmet.«

Und er hielt auch an seinem Vorsatz fest; denn die Dedication auf der vierhändigen Clavierfantasie in*F-Moll*[8] (*op.* 103) rührt (nach einer mir gemachten bestimmten Mittheilung) ungeachtet der Worte: »*Dediée par Fr. Schubert*«, nicht von diesem, sondern von den Verlegern her, und erfolgte erst nach Schubert's Tod[9]. Uebrigens dürfte jene Stelle eines noch zu erwähnenden Briefes (datirt aus Zelész im J. 1824), in welcher von der *misère* der Wirklichkeit, stattgehabten Täuschungen u.s.w. die Rede ist, nicht außer allem Zusammenhang mit der eben berührten Herzensangelegenheit gestanden
haben[10]. 140

Nach dem Jahre 1824 ist Schubert nicht mehr nach Zelész gekommen; auch trat ein Paar Jahre später in der gräflichen Familie eine Veränderung ein, in Folge welcher der musikalische Kreis einer seiner hauptsächlichen

8 Dr. Leopold von Sonleithner arrangirte die Fantasie für Orchester, in welcher Form sie der Wiener Musikverein in seinem Archiv besitzt. Im März 1864 kam sie in dieser Gestalt in einem Concert des Orchestervereins in Wien zur Aufführung.

9 Dem Grafen Carl E. dedicirte Schubert die Lieder: »Erlafsee«, »Sehnsucht«, »Am Strom« und »Der Jüngling auf dem Hügel«.

10 Bauernfeld weist auf diese Leidenschaft mit folgenden Versen *à la* Heine hin, deren Inhalt übrigens wenig zu den Mittheilungen des Frh. von Schönstein stimmt:
Verliebt war Schubert; der Schülerin
Galt's, einer der jungen Comtessen,
Doch gab er sich einer ganz andern hin,
Um – die andere zu vergessen.
Die *»andere« soll Therese Grob* gewesen sein, jene Sängerin vom Lichtenthaler Chor, welche im Jahr 1814 in der *F*-Messe den Sopran-Part übernommen hatte.

Zierden verlustig ging. Am 1. December 1827 vermählte sich nämlich die ältere Tochter *Marie* mit dem Grafen August von *Breuner*[11]. Ein Jahr darauf schied Schubert aus dem Leben.

Im Jahre 1844 (am 8. Mai), also 16 Jahre nach Schubert's Tod, vermählte sich Gräfin *Caroline* mit dem Grafen *Folliot von Crenneville,* k.k. Kämmerer und Major in der Armee.

Graf Johann Carl ist am 21. August 1834, die Gräfin Marie von Breuner am 30. Sept. 1837 in einem Alter von 32 Jahren, Gräfin Caroline v. Crenne-
141 ville im März 1851 in einem Alter von 45 Jahren[12], der Sohn Johann Albert[13] im Jahre 1845, und die Gräfin Rosine, welche alle ihre Kinder überlebte, im Jahre 1854 in einem Alter von 64 Jahren gestorben.

Von dem musikalischen Kreis, der sich in dem Eßterhazy'schen Hause mit Schubert vereinigt zusammengefunden hatte, lebt derzeit nur noch der
142 einstens gefeierte Schubertsänger *Carl Freiherr v. Schönstein*[14].

11 Graf August v. Brenner, k.k. Kämmerer und Hofrath im Finanzministerium, geb. am 6. Juni 1796, Mitglied des Herrenhauses.

12 In dem genealogischen Taschenbuch ist das Jahr 1811 als Geburtsjahr der jüngeren Tochter angegeben. Dies scheint ein Irrthum zu sein. Abgesehen davon, daß sich die Herzensneigung Schubert's zu einem siebenjährigen oder auch (im J. 1824) zu einem dreizehnjährigen Mädchen schwer erklären ließe, hat ein naher Verwandter der Familie Eßterhazy das Jahr 1806 als das Geburtsjahr der Gräfin Caroline bezeichnet.

13 Er war k.k. Kämmerer und seit 1843 mit Marie Gräfin von Apponyi vermählt. – Mit Ausnahme der Gräfin Marie, welche in Grafenegg, dem Gut des Grafen Brenner, begraben liegt, ruhen alle übrigen Mitglieder der Familie in Zelész.

14 Herr v. Schönstein war nächst Vogl unstreitig der ausgezeichnetste Sänger Schubert'scher Lieder, und hatte, wie dieser, einen bestimmten Kreis von Gesängen, die seiner Stimme besonders zusagten, wie z.B. die (ihm gewidmeten) »Müllerlieder«, »Ständchen«, »Der zürnenden Diana« u.s.w., wogegen Vogl sich mit Vorliebe den dramatisch ausdrucksvollen »Winterreise«, »Zwerg« u.s.w., zuwendete. Schönstein's Stellung in der Wiener Gesellschaft ermöglichte ihm, wie bereits erwähnt, die Einführung der Schubert'schen Muse in die »höheren Kreise«. Im Jahr 1838 hörte ihn Franz Lißt in Wien, und schrieb darüber an Lambert Massart in die »*Gazette musicale*«: »*Dans les salons j'entends avec un plaisir très-vif et souvent une emotion qui allait jusqu'aux larmes, un amateur le Baron Schönstein dire les Lieder de Schubert. La traduction française ne nous donne qu'une idée bien imparfaite de ce qu'est l'union de ces poésies presque toutes extrêmement belles avec la musique de Schubert, le musicien le plus poète, qui fut jamais. La langue allemande est admirable dans l'ordre du sentiment, peut-être aussi n'y-a-t-il qu' un Allemand, qui sache bien comprendre la naïveté et la fantaisie de plusieurs de ses compositions, leur charme capricieux, leur abandon mélancolique. Le baron Sch. les declame avec la science d'un grand'artiste et les chante avec la sensibilité simple d'un amateur, qui se laisse aller à ses emotions, sans se préoccuper du public.*« – Nebst Vogl und Schönstein sind noch August Ritter von *Gymnich* und Sofie *Linhart* zu erwähnen, die bei *Schubert's Lebzeiten* in dem Vortrag seiner Lieder in öffentlichen Concerten excellirten.

Unter den Gesangscompositionen aus dem Jahre 1818 ist das schon erwähnte Lied: »*Die Forelle*«, dann mehrere von den »*geistlichen Liedern*« und drei *Sonette von Petrarca*[15] (übersetzt von A.W. Schlegel) aufzuführen. Die letztgenannten, ebenso erhabenen als der musikalischen Behandlung widerstrebenden Gedichte hat Schubert in eigenthümlich bedeutsamer Weise mit Tönen umkleidet. Auch schrieb er in diesem Jahr die als *op.* 9 im Stich erschienenen *ersten Walzer*, unter welchen sich der sogenannte *Trauer-* oder *Sehnsuchtswalzer*[16] befindet, ein Tanzstück, welches bald nach seinem Be- 143
kanntwerden (im J. 1822) sich großer Beliebtheit erfreute und jenen populären Tonweisen beizählt, an welchen sich die Kunst des Transcribirens und

15 Nicht von *Dante*, wie dieser irriger Weise auf den Abschriften als Autor angegeben ist.
Es sind die Sonette:
1. Nunmehr der Himmel, Erde schweigt und Winde –
   Gefiederwild des Schlummers Bande tragen u.s.w.
2. Allein, nachdenklich, wie gelähmt vom Kampfe
   Durchmess' ich öde Felder, schleichend träge u.s.w.
3. (Recitativ.) Apollo lebet noch dein hold' Verlangen
   Das an thessalscher Fluth die blonden Haare
   In Dir entflammt u.s.w.

Das erste ist in *B-Dur* $^{12}/_{8}$, das zweite in *F-Moll* $^{4}/_{4}$ (langsam schleichend), das dritte in *As-Dur* $^{4}/_{4}$ componirt. Die Compositionen sind, namentlich die letzte, umfangreich. Der Gesang ist declamatorisch und schließt sich enge an die Worte an. Die Sonnette sind unveröffentlicht und gar nicht bekannt.

16 Den »Trauerwalzer« schrieb Schubert laut einer Aufzeichnung des Herrn Josef *Hüttenbrenner* am 14. März 1818 ebenfalls im »Neubad« bei *Anselm* H. Der Walzer, dessen Original letzterer besitzen soll, ist »seinem Sauf- und Punschbrüderl« Anselm H. gewidmet. Die Frage über die Autorschaft dieses populären Tanzstückes gab, so wie C.M. Weber's »letzter Gedanke«, zu lebhaften Discussionen Veranlassung, und wurde mit den Namen *Beethoven, Hoffmann und Henneberg* in Verbindung gebracht. In der »Allgemeinen Musik-Zeitung« vom Juli 1829 fragte eine Anonymus, wie es komme, daß Beethoven's Sehnsuchtswalzer ein und derselbe mit Schubert's Trauerwalzer sei – nur ohne Trio, von dem es wieder hieß, daß es Herr Hoffmann in Breslau dazu componirt habe. Als bei Haslinger Variationen über den Trauerwalzer erschienen, wies ein Recensent im »Wiener Musik. – Anzeiger« auf eine Ariette in dem, von dem Schauspieler Perinet zur Oper umgestalteten Lustspiel: »Der Jurist und der Bauer« hin, die der im J. 1822 verstorbene Hoforganist Johann Henneberg vor 30 Jahren componirt habe, und die jenem Sehnsuchtswalzer wie ein Ei dem andern gleiche. – Die Frage über den »Letzten Gedanken« von C.M. Weber wurde schließlich zu Gunsten des Capellmeisters *Reissiger* in Dresden gelöst, jene über den »Trauerwalzer« kam zu keiner weiteren Discussion – Bernhard Kothe will das Motiv des »Trauerwalzer« in einem *Graduale* Haydn's, in Beethoven's *op.* 7 (erster Satz), in desselben Romanze (*op.* 40) und in Adelaide, sodann in der *D-Moll*-Messe von Schnabel, in der Ouverture zur »Vestalin«, in Mendelssohn's Quartett *op.* 12, in Strub's Orgelpräludien und in unzähligen Liedern der Küken- und Prochzeit wiedergefunden haben. (S. lit. Centralblatt 1863.) In der That ein fruchtbarer Gedanke, besonders wenn bei seinem Herausfinden die Fantasie nachhilft!

144 Variirens sattsam erprobte[17]. Ferner fallen in diese Zeit: Die vierhändigen *Variationen* (*op.* 10), welche Schubert im Jahre 1822 Beethoven dedicirte, Märsche für das Clavier, eine (unveröffentlichte) *Fantasie* in *C*[18], ein heiteres *Vocalquartett*[19] (für zwei Soprane, Tenor und Baß) und die *sechste Sinfonie* (in *C*), welche 1828 und 1829 an Stelle der siebenten in einem Spirituel-Concert in Wien mit Beifall aufgeführt, und von welcher das Scherzo in einem Gesellschafts-Concert im J. 1860 abermals zu Gehör gebracht wurde[20].

Diese *C*-Sinfonie ist die vorletzte der von Schubert componirten Sinfonien und bildet den Uebergang zu jener großen siebenten in *C*, in welcher Schubert's Eigenthümlichkeit frei von allen fremden Einflüssen sich darstellt, während in den ihr vorausgegangenen hie und da das Einwirken der älteren Meister, oder wie in dem an Stelle des Menuett's getretenen Scherzo dieser sechsten Sinfonie das Einstürmen Beethoven's auch auf Schubert nicht zu
145 verkennen ist. Uebrigens ist gerade dieser Satz mit einer Freiheit und Meisterschaft in Form und Inhalt gearbeitet, daß seine Aufführung zu lautem Beifall hinriß.

Als Abschluß dieses Jahres möge hier noch ein von *Ignaz* Schubert an den in Zélész weilenden Franz gerichteter Brief (datirt 12. Oct. 1818) seine Stelle finden, in welchem der Unmuth des mit seiner Stellung unzufriedenen, gegen Schulknechtung und Gewissenszwang revoltirenden Rossauer Schullehrers, zugleich aber auch das Gefühl der Liebe und Verehrung, die er – gleich den übrigen Geschwistern – dem Bruder Franz entgegenbrachte, zu vollem Durchbruch gelangt. Das Schreiben[21] lautet:

»Lieber Bruder!

Endlich, endlich einmal, wirst Du Dir denken, bekommt man doch ein Paar Zeilen zu sehen. Ja, ja, ich glaube, Du würdest noch nichts zu sehen bekommen haben, wenn nicht endlich einmal zu meinem Trost die lieben

17 So erschien zu Ende 1831 in Berlin »Die Sprache der Blumen«, Lied mit Begleitung des Sehnsuchtswalzers von Beethoven für das Pianoforte übertragen von C. Schütz, späterer Arrangements nicht zu gedenken.

18 Im Besitz des Frhr. v. Spaun in Wien.

19 Auf die Worte:
Wer Lebenslust fühlet,
Der bleibt nicht allein;
Allein sein ist öde,
Wer kann sich da freu'n? u.s.w. (nicht veröffentlicht.)

20 Die Sinfonie besteht aus vier Sätzen: Einem *Adagio C-Dur* $^3/_4$ als Einleitung zu dem *Allegro C-Dur* $^4/_4$, einem *Andante F-Dur* $^2/_4$, einem *Scherzo Presto C-Dur* $^3/_4$ mit Trio *E-Dur* $^3/_4$ und dem Finale *Allegro moderato C-Dur* $^2/_4$.

21 Das Original ist in meinem Besitz.

Vacanzen angerückt wären, wo ich Muße genug habe, in ungestörter Ruhe und ohne verdrießliche Gedanken einen ordentlichen Brief zu schreiben.

Du glücklicher Mensch! wie sehr ist Dein Loos zu beneiden; Du lebst in einer süßen goldenen Freiheit, kannst Deinem musikalischen Genie vollen Zügel schießen lassen, kannst Deine Gedanken wie Du willst hinwerfen, wirst geliebt, bewundert und vergöttert, indessen unser einer als ein elendes Schullastthier allen Rohheiten einer wilden Jugend preisgegeben, einer Schaar von Mißbräuchen ausgesetzt ist, und noch überdies einem undankbaren Publicum und dummköpfigen Bonzen in aller Unterthänigkeit unterworfen sein muß. Du wirst Dich wundern, wenn ich Dir sage, daß es in unserm 146
Hause schon so weit gekommen ist, daß man sich nicht einmal mehr zu lachen getraut, wenn ich vom Religionsunterricht eine abergläubisch lächerliche Schnurre erzähle. Du kannst Dir also leicht denken, daß ich unter solchen Umständen gar oft von innerlichem Aerger ergriffen werde, und die Freiheit nur dem Namen nach kenne. Siehst Du, von allen diesen Dingen bist Du nun frei, bist erlöst, Du siehst und hörst von allem diesen Unwesen und besonders von unseren Bonzen nichts mehr, von welchen letzteren man Dir gewiß nicht erst den trostreichen Vers des Bürger zurufen muß:

Beneide nicht das Bonzenheer
Um seine dicken Köpfe,
Die meisten sind ja hohl und leer
Wie ihre Kirchthurmknöpfe.

Nun zu etwas anderem. Das Namensfest unseres Herrn Papa wurde feierlich begangen. Das ganze Rossauer Schulpersonal sammt Frauen, der Bruder Ferdinand sammt Frau, nebst unserm Mühmchen und Lenchen und der ganzen Gumpendorfer Sippschaft wurden zu einem Abendzirkel eingeladen, wo wacker geschmauset und getrunken wurde und es überhaupt sehr lustig herging. Bei dieser Gelegenheit setzte ich auch einmal meinen sparsamen Dichterwitz in Bewegung, und brachte unserm alten Herrn folgende Gesundheit aus:

Es lebe Vater Franz noch lang in unsrer Mitte;
Doch vergönn' er wohl uns heut' auch eine Bitte:
Er stell' auf's Jahr sich wieder ein
Mit Hendel, Strudel, Confect und Wein. 147

Vor der Schmauserei spielten wir Quartetten, wo wir aber herzlich bedauerten, unsern Meister Franz nicht in unserer Mitte zu haben; wir machten auch bald ein Ende.

Tags darauf wurde das Fest unseres h. Schutzpatrons Franciscus Seraphicus feierlichst abgehalten. Sämmtliche Schüler mußten zur Beichte geführt wer den, und die größeren sich Nachmittags um 3 Uhr in der Schule vor dem Bildniß des Heiligen versammeln; ein Altar war aufgerichtet, wo zwei Schulfahnen paradirten rechts und links; eine kleine Predigt wurde abgehalten, wo es unter andern ein paar Mal hieß, daß man das Gute vom Bösen wohl *entscheiden* lernen müsse, und daß man dem *mühsamen* Lehrer viel Dank schuldig sei; eine Litanei auf den Heiligen wurde auch gebetet, eine Litanei, über deren Sonderbarkeit ich nicht wenig erstaunte; zuletzt wurde gesungen und sämmtlichen Anwesenden eine Reliquie des Heiligen zu küssen gegeben, wobei ich bemerkte, daß mehrere Erwachsene zur Thür hinausschlichen, die vielleicht nicht Luft haben mochten, dieser Gnade theilhaftig zu werden.

Nun auch ein paar Worte von den Hollpeinschen[22]. Sowohl Mann als Frau lassen Dich herzlich grüßen und fragen, ob Du denn auch bisweilen auf sie denkest? Sie wünschten Dich bald wieder zu sehen, wiewohl sie meinen, Du werdest bei Deiner Rückkehr nach Wien nicht so häufig mit
148 Deinen Besuchen sein wie sonst, da Dich Deine ganz neuen Verhältnisse wohl davon abhalten möchten. Dieses bedauern sie gar oft; denn sie lieben Dich, so wie uns alle mit dem aufrichtigsten Herzen und äußern oft über Deine glückliche Lage die innigste Theilnahme.

Daß ich zu Deinem Namensfeste nicht ein Wort sage, wirst Du aus unseren Gesinnungen zu enträthseln wissen. Ich liebe Dich und werde Dich ewig lieben, und hiermit *punctum*; Du kennst mich.

Lebe nun wohl und komme bald; denn ich hätte Dir noch vieles zu sagen, was ich mir aber verspare bis auf eine mündliche Unterredung.

Dein Bruder Ignaz.

Wenn Du an den Papa und mich zugleich schreiben möchtest, so berühre nichts von religiösen Gegenständen. Das Mühmchen sammt Lenchen lassen Dich ebenfalls herzlich grüßen.«

22 Hollpein war Graveur im kais. Münzamt in Wien. Franz Sch. stand zu dieser Familie in sehr vertrautem Verhältnisse, und brachte seine freie Zeit fast ausschließlich bei derselben zu, worüber sich Franz in einem Brief (1825) lustig macht.

VII.

(1819.)

Schon zu jener Zeit, als Schubert sich mit der Composition von Singspielen und kleineren Opern befaßte, war das glänzende Gestirn *Rossini's* am theatralischen Himmel aufgegangen. Wie epochemachend dieser geniale Mann plötzlich in den Vordergrund des italienischen Opernwesens trat, welche Triumfe seine einschmeichelnde Muse allenthalben feierte, nachdem sie sich im Sturmlauf sämmtlicher größerer Bühnen bemächtigt hatte, und wie es gerade das sinnlich leicht erregbare Wien war, wo zu Ehren des »Reformators« ein geradezu bedenklicher Cultus getrieben wurde, lebt noch frisch in dem Gedächtniß jener Theaterfreunde, welche die damalige Zeit miterlebt und jenen Verein von Gesangskünstlern geschaut haben, welchem seither kein zweiter, gleich trefflicher mehr gefolgt ist, und dessen eminente Leistungen zu gutem Theil die Suprematie Rossinischer Opernmusik für längere Zeit begründen halfen. Der nach dieser Richtung hin gedrängte einseitige Geschmack des großen Publikums und die zunehmende Verwälschung der Oper in Wien, welche unter Barbajas und Duport's Regiment, besonders aber, als 1822 Rossini selbst seine Sängergesellschaft in die Residenz geleitete,
ihren Höhepunct erreichte[1], wurde in der Folge auch Schubert's dem Theater 150
zugewendeten Bestrebungen wenigstens mittelbar verderblich und vereitelte schließlich die von ihm fortan genährte Hoffnung, endlich eine seiner zwei großen Opern (von welchen »Fierrabras« bereits für die Aufführung censurirt war) auf der Bühne dargestellt zu sehen[2]. Ungeachtet dieser peinlichen Wahrnehmungen säumte der neidlose, die wirklichen Verdienste Anderer mit vollster Unbefangenheit würdigende Schubert keinen Augenblick, der glänzenden Begabung des Pesaresen volle Anerkennung zu zollen; ja er geberdete sich als ein aufrichtiger Bewunderer des melodieenreichen Maestro, besuchte häufig die wälsche Oper und machte kein Hehl daraus, daß er dem

1 Die italienische Oper begann am 13. April 1822 mit Rossini's »Zelmira«, und schloß im Juli mit »Corradino«. – »Von Vorstellung zu Vorstellung steigerte sich der ungezügelte Enthusiasmus, bis er in einen entschiedenen Sinnentaumel ausartete, der seinen Stachel lediglich in der Virtuosität der Sänger fand, ohne auf den Werth oder Unwerth des vorgetragenen Musikstückes Rücksicht zu nehmen. In der letzten Vorstellung schien es, als ob die ganze Versammlung von einer Tarantel gestochen wäre; das Jauchzen *Evviva-* und *Fora*-Brüllen nahm kein Ende. Das Jahr 1823 sah den Taumel in Fanatismus übergehen. Der kleine Rest von Achtung für deutsche Gesangskunst war ganz geschwunden, und aus diesem Jahr datiren die jammervollen Zustände in aller und jeder Musik, die sich Jahrzehende hindurch über die österreichische Hauptstadt verbreitet haben.« (So A. Schindler: Beethoven II Theil S. 57–59.)

2 In Briefen von und an Schubert aus den Jahren 1822–1825 wird wiederholt der Ungunst der Zeiten bezüglich der Aufführung seiner Opern erwähnt.

leichtbeschwingten Rossini in der Kunst zu instrumentiren so manchen
151 seinen Zug abgelauscht habe. Folgerecht verwarf er auch die Ansicht jener Excentriker, die in dem italienischen Componisten ausschließlich nur den Geschmackverderber sehen zu müssen glaubten[3].

Ein Schreiben Schuberts[4] an Anselm Hüttenbrenner in Graz (datirt vom 19. Mai 1819) enthält eine Andeutung über des Ersteren Verhältniß zur italienischen Oper, insbesondere zu Rossini's Musik und außerdem auch über die gegen die Aufführung seiner eigenen musikalisch-dramatischen Werke bestehenden Kabalen[5], wobei der sonst so geduldige Schubert seinem Unmuth in unzweideutigen Ausdrücken Luft macht. Der Brief lautet:

»Ein Schelm bist Du, das ist richtig. Ein Jahrzehend verfließt schon, ehe Du Wien wieder siehst. Bald sitzt ihm das, bald jenes Mädchen im Kopf. Ei so hol' der Teufel alle Mädchen, wenn Du Dich gar so von ihnen besiegen läßt. Heirate in Gottes Namen, so hat die Geschichte ein Ende. Freilich kannst Du auch sagen wie Cäsar: Lieber in Graz der erste, als in Wien der zweite. Nun, dem sei wie immer, ich bin fuchsteufelswild, daß Du nicht da bist. Cornet[6] erfährt obiges Sprichwort noch mehr. Gott gesegne ihm's. Ich
152 werde zuletzt auch nach Graz kommen und mit Dir rivalisiren. Neues gibt's hier weniges; wenn man was Gutes hört, so sind es immer alte Sachen.

Letzthin wurde bei uns ›Othello‹ von Rossini gegeben. Von unserm Radichi[7] wurde alles recht gut exequirt. Diese Oper ist bei weitem besser, d.h. charakteristischer, als Tancred. Außerordentliches Genie kann man ihm nicht absprechen. Die Instrumentation ist manchmal höchst originell, und der Gesang ist es manchmal, und außer den gewöhnlichen italienischen Gallopaden und mehreren Reminiscenzen aus Tancred läßt sich der Musik nichts vorwerfen.

Trotz eines *Vogl's* ist es schwer, wieder die Canaille von Weigl, Treitschke etc. zu manövriren. Darum gibt man statt meiner Operette andere Luder, wo einem die Haar zu Berg stehen[8]. ›Semiramis‹ von Catél wird nächstens

3 Sch's. Sympathie für Rossinische Musik wurde mir von allen Personen, welche ich darüber befragt habe, bestätigt.

4 Herr Josef Hüttenbrenner in Wien besitzt es in Abschrift.

5 Die Operette »Die Zwillingsbrüder« gelangte übrigens im darauffolgenden Jahre zur Aufführung im Operntheater.

6 Cornet, Tenorsänger im Theater an der Wien, hatte eben ein Engagement an der Prager Bühne angenommen.

7 »*Othello*« wurde im Kärnthnerthor-Theater von den deutschen Sängern in der ersten Hälfte Mai dargestellt. Frau *Grünbaum* gab die Desdemona, *Forti* den Othello, *Vogl* den Dogen und *Radichi* den Rodrigo. – Julius Radichi, der 1814 den »Florestan« sang, starb 1846. – Im April 1819 war »Othello« im Theater an der Wien gegeben worden.

8 Diese Bemerkung Schubert's konnte nur Bezug haben auf einige werthlose Operetten und Zauberpossen, welche in den Jahren 1818 und 1819 im Theater an der Wien ge-

gegeben werden mit einer unendlich herrlichen Musik[9]. Herr Stamm, Tenorist 153
von Berlin, welcher schon in mehreren Opern sang, wird auch hier debutiren. Seine Stimme ist ziemlich schwach, keine Tiefe, beständige Falset-Höhe. Nun weiß ich nichts mehr. Componire fleißig und lass' uns was zu Theil werden.

Lebe recht wohl.

Dein wahrer Freund Franz Sch.«[10]. 154

Im Sommer dieses Jahres begab sich Franz zum ersten Male nach Oberösterreich, wo er in Linz, Salzburg und Steyr kurzen Aufenthalt nahm. Dieses letztere, reizend gelegene Städtchen spielt in Schubert's Leben, insbesondere in seiner Wanderzeit, eine hervorragende Rolle. Schon als Heimatsstätte

geben wurden, da das Repertoir des Kärnthnerthortheaters vorwiegend classische Opern enthielt. Im Theater an der Wien gelangten im Jahr 1818 folgende musikalische Dramen zur Aufführung: »Aschenbrödel« von Rossini, »Zelmire und Azor« von Gretry, »Lorenz als Räuberhauptmann«, Posse mit Musik von Kinsky, Vicehofcapellmeister am Kärnthnerthortheater, »die Vermählung auf der Zauberinsel«, Quodlibet, »*Ser Marc Antonio*« von Pavesi, »Odins Schwert«, mit Chören, Musik von Seyfried (ohne Erfolg), »*La Dama Soldato*«, mit (schlechter) Musik von Orlandi, »Graf Armand« von Cherubini, das Melodram »Samson«, Musik von Tuczek, »Richard Löwenherz« von Gretry, »Euterpens Opfer«, ein Quodlibet (fiel durch), »Das Rosenmädchen«, Oper von Lindpaintner, »Faust« von Spohr, »die Thronfolge« Schauspiel mit Chören von Seyfried, »die Zauberflöte«, »Elisabeth« von Rossini, »das unterbrochene Opferfest« von Winter, »die Proberollen«, eine unbedeutende Operette, »der blöde Ritter«, Pantomine mit Musik von Seyfried, »der neue Don Juan«, Potpourri, »Salmonäa und ihre Söhne«, Melodram mit Musik von Seyfried, »das Schloß Theben«, Zauberoper mit Musik von Kanne (gefiel nicht), »Sultan Wampun«, Quodlibet (gefiel nicht), und »die diebische Elster« von Rossini; – im Kärnthnerthortheater hingegen: »Johann von Paris«, »Medea«, »Talente durch Zufall« von Catél, »Liebe und Ruhm« von Herold und Boildieu, »Tancred«, »das Rothkäppchen« von Boildieu, »Josef und seine Brüder«, »Iphigenie auf Tauris«, »die Vestalin«, »Cyrus« von Mosel (gefiel), »Ein Tag voll Abenteuer« von Mehul, »Sargines«, »Fidelio«, mehrere Opern von Mozart, Spontini's »Cortez« und »Semiramis« von Catél. – Treitschke hatte einen Theil dieser Opern ins Deutsche übersetzt und Weigl dirigirte die Aufführung.

9 Diese Oper war schon im October 1818 als »nachstudirt« aufgeführt worden.

10 Auf der Rückseite dieses Briefes befinden sich einige Zeilen an *Heinrich* Hüttenbrenner in Graz, welche *Josef* H. auf den Wunsch Schubert's beifügte, und worin er Heinrich ersucht, für Sch. ein Opernbuch zu schreiben. – »*Sags dem Schrökinger*«, ruft der immer in Enthusiasmus auflodernde Josef H. seinem Bruder zu. Es fällt auch ein Honorarium aus. Eure Namen werden in Europa genannt werden. Schubert wird wirklich als ein neuer Orion am musikalischen Himmel glänzen. Schreibe bald wegen Sch. »Deinen Entschluß.« – Schrökinger war als Dichter in Graz bekannt.

Mayrhofer's, Stadler's und Vogl's[11] stellte es sich zu Schubert in ein näheres Verhältniß; abgesehen davon befanden sich daselbst mehrere Familien, welchen er innig befreundet wurde und denen wir sechs Jahre später abermals begegnen.

Die Namen *Paumgartner, Koller, Dornfeld* und *Schellmann* stehen mit Schubert's Lebensgeschichte in eben so naher, wenn auch minder folgereicher Verbindung, als jener Michael Vogl's, durch welchen er zuerst in diese bürgerlich bescheidenen Kreise eingeführt wurde[12].

Silvester Paumgartner (gest. am 23. Nov. 1841) war hauptgewerkschaftlicher Vicefactor und Hausbesitzer in Steyr. Einer der leidenschaftlichsten und »splendidesten« Musikenthusiasten, und auf dem Violoncell selbst auch
155 ausübender Musiker[13], öffnete er die Pforte seines Hauses jedem Künstler von Ruf, und heranreifende Talente fanden bei ihm ergiebige Unterstützung. Es läßt sich darnach ermessen, mit welch freudigem Hochgefühl er die beiden Musensöhne Schubert und Vogl bei sich beherbergte. Da wurde dann auf das fleißigste musicirt und componirt, zumal der Hausherr (ein Junggeselle) sich im Besitz einer werthvollen Musikalien- und Instrumentensammlung befand, auf deren Bereicherung er fortan bedacht war[14]. Als Vogl in Pension getreten war, nahm er ebenfalls wieder längere Zeit hindurch bei Paumgartner seine Wohnung.

Josef v. *Koller*, Kaufmann und Eisenhändler in Steyr, war durch Brandeschi in Wien (Eisenindustrieller) mit Vogl bekannt geworden. Seine Tochter *Josefine*, die »*Pepi*« genannt, sang und spielte Clavier und pflegte bei der Aufführung Schubert'scher Compositionen den Sopranpart zu übernehmen[15]. Ihrer sowie auch der »*Frizi*« *Dornfeld*[16] – älteste Tochter des ehemaligen
156 Kreishauptmanns Dornfeld in Steyr – wird in Briefen aus diesem Jahre und dem Jahre 1825 wiederholt Erwähnung gethan. Bei diesem ersten Besuch in Steyr nahm Vogl bei Koller sein Absteigquartier und er und Schubert waren daselbst täglich zu Tische geladen. Vater Koller und »die Pepi« leben beide

11 Auch Capellmeister *Süßmayer*, der bekannte Famulus Mozart's, der Dichter *Blumauer*, die Malerin Katharina *Gürtler* und der Historiker F. *Pritz* erblickten daselbst das Licht der Welt.

12 Die hier folgenden Mittheilungen verdanke ich Herrn A. Stadler in Salzburg.

13 Seine technische Fertigkeit soll eine äußerst mäßige gewesen sein.

14 Er eilte nicht selten zu Fuß zur Poststation Strengberg, um dem nach Paris reisenden Courier Aufträge zum Ankauf neuer Musikalien oder Instrumente mitzugeben.

15 Bei einer solchen Gelegenheit wurde auf Vogl's Vorschlag der »Erlkönig« von getheilten Stimmen vorgetragen; Vogl sang den Vater, Schubert den Erlkönig und die Pepi den Knaben. Für letztere componirte Sch. ein von Stadler verfaßtes Gelegenheitsgedicht, das sie am Geburtstag ihres Vaters (19. März 1820) sang. Die Composition ist nicht bekannt geworden; das Gedicht besitzt A. Stadler in Wien.

16 Friederike Dornfeld lebt derzeit in Linz.

noch, ersterer hochbetagt in Steyr, letztere – mit dem Oberverwalter der fürstlich Wilhelm Auersperg'schen Güter, *Franz Krakowitzer*, verehlicht – in Wels, wo sie schon seit vielen Jahren ihren Aufenthalt genommen hat.

Dr. Albert Schellmann senior (gest. am 4. März 1844), Hausbesitzer in Steyr, fungirte daselbst als Landes- und Berggerichts-Advocat; sein Sohn,*Dr. Albert* Sch. (gest. am 29. Nov. 1854), wurde als Advocat und Wechselnotar Amts- und Besitznachfolger seines Vaters. Das Schellmann'sche Haus (Nr. 117, auf dem Platz gelegen)[17] hatte zwei Stockwerke, von welchen das erste die Familie Schellmann, mit fünf Töchtern gesegnet, bewohnte, das zweite aber der damalige Kreiscassier mit *drei* Töchtern, dann Albert Stadler und seine Mutter (Schwägerin des älteren Schellmann), endlich auch Schubert, dessen Zimmer hart an Stadler's Wohnung anstieß. Diese acht Mädchen[18] sind es, auf welche Franz in dem hier folgenden Brief an seinen Bruder 157
Ferdinand hinweist. Derselbe ist datirt aus Steyr, 15. Juli 1819, und lautet:

»*Lieber Bruder!*

Ich glaube wohl, daß Dich dieser Brief in Wien treffen wird und Du Dich gesund befindest. Ich schreibe Dir eigentlich, mir das *Stabat mater*, welches wir hier aufführen wollen[19], so bald als möglich zu schicken. Ich befinde mich bis jetzt recht wohl, nur will das Wetter nicht günstig sein. Es war hier gestern den 12. ein sehr starkes Gewitter, welches in Steyr einschlug, ein Mädchen tödtete und zwei Männer am Arme lähmte. In dem Hause, wo ich wohne, befinden sich acht Mädchen, beinahe alle hübsch. Du siehst, daß man zu thun hat. Die Tochter des Herrn v. Koller, bei dem ich und Vogl täglich speisen, ist sehr hübsch, spielt brav Clavier und wird verschiedene meiner Lieder singen.

Ich bitte Dich, beiliegenden Brief weiter zu fördern. Du siehst, daß ich nicht gar so treulos bin, als Du vielleicht glaubst.

Grüße mir Eltern und Geschwister, Deine Frau und alle Bekannten. Vergesse ja nicht auf das *Stabat mater*.

Dein ewig treuer Bruder

Franz.

Die Gegend um Steyr ist über allen Begriff schön.«

17 Außerhalb der Stadt Steyr befindet sich die hübsche Schellmann'sche Villa.

18 Von den fünf Mädchen im ersten Stock wurde *Serafine* (gest. im J. 1857) die Gattin des ehemaligen Convictisten, nachherigen Cameralrathes Leopold *Ebner* in Innsbruck. – Von den drei Schweßern im zweiten Stock erkor sich A. *Stadler* die jüngste, *Antonie*, zu seiner Frau. Diese starb 1863 in Salzburg.

19 Dasselbe scheint aber *nicht* aufgeführt worden zu sein.

Ein zweiter Brief, am 19. August 1819 aus Linz an J. Mayrhofer in Wien
158 gerichtet, ist folgenden Inhaltes:

»*Lieber Mayrhofer!*

Wenn es Dir so gut geht wie mir, so bist Du recht gesund. Ich befinde mich gegenwärtig in Linz, war bei den Spauns, traf Kenner, Kreil[20] und Forstmayer[21], lernte Spaun's Mutter kennen und den Ottenwald[22], dem ich sein von mir componirtes Wiegenlied sang. In Steyr hab ich mich und werd' mich noch sehr gut unterhalten. Die Gegend ist himmlisch, auch bei Linz ist es sehr schön. Wir, d.h. Vogl und ich, werden nächster Tage nach Salzburg reisen. Wie freu' ich mich nach –. Den Ueberbringer dieses Briefes, einen Studenten von Kremsmünster, Namens Kahl, welcher durch Wien nach Idria zu seinen Eltern reist, empfehle ich Dir sehr, und bitte Dich, ihm durch die Tage, die er hier zubringt, mein Bett zu überlassen. Ueberhaupt wünsche ich, daß Du Dich seiner freundschaftlich annimmst, denn er ist ein sehr braver, lieber Mensch.

Die Frau v. S.[23] lasse ich herzlich grüßen. – Hast Du schon was gemacht? Ich will's hoffen. – Vogl's Geburtsfest feierten wir mit einer von Stadler gedichteten und von mir componirten Cantate, die recht gut ausfiel. Jetzt lebe wohl bis auf den halben September.

Dein Freund

Franz Schubert,

159 Herr v. Vogl läßt Dich grüßen. Grüße mir den Spaun.«

Um die Mitte September nahmen die beiden Musensöhne Abschied von Steyr. Darauf deuten zwei Stammbuchblätter hin, die sie am 14. September für die »*Kathi*« Stadler, Schwester des Albert Stadler, welche damals im Kollerschen Hause lebte, mit Prosa und Versen beschrieben[24].

20 *Kreil*, ein Bruder des pens. Vicepräsidenten Franz v. Kreil in Linz, wurde später Adjunct an der Sternwarte in Prag.

21 *Forstmayer* Mathias, Regierungs-Praktikant in Linz, ebenfalls aus Steyr gebürtig, war Hausfreund bei Spaun und Ottenwalt.

22 *Dr. Anton Ottenwalt*, Fiscaladjunkt in Linz, mit Maria von Spaun verheiratet; starb 1845.

23 Wahrscheinlich seine Hausfrau Sanssouci.

24 Schubert schrieb folgenden Moralspruch in das Stammbuch: »Genieße stets der Gegenwart mit Klugheit, so wird Dir die Vergangenheit eine schöne Erinnerung und die Zukunft kein Schreckbild sein.« – Vogl schwang sich zu folgender Zuckerbäcker-Devise empor:

Von größeren Compositionen, welche Schubert in diesem Zeitraume schuf, sind zu erwähnen: Das bekannte *Clavierquintett op.* 114 mit dem Lied »Die Forelle« als Thema des vorletzten Satzes und den Variationen über dasselbe. Schubert componirte es auf Stadler's Zuthun und über besondere Bestellung Paumgartner's, dem die herausgeschriebenen Stimmen (ohne Partitur) übergeben wurden; ferner eine *Ouverture* für Clavier zu vier Händen in*F-Moll*[25], (»im November in Herrn Josef Hüttenbrenner's Zimmer im Bürgerspital innerhalb drei Stunden geschrieben und darüber das Mittagsmahl versäumt«) und eine Gelegenheits-*Cantate.* Im August schrieb nämlich Schubert, wie auch aus seinem Brief an Mayrhofer zu ersehen ist, während 160
seines Aufenthaltes in Steyr zu Vogl's Geburtstag eine von A. Stadler gedichtete *Cantate* für Sopran, Tenor und Baß mit Clavierbegleitung[26]. Von *unveröffentlichten* Compositionen sind noch zu verzeichnen: *Ein Vocalquartett*[27], *ein Salve regina* (in *A-Dur*) für Sopran, mit Begleitung von Streichinstrumenten, *drei Hymnen* von Novalis[28], ein *Vocalquintett* (für zwei Tenore und drei Bässe) auf das viel besungene Lied: »Nur wer die Sehnsucht kennt«, und ein 161
Vocalquartett für zwei Tenore und zwei Bässe[29].

In der Freunde Herzen leben,
Was kann's hienieden Schön'res geben?
Katharina Stadler lebt derzeit als Gattin des Musterlehrers Franz Kozeder in Schwanenstadt. – Die Stammbuchblätter sind im Besitz des Herrn A. Stadler in Wien.

25 Dieselbe befindet sich, mit obiger Aufschrift von Schubert versehen, in Herrn Josef Hüttenbrenner's Besitz.

26 Die Cantate, von welcher Josef v. Spaun und Frau*Dr.* Lumpe in Wien Abschriften besitzen, beginnt mit einem Terzett (*C-Dur* $^4/_4$); auf dieses folgt ein Sopran-Solo (*Allegretto F-Dur* $^3/_4$), sodann ein Tenorsolo, und dann abermals ein Sopran- und Tenorsolo. Den Schluß bildet ein Canon (*Moderato C-Dur* $^4/_4$), Das Gedicht enthält Anspielungen auf Vogl's vorzüglichste Rollen und Leistungen in verschiedenen Opern. Den Sopranpart sang damals Pepi Koller.

27 Das Quartett – eine wahrscheinlich in Steyr entstandene Gelegenheits-Composition – ist für zwei Soprane, Tenor und Baß geschrieben (*D-Dur* $^6/_8$) auf die Worte:
Im traulichen Kreise
Beim herzlichen Kuß
Beisammen zu leben
Ist Seelengenuß.

28 Es sind die »geistlichen Gesänge«: 1. »Wenige wissen das Geheimniß der Liebe« u.s.f. »Wenn ich ihn nur habe« u.s.f., und 3. »Wenn alle untreu werden« u.s.f. Die erste Hymne in *A-Moll* $^4/_4$ besteht aus mehreren Theilen und enthält auch Recitative; die zweite und dritte (beide in *Des-Dur* $^2/_4$) sind kleinerer Art. Tiefe drei Gesänge sind weniger schön, als eigenthümlich. – Die andern zwei Hymnen fallen in die Jahre 1815 und 1820.

29 Ruhe, schönstes Glück der Erde,
Senke segnend dich herab,
Daß es stiller um uns werde,
Wie in Blumen ruht ein Grab.

Unter den vielen Liedern, welche Schubert bis zu dieser Zeit aus seinem reichen Füllhorn mit verschwenderischer Luft ausgestreut hatte, ragen insbesondere die auf Goethe'sche Gedichte componirten durch vollendete Schönheit der Form und tiefe musikalische Auffassung über die anderen hervor. Der Gedanke lag nahe, dem in Weimar thronenden Dichterfürsten durch die Zusendung einiger der gelungensten Gesänge zu erfreuen, und ihm Kunde von der Begeisterung zu geben, mit welcher ein junger Wiener Tondichter seine poetischen Gebilde erfaßt und in Tönen wieder gedichtet hat. Schubert selbst dürfte wohl kaum den ersten Anstoß zu diesem Unternehmen gegeben haben; – sein schüchternes in sich gekehrtes Wesen spricht entschieden dagegen – wohl aber mag er auf die von einem wohlwollenden Rathgeber angeregte Idee des gefahrlosen Versuches bereitwillig eingegangen sein, und so sendete er in der That ein geschriebenes Heft seiner Compositionen Goethe'scher Gedichte – ohne Zweifel die dem Dichter gewidmeten Lieder: »An Schwager Kronos«, »An Mignon« und »Ganymed« – zugleich
162 mit einem ehrfurchtsvollen Geleitschreiben nach Weimar[30]. Der Altmeister, dessen Haus dem musikalischen Vergnügen und sowohl ausübenden als schaffenden Künstlern freundlichst geöffnet war, während auf ihn selbst die Musik nur »gelegentlich« wirkte[31], hat entweder von den Liedern überhaupt keine Notiz genommen, und sie sammt dem Dedicationsschreiben den vielen anderen Widmungen und Zusendungen, wie solche fast täglich an ihn gelangten, als »schätzbares Materiale« beigelegt, oder es grundsätzlich vermieden, mit einem ihm persönlich unbekannten, zu jener Zeit noch ohne Ruf dastehenden Menschen, in ein näheres Verhältniß zu treten. Weder in Goethe's Werken, noch in seinem Briefwechsel mit Zelter, noch in den Gesprächen mit Eckermann wird Schubert's auch nur mit Einer Silbe Erwähnung gethan, obwohl der Dichter zu wiederholten Malen in der Lage war, Schubert'sche Compositionen seiner Gedichte, von ausgezeichneten Künstlern vorgetragen, zu hören. Diese befremdende Thatsache findet eben darin ihre Erklärung, daß die in Norddeutschland beliebten und heimisch gewordenen Strofengesänge von Reichardt, Zelter, Eberwein dem mit ihnen aufgewachsenen, damals bereits siebenzigjährigen Goethe mehr zusagten, als die in

Die Autografe dieser beiden mehrstimmigen Gesänge besitzt A. Stadler in Wien.

30 Dieser Thatsache erwähnt Herr *Dr.* Leopold v. Sonnleithner in einem Aufsatz über Schubert, den er mir freundlichst zur Einsicht mittheilte.

31 Als im Jahr 1796 Madame Unger ihm die neuen Lieder von Zelter übersendete, schrieb er an sie: »Musik kann ich nicht beurtheilen, denn es fehlt mir an Kenntniß der Mittel, deren sie sich zu ihren Zwecken bedient; ich kann nur von der Wirkung sprechen, die sie auf mich macht, wenn ich mich ihr rein und wiederholt überlasse.« (Briefwechsel Goethe's mit Zelter I. Bd.)

größerem Styl gehaltenen, nicht selten durchcomponirten Lieder des Wiener 163
Barden[32].

So geschah es denn auch, daß ihm das musikalische Verständniß des Schubert'schen »Erlkönig«, welche Ballade er schon einmal singen gehört hatte, erst in seinen letzten Lebensjahren durch den hinreißend dramatischen Vortrag der *Wilhelmine Schröder-Devrient* in herrlicher Weise erschlossen
wurde[33]. 164

Fühlte sich Goethe von keinem Zug künstlerischer Sympathie zu Schubert angeweht, so schwelgte dieser um so lieber in dem, durch den Dichterfürsten erschlossenen Liederfrühling. Mehr als ein halbes Hundert Goethe'scher Gedichte, und unter diesen viele seiner schönsten, hat er durch sinniges Erfassen ihres poetischen Inhaltes musikalisch verherrlicht, und, das Dichterwort mit Tönen umkleidend, in eine höhere Sfäre emporgehoben.

Als Curiosum möge hier noch erwähnt werden, daß zu Anfang dieses Jahres (am 28. Februar 1819, und nicht erst im Jahr 1821, wie man anzunehmen pflegt) ein Schubert'sches Lied in einem Concert in Wien zum ersten

32 Goethe's Leibmusikus war bekanntlich der Director der Berliner Singakademie, *Carl Friedrich Zelter* (geb. in Berlin 1758, gest. daselbst 1832), der alte deutsche Reichscomponist, wie ihn Beethoven nannte. Schon im Jahre 1796 trat er durch Zusendung seiner neuesten Lieder an Goethe zu diesem in ein freundschaftliches Verhältniß, welches in dem, bis in das Jahr 1832 geführten, lebhaften Briefwechsel schönen und bedeutenden Ausdruck fand. Es bildete sich zwischen beiden ein ähnlicher Bund, wie zwischen Mayrhofer und Schubert, nur daß der Liedercomponist Zelter kein Schubert, und Goethe um jene Zeit über die lyrische Epoche schon hinaus war. Zelter componirte über hundert Goethe'sche Lieder, unter diesen beinahe alle Balladen, und schon von den Erstlingen seiner Liedercompositionen sagte Goethe, »daß er der Musik kaum solche herrliche Töne zugetraut hätte.« Im Jahre 1823 sang ihm die *Milder-Hauptmann* in Marienbad vier kleine Lieder vor, »die sie dergestalt groß zu machen wußte, daß die Erinnerung daran ihm noch Thränen auspresse.« Sollte darunter nicht ein Schubert'sches gewesen sein? Im Jahre 1825 trug die Milder in ihrem Concert in Berlin Schubert's »Suleika« mit großem Beifall vor, wovon aber Zelter keine Erwähnung macht. Die berühmte Sängerin stand damals mit Goethe und Schubert in brieflichem Verkehr, von welchem später noch die Rede sein wird.

33 Als die Schröder im April 1830 auf ihrer Reise nach Paris durch Weimar kam, ließ sie sich von dem Mitglied der dortigen Hofbühne, Eduard *Genast*, dem Dichtergreise vorstellen und sang ihm unter Andern auch den »Erlkönig« vor. Wiewohl Goethe kein Freund durchcomponirter Lieder war, ergriff ihn doch der hochdramatische Vortrag so sehr, daß er das Haupt der Sängerin in beide Hände nahm und sie mit den Worten: »Haben Sie tausend Dank für diese großartige künstlerische Leistung!« auf die Stirn küßte und sodann fortfuhr: »Ich habe diese Composition früher einmal gehört, wo sie mir gar nicht zusagen wollte, aber so vorgetragen, gestaltet sich das Ganze zu einem sichtbaren Bild.« (Alfred Frh. v. Volzogen: Wilhelmine Schröder-Devrient, ein Beitrag zur Geschichte des musikalischen Drama, S. 146.) Im Jahre 1821 wirkte die Schröder in jener »Akademie« in Wien mit, in welcher *Vogl* zum ersten Mal den »Erlkönig« öffentlich vortrug.

Mal öffentlich vorgetragen wurde. Der Tenorist *Jäger*[34] sang nämlich an jenem Tag (und am 12. April abermals) das bekannte: »Schäfer's Klagelied« in einem, von dem Violinspieler *Jäll* im Gasthof »Zum römischen Kaiser«
165 veranstalteten Concert. Das Lied wurde, wie es scheint, mit lebhaftem Beifall aufgenommen[35].

Um diese Zeit wurde auch in dem Hause des Dr. Ignaz von Sonnleithner (im Gundelhof) die Cantate: »Prometheus« (wohl zum letzten Mal) zu Gehör gebracht, wobei der Hausherr, der sich im Besitz einer schönen kräftigen Baßstimme befand, den Part des »Prometheus« sang.

Im Augarten sollte dieselbe Cantate im Jahr 1820 unter Schubert's persönlicher Leitung aufgeführt werden; die Proben fielen aber so unbefriedigend aus, daß Schubert die Partitur zurückzog[36].

Seit der erwähnten Aufführung im Privatkreise hat in Wien keine mehr stattgefunden, und des geheimnißvollen Schicksales dieser Composition ist bereits gedacht worden.

VIII.

(1820.)

Eine eigenthümliche Laune des Schicksals fügte es, daß unser großer Liedercomponist *zuerst* mit einem *dramatisch-musikalischen* Werke vor das *große* Publicum seiner Vaterstadt treten sollte. Von seinen Liedern, deren er schon ein paar Hundert geschrieben hatte, und von welchen einige in Privatkreisen unter großem Beifall gesungen, den Ruhm des jungen Mannes immer weiter und weiter trugen, war noch keines im Stich erschienen. Schubert selbst war nicht in der Lage, seine Werke auf eigene Gefahr und Kosten verlegen zu lassen, und noch weniger dazu angethan, sie den Musikalienhändlern aufzudringen, zumal bei der Zurückhaltung und der Voreingenommenheit dieser Leute gegen »erst aufkeimende Talente« an irgend einen Erfolg kaum zu denken war. Welche Mühe – doch vergeblich – von sachkundigen, mit den Praktiken der Verleger vertrauten Personen in dem darauffolgenden Jahre angewendet wurde, um die Herausgabe des »Erlkönig« zu Stande zu bringen, wird an geeigneter Stelle erwähnt werden.

Der Sänger Vogel, stets darauf bedacht, seinem Freunde Gelegenheit zu größerer und ausgedehnterer Anerkennung zu verschaffen, als ihm bis dahin

34 *Jäger* (Franz), 1796 zu Wien geboren, daselbst bis 1826 als Theatersänger thätig, erfreute sich in einigen Rollen großer Beliebtheit. Er ging später, als Singlehrer am Theater, nach Stuttgart, wo er bis an sein Lebensende blieb.

35 Zeitschrift »der Sammler«, J. 1819.

36 Nach einer Mittheilung Herrn Josef Hüttenbrenners.

geworden, bestimmte durch seinen Einfluß die Direction des Operntheaters, 167
daß sie Schubert mit der Composition eines, dem Französischen entnommenen, von dem Theatersecretär *Hofmann* für die deutsche Bühne bearbeiteten Textbuches beauftragte.

Schon im Jahre 1818 scheint er sich an die Arbeit gemacht zu haben; es ging wenigstens damals in Wien die Rede, daß Schubert mit der Musik zu einer Oper beschäftigt sei[1].

Der Inhalt des Textbuches ist ein auf der Bühne schon abgenützter; er beruht auf fortwährenden Verwechslungen in der Person und dadurch herbeigeführten Mißverständnissen, was zu einigen possenhaften Scenen Veranlassung gibt, zumeist aber auch einen matten Schluß herbeiführt. Das Singspiel wurde unter dem Titel: »Die *Zwillinge*«, Posse mit Gesang in Einem Act, am 14. Juni 1820 zum ersten Mal im Kärnthnerthor-Theater gegeben. Die darin vorkommenden Personen sind: der *Schulze*, *Lieschen* seine Tochter (Sopran), *Anton* (Tenor), der *Amtmann* (Baß), *Franz* und *Friedrich* Spieß (Baß), Invaliden, von welchen der Erstere eine Binde um das rechte, der Letztere eine solche um das linke Auge trägt.

Die Fabel des Stückes ist folgende: Vor achtzehn Jahren war dem Schulzen ein Töchterlein geboren worden. Der beglückte Vater denkt eben nach, wen
er als Pathen desselben wählen soll, als sein Nachbar Spieß, in's Zimmer 168
tretend, ihm mittheilt, daß er jetzt, wo er großjährig geworden, sich entschlossen habe, in die weite Welt und vorerst nach Frankreich zu gehen, um dort seinen Zwillingsbruder aufzusuchen, der schon als Knabe der Heimat entlaufen ist. Seinen Abgang noch durch eine löbliche Handlung zu bezeichnen, erbietet er sich, Pathenstelle bei dem Töchterchen zu vertreten, indem er zugleich einen Brautschatz von 1000 Thalern mit der Bedingung hinterlegt, daß, wenn er binnen achtzehn Jahren zurückkehren und das Mädchen ihm gefallen sollte, dasselbe seine Gattin werden müßte.

Lieschen ist mittlerweile herangewachsen, hat sich Anton zum Bräutigam auserkoren und heute eben – doch erst mit Sonnenuntergang – gebt der Termin zu Ende, welchen sich Franz Spieß zur allfälligen Geltendmachung seiner Rechte auf die Hand des Mädchens gesetzt hat. Anton und ein Chor von Landleuten haben durch ein Morgenständchen die Braut aus dem Schlummer geweckt (Anfang des Singspieles). Mit Ungeduld harrt das Paar des Sonnenunterganges, um zum Traualtar zu wandeln. Da erscheint Franz Spieß, gibt sich dem etwas unangenehm überraschten Schulzen zu erkennen, erzählt ihm seine bestandenen Abenteuer und erinnert ihn schließlich an die bezüglich der Tochter gemachte Zusage. Lieschen wird herbeigeholt, und

1 Auf der im Besitz des Wiener Musikvereines befindlichen Original-Partitur ist das Datum: 19. Jänner 1819 angegeben. – Einen Clavierauszug der Oper verfaßte Ferd. Schubert. Josef von Spaun besitzt eine Abschrift davon.

da sie dem neuen Brautwerber gefällt, hält dieser seine Heirat mit ihr für abgemacht. Weder des Schulzen, noch Lieschen's und Anton's Protest helfen dagegen; Franz beharrt auf seinem Recht und befiehlt Ersterem, ein Frühstück zu besorgen, Letzteren aber, sich von einander für immer zu verabschieden, während er selbst zum Amtmann gehen wolle, um die Rechnung über die
169 Wirthschaft zu fordern. Bestürzt, doch auf neue Mittel sinnend, wie dem Spieß beizukommen wäre, ziehen sich der Schulze, Anton und Lieschen in das Haus zurück.

Da erscheint *Friedrich* Spieß, seinem Bruder zum Verwechseln ähnlich, und begrüßt freudig die heimatliche Erde. Der Schulze, in der Meinung, den Franz Spieß vor sich zu haben, ladet ihn zum anbefohlenen Frühstück ein, wobei er ihm fleißig das Gläschen füllt. Friedrich erklärt, nun wieder mit allen Heimatsgenossen, insbesondere auch mit dem Schulzen in Friede und Freundschaft leben zu wollen; dieser, ihn mißverstehend, eilt in das Haus, um seiner Tochter die frohe Botschaft zu hinterbringen. Lieschen kommt nun selbst, und es entsteht im Verlauf ihres Gespräches mit Friedrich das weitere Mißverständniß, daß dieser bei Lieschens Erklärung: »*geheiratet muß werden*« der Meinung ist, er müsse das Mädchen zur Frau nehmen, wogegen er sich aus verschiedenen Gründen und hauptsächlich auch darum verwahrt, weil er Vater eines schon erwachsenen Sohnes sei. Lieschen, hochbeglückt, eilt zu Anton in's Dorf zurück.

Der Amtmann erscheint, um im Namen der Gemeinde dem zurückgekehrten Franz Spieß zu seinen Großthaten Glück zu wünschen und wegen des Verlustes des Bruders sein Beileid auszudrücken. Sodann ersucht er ihn, als Erbe des letzteren, die deponirte Summe in Empfang zu nehmen und die Quittung darüber zu unterzeichnen. Friedrich und der Amtmann begeben sich sofort in das Amtshaus.

Lieschen und Anton freuen sich des errungenen Sieges; Franz Spieß tritt an sie heran und in voller Unkenntniß dessen, was mittlerweile mit seinem Bruder vorgegangen, besteht er consequent auf seiner Forderung. Lieschen
170 erinnert ihn an sein Versprechen, ihr zu entsagen, und droht ihm mit Anton's und ihres Vaters Rache.

Der Schulze kommt aus dem Hause; Franz Spieß begehrt zu frühstücken; der Schulze erwiedert, daß er mit ihm bereits wacker getrunken habe, was Franz wieder entschieden leugnet u.s.f. Endlich gesellt sich noch der Amtmann dazu, welcher Franzen ersucht, der Quittung über die 1000 Thaler seine Unterschrift beizufügen. Franz leugnet, irgend welche Summe erhalten zu haben, noch anerkennt er seine Unterschrift. Der Streit wird immer lebhafter: Anton, Lieschen und Landleute aus dem Dorfe kommen herbei. Der Amtmann, welchem Franz verdächtig vorkommt, bemerkt, daß Spieß nun die Binde über dem rechten Auge trage, während er früher das linke damit bedeckt gehabt; sofort wird Franz als Betrüger und Spion vor Gericht geführt.

Friedrich Spieß, einen Sack voll Geld tragend, naht von der andern Seite und ersucht den Schulzen um Aufbewahrung des Geldes, was aber dieser ablehnt. Neuerliche Verwirrung in Folge der an den vermeintlichen Franz Spieß gestellten Fragen, welche Friedrich nicht versteht. Endlich verfällt der Schulze auf den Einfall, daß da zwei Spieße ihr Unwesen treiben dürften. Anton kömmt mit der Nachricht, daß Franz Spieß vor Gericht seinen Ansprüchen auf Lieschen entsagt habe.

Nun erscheint dieser, die Brüder stürzen sich bewegt in die Arme und der Chor läßt das Brüder- und Brautpaar hochleben.

Das Singspiel enthält nebst der Ouverture, deren Allegrosatz (*D-Dur* $^4/_4$) ohne Unterbrechung dahinrauscht, zehn Musikstücke, und zwar: Einen *Chor der Landleute* (Introduction), aus welchen sich das Tenorsolo des seine Braut 171
weckenden Anton heraushebt, ein zärtliches *Duett* (Lieschen und Anton), eine *Arie* Lieschens, eine *Arie* des Franz Spieß (Strofenlied), ein *Quartett* (Lieschen, Anton, Franz und der Schulze), eine *Arie* des Friedrich Spieß, ein *Duett* (Lieschen und Anton), ein *Terzett* (Lieschen, Anton und Franz), ein *Quintett* (Anton, Lieschen, Schulze, Franz und der Amtmann) mit Chor und den *Schlußchor*. Gesprochener Dialog scheidet die Musikstücke von einander.

Schubert ging mit wenig Luft an die Composition dieser Posse, da er sich von dem Inhalt derselben nicht angeregt fühlte. Die Musik ist auch thatsächlich seinen schwächeren Producten beizuzählen, womit übrigens nicht gesagt sein soll, daß die Vorführung des musikalischen Theiles derselben die Mühe nicht verlohnen würde.

Vogl hatte die Rolle der beiden Zwillinge, des Militär-Invaliden und des Landmannes übernommen, und that sein möglichstes, sie in gehöriger Weise auseinanderzuhalten.

Die Musik sprach im Ganzen an; der Eingangschor mußte wiederholt werden, auch die Arie des Franz Spieß (in *C*) fand Anklang. Am Schlusse wurde Beifall geklatscht, und man verlangte den Tonsetzer zu sehen, an dessen Stelle, da er abwesend war, Vogl den Dank aussprach.

Die Aufführung war im Ganzen befriedigend[2], eine nachhaltige Wirkung wurde aber nicht erzielt, woran wohl auch das Textbuch mit die Schuld trug. Die Operette erlebte sechs Vorstellungen, um dann für immer vom Repertoir 172
zu verschwinden.

Die Kritik nannte dieselbe eine artige Kleinigkeit, das Product eines jungen Tonsetzers, der, wie der reine Styl der Oper darthue, ordentliche Studien gemacht haben müsse, und kein Neuling in der Harmonie sei. Freilich, heißt es weiter, sei die Musik hie und da ältlich und sogar unmelodisch, und man

2 Die übrigen Rollen: Lieschen, Anton, der Amtmann und der Schulze wurden von Fr. Betti Vio, von Hr. Rosenfeld, Gottdank und Sebastian Mayer dargestellt.

dürfe erwarten, der Tonsetzer werde das Compliment der Freunde, die ihn herausriefen, nicht mißverstanden haben[3].

Wenige Wochen darauf vollendete Schubert eine ungleich bedeutendere, ebenfalls für die Bühne bestimmte Composition melodramatischer Art.

Am 19. August 1820 enthielten die Wiener belletristischen Blätter folgende Anzeige:

»Die liberale Denkungsart Seiner Excellenz des Herrn Grafen Ferdinand von Palffy, Eigenthümer des k.k. priv. Theaters an der Wien, hat drei Künstlern, deren Engagements-Verhältnisse ihnen keine freie Einnahme anzusprechen erlaubten, eine solche aus eigenem Antrieb bewilligt. Diese
173 Künstler sind: die Herren Neefe[4], Theatermaler, Roller, Maschinenmeister, und Lucca Piazza, Costumier des genannten Theaters, welche durch ihre bedeutenden Verdienste um das Vergnügen des Publicums eine solche Auszeichnung im hohen Grade verdienen. Diese Einnahme wird nächsten Montag, den 21. August, auf die dritte Vorstellung des neuen Zauberspiels in drei Aufzügen: Die *Zauberharfe*, Musik von Herrn Schubert, Decorationen, Maschinen und Costüme von den Beneficianten erfolgen.«

Schubert war von Neefe und dem Regisseur des Theaters, Demmer, aufgefordert worden, zu diesem Melodram, dessen Verfasser ungenannt blieb, die Musik zu schreiben[5]. Er entschloß sich sogleich dazu und war in ein Paar Wochen damit fertig. Am 19. August 1820 ging das Stück in Scene und zwar mit mäßigem Erfolge. Es wurde mehrere Male gegeben, verschwand aber noch vor dem Eintritte des Winters vom Repertoir. Der Sologesang war nur wenig darin vertreten, die Hauptbestandtheile bildeten Chöre und Melodram. Das Textbuch war auch hier wieder ohne allen Werth, ja geradezu läppisch, und mißfiel entschieden.

Die damals aufgeführte Ouverture, ein hübsches Orchesterstück, ist dieselbe, welche als *op.* 26 im Clavierauszuge erschienen und unrichtiger Weise

3 Ein Kritiker in der allgemeinen musikalischen Zeitung meinte, es sei von wahrem Gesang wenig aufzufinden, die Musik leide an einem verworrenen, überladenen Instrumentenspiele, an einem ängstlichen Haschen nach Originalität, durch immerwährendes Moduliren, das zu keiner Ruhe kommen lasse. Nur der Introductionschor, ein Quartett und eine Baß-Arie berechtigten zu schönen Erwartungen, wenn der talentvolle, durch *angenehme* Lieder bereits bekannte junge Mann die nöthige Selbstständigkeit errungen haben werde. Seine Freunde mögen bedenken, daß zwischen einem Fiasco und einem Furore ein gewaltiger Unterschied sei.

4 Herrmann *Neefe*, Sohn des Christian Gottlob N., Beethovens Lehrer in Bonn.

5 Neefe und Demmer hatten bezüglich der zu componirenden Musik wohl an Schubert gedacht, sich aber vorher an *Dr.* L. v. Sonnleithner um Rath gewendet, welcher sie sofort mit Schubert in Berührung brachte.

als zum Drama »Rosamunde« gehörig bezeichnet wurde. Ein artiges Solostück ist die Tenorromanze[6] des Palmerin, welche Franz Jäger sang. 174

Die Kritik fiel unbarmherzig über das insipide Textbuch[7] dieses Spektakel- und Ausstattungsstückes her, fand aber auch an der Musik so manches auszusetzen; vor allem daß sie die Handlung eher aufhalte, als sie fortsetze und überhaupt die gänzliche Unkenntniß des Compositeurs mit den Regeln des Melodrams verrathe. Der Geschmack der Geisterharfen-Musik sei häufig dünn, fad und abgestorben, und es fehle an der nöthigen Kraft und Charakteristik, welcher auch die lustigen Geister nicht entrathen könnten[8].

In diesen kritischen Beurtheilungen der damaligen Zeit mag manch Körnchen Wahrheit liegen; verfolgt man sie aber ihrem ganzen Inhalt nach, so kann man nicht umhin, eine gewisse Voreingenommenheit gegen den jungen Tondichter, der eben erst mit einigen kleinen musikalisch-dramatischen Versuchen in die Oeffentlichkeit getreten war, darin wahrzunehmen. Immerhin steht nach dem Zeugnisse competenter Musikrichter, welche der Vorstellung beigewohnt haben, die Thatsache fest, daß die Musik, welche Schubert zu einem sinnlosen Stück zu componiren hatte, interessante Vocal- 175
und Instrumentalsätze in sich schloß[9].

Die dem Componisten damals gemachten Vorwürfe zu greller Harmonienfolgen, fortwährenden Modulirens, Ueberladung der Instrumentation u.s.w. würden sich bei der heutigen Geschmacksrichtung zweifellos in das Gegentheil verwandeln. Die Musik zur »Zauberharfe« verdiente aus dem Schutt herausgeholt zu werden, da sie in der That Schönes aufweist, und Schubert selbst sie zu seinen gelungeneren Arbeiten zählte[10].

6 *Andantino* in *D-Dur* mit Begleitung von Violinen, Viola, Flöte, Oboe, Fagott, Harfe, Cello und Baß – (die Pianofortebegleitung eingerichtet von F. Grutsch, ehemaligem zweiten Orchester-Director im Kärnthnerthor-Theater).

7 Verfasser desselben war der Theatersecretär *Hofmann* in Wien.

8 In der allgemeinen musikalischen Zeitung wurde darüber folgen des Urtheil abgegeben: »Der Tonsatz verräth hie und da Talent; im Ganzen fehlt es an der technischen Anordnung, es mangelt der, nur durch Erfahrung zu gewinnende Ueberblick; das meiste ist viel zu lang und ermüdend; die Harmoniefolgen zu grell, das Instrumentale überladen, die Chöre matt und kraftlos. Das einleitende Adagio der Ouverture und die Tenor-Romanze sind die gelungensten Sätze, und sprechen an durch herzlichen Ausdruck, edle Einfachheit und zarte Modulation. Ein idyllischer Stoff müßte dem Componisten ungemein zusagen.«

9 Einer der größeren Entreacte ist in der That ein interessantes Musikstück.

10 Die Partitur der Zauberharfe besaß noch im Jahre 1835 Ferd. Schubert; eine Copie mag sich wohl in dem Archiv des Theaters an der Wien befunden haben oder daselbst noch befinden. Die Verlagshandlung Spina besitzt das Autograf zweier Entreacte, einer Ouverture zum dritten und des Nachspieles dazu. – Eine Abschrift der Partitur der Tenorarie (Palmerins) und den Clavierauszug derselben befindet sich bei Joh. v. Spaun. – Die Ouverture (*op.* 26) wurde in Wien im Theater als Einleitung zu der Operette »der häusliche Krieg« aufgeführt.

Es kommt nun abermals einer jener Züge zu verzeichnen, welche die Größe und Vielseitigkeit des Schubert'schen Genius in schlagender Weise darthun.

Beinahe um dieselbe Zeit, als unser Tondichter mit der musikalischen Bearbeitung abgeschmackter Textbücher für das Theater beschäftigt war, entstand in geweihten Stunden, und wie es scheint in völliger Abgeschiedenheit eine seiner bedeutendsten und eigenthümlichsten Tondichtungen *religiösen Charakters*, deren Genesis ein Geheimniß ist und es wahrscheinlich
176 immerdar bleiben wird, da selbst Schubert's vertrauteste Freunde, namentlich auch Franz von Schober, der doch gerade in dem Jahre 1820 mit ihm vielfach in persönlicher Berührung stand, über die Veranlassung und andere äußerliche Umstände, unter welchen das in Rede stehende Werk geschaffen wurde, keine Aufschlüsse zu geben vermögen, einem großen Theil von Schubert's Umgebung aber die Existenz desselben überhaupt verborgen geblieben ist. Das hier gemeinte »Oratorium« *Lazarus* oder die *Feier der Auferstehung* – von Schubert als *Ostercantate* bezeichnet – wurde, wie aus der Originalpartitur zu ersehen, im Februar 1820, also höchst wahrscheinlich in jener Behausung in der Wipplingerstraße, welche Schubert damals gemeinschaftlich mit Mayrhofer inne hatte, in Angriff genommen.

Die *Feier der Auferstehung* ist eines der religiösen Gedichte des, als pädagogischer und theologischer Schriftsteller bekannten August Hermann *Niemeyer*[11], weiland Kanzler der Hochschule in Halle.

In dem Vorwort zu jener Gedichtsammlung findet sich unter andern auch folgende Stelle: »Die Oratorien, besonders die vier ersten, haben in den Jahren 1776 bis 1780 ein sehr großes Publikum bekommen. Sie hatten es vorzüglich einem in jener Periode sehr geschätzten Componisten, dem seligen
177 Musikdirector *Rolle*[12] zu danken, der sie zuerst in den damals sehr glänzenden Magdeburger Concerten vollständig aufführte.« Diese Worte wurden am 8. April 1814 geschrieben; sechs Jahre darauf (im Februar 1820) setzte Schubert die Dichtung Niemeyer's in Musik, wovon dieser in den folgenden acht Jahren, die er – und Schubert – noch zu leben hatte, wohl nie etwas erfahren hat.

Aber selbst nach weiteren dreißig und mehr Jahren seit des Componisten Tod wirkte die erste Kunde von der Existenz eines *Oratoriums* von Franz

11 A.H. Niemeyer, geb. 1754 in Halle a.d. Saale, wurde 1780 Professor der Theologie und Aufseher des königl. Pädagogiums daselbst, 1804 Oberconsistorialrath und 1814 Universitätskanzler und starb (gleich Schubert) im Jahre 1828. Er schrieb geistliche Briefe, religiöse Gedichte, Predigten, Pädagogisches, eine Charakteristik der Bibel u.s.w.

12 Rolle Johann Heinrich, geb. 1718, gest. 1785 als Musikdirector in Magdeburg, galt als correcter und geschmackvoller Tonsetzer. – In neuester Zeit (1862) erschien »Lazarus«, Oratorium in zwei Abtheilungen, componirt von *Johann Vogt*, nach den Worten der h. Schrift und wurde am 19. März 1863 zuerst in Dresden aufgeführt.

Schubert noch immer überraschend, obwohl die Original-Partitur der ersten »Handlung« sich wahrscheinlich durch einen beinahe gleich langen Zeitraum bereits in dem Besitze der Musikalienhandlung Diabelli und Comp. (derzeit Spina) in Wien befunden hat. Es bedurfte der Entdeckung einer, in der *Spaun*schen Schubertsammlung enthaltenen Abschrift dieses Werkes durch den Verfasser dieses Buches, im Jahr 1860, und des im Spätherbst des darauffolgenden Jahres ebendemselben beschiedenen gewesenen Fundes des größten Theiles der Originalpartitur der zweiten »Handlung«, um das Werk aus dem Dunkel, in dem es so lange gelegen, endlich an's Tageslicht zu fördern[13], und (im März 1863) in Wien zur ersten öffentlichen Aufführung
zu bringen. 178

Niemeyer's Dichtung zerfällt in drei Theile, oder »*Handlungen*«, wie sie Schubert nennt, von welchen der erste mit dem Tod des Lazarus, der zweite mit seinem Begräbniß und dem Trauergesang der Freunde über den Dahingeschiedenen, der dritte mit seiner Auferweckung abschließt. Von diesen ist der musikalische Theil der ersten Handlung im Original, und zwar in einer äußerst saubern Handschrift (im Besitz der Musikalienhandlung Spina
in Wien) und in Abschriften (welche Hofrath v. *Spaun* und der *Musikverein* 179
in Wien besitzen) vollständig erhalten; der als Original-Manuscript aufgefundene zweite Theil reicht noch mit ein paar Recitativgesängen (des Nathanael und der Maria) über den Wechselchor der trauernden Freunde des Dahin-

13 Schon im Jahre 1859, als ich mich mit der »Biographischen Skizze« beschäftigte, war mir bei der Durchsicht der Witteczek'schen (Spaun'schen) Schubertsammlung die Cantate »Lazarus« bekannt geworden, deren auch in der »Skizze« (S. 26 und 95) mit dem Bemerken Erwähnung geschieht, daß von ihr *nur die erste* Handlung componirt sei. Ich zweifelte an der Richtigkeit dieser Angabe um so weniger, als dem Schubertenthusiasten Witteczek nicht leicht eine Composition seines Freundes (zumal eine bedeutendere) entging, und Ferdinand Schubert (dessen Unzuverlässigkeit hier abermals in grellem Lichte erscheint) in seinen Aufzeichnungen nur von Einer Handlung spricht. Bald aber sollte ich eines Besseren belehrt werden. Im Spätherbst 1861 lud mich der als musikalischer Schriftsteller geschätzte Herr Alexander *Thayer* aus Boston (derzeit der nordamerikanischen Gesandtschaft in Wien zugetheilt) in seine Behausung ein (damals in Neuwien), um mir Schubert-Manuscripte vorzuweisen. Da wurde mir bei der Durchsicht des Notenpackes, den mir der zuvorkommende Mann zur Verfügung stellte, eine freudige Ueberraschung zu Theil. Ich fand daselbst die Original-Partitur der Opern »Alfonso und Estrella«, jene der »Zwillingsbrüder«, Streichquartette, Clavierstücke, Lieder und – die zweite Handlung des »Lazarus«, diese leider nicht ganz complet. Es schien mir geboten, von diesem Funde die Directionsmitglieder des Musikvereins: Herrn *Dr.* Bauer und Herrn Herbeck in Kenntniß zu setzen, welchen es auch gelang, von dem Besitzer der Manuscripte die Herausgabe derselben gegen angemessene Entschädigung im Rechtsweg zu erwirken, und sohin die sämmtlichen Autografe dem Wiener Musikvereinsarchiv als eine werthvolle Bereicherung seiner Schätze einzuverleiben. Glücklicher Weise fand sich bei der Witwe des Ferd. Schubert nachträglich noch ein Heft von »Lazarus« vor, womit ein passender Abschluß gewonnen war. Weitere Forschungen nach dem letzten Bogen blieben bis jetzt resultatlos.

geschiedenen hinaus, mit welchem, so lange der letzte Bogen der Partitur fehlt, dieser Theil abzuschließen sein wird. Das noch fehlende Fragment enthält, dem Text zufolge, als Musikstücke eine Arie der Martha, mehrere
180 kurze Recitativstellen und einen Chor der Freunde[14].

14 Die betreffenden Stellen der Dichtung lauten:

Martha.

Und stünden selbst der Engel Reih'n
Um seinen Geist gedrängt,
Ich drängte mich in ihre Reih'n
Auf Fittigen der Liebe ein
Und rief: Ihr Engel, er ist mein!

Nathanael.

Einst wenn vom Abend und vom Morgen her
Der Weltenrichter ruft, dann Martha ist er dein,
Dann ist er unser, ewig ungetrennt!
Jetzt gebt dem Staube, was ihm angehört!
Singt, Jünglinge, singt,
Singt Töchter, – *ihr* vom Tod
Und *ihr* vom Auferstehen das Lied.

Ein Jüngling.

Mein stiller Abend ist gekommen:
Wo leg' ich nun das matte Haupt?

Jemina.

Im Hügel, der den Hain umlaubt,
Im heiligen Ruhethal der Frommen,
(Man senkt den Leichnam in die Grabhöhle.)

Ein Jüngling.

Ich bin des Pilgerlebens müde,
Wie säumt, wie säumt mein Vaterland!

Jemina.

Dich leite deines Engels Hand
Und über deinem Staub sei Friede!

Ein Jüngling.

Wer hat das Feld mit Saat bestreut?

Jemina.

Der Geber der Unsterblichkeit.

Ein Jüngling.

Heil mir, sie ist mein.

Jemina.

Heil dir, sie ist dein.

Beide.

Und himmlisches Entzücken.

Jüngling.

Ganz unsterblich wirst du mich –

Jemina.

Ganz unsterblich werd' ich dich –

Beide.

An diesen Busen drücken.

Chor.

Wiederseh'n! sei uns gesegnet,

Ob der dritte, umfangreichste Theil, in welchem auch vorgesang eine hervorragende Stelle angewiesen ist, von Schubert ebenfalls componirt 181
wurde, darüber fehlt zur Stunde jeder Anhaltspunkt.

Die in der Cantate auftretenden Personen sind: Der Bethanier *Lazarus* (Tenor), *Maria* und *Martha*, Schwestern des Lazarus (Sopran); *Jemina*, die Tochter des Jairus (Sopran); *Nathanael*, ein Jünger des Herrn (Tenor), und der Sadducäer *Simon* (Baß)[15].

Jemina und Nathanael ausgenommen, deren Gesangspartien minder umfangreich, aber musikalisch auf das schönste ausgestattet erscheinen, sind die übrigen hier auftretenden Personen von dem Dichter und dem Componisten ziemlich gleichmäßig bedacht. Letzterer hat sich in dem Text mehrere Aenderungen erlaubt, durch welche er das Original für seine Zwecke gefügiger, mitunter auch poetisch bedeutsamer gestaltete[16]. 182

Der musikalische Theil besteht – dem Gedicht gemäß – aus Arien und Ariosen, Chören und Recitativen. Dem Arioso und dem eigentlichen Recitativ ist aber in dieser Schubert'schen Tondichtung eine hervorragende Stelle eingeräumt, gegen welche die dünngesäeten Arien und die zu zwei Chöre, welche jede der Handlungen abschließen, entschieden zurücktreten. Der

Entzückungsvolles Wiederseh'n,
Wenn uns unser Freund begegnet,
Wo Engel liebend um ihn steh'n!
Dieser Tag der Wonne
Trocknet uns're Thränen ab;
Hoch schwebt uns're Seele
Ueber unser Grab.

15 In der ersten Aufführung des »Lazarus« in Wien (am 27. März 1863) unter der Leitung des Herrn Johann *Herbeck* wirkten als Solisten mit: Frl. *Tellheim* (Maria), Frl. *König* (Martha), Frau *Wilt* (Jemina), Herr *Olschbauer* (Lazarus), Herr *Schultner* (Nathanael) und Hr. *Mayerhofer* (Simon).

16 Daß Schubert *selbst* am Text geändert, ist sehr wahrscheinlich, wenngleich nicht erwiesen. Die hauptsächlichen Aenderungen beziehen sich auf einige Stellen in den ersten Arien der Martha, der Maria, in dem zweiten Gesang des Lazarus und in der großen Arie des Simon. So z.B. sind die Worte Martha's:
Und nun gehst du so fern von uns
In's unbekannte Land,
Und einsam bleibt die Hütte dann,
Des Schmerzes und der Sehnsucht öder Wohnplatz –
dahin abgeändert:
Und nun gehst du in die Schatten der Gräber
Ferne von uns, daß in öden Nächten
In der einsamen Hütte wir dich klagen,
Daß im Wipfel der Palme unser Jammer ertöne
An deiner Gruft zu verhallen.
In Simon's Recitativ sind energischere Textworte aufgenommen, als sich im Original finden, da der Componist hier dramatische Wirkung erzielen wollte.

Componist war vorzugsweise auf den declamatorischen Gesang angewiesen, und die Meisterschaft, mit welcher. Schubert den Strom prägnant hervortretender Melodien, wie diese ihm jederzeit zu Gebot standen, einzudämmen und in inniger musikalischer Durchdringung der, von dem Geist der Asketik durchwehten Dichtung, die zu recitirenden Stellen in bedeutender, sein individualisirender Weise wiederzugeben verstand, verleiht dieser Cantate ein besonderes Interesse, und gestaltet dieselbe zu einer der eigenthümlichsten Tondichtungen, welche in dieser Art überhaupt geschaffen worden sind. Der Verfasser des Textes hat dem Componisten die Arbeit keineswegs erleichtert. Es bedurfte eines Genies, wie es eben jenes Schubert's war, um an der gefährlichen Klippe der *Monotonie*, welche in dem Mangel an bewegter
183 Handlung, in dem fast ununterbrochenen Festhalten einer und derselben Stimmung und dem überwiegenden Recitativgesang gelegen ist, glücklich vorbeizuschiffen. Schubert ging dabei nicht in beschreibender, sondern – wie es die Dichtung verlangt – in darstellender Weise zu Werke, und mit welch seinem Gefühl und überraschendem Geschick er sich der von dem Dichter ihm dargebotenen Gelegenheit zu dramatischer Entfaltung zu bemächtigen wußte, davon geben die, der Tochter des Jairus (Jemina) und dem Sadducäer *Simon* zugetheilten musikalischen Partien glänzendes Zeugniß. Ein verstandesmäßiges Zergliedern des zartgestalteten, aus Einem Guß hervorgegangenen und fast ohne Ruhepunkte sich dahinbewegenden Tonwerkes hieße das Mondlicht zerlegen wollen und würde wenig frommen, wenn auch nur auf diese Art viele verborgene Reize bezeichnet und aufgedeckt werden könnten; – hier möge nur im Allgemeinen auf die hohen Schönheiten der Schubert'schen Tondichtung hingewiesen werden.

Das Oratorium beginnt mit einem kurzen Vorspiel als Einleitung zu dem recitirenden Gesang des *Lazarus*, der eben von den beiden Schwestern Maria und Martha in den Garten unter einen schattenden Palmbaum geführt und auf blumigen Rasen niedergelassen ward. Auf den tiefempfundenen, sanften Gesang folgt (in rascherem Zeitmaß) ein *Recitativ* der *Martha*, und nach einem kurzen Vorspiel (*Andantino G-Dur*) ebenfalls ein *recitirender Gesang der Maria*. Die demselben sich anschließende *Arie* (*Andantino sostenuto F-Dur* $^{3}/_{4}$ von Streichinstrumenten, Clarinett, Fagott und Horn begleitet) ist eines der schönsten Musikstücke und erhält namentlich durch das Hervor-
184 treten der Blasinstrumente eine eigenthümliche Färbung. Nun folgt ein *Recitativ des Lazarus* von rührendem Ausdruck, und auf dieses abermals ein *Recitativ* des von dem Heiland zu Lazarus herbeigeeilten Jüngers *Nathanael*, welches in die schwungvolle Arie (*Allegro moderato C-Dur* $^{4}/_{4}$) »Wenn ich ihm nachgerungen habe« u.s.w. hinüberleitet. Unter den darauf folgenden Recitativgesängen der Martha, des Lazarus und der Maria ragt jener der Letzteren:

Wenn nun mit tausendfacher Qual
Der Schmerzen Heer sich um ihn drängt u.s.w.

und die darauf folgende Arie:

Gottes Liebe! Fels im Meer u.s.f.

durch melodischen Zauber und schöne Charakteristik hervor.

Nun erscheint *Jemina*, die auferweckte Tochter des Jairus, eine der holdesten Gestalten des Evangeliums, die der Dichter sinnreich in die Handlung einführt, auf daß sie dem sterbenden Lazarus ein lebendiges Zeugniß der Auferstehung vor Augen stelle. Die große Scene, in welcher sie ihren Tod, ihre Himmelfahrt und Auferstehung erzählt, gab dem Componisten Gelegenheit, ein ebenso erhabenes als ergreifendes Tonstück zu schaffen, das unserer vollen Bewunderung werth ist.

Was nun folgt – die letzten Worte des sterbenden Lazarus, die Klagelaute der Schwestern und Jemina's, und endlich der Chor der nach und nach sich versammelnden Freunde – ist von einer Schönheit und Innigkeit des Ausdrucks, welche sich nur fühlen, nicht beschreiben läßt.

Die zweite Handlung beginnt mit einem durch 27 Takte anhaltenden Orchestersatz (*Largo C-Moll* $^4/_4$), einer Art von Grabmusik, in welcher die Posaunen zu mächtiger Wirkung gelangen. An diese schließt sich ein *Recitativ* 185
des in wilder Unruhe zwischen Gräbern herumirrenden Sadducäers *Simon*[17]. Dieser Recitativgesang und die darauf folgende Arie:

Ach des grausen Todgedanken! u.s.f.

sind von einer dramatischen Gewalt, deren wohl Wenige Schubert's weichgestimmtes musikalisches Naturell für fähig gehalten haben. Noch folgen ein Paar Recitative *Nathanael's* und sodann der *Chor der Freunde des Lazarus*, die dem Leichenzug folgen, ein schöner ergreifender Wechselgesang, von Männer- und Frauenstimmen getragen, die sich am Schluß bei den Worten:

Du nimmst ihn auf, er keimt hervor,
Er wächst zur Ceder Gottes empor,

17 Die Scene ist eine grünende Flur voll von Grabsteinen mit Palmen und Cedern umpflanzt; im Hintergrunde ein Hain und in der Ferne ein Weg zu Lazarus Wohnung.

zu einem mächtigen, von dem vollen Orchester getragenen Gesammtchor vereinigen und so diesen Theil in herrlicher Weise abschließen[18].

Ein zweites größeres Werk von zartem, duftigem Gewebe ist die Oper *Sakontala*, die, nach der Anlage zu urtheilen, bedeutend werden konnte,
186 leider aber – aus mir unbekannten Gründen – unvollendet bei Seite gelegt wurde[19]. Das Textbuch hält sich im *Wesentlichen* an das berühmte indische Schauspiel »Ring-Cacuntala« des Dichters Kalidasa, und die Verse unterscheiden sich durch höhern Schwung und ein gewisses Ebenmaß vortheilhaft von jener trostlosen Sorte gereimter Zeilen, welchen man so häufig in Opernbüchern begegnet. Gesprochener Dialog wechselt darin mit Gesang ab.

Die in dem Stück vorkommenden Personen sind: *Duschmanta*, König von Hindostan (Tenor); *Madhawia*, Hofnarr und Vertrauter des Königs (Baß); *Sakontala* (Sopran); *Kanna*, oberster Brame im Eremitenhain, Sakontala's Pflegevater (Baß); *Durwasas*, Bruder der Tagesgöttin Aditi (Baß); *Saregarawa*, Brame des Eremitenhaines; *Gautami*, Sakontala's Erzieherin; *Amusia, Primawada*, Sakontala's Gespielinnen; *Menaka*, eine Nymphe, Sakontala's Mutter, zwei Häscher, ein Fischer, Genien des Lichtes, Dämonen der Nacht, zwei Mädchen, tanzende Personen; *Aditi*, Göttin des Tages; *Matali*, Wagenlenker, und *Misraki*, ein Dämon.

Der Inhalt des Operntextes und die von Schubert skizzirten Musikstücke
187 fassen sich in Folgendem zusammen: König *Duschmanta* hat auf einer Jagd in dem Hain der Eremiten *Sakontala* erblickt, sie nach indischer Sitte mit einem Kuß zu seiner Gattin geweiht, und ist sodann mit seinem Gefolge nach der Hauptstadt zu ihrem Empfange vorausgeeilt. *Kanna*, von dem heiligen Ort Somathirta zurückgekehrt, wo er aus der Göttin Mund vernommen, daß Sakontala vor ihrer Verbindung mit dem König schwere Prüfungen zu überstehen haben werde, bereitet sie und ihre Begleiterinnen zur Abreise nach der Residenz Duschmanta's vor. Den Segen der Götter zu erflehen, wird diesen im »Hain der Erinnerungen« geopfert, und damit beginnt die Oper. Ein Chor, von Knabenstimmen eingeleitet (*Andante con moto F-Dur*

18 Die Original-Partitur enthält, wie bereits bemerkt, ein Recitativ des Nathanael, der Martha und einen Theil der Arie dieser letzteren, und schließt mit den Worten: »Und stünden selbst der Engel Reih'n« u.s.w. – In dem dritten Theil vermied es der Dichter, den Heiland zum Behuf der Erweckung des Lazarus persönlich auftreten zu lassen; der Wunderthäter und das Wunder bleiben hinter der Scene.

19 Einer Mittheilung des Herrn Josef Hüttenbrenner zufolge hat sich Schubert durch die Einflüsterungen einiger Freunde, welchen die Dichtung als Operntext nicht zusagte, von dem vollständigen Componiren desselben abhalten lassen. Der Verfasser des Textbuches ließ es an angestrengten Bemühungen zu seinen Gunsten nicht fehlen, doch vergeblich. – »Sakontala« sollte einmal auch von *Hugo Ebert* als Operntext bearbeitet und von *Tomaschek* componirt werden. Ob es dazu gekommen, ist mir nicht bekannt.

$^4/_4$), an welchem später auch die Eremiten und die Mädchen, sowie Kanna und Sakontala, diese im Sologesang, theilnehmen, begrüßt das Tageslicht und fleht zu den Göttern um gnädige Hinnahme der dargebrachten Opfer. Der allgemeine Chor:

Nehmet das Opfer,
Nehmt unser Herz
Mit seinen Freuden,
Mit seinem Schmerz!

schließt diese Scene.

Die Bühne verwandelt sich in eine andere Gegend des Hains; *Durwasas*, der Bruder der Tagesgöttin Aditi, stürzt wuthentbrannt herein und beschwört die Dämonen, ihm in seiner Rache gegen Sakontala, deren Mutter, die Nymphe Menaka, er, ohne Gehör zu finden, geliebt, und gegen Aditi, bei welcher Menaka Zuflucht gefunden und deren Sohn er geraubt, beizustehen. Die Dämonen antworten aus den Tiefen der Erde herauf:

Wir hören dich! 188

Durwasas singt eine Rache-Arie (*Allegro mod. D-Moll* $^4/_4$), in welcher die bezeichnende Stelle enthalten ist:

Ein Zauber, mächtig und schwer,
Senk' über Duschmanta sich nieder,
Er soll die Sinne ihm binden,
Dein Bild soll dem Herzen entschwinden,
Und sieht auch sein Auge dich wieder,
Er kenne die Gattin nicht mehr!

Amusia und *Primawada* treten auf und dringen in Durwasas, daß er seinen Fluch zurücknehme. Dieser aber ruft die *Dämonen* abermals zum Beistand auf und sie sagen ihm denselben auch zu; die Mädchen aber tröstet er mit den Worten:

Doch seine Zauber sollen schwinden,
Und von des Königs Auge falle
Im Augenblick der Schleier ab,
Sobald er seinen Ring erblicket,
Den scheidend er der Gattin gab.

Ein Wechselgesang der Mädchen und der ihnen nicht sichtbaren Dämonen schließt das Ensemblestück, worauf sich alle entfernen und die Dämonen verschwinden. – Kurzes Zwiegespräch der Mädchen. Nun erscheint Sakontala und gibt in einer Arie (*Andante agitato B-Moll*) ihren Gefühlen, voll von bösen Ahnungen, und der Sehnsucht nach dem Gatten Ausdruck. Die Gespielinnen schmücken sie zur Abreise und Kanna verkündet den Nymphen des Haines den bevorstehenden Zug der Tochter nach des Königs Palast.

Weibliche Stimmen (*Andantino G-Dur* $^6/_8$ dreistimmig mit Flötenbegleitung) ertönen lieblich aus den Gebüschen; Kanna führt die Pflegetochter
189 fort, die übrigen folgen, die Waldnymphen wiederholen die letzte Strofe ihres Gesanges. – Durwasas tritt auf und sendet seinen Diener Misraki zum Bach Melini mit dem Befehl, unsichtbar in seine Fluten zu tauchen, und wenn Sakontala sich wäscht, ihr den Ring vom Finger zu streifen und denselben in das Wasser zu werfen.

Die Scene verwandelt sich in Duschmanta's Palast. Der Hofnarr, eben aus einem schweren Traum erwachend, weheklagt (beiläufig wie Valentin in Raimund's »Verschwender«) in einer langen humoristischen Arie (*Andante molto Es-Dur* $^4/_4$) über das »sogenannte« Jagdvergnügen, mit dem Refrain schließend:

Und das soll Erholung sein?
Nein, das geht mir nimmer ein.

Sakontala und ihre Begleitung werden angekündet – *Finale* des ersten Actes *Andante maestoso (B-dur* $^4/_4$).

Die von Durawsas ersonnene List ist gelungen. Duschmanta erkennt die ihm angetraute Sakontala nicht wieder, und diese, da sie ihm als Gewähr ihrer Verbindung den Ring vorweisen will, nimmt mit Schrecken den Verlust desselben wahr. Es entwickelt sich nun eine Reihe lebendiger und dramatisch bewegter, zum Theil leidenschaftlicher Scenen, an welchen alle Anwesenden und der Chor im Wechselgesang theilnehmen. – Der König verstoßt Sakontala; Kanna führt die Verzweifelnde aus dem Pallast, ihre Begleiter folgen. Draußen aber senkt sich unter Blitz und Donnerschlag eine Wolke nieder und nimmt Sakontala auf, um mit ihr zu entschweben. Duschmanta, da er von diesem Ereigniß Kunde erhält, fühlt sich von Schmerz und Ahnungen ergriffen. Es erfolgt abermals ein Donnerschlag von Windsausen begleitet,
190 und himmlische Stimmen singen im Chor (*F-dur* $^3/_4$):

Lieblos verstoßen,
Ohne Erbarmen,
Bist du von frommen

Liebenden Armen
Gern' aufgenommen,
Sakontala!

Die Melodien tönen fort und verklingen in der Ferne.

Dieser Chor – ein Sfärengesang – mit Harmoniebegleitung, ist *das einzige vollständig ausgearbeitete Musikstück.*

Der zweite Act beginnt mit einem Männerterzett.

Ein Fischer, der den Ring gefunden, wird von zwei Häschern als Dieb gefangen genommen und in den Vorhof des königlichen Palastes gebracht. Der Fischer erzählt ihnen, daß er den Ring in einem Fisch entdeckt habe, worauf sich alle drei in dem Ausspruch vereinigen:

Respect für feine Nasen,
Sie forschen ohne Licht,
Sie folgen nur dem Dufte,
Und irren dennoch nicht.

Der eine der Häscher begibt sich in den Palast, um den Hergang der Sache anzuzeigen; ein Kämmerling kommt mit ihm heraus, schenkt dem Fischer die Freiheit und einen Beutel Geld.

Hierauf folgt ein launiges *Terzett*; der Fischer ladet die beiden Häscher auf ein Glas Wein in eine Schenke ein, wo sie den Wirth und die Gäste hochleben lassen[20]. 191

Die Scene verwandelt sich in den Garten des Königs. Sakontala und Menaka schweben in einer Wolke nieder; zwei Mädchen mit Blumenkörben nahen sich ihnen und begrüßen sie mit Gesang, in welchen Sakontala und Menaka einstimmen (*Frauenquartett*).

Madhawia tritt kummergebeugt zu ihnen heran und erzählt, der König habe wohl, seitdem der Ring aufgefunden, das verlorene Gedächtniß wieder

20 *Die beiden Häscher.*
So, liebes Brüderchen,
So, so, so, so,
So sind wir Freunde,
So sind wir froh.
Fischer.
Der Hüter der Ordnung muß wachsam wohl sein
Und wachsam erhält ihn ein Liedchen und Wein
So kommt denn mit mir in die Schenke hinein
Und trinket euch wachsam im goldenen Wein,
Hoch leben die Gäste, die Seelen so zart.
Häscher.
Hoch lebe der Wirth, der nicht ängstlich spart u.s.w.

erlangt, aber tiefes Herzeleid verzehre ihn. Sakontala will zu ihm, Menaka aber erinnert sie an das den Göttern gegebene Versprechen, sich ihm nicht zu zeigen. Duschmanta tritt auf und ruft sehnsüchtig nach Sakontala; ihre Begleiterinnen bringen ihm das Bild des ihm angetrauten Weibes, er betrachtet es mit stummem Schmerz und sehnsüchtigem Verlangen. Folgt nun ein großes *Duett* zwischen Sakontala und Duschmanta, welches *der Chor* von dem Moment an, wo der König vor dem Bild die Kniee beugt, mit Gesang
192 begleitet[21]. Duschmanta überzeugt, daß ihm Sakontala nicht verziehen habe, versinkt in Trauer. Das Bild wird fortgetragen, Sakontala und Menaka rufen dem König ein Lebewohl zu und schweben auf Wolken davon. Kanna sucht ihn zu trösten und ihm Vertrauen zu den Göttern einzuflößen.

Folgt eine *Arie* des Kanna, in welcher er die fromme Zuversicht preist und männlichem Kampfe den endlichen Sieg profezeit. Der Hofnarr ladet sodann den König zu einem Fest mit Gesang und Tänzen. Im Garten findet sich eine Bühne aufgeschlagen, auf welcher dargestellt werden soll, wie Durwasas, in Liebe zu Menaka entbrannt, von dieser aber verschmäht, ihr und ihren Kindern Rache geschworen; wie Aditi die Bedrängte zu sich genommen und Durwasas der Schwester den Knaben geraubt und gelobt hat, ihn dann erst zurückzugeben, wenn eine Tochter aus Menaka's Stamm, verstoßen von ihrem Gatten, dennoch die Quelle ihrer Leiden lieben werde. Der Vorhang rollt empor und es beginnt auf der kleinen Bühne ein *darstellender Tanz*, von Gesang begleitet, den Madhawia mit dem »*Singchor*« aus-
193 führt[22]. Das Gedächtnißfest von Aditi's Vermählung mit Kasapa wird da oben gefeiert. Durwasas steht lauernd im Hintergrund. Kasapa entfernt sich nach dem Tanz, Aditi folgt ihm, sendet aber vorher ihren Sohn Indra zu Durwasas, um ihn zu erheitern. Dieser ruft die Dämonen und befragt sie, wie er sich an Aditi rächen könne; sie deuten auf den Knaben, und er reißt ihn mit sich fort. Die Dämonen tanzen einen wilden Freudentanz, welchen *Madhawia und der Chor mit Gesang begleiten*[23]. Aditi und Kasapa kehren

21 Wahnsinn ergreifet ihn
In seinen Schmerzen,
Verzweiflung tobet
In seinem Herzen u.s.f.

22 *Chor und Madhawia.*
Töne jubeln, Tänze wallen,
Laßt sie wallen, laßt sie schallen
Zu der heiligen Vermählung
Jahresfest im Feierton.
Wonne schwebe durch die Reihen,
Welche Lust (?) soll sich nicht freuen,
Aditi, wenn du dich freuest
Mit dem Gatten, mit dem Sohn.

23 *Madhawia mit dem Singchor.*

zurück und suchen den Sohn. Durwasas zeigt ihnen diesen, der auf einem Hügel steht, zu welchem Dämonen den Weg versperren. Abermals *Tanz und Chor.* Die Zurückgebliebenen trauern; Genien des Lichtes erscheinen, Alles fleht zum Himmel. – *Chorgesang.* – Auf einer Wolke erscheint der Gott der Liebe, Trost verheißend. *Madhawia und der Chor* begrüßen ihn. Auf ihr Rufen:

Sendet, sendet bald ihr Götter,
Was die Liebe hold verspricht! 194

antworten Stimmen von oben:

Bald, – bald, – bald.

Tänzer, Sänger und Zuseher blicken erstaunt gegen Himmel. Der Vorhang der kleinen Bühne fällt. Alle rufen durcheinander: »Was ist das? welche Töne!«

Nun folgt das *Finale*, eine ebenfalls sehr belebte, breit ausgeführte Scene, an welchem der »Singchor«, die Stimmen vom Himmel, die drei Genien, Duschmanta, Kanna und die Bramen, Madhawia und der allgemeine Chor abwechselnd sich betheiligen. Die Genien übergeben dem König zu dem Werk, das er vollbringen soll, um Sakontala wieder zu gewinnen, ein Schwert und einen Schild, und sichern ihm ihren Schutz zu.

Wolken senken sich auf die Erde herab. An der tiefsten derselben hängt ein Wagen mit einem Wagenlenker. Duschmanta besteigt ihn; Kanna und die Bramanen rufen dem König nach:

Leb' wohl Freund, den wir lieben,
Dir folget unser heiß Gebet.

Madhawia und die Uebrigen vereinigen sich in dem Abschiedsgruß:

Seht die Lust der Hölle!
Ihre Freud' ist Wuth;
Nur wo Schmerzen wimmern
Jauchzt die dunkle Brut
Heulendes Gestöhne
Ist ihr Jubelklang,
Brüllendes Gehöhne
Ihr Triumfgesang,
Giftgenährte Schlangen,
Ihrer Schläfe Kranz
Grinsen ihre Scherze,
Rasen ist ihr Tanz.

Leb' wohl, o Vater, den wir lieben,
Für den dein Volk zum Herren fleht.

Ihnen antwortet der König:

Dank, liebe Freunde, Dank euch Kinder,
Bald wird mein Aug' euch wieder seh'n!

und nach diesen Worten fährt er den Wolken zu. Der allgemeine Chor:

Dann Heil und Sieg dem Ueberwinder,
195 Nun mag dich Muth und Kraft umweh'n!

schließt den zweiten Act und mit diesem die musikalische Skizze[24].

Außer den eben aufgeführten größeren Werken schrieb unser Tondichter in diesem Jahr noch ein *Streichquartett*[25] (in *C-moll*) und die *Antifonen*[26] zur Palmenweihe, diese letzteren für seinen Bruder Ferdinand, der eben in der Charwoche als neuernannter *Regenschori* den Dienst in der Altlerchenfelder Kirche angetreten hatte. Da bei der Kirchenmusik aus Kastengeist kein Lerchenfelder mitwirken wollte, sah sich Ferdinand auf die Schulgehülfen und seine Lichtenthaler Freunde angewiesen, und da ihm noch überdies die Musik zu den kirchlichen Ceremonien fehlte, schrieb ihm Franz in einer halben Stunde mit schwarzer Kreide die Antifonen auf, componirte in aller Eile noch ein Paar andere eben benöthigte kleine Kirchenstücke und dirigirte
196 am Ostersonntag die *D-Dur-* (Nelson-) Messe von Haydn[27].

Der 23. Psalm: »Gott ist mein Hirt«– für die vier Schwestern *Fröhlich* (welchen Schubert wohlbefreundet war) componirt[28] – und der erhabene

24 In dieser sind die Singstimmen sammt Text vollständig ausgeschrieben; der Baß ist zum großen Theil angegeben, in den Violinen und Flöten erscheinen hie und da einzelne Tacte und Figuren bezeichnet; der Schlußchor des ersten Actes (Stimmen vom Himmel) ist das einzige vollständig componirte Musikstück. – Der dritte Act hätte einen Wechselchor der Dämonen und der Genien des Lichtes, einen Chor der letzteren, ein Duett zwischen Duschmanta und Sakontala und als Schluß den Freudengesang des versammelten Volkes über die endliche glückliche Vereinigung beider zu enthalten. – Das Autograf der Skizze besitzt *Dr.* Schneider.

25 Von diesem Quartett ist nur Ein (sehr schöner) Satz erhalten.

26 Sie sind mit schwarzer Kreide auf Löschpapier geschrieben; das Autograf besitzt Herr *Spina.*

27 Nach einer Mittheilung Ferd. Schubert's.

28 Der Psalm, dessen Original Frl. Anna *Fröhlich* besitzt, trägt das Datum December 1820. In dem alten Musikvereinssaal pflegten damals an jedem Donnerstag Concerte gegeben zu werden, deren Arrangement die Musikförderer Lannoy, Holz, Bogner, Fischer, Kaufmann, Kirchlehner, *Dr.* Beck, Pirringer, Schmidt, *Dr.* L. Sonnleithner (später

Chor: »Gesang der Geister über den Wassern« (von Goethe) fällt ebenfalls in diese Zeit. Von *Liedern* sind die bedeutendsten bekannt und veröffentlicht; zu den unbekannten zählen: *Nachthymne* von Novalis und vier *italienische Canzonen* von Monti, für Fräulein von *Ronner* (nachmals verehlichte Spaun) in Musik gesetzt. Auch die bekannte große Fantasie für Clavier in *C* (*op.* 15), welche Schubert dem Clavierspieler *Liebenberg von Zittin* widmete und auch für ihn componirte, gehört diesem Jahre an. Schubert brachte dasselbe größtentheils in Wien zu; nur den Spätherbst verlebte er mit Schober auf dem Schloß Ochsenburg bei St. Pölten, wo sie zusammen die Oper »Alfonso und Estrella« in Angriff nahmen, deren noch ausführlich erwähnt werden wird.

IX.

(1821.)

Das Jahr 1821 ist in Schubert's kurzem Lebenslauf insoferne eines der bedeutungsvolleren, als seine Leistungen im Liederfach damals zuerst dem großen Publikum bekannt, die Herausgabe mehrerer seiner Compositionen auf eine für ihn vortheilhafte Weise eingeleitet und ihm von hochgestellten und einflußreichen Männern so warme Anerkennungen seines großen Talentes und seiner Verdienste um die musikalische Kunst zu Theil wurden, daß es den Anschein gewinnt, als habe es nur von ihm abgehangen, von dieser günstigen Constellation Nutzen für sich zu ziehen und sein Loos für längere Zeit, vielleicht für immer zu verbessern.

Gleichwie der bis auf die neueste Zeit fortgepflanzte Glaube, daß an Mozart's kümmerlicher Lage hauptsächlich die Gleichgültigkeit des Wiener Publikums Schuld gewesen sei, derzeit gründlich[1] widerlegt ist, so wird auch die Behauptung, daß Schubert zumeist von schlimmen Freunden umgeben gewesen und daß diese für die gedrückte Lage, in der er sich nicht selten befunden, verantwortlich zu machen seien, auf das rechte Maß zurückgeführt 198
werden müssen. Allerdings hatte er, wie dies auch bei anderen Meistern in seiner Kunst der Fall war, gegen den Unverstand und Eigennutz der Verleger zu kämpfen, auch das große Publikum war nicht immer geneigt, seine Compositionen nach Gebühr zu würdigen, und selbst dem Wiener Musikverein, der doch berufen war, die Tonkunst in jeder Weise zu fördern und namentlich einheimische Talente zu unterstützen, konnte er nur zu geringem

auch Randhartinger) abwechselnd übernahmen. Frl. Anna Fröhlich besorgte den gesanglichen Theil und es kamen da der 23. Psalm: »Gott in der Natur« (August 1822), »Ständchen« und »Mirjam« zur Aufführung.

1 Otto Jahn: »Mozart« III. Band, S. 210.

Dank verpflichtet sein; denn dieser hat, wie die Concertprogramme unwiderleglich darthun, verhältnißmäßig wenig Notiz von ihm genommen und an der großen *C*-Sinfonie zwiefaches Unrecht begangen. Damit ist aber noch nicht dargethan, daß Schubert von aller Welt verlassen und verrathen im Leben dagestanden habe und daß er genöthigt gewesen sei, sein Talent nur zum Vortheil Anderer ausnützen zu lassen. Es hat ihm zu keiner Zeit an theilnehmenden Menschen gefehlt, welche sein Genie erkannten und ihn mit Rath und That zu unterstützen bereit waren. Daß er sich zu diesen nicht in gleichem Maße hingezogen fühlte, sondern, seiner Neigung folgend, mit Personen verkehrte, die sich wohl seiner Lieder freuten, aber in ihm mehr den gemüthlichen Gesellschafter als den schaffenden Künstler hochschätzten, und die, zum Theil selbst mit ihrer Existenz ringend, nicht in der Lage waren, ihm thatkräftig unter die Arme zu greifen, kann weder diesen noch jenen zum Vorwurf gemacht werden. Schubert selbst wußte übrigens recht wohl, was er von seinen Genossen zu halten hatte, und seine Gutmüthigkeit hinderte ihn nicht, sich über ihre Schwächen in harmlosen Scherzen zu ergehen und von der Dienstbeflissenheit des Einen oder Andern willig Gebrauch zu
199 machen.

Die wenigen günstigen Gelegenheiten, welche sich ihm zur Consolidirung seiner äußeren Lage darboten, ließ er (wenn die mir darüber gemachten Mittheilungen auf Wahrheit beruhen) ungenützt vorübergehen. Vollkommene Freiheit der Bewegung war das Element, in welchem er sich wohl fühlte und dem er alle anderen Rücksichten zum Opfer brachte. Während er aber diese Unabhängigkeit auf der einen Seite wirklich erwarb und bewahrte, ging er derselben in anderer Beziehung verlustig. Auf Schubert's künstlerisches Wirken waren diese Verhältnisse allerdings von keinem Einfluß. Sein Productionsvermögen wurde durch die Unbilden des Lebens nicht gehemmt; trotz bitterer Erfahrungen hat er seine Mission in herrlicher Weise erfüllt und in dem Bewußtsein seines Werthes und dem Glück unversiegender Schaffenskraft reichen Ersatz für den Abgang anderer Erdengüter gefunden.

Die Eingangs erwähnte Anerkennung seiner musikalischen Verdienste von Seite einflußreicher Personen findet in den unten folgenden Documenten ihren Ausdruck.

Im Jänner 1821 schrieb der damalige Hofmusikgraf *Moriz von Dietrichstein* an Michael Vogl: »Ich bitte Sie, lieber Freund, *dies* dem wackern Schubert gütigst zu übergeben. Möchte es ihm einigen Vortheil gewähren; denn seitdem ich das Genie dieses jungen, kräftigen, ungemein viel versprechenden Tonsetzers ergründet, gehört es zu meinen sehnlichsten Wünschen, *sub umbra alarum tuarum* für ihn zu wirken, so sehr ich es vermag. Guten
200 Morgen, liebster Freund *rara avis in terra*, oder vielmehr *rarissima*.«

Folgen die drei Zeugnisse nachstehenden Inhaltes:

Daß Herr Franz Schubert, gewesener Schüler des k.k. ersten Hofkapellmeisters Hrn. Anton Salieri, sowohl durch seine tiefen Kenntnisse in der theoretischen und praktischen Harmonie, als durch die sich eigen gemachten übrigen, zur Vocal-Composition erforderlichen Hülfswissenschaften und durch sein ausgezeichnetes Talent einer unserer hoffnungsvollsten jungen Tonsetzer sei, von welchem sich die Oper überhaupt und das k.k. Hofopern-theater, welchem er seine Arbeiten vorzugsweise zu widmen wünscht, insbesondere, die erfreulichsten Kunsterzeugnisse versprechen darf, bezeuge ich hiemit.

Wien, am 16. Jänner 1821.

Ignaz Franz Edler v. Mosel,
k.k. wirklicher Hofsecretär.

Daß Hr. Franz Schubert seines rühmlichen, vielversprechenden Musiktalentes wegen, welches vorzüglich in der Composition sich auszeichnet, von einer h. Hoftheater-Direction in diesem Fache mit Auszeichnung zur allgemeinen Zufriedenheit schon verwendet worden ist, bezeugt hiermit

Wien, 27. Jänner 1821.
Josef Weigl,
k.k. Hofopern-Director.

Pr. k.k. Hoftheater-Direct.-Kanzlei,
Wien d. 29. Jänner 1821.

Antonio Salieri,
k.k. Hofkapellmeister.

Leopold Offersmann v. Eichthal,
k.k. Hofsecretär und Kanzlei-Director.
Coram me:

Joh. Gr. Barth-Barthenheim,
n.ö. Regs.-Secretär *noe.* Stadthauptmann. 201

Durch Neigung wie durch Pflicht veranlaßt, ausgezeichnete musikalische Talente vorzüglich im Vaterland zu erforschen und ihre edlen Bestrebungen nach Kräften zu fördern, gereicht es mir zum besonderen Vergnügen, hiemit zu erklären, daß Herr Franz Schubert, welcher seine erste musikalische Bildung im Convict erhielt, so lange er sich daselbst als Chorsänger der k.k. Hofkapelle befand, seither in dem Zeitraum von wenigen Jahren durch angebornes Genie, eifriges Studium des strengen Satzes und häufige treffliche Vorarbeiten bereits die sprechendsten Beweise seiner ebenso gründlichen, als Gefühl und Geschmack vereinigenden Kenntnisse geliefert habe und daher nur zu wünschen übrig bleiben muß, daß diesem achtungswerthen Manne die Gelegenheit dargeboten werde, so schöne Blüthen zum Gedeihen der Kunst überhaupt und der dramatischen Musik insbesondere zu entfalten.

Am 24. Jänner 1821.

Moriz Graf Dietrichstein,

k.k. Hofmusikgraf.

Diese Zeugnisse[2], in welchen insbesondere Schubert's Verdienste um das Operntheater hervorgehoben werden, lauten ebenso ehrenvoll als aufmunternd und spricht namentlich aus jenem des edlen Grafen von Dietrichstein eine so warme Anerkennung der musikalischen Thätigkeit und Tüchtigkeit unseres Tondichters, daß sie bei vorkommender Gelegenheit immerhin als wichtige Belege und nachdrückliche Empfehlung dienen konnten. Ob
202 Schubert jemals davon Gebrauch gemacht, ist mir nicht bekannt geworden; ohne Zweifel hat er sie (im Jahre 1826) seinem Gesuche um die Verleihung der Vicehofkapellmeister-Stelle beigeschlossen.

Schubert's erstes öffentliches Auftreten als Liedercomponist und die in Folge dessen angebahnte Verbreitung seiner Compositionen steht in unzertrennlichem Zusammenhang mit einer Wiener Familie, in welcher die musikalische Kunst zu einer Zeit, wo die Concertmusik nicht jene Ausdehnung und Bedeutung hatte, deren sie sich heut zu Tage erfreut, eine ausgezeichnete Stätte fand. Es ist dies die Familie von *Sonnleithner*.

Dr. Ignaz Edler von Sonnleithner[3], k.k. Rath, Advocat und Professor in Wien, vereinigte in den Jahren 1815–1824 in seiner Wohnung im Gundelhof eine bedeutende Anzahl von Künstlern und Kunstfreunden zu periodischen Uebungen, die jedoch allmälig den Charakter von Productionen annahmen[4].

2 Die Originalien erhielt ich von Herrn *Herbeck*, und befinden sich dieselben in meinem Besitz.

3 *Dr. Ignaz* v. S., geboren am 30. Juli 1770, starb am 27. November 1831. *Dr. Leopold* von S. ist am 15. November 1797 geboren, stand daher in gleichem Alter mit Schubert.

4 Die Zusammenkünfte hatten vom 26. Mai 1815 an im *dritten Stockwerk* des Gundelhofes statt, wo Räumlichkeiten für mehr als 120 Personen vorhanden waren, und zwar wöchentlich alle Freitage Abends, auch in den Sommermonaten; vom October 1816 an aber wegen zunehmender Bedeutung der Productionen nur mehr in den Wintermonaten alle 14 Tage. Am 20. Februar 1824 wurden sie geschlossen. Die vollständig erhaltenen Programme und das Verzeichniß der Personen, welche dabei mitwirkten, geben einen Begriff von dem Musikcultus in diesem Hause. (S. in den Wiener »*Recen-*

Sinn und Liebe für Musik hatte er von seinem Vater, dem als Rechtsgelehrter und Tonsetzer geachteten *Dr. Christof* von Sonnleithner[5] überkommen, und da er überdies im Besitz einer ebenso weichen als kräftigen und umfangreichen Baßstimme war, und mehrere seiner zahlreichen Nachkommen, unter diesen namentlich der älteste Sohn *Leopold*, derzeit Hof- und Gerichtsadvocat in Wien, ebenfalls Neigung und Anlage zur Ausübung der Tonkunst zeigten, so fand er schon im eigenen Hause die Elemente zu Gesangsübungen vor, welche jedoch durch das fortwährende Hinzutreten neuer Gesangs- und Instrumentalkräfte sich nach und nach zu Concerten von so bedeutendem Ruf gestalteten, daß dem allzulebhaften Andrang von Zuhörern durch die Ausgabe von Eintrittskarten vorgebeugt werden mußte. In diesem Kreise wurden nun vor allem die Werke der anerkannten Meister der Tonkunst geehrt und gepflegt, zugleich aber auch neue entschiedene Talente aufgenommen und ihre Compositionen zu Gehör gebracht. Hier kam Schubert's »*Prometheus*«, in welcher Cantate Leopold von Sonnleithner (am 24. Juli 1816) im Chor mitgewirkt hatte, zwar nur mit Clavierbegleitung, aber mit bestem Erfolg zur Ausführung; hier wurde am 19. November 1819 »das Dörfchen«, am 30. März 1821 der »Gesang der Geister über den Wassern«, und am 9. Juni 1822 der 23. Psalm (für Frauenstimmen) vorgeführt. Am 1. December 1820 erfuhr der »Erlkönig«, von *Gymnich*[6] daselbst vorgetragen,
jene glänzende Aufnahme, welche auf die Herausgabe der Schubertschen 204
Compositionen von entscheidendem Einfluß war. Am 25. Jänner 1821 sang Gymnich das erwähnte Lied *zum ersten Mal öffentlich* in einer der Abendunterhaltungen des sogenannten kleinen Musikvereins im Hause »zum rothen Apfel« in der Singerstraße, bei welcher Gelegenheit der anwesende Componist dem Publikum vorgestellt wurde. Am 8. Februar sang Josef *Goetz* ebendaselbst »die Sehnsucht« und Frl. Sofie *Linhardt* (später verehelichte Schuller) die Lieder: »Gretchen am Spinnrad« und »der Jüngling auf dem Hügel«, und am 8. März trug Josef *Preisinger* die »Gruppe aus dem Tartarus« vor, welche Lieder, mit Einschluß des im Jahre 1819 in einem Concert des Violinspielers Jäll von Jäger vorgetragenen »Schäfers Klagelied«, wohl die ersten Schubert'schen Gesänge waren, die *öffentlich* zu Gehör gebracht wurden.

Leopold v. Sonnleithner, mit Schubert's Compositionen schon früher durch Schulfreunde bekannt geworden, hatte die Abschriften derselben, die

sionen« Nr. 24, achter Jahrgang 1862, den Aufsatz von Sectionsrath W. Böcking: »Musikalische Skizzen aus Alt-Wien.«)

5 Christof von S. starb am 25. December 1785.

6 August Ritter von *Gymnich*, Staatsbeamter und Gesangsdilettant. – Er starb im darauffolgenden Jahre (am 6. October); Goetz am 9. März 1822, und Tieze, dessen Namen von den Schubert'schen Liedern und Quartetten unzertrennlich ist, am 11. Jänner 1850 im 52. Lebensjahre.

von Hand zu Hand gingen, gesammelt und in's Reine geschrieben, und unternahm es nun, für dieselben einen Verleger zu suchen. Als aber sowohl Diabelli als Haslinger (selbst ohne Honorar) die Herausgabe mit dem Bemerken ablehnten, daß sie sich wegen Unbekanntheit des Compositeurs und der Schwierigkeit der Clavierbegleitung keinen Erfolg davon versprechen könnten, wurden von den eben genannten beiden Kunstfreunden, im Vereine mit noch zwei Männern, welche sich ebenfalls für Schubert interessirten, die Kosten für das erste Heft zusammengelegt, und im Februar 1821 erschien der »Erlkönig« im Stich. *Dr.* Ignaz v. Sonnleithner verkündete dies in der
205 Abendgesellschaft seinen Gästen, worauf die Anwesenden sogleich auf hundert Exemplare subscribirten, und damit waren auch die Kosten des zweiten Heftes gedeckt. Auf diese Weise wurden die ersten zwölf Hefte für eigene Rechnung gestochen und bei Diabelli in Commission verkauft. Der Erlös reichte hin, Schubert's hie und da auftauchende Rückstände zu tilgen und ihm selbst noch einen erheblichen Geldbetrag in die Hand zu geben.

Sein erstes Auftreten als schaffender Künstler eröffnete demnach unter den günstigsten Vorbedeutungen.

Am 7. März 1821 aber sollte der Vortrag des »Erlkönig« durch *Vogl* in einer im Kärnthnerthor-Theater veranstalteten Akademie dem Genius vollends die Bahn brechen.

Es war dies die alljährlich am Aschermittwoch – damals an dem erwähnten Tage – von der Gesellschaft adeliger Damen »zur Beförderung des Guten und Nützlichen« unter dem Protectorate der Gräfin Therese Fürstenberg (geb. Fürstin Schwarzenberg) veranstaltete musikalisch-declamatorisch-coreografi sche Akademie. Der k.k. Regierungsrath und Secretär der Gesellschaft, *Dr.* Josef Sonnleithner, arrangirte das Concert und veranlaßte dabei auf seines Neffen*Dr.* Leopold Sonnleithner Anregung die Aufführung von
206 drei Schubertschen Compositionen[7].

Die Ballade vom »Erlkönig« mußte auf stürmisches Verlangen wiederholt werden. Im Vocalquartett »*Dörfchen*«, welches auch gefiel, wirkten die Herren Josef *Barth* und *Goetz* (Beamte in Diensten des regierenden Fürsten

7 Das Programm bestand aus folgenden Stücken: 1. Ouverture zu der Oper »die Templer« von Girowetz; 2. Tableau; 3. Arie von Mozart, gesungen von Wilhelmine Schröder; 4. Violinconcert von Spohr, gespielt von Leon de Lubin; 5. Declamation; 6. »*Das Dörfchen*«, Vocalquartett von Schubert; 7. Variationen für Clavier von Worczicek; 8. Tableau; 9. Ouverture der Oper »das Zauberglöckchen« von Herold; 10. Arie von Mozart, gesungen von Caroline Unger; 11. Declamation; 12. »*Erlkönig*«, von Schubert; 13. *Rondo* für Violoncello, von Romberg; 14. Duett aus Riccardo von Rossini, gesungen von Wilhelmine Schröder und Caroline Unger; 15. Goethe's »*Gesang der Geister über den Wassern*«, von Schubert. In dem declamatorischen Theil wirkten Sofie Schröder und Frau Korn, in den Tableaux Fanni Elsler mit. Girowetz leitete den musikalischen Theil, Stubenrauch den mimischen. – Sitze zu dieser Akademie waren im Fürstenberg'schen Haus, Himmelpfortgasse Nr. 952, abzuholen. (Wiener Musik-Zeitung 1821.)

Schwarzenberg), Wenzel *Nejebse* (derzeit kais. Rath) und der vor kurzem verstorbene Oberlandesgerichtspräsident Joh. Carl Ritter v. *Umlauff* (damals »angehender« Justizbeamte) mit; im Goethe'schen »*Geisterchor*« außer den genannten Herren noch: *Weinkopf, Frühwald* und zwei Chorsänger des Theaters. Von diesem letzteren Chor waren reichliche Proben gehalten worden; auch soll er (nach Versicherung des Herrn v. Umlauff) exact vorgetragen worden sein; nichts desto weniger war der Eindruck dieser allerdings schwierigen Musik auf das Publicum ein verwirrender[8]. Die Sänger, erfüllt 207
von der Erhabenheit des Tonwerkes, erwarteten rauschenden Beifall, die Zuhörer aber blieben stumm, und die acht Opfer musikalischen Unverstandes zogen, wie von einem kalten Sturzbad überschüttet, verdutzt von dannen. Schubert selbst ärgerte sich nicht wenig über dieses dem Geisterchor beschiedene Fiasco.

Der »Erlkönig« und die übrigen erwähnten Lieder fanden nun reißenden Absatz[9]. Die Auflage war bald vergriffen und die Verleger zeigten sich plötzlich willfährig.

Das erstgenannte Lied wurde als *op.* 1 dem Beschützer und Gönner des Componisten, *Moriz Grafen von Dietrichstein*: »Gretchen am Spinnrad« als *op.* 2 dem *Reichsgrafen Moriz Fries* gewidmet. Die Dedicationsangelegenheit hatten die Herren Leopold von Sonnleithner, Josef Hüttenbrenner und Ignaz v. Mosel in die Hand genommen[10]; denn Schubert selbst kümmerte sich um

8 In einem Bericht in der »Allgem. musik. Zeitung« Nr. 23 vom 21. März 1821 heißt es wörtlich: »Der achtstimmige Chor von Herrn Schubert wurde von dem Publikum als ein Accumulat aller musikalischen Modulationen und Ausweichungen ohne Sinn, Ordnung und Zweck anerkannt. Der Tonsetzer gleicht in solchen Compositionen einem Großfuhrmann, der achtspännig fährt, und bald rechts bald links lenkt, also ausweicht, dann umkehrt, und dieses Spiel immer forttreibt, ohne auf eine Straße zu kommen.«

9 »Erlkönig« wurde am 2. April, »Gretchen am Spinnrad« am 30. April, und »der Wanderer« am 29. Mai 1821 in der Wiener Zeitung angekündigt.

10 Am 17. März 1821 schrieb Hofrath v. Mosel an Josef Hüttenbrenner folgende Zeilen: »Bekannt mit den wohlwollenden Gesinnungen Sr. Excellenz des Herrn Grafen Moriz von Dietrichstein gegen den talentvollen Tonsetzer Herrn Franz Schubert, zweifle ich keineswegs, daß Se. Excellenz die Widmung des, von Herrn Schubert in Musik gesetzten Gedichtes ›der Erlkönig‹ genehmigen werde.« – Die Widmungsangelegenheit für *op.* 2 besorgte, wie es scheint, Herr Josef Hüttenbrenner, den Text der Aufschrift aber *Dr.* L. v. Sonnleithner. Letzterer richtete unter dem 13. April an Hüttenbrenner folgende Zeilen: »So eben erhalte ich beiliegenden Zettel von Diabelli. Da Sie die Sache eingeleitet haben, bitte ich Sie dringend, das Nöthige zu veranlassen. Wenn Graf Frieß die Dedication annimmt, könnte der Titel folgender sein: ›Gretchen am Spinnrad‹, eine Scene aus dem Trauerspiel ›Faust‹, von Goethe, in Musik gesetzt und dem Hochgebornen Herrn Reichsgrafen Moriz von Frieß ehrfurchtsvoll gewidmet von, Franz Schubert. Hat Graf Frieß die Dedication noch nicht angenommen, so könnte der Stecher indeß die Platte anfangen, und den Namen freilassen. Belieben Sie deßhalb mit Diabelli zu reden.

Ihr ergebener L.S.«

208 derlei Angelegenheiten in der Regel eben so wenig, als er – ohne eine gewisse Nöthigung – zu bewegen war, den für die Aufführung seiner Compositionen erforderlichen Proben in Person beizuwohnen[11]. Die Dedication trug übrigens diesmal dem Tondichter eine Rolle Ducaten ein.

Der im Theater verunglückte »Geisterchor« wurde noch am 30. März in einer Abendgesellschaft bei *Dr.* Ignaz v. Sonnleithner unter lebhafter Theilnahme der Zuhörer aufgeführt, und bei dieser Gelegenheit auch mehrere Lieder des genialen Tondichters vorgetragen. Nach dieser Zeit scheint der »Geistergesang« der Vergessenheit überantwortet zu sein; es findet sich wenigstens bis in die neuere Zeit herauf keine Spur von weiteren Aufführungen
209 desselben vor[12].

Außer den eben genannten Compositionen waren es noch die beiden Männerquartette: »*Die Nachtigall*« von Unger, und »*Geist der Liebe*« von Mathisson, welche, und zwar das erstere am 27. April 1821 in einem Wohlthätigkeitsconcert, für welches es componirt war, im Operntheater, letzteres am 15. April 1822 in *Merk's* Concert im landständischen Saal von den Herren: *Barth, Tieze,* Johann *Nestroy* und Wenzel *Nejebse*, und am 24. Sept. von den Herren *Heitzinger, Rauscher, Ruprecht und Seipelt* mit großem Beifall zum ersten Mal gesungen wurden[13]. Am 8. October sang Vogl abermals den »Erlkönig« in einem Concert im Operntheater.

Unter den eben erwähnten Quartettsängern standen namentlich *Tieze* und *Umlauff* in einem näheren Verhältniß zu dem Componisten. *Tieze* glänzte damals bei allen Productionen Schubert'scher Gesänge als Solo- und Quartettsänger in erster Reihe und trug wesentlich zu ihrem Erfolg bei. Der Componist pflegte ihn gerne am Clavier zu begleiten.

Umlauff schied noch im Jahr 1822 aus jenem Männerverein aus, dem es beschieden war, Schubert's mehrstimmige Gesänge zuerst in die Oeffentlich-

11 So schrieb *Dr.* L. v. Sonnleithner am 26. März an Josef Hüttenbrenner: »Ich ersuche Sie gewiß zu besorgen, daß Schubert morgen zu Frl. Linhardt kommt, um mit ihr ›Den Jüngling‹ zu probiren, den sie bei mir singt; dann daß Schubert Mittwoch um $^{1}/_{2}$12 Uhr zu mir kommt, um seinen ›Geisterchor‹ zu probiren. Ich rechne auf Ihre Gefälligkeit, daß Sie veranlassen, daß Sch. gewiß zu diesen Proben komme. Ich muß mich billig wundern, daß sich Sch. überhaupt nicht bei mir sehen läßt, da ich doch wegen seinem ›Erlkönig‹ und wegen andern Angelegenheiten ihn dringend zu sprechen habe.«

12 Im Jahre 1858 zog ihn der Chormeister des Wiener Männergesang-Vereines Johann *Herbeck* aus dem Staub hervor, unter welchem er 36 Jahre hindurch geruht hatte, und brachte ihn am Schluß des genannten Jahres und in dem darauf folgenden unter großem Beifalle zu öffentlicher Aufführung.

13 Nach Sch's. Tod, im Jahr 1829, sangen Tieze, Grünwald, Schoberlechner und Richling (am 11. April) eines seiner Quartette in einem Concert des Theatersängers Giulio Radichi. Es scheint dies, bis in die neueste Zeit herauf, das letzte Männerquartett gewesen zu sein, welches in einem öffentlichen Concert vorgetragen wurde.

keit einzuführen. Als »angehender« Justizbeamte einem Ruf in die östlichen 210
Provinzen folgend, verließ er Wien, fand aber bald Gelegenheit, auch in jenen fernen Gegenden die Musikfreunde mit den Liedern jenes Tondichters bekannt zu machen, dessen Stern er bei seinem ersten glanzvollen Aufgang
gesehen hatte[14]. Schubert's Verhältniß zu dem mehrstimmigen, insbesondere 211
auch dem Männergesang wird in der »Ueberschau« seiner Gesammtwerke noch zur Sprache kommen.

Die musikalische Thätigkeit unseres Tondichters in diesem Jahr faßt sich in Folgendem zusammen: Er skizzirte eine *Sinfonie* (in *E*), welche – nach einer Mittheilung Ferd. Schubert's – im Jahre 1846 in den Besitz Felix Mendelssohn-Bartholdy's als ein Geschenk des Ersteren an Letzteren übergegangen ist. Im März schrieb er *Variationen* für Clavier »über ein Thema, welches alle Wiener Componisten variirt haben.« In diese Zeit und die zu-

14 Die Beamtenlaufbahn führte Umlauff damals in die Bukowina, wo er den aus der Türkei geflüchteten Bojaren und Bojarinnen die ersten Schubertschen Lieder vorsang. Ueber Umlauff's Verhältniß zu unserem Tondichter findet sich in dem Buch: »Leben und Wirken eines österreichischen Justizmannes« von dessen Sohn Victor Ritter von Umlauff, folgende Stelle: »Den berühmten Tondichter *Franz Schubert* lernte er (Carl U.) bereits im Jahre 1818, als dessen großartigste Compositionsgattung, das Lied, fast noch unbekannt war, kennen und wurde ihm bald näher befreundet. Er besuchte ihn häufig des Morgens vor dem Amte, und fand ihn meist im Bette liegend und musikalische Gedanken zu Papier werfend, oder am Schreibtische componirend. Da sang er oft frisch gesetzte Lieder mit Begleitung der Guitarre dem Componisten vor, und wagte sich auch in Streite über den musikalischen Ausdruck einzelner Worte, aber *Schubert*, der äußerst starrsinnig war, wollte sich niemals zu einer Abänderung des einmal Gesetzten verstehen. Mir ist aus Erzählungen des Vaters nur die einzige Controverse über den Fragesatz: ›O land, wo bist du?‹ im ›Wanderer‹ erinnerlich. *Schubert* setzte auf ›bist‹ den Nachdruck, Umlauff wollte ihn auf ›Du‹ haben. Schubert verharrte bei seiner Schreibart, welche auch in den Stich überging. Umlauff wirkte auch bei der ersten öffentlichen Aufführung von Gesangswerken jenes großen Tondichters mit, und zwar im Vocal-Quartette ›Das Dörfchen‹ von Bürger und in dem achtstimmigen Gesange ›Chor der Geister über den Wassern‹ von Goethe. ›Das Dörfchen‹ eine leichtere Musikart gefiel ungemein. Der ›Chor der Geister über den Wassern,‹ ein tiefgedachtes, erhabenes Tongemälde, war von den acht Sängern, durchaus tüchtig geschulten Musikern, ausgezeichnet einstudirt und vorgetragen; aber die schwierige Musik war dem an Schubert's Tonweise ohnehin noch ungewohnten Publicum unverständlich; es blieb kalt, keine Hand rührte sich, und die Sänger, welche durchdrungen von der erhabenen Schönheit dieses Tonwerkes, den größten Erfolg erwartet hatten, zogen sich wie von einem kalten Sturzbade getroffen zurück. Trotzdem ließen sie sich den Muth nicht nehmen, kurze Zeit darauf dasselbe Gesangsstück vorzutragen, wobei es in so hohem Grade gefiel, daß es wiederholt werden mußte. Näher befreundet waren ihm ferner die Brüder *Carl* und *Friedrich Groß*, von welchen der erstere die Violine, der letztere die Viola ausgezeichnet spielte, die Brüder *Carl und Josef Czerny*, der Cellist *Linke*, der ältere und jüngere *Giuliani, Barth und Binder*, beide Tenoristen und *Rauscher*, Baritonist am Kärnthnerthortheater, welche alle, so wie *Schubert*, regelmäßig jede Woche an einem bestimmten Tage im Hause der Frau von *André* zusammenkamen, und hier bis in die tiefe Nacht Musik trieben.«

nächst folgenden drei Jahre fällt die Composition des größten Theiles der von ihm massenhaft hingeworfenen, mitunter sehr reizenden *Tanzmusik*[15],
212 die er bei verschiedenen Gelegenheiten improvisirte, um sodann jene Tänze, welche ihm zusagten, aufzuschreiben.

Von bedeutenderen Liedern sind hervorzuheben: »Suleika« (I. u. II.), »Versunken«, »Grenzen der Menschheit« und »*Mahomet's Gesang*« von Goethe. Letzterer, in der Singstimme und namentlich in der rollenden Clavierbegleitung großartig angelegt, ist Fragment geblieben[16].

In eben diesem Jahre erhielt Schubert, wahrscheinlich auf Vogl's Zuthun, von der Direction des Operntheaters die Einladung, zu der Oper »Das Zauberglöckchen« (*les clochettes*) von Herold zwei Einlagenummern zu componiren, welcher Aufforderung er um so bereitwilliger nachkam, als es ihn überhaupt drängte, sich wieder mit Theatermusik zu befassen und von der Bühne herab die ihm noch versagte allgemeine Anerkennung zu gewin-
213 nen. Er schrieb eine Tenorarie für »*Azolin*«, die der Sänger *Rosner*[17] vortrug, und ein komisches Duett der Prinzen »Bedur« und »Cedur«, welches *Siebert* und *Gottdank* sangen. Mit diesen beiden Musikstücken, deren Autorschaft dem Publicum und selbst Schubert's Bekannten geflissentlich verheimlicht wurde, feierte Schubert einen ihm wohlthuenden Triumf über diejenigen, die ihm alle Befähigung für Opernmusik absprachen, ja sogar an seinen Liedern zu mäkeln anfingen. Die beiden Einlagsnummern gefielen entschieden am besten, und wenn die etwas gedehnte und hoch gelegene Tenorarie[18]

15 Nach einem von Herrn *Johannes Brahms* mir mitgetheilten Verzeichniß sind es nicht weniger als 79 Ländler, Walzer und Deutsche, und 28 Ecossaisen. Die meisten, wenn nicht alle diese Tänze, hat Schubert für Clavier zu zwei Händen componirt, das vierhändige Arrangement besorgten später die Verleger. Die bis zum Jahre 1821 fertig gewordenen »*Deutschen*« erschienen alsbald bei Diabelli im Stich, welche Angelegenheit Josef *Hüttenbrenner* besorgte. (In einem Zettel ersucht Schubert den Hofconcipisten *Groß*, der in seiner Nähe (Wipplingerstraße) wohnte, dem Ueberbringer Josef H. *alle* »Deutschen« zu übergeben, da sie gestochen werden sollen.) Die veröffentlichten Schubert'schen »Tänze« erschienen aber nicht in der Reihenfolge, in welcher sie im Original enthalten sind. So ist z.B. ein Theil der »Atzenbrucker Deutschen« in *op.* 9 und 18 zu finden und von den zwölf Walzern: »Deutsches Tempo« kommen $1^{1}/_{2}$ in den »Deutschen Tänzen« vor. Die Autografe der Ecossaisen (Mai 1820 und Jänner 1823), der »Atzenbrucker« (Juli 1821), »Deutsches Tempo« (Mai 1823) und andere theilweise noch nicht veröffentlichte Tanzmusik besitzt J. *Brahms*.

16 Die Composition reicht nur bis zu dem ersten Vers der zweiten Strofe.

17 Rosner (Franz), geb. 1800 in Waitzen in Ungarn, gest. 1842 als erster Tenorist am Theater in Stuttgart.

18 Die Tenorarie besteht aus drei Theilen. Sie beginnt *Maestoso in E-Moll* $^{4}/_{4}$, worauf ein *Andante C-Dur* $^{4}/_{4}$ folgt, und ein *Allegro E-Moll* $^{4}/_{4}$ sie abschließt. In dem ersten Theil sieht Azolin die theure Mutter von Martern und Tod bedroht, im *Andante* zieht ihn die Sehnsucht zu Palmira und in dem *Allegro* gibt er wieder seiner Angst um das Leben der Mutter leidenschaftlichen Ausdruck.

verhältnißmäßig weniger ansprach, so war dagegen das Duett[19] von durchgreifendem Erfolg begleitet.

Uebrigens fand Herold's Oper nur geringe Simpathie im Publicum, da man in ihr vor allem »den Klang aus der Zauberwelt« vermißte, und so verschwand »das Zauberglöckchen« sammt den Schubert'schen Einlagen 214
bald und für immer von den Brettern[20].

Eine natürliche Folge des musikalischen Rufes, dessen sich Schubert bereits erfreute, waren häufige Einladungen in Musikliebende Kreise und dadurch herbeigeführte Bekanntschaften mit Personen von verschiedenem Rang- und Lebensstellung. Er selbst trug kein ausgesprochenes Verlangen Gesellschaften zu besuchen, in welchen er genöthigt war, aus der ihm angebornen Schüchternheit, Wortkargheit und einem gemüthlichen Sichgehenlassen herauszutreten, konnte aber doch nicht umhin, so mancher freundlichen Aufforderung da- und dorthin Folge zu leisten. Immerhin stellt sich die Anzahl jener Wiener Familien, zu welchen er, sei es nun aus musikalischen Beweggründen oder von Gefühlen wahrer Freundschaft geleitet, *längere Zeit* hindurch in näherem Verhältniß stand, als eine verhältnißmäßig kleine dar.
Der Familien *Grob, André, Eßterhazy, Schober, Sonnleithner* und *Fröhlich* 215
wurde bereits erwähnt; fügt man diesen noch die Namen *Spaun, Hönig, Bruchmann, Witteczek, Kiesewetter, Wagner,* Ritter von *Frank, Lascny, Pinterics und Collin* bei, so dürfte die Liste dieser Art von Bekanntschaften nahezu erschöpft sein[21].

19 Das Duett (*B-Dur* $^4/_4$) von Streichinstrumenten, Piccolo, Flöte, Oboe, Clarinett, Horn, Fagott und Triangel begleitet, also etwas »türkischen« Charakters, braust rasch dahin »Bedur« erklärt darin, daß er den ihm unbekannten, rang- und titellosen Azolin, der ihm Palmira rauben wolle, das Genick brechen werde, welchem Vorsatz »Cedur« beistimmt. Der Humor kommt nur in dem Ausruf Beider: »Wir brechen sein Genick«, zum Durchbruch.

20 Die dreiactige Oper, aus dem Französischen des*Theaulon* von Friedrich Treitschke in's Deutsche übersetzt, wurde am 20. Juni 1821 zum ersten Mal und dann noch sieben Mal gegeben. Nebst Rosner, Siebert und Gottdank wirkten darin noch mit: *Wilhelmine Schröder* (Palmira), Betti Vio (Ariel), Thekla Demmer (Nair), Frau Vogel (Nurada), Herr Vogel (Sultan), Sebastian Maier (Oberhaupt der Kalender), Saal (Oberbramin) und Weinkopf (Hispel). In der bezüglichen Recension in der »Allg. musikalischen Zeitung«, Bd. 23, S. 536, ist sonderbarer Weise der Schubert'schen Einlagen gar keine Erwähnung gethan. Die Autografe der Schubert'schen Einlagen dürften sich vielleicht in der Bibliothek des Kärnthnerthor-Theaters noch vorfinden; Abschriften der Partituren beider Musikstücke und den Clavierauszug davon besitzt Frhr. Josef v. Spaun in Wien; eine Abschrift des Duetts ist auch in meinem Besitz.

21 Auch die Namen Duvudier, Wetzlar, Ulm, Oberst Ettl u.a.m. wurden genannt; es ist mir aber nichts Näheres darüber bekannt geworden.

In dem Hause des Matthäus von Collin[22] lernte Schubert den als Componist und Musikliterat bekannten Hofrath Mosel[23], den Orientalisten Hammer-Purgstall, den Grafen Moriz Dietrichstein, die Schriftstellerin Caroline
216 Pichler und den auch als Dichter geachteten Patriarchen Ladislaus Pyrker[24] kennen, die insgesammt an seinen Leistungen regen Antheil nahmen. Namentlich erfreute sich der Patriarch an Schubert's Liedern, wie aus dem folgenden, von Venedig am 18. Mai 1821 datirten Briefe hervorgeht, welchen Pyrker an Schubert richtete, als dieser ihn gebeten hatte, die Widmung jenes Liederheftes anzunehmen, in welchem sich »der Wanderer« befindet. Das Schreiben lautet:

»Hochzuverehrender Herr!

Ihren gütigen Antrag, mir das vierte Heft Ihrer unvergleichlichen Lieder zu dediciren, nehme ich mit desto größerem Vergnügen an, als es mir nun öfters jenen Abend in das Gedächtniß zurückrufen wird, wo ich durch die Tiefe Ihres Gemüthes – insbesondere auch in den Tönen Ihres *Wanderers* ausgesprochen – so sehr ergriffen ward! Ich bin stolz darauf, mit Ihnen ein und demselben Vaterlande anzugehören und verharre mit größter Hochachtung Ihr

ergebenster

Johann L. Pyrker *m.p.*

Patriarch.«

22 Mathäus von *Collin* (Bruder des Heinrich C.) war 1779 zu Wien geboren, wurde 1808 Professor der Aesthetik und Filosofie in Krakau, später in Wien. Seit 1813 redigirte er die »Wiener Literatur-Zeitung« und von 1818 an die »Jahrbücher der Literatur.« Im Jahre 1815 übernahm er die Erziehung des Herzogs von Reichsstadt und starb 1824. Seine Dichtungen gab v. Hammer 1827 heraus.

23 Ignaz Franz Mosel, geb. zu Wien im Jahre 1772, trat 1788 in Staatsdienst und verwendete seine Mußestunden zum eifrigsten Studium der Musik, für welche Kunst er schon in frühen Jahren besondere Vorliebe gezeigt hatte. Er componirte das Singspiel: »Die Feuerprobe« von Kotzebue, die Cantate »Hermes und Flora«, die lyrische Tragödie »Salem« und die Oper »Cyrus und Astiages«, die sämmtlich mit theilweisem Erfolge zur Aufführung gelangten; ferner die Ouverture zu Grillparzer's »Ottokar«, die Musik zu den »Hussiten vor Naumburg«, Lieder, Hymnen und Tanzmusik. Im Jahre 1821 wurde er Vicedirector des Hoftheaters, 1829 erster Custos der Hofbibliothek, und starb 1844. Bekannt ist seine, übrigens vielfach angefeindete Neubearbeitung mehrerer Oratorien von Händel.

24 Schubert componirte von L. Pyrker's Gedichten die »Allmacht« und »Das Heimweh«, von jenen der C. Pichler das Gedicht: »Der Unglückliche.«

Im Jahre 1825 traf Schubert mit diesem in dem Wildbad Gastein zusammen, wo er sich abermals seines freundlichsten Entgegenkommens zu erfreuen hatte und zwei seiner Gedichte in Musik setzte.

Während dem allgewaltigen und weltmännischen Beethoven fast ausschließlich in den Kreisen der hohen Aristokratie gehuldigt wurde, bewegte sich 217
der anspruchslose Schubert seiner Art gemäß vorzugsweise in schlichter bürgerlicher Gesellschaft[25].

Einflußreicher als diese Familien war auf Schubert jener Kreis junger, strebender Männer – meist heitere Junggesellen, – von welchen er sich zu Anfang der zwanziger Jahre und sofort bis an sein Lebensende umgeben sah, ein Freundeskreis, dessen belebenden Mittelpunkt Franz von Schober bildete. Es ist charakteristisch für Schubert's Künstlernatur, daß der bei weitem größte Theil dieser Jünglinge keine Musiker von Fach waren, ja es scheint geradezu dieser Umstand ein Grund mehr gewesen zu sein, daß ihm ihre Gesellschaft besser denn jede andere zusagte.

Mit einigen derselben war er schon in früherer Zeit bekannt geworden, so mit *Josef Spaun* im Convict, mit *Franz von Schober* um das Jahr 1816 und mit *Anselm Hüttenbrenner* um eben diese Zeit. Die eben Genannten, dann *Johann Baptist Jenger, Moriz von Schwind, Eduard Bauernfeld*[26] und *Franz Lachner*[27], welch' letzterer übrigens erst im Jahre 1823 oder 1824 nach Wien kam, standen in vertrauterem Verhältniß zu ihm. Diesen reihen sich 218
zunächst an: *Leopold Kupelwieser, Franz Bruchmann*[28], *Johann Senn* und der Dichter *Mayrhofer*. Entfernter als diese, aber immerhin dem Freundeskreis angehörig, umgaben ihn: *Dr. Sturm* (derzeit Kreisarzt in Wels), *Dr.*

25 Bei Eßterhazy fungirte er nur als Musiklehrer. – Ein Briefchen der Fürstin *Kinsky* aus dem J. 1827 deutet darauf hin, daß er in dieses Haus Zutritt hatte.

26 *Bauernfeld*, 1804 zu Wien geboren, studirte und absolvirte zur Zeit seiner Bekanntschaft mit Schubert die Rechte, und trat (im J. 1826) in den Staatsdienst, den er um das Jahr 1848 verließ.

27 *Franz Lachner*, geb. 1804 zu Rain bei Donauwörth, versah in Wien anfänglich die Stelle eines Organisten in der evangelischen Kirche, wurde spärer Kapellmeister am Hofoperntheater. Derselbe ist seit 1836 Hofcapellmeister in München.

28 *Johann Bruchmann* (*senior*) war Großhändler in Wien; in seinem Haus, das Schubert oft besuchte, wurde musicirt und vorgelesen. Sein Sohn *Franz*, der Verfasser einiger von Schubert componirten Gedichte, widmete sich dem geistlichen Stand und lebt derzeit in Altötting. Der Frau Justina Bruchmann sind die Lieder in *op.* 20 gewidmet.

Bernhardt[29], von *Feuchtersleben*[30], Hauptmann *Mayrhofer von Grünbühel*[31], die Maler: *Wilhelm Rieder* (derzeit Custos im k.k. Belvedere), *Danhauser* und *Ludwig Schnorr von Karolsfeld*[32], der Bildhauer *Dietrich,* der Litograf *Mohn,* Freiherr *Anton von Doblhoff,* die Staatsbeamten *Witteczek, Enderes*[33],
219 *Franz Derffel, Josef Groß, Josef Gahy* und *Nagy*[34], *Weiß* und *Bayer,* von welchen die Meisten damals in blühendem Alter standen[35].

Uebersieht man die Reihe dieser Männer, welche Schuberts Genossenschaft bildeten, so treten gewisse Gruppen hervor, welchen die Einen und die Anderen angehören. Da gab es außer Anselm Hüttenbrenner und Franz Lachner, den einzigen Musikern von Fach (die übrigens nur kurze Zeit in Wien verweilten), noch Dichter, Philosofen, bildende Künstler und Personen vom Beamtenstand, die humanistisch-geistiger Bildung geneigt waren. Ihre Bestrebungen und Geistesrichtungen waren sehr verschieden, ihre Ziele lagen oft weit auseinander, der Kitt aber, der sie enger aneinander hielt, war die Jugend[36], die Begeisterung und der Drang nach etwas freierer Ausbildung. Daß der wechselseitige Ideenaustausch und namentlich auch die Mittheilungen über nicht musikalische Kunstsachen auch auf Schubert anregend wirkten, ist eine Thatsache, die keiner weitern Erklärung bedarf. Einigen dieser Männer die er als wahre Freunde erkannte und die es auch waren,
220 blieb er bis an sein Lebensende zugethan und bedauerte nur, daß die Vereinigung mit ihnen durch die verschiedenen Bahnen, die sie einschlugen oder andere Zufälle hie und da vor der Zeit sich lösen mußte.

29 *Dr. Bernhardt* (welchem *op.* 40 gewidmet ist), ein sehr befähigter und wissenschaftlich gebildeter Mann, trat 1839 in die Dienste der Pforte, gründete die medizinische Schule in Galatta-Serai und starb 1844 in Constantinopel.

30 *Dr.* Ernst Frhr. v. *Feuchtensleben,* geb. 1806, gest. 1849.

31 *Mayrhofer* (Franz Frhr. von), derzeit k.k. Feldmarschall-Lieutenant, war auch literarisch thätig.

32 *Ludwig v. Schnorr,* geb. 1788 in Königsberg, gest. 1853 in Wien als Custos der Gemälde-Gallerie am Belvedere.

33 *Enderes* (Carl Ritter von), gest. 1861 als k.k. Hofrath in Pension.

34 *Nagy* (Carl) lebt als pensionirter Militärbeamter in Wien. – Auch ein gewisser *Ludwig Kraißle,* Maler und Violinspieler, gehörte dem Schubertkreise an. Derselbe lebt seit langer Zeit in Klagenfurt im Hause *Rosthorn.*

35 Der künstlerische Nachlaß von Leopold *Kupelwieser* enthält u.a. auch die Porträtzeichnungen von *Schubert, Spaun, Schober, Bruchmann, Franz Mayrhofer, Dietrich, Rieder, Doblhoff u. Senn.*

36 *Jenger, L. v. Sonnleithner, Kupelwieser und Schober* standen ungefähr im gleichen Alter mit Schubert. Tiefen zunächst kamen: *Senn* und *A. Hüttenbrenner,* dann *Schwind, Bauernfeld, Lachner* und *Feuchtersleben,* die, und zwar die letzten vier genannten, bedeutend jünger waren. *Spaun* und *Schnorr* zählten jeder um neun Jahre mehr als Schubert.

Außer den Genannten wäre noch eine Reihe von Personen aufzuführen, die, persönlich wenig mit Schubert bekannt, desto mehr seinen Werth erfaßten; sodann aber noch eine Schaar solcher, welche, Zugvögeln gleich, an ihm vorüberflogen, nur flüchtige Berührungspunkte mit ihm hatten, daher auch keinen Einfluß auf ihn ausübten, und überhaupt weit entfernt waren, die Bedeutung des Mannes zu ahnen.

In eigenthümlicher Beziehung stand Franz zu seinen nächsten Verwandten. Er war ihnen auf das innigste zugethan und liebte sie herzlich. Von den Brüdern aber ließ sich nur der Landschaftsmaler *Carl*[37] und zwar durch Bestellungen von Bildern zu einiger Annäherung an den Schubertkreis bewegen; die übrigen Verwandten waren zu sehr mit sich selbst beschäftigt oder räumlich zu weit entfernt und würden sich auch in dem geistig erregten Kreis, dem Schubert angehörte, unbequem und gedrückt gefühlt haben.

In Mitte jener jugendlich brausenden lebensfrohen Genossen und Freunde feierte der vorwiegend ernste, verschlossene, mitunter aber auch zu den tollsten Späßen aufgelegte Schubert seine lustigen Tage. Den künstlerischen
Schwer- und Glanzpunkt derselben bildeten die sogenannten »*Schubertiaden*«, 221
gesellige Unterhaltungen der Schubertfreunde, in welchen Spiele gespielt, getanzt, vorgelesen, deklamirt, ganz hauptsächlich aber Schubert'sche Compositionen, insbesondere neuentstandene Lieder, vorgeführt wurden. Die Schubertiaden beschränkten sich nicht blos auf Wien[38], sondern fanden auch an anderen Orten statt, wenn eben Schubert und Genossen sich zu längerem Aufenthalt daselbst zusammenfanden, so beispielsweise in Linz, in St. Pölten, auf Schloß Ochsenburg (bei St. Pölten) und in *Atzenbruck*, einem in der Nähe von Abtstetten in Niederösterreich gelegenen Sommersitz, den ein Oheim *Schober's* bewohnte, und wo dieser alljährlich ein durch drei Tage währendes Fest veranstaltete, »an dessen gemüthliche und geistige Genüsse sich (wie Herr v. Schober mir mittheilt) gewiß jeder der Theilnehmer sein Lebelang mit Freuden erinnern wird.« Zu diesem Lustgelage war jedesmal eine größere Gesellschaft von Damen und Herren, darunter Schwind, Bauernfeld, Anton Doblhoff, Leopold Kupelwieser und selbstverständlich auch *Schubert* geladen, der seine Anwesenheit durch die Composition von Märschen, Ecossaisen und Walzern (»Atzenbrucker Tänze«) illustrirte[39]. 222

37 Nach dem Brief aus dem Jahre 1818 zu schließen, stand nebst *Ferdinand* auch *Ignaz* in vertrautem Verkehr zu seinem Bruder Franz. Die Gesellschaft der »Freunde« scheint er aber auch gemieden zu haben, da er als Schullehrer viel beschäftigt war und seine freie Zeit am liebsten bei *Hollpein's* zubrachte.

38 In Wien wurden die Schubertiaden bei Schober, Bruchmann Spaun, Witteczek u.s.w. abgehalten. Die beiden Ersteren pflegten da vorzulesen.

39 Im Besitz des Freih. *Heinrich von Doblhoff* in Wien befindet sich eine Zeichnung aus dem Jahre 1821, eine Scene in Atzenbruck darstellend. Es wird da eben eine Allegorie aufgeführt, an welcher Schober, Kupelwieser und mehrere Mädchen theilnehmen. Im

Abgesehen von den Schubertiaden fehlte es auch sonst nicht an Gelagen, Landpartieen und allerlei Zerstreuungen, in welche der harmlose Franz mit oder gegen seinen Willen hineingezogen wurde. Da mag zuweilen ein Glas Wein zu viel getrunken, über die Mitternachtsstunde hinaus geschwärmt und eine zu den Gesetzen solider Hausordnung in schroffem Gegensatz sich stellende Wirthschaft geführt worden sein[40].

Rusticocampius gibt eine Schilderung des Treibens jener Tage in folgenden, – diese Episode aus Schubert's Leben abschließenden – Strofen[41]:

Die Sehnsucht zieht mit Allgewalt
Durch alle die Tage und Stunden,
Mein Schubert! wie bist du doch so bald
223 Dem trauten Kreis entschwunden.

Und war's nach dir so stumm und still,
Wir mußten darin uns schicken,
Ein ewig junger Tonachill
Stehst du vor unsern Blicken.

Gesegnet wer den Lorbeerkranz
Frühzeitig sich erworben,
Und wer in Jugend und Ruhmesglanz
Ein Götterliebling gestorben.

Doch früher hast du gelebt – und nicht
Als Musikgelehrter, als bleicher,
Voll war und rund der Bösewicht,
Ein behaglicher Oesterreicher.

Vordergrund sitzt Franz Schubert, mit ernstem Blick auf das dargestellte Bild hinsehend. Die Zeichnung enthält die Porträte von 16 Personen.

40 Ein Vereinigungsort der Gesellschaft, an welche sich Sch. um diese Zeit enger angeschlossen hatte, war das noch bestehende Extrazimmer zu ebener Erde in dem Gasthaus zur »Ungarischen Krone« in der Himmelpfortgasse. Zu den Abendgästen gehörten die Maler Schwind, Kupelwieser, Schnorr und Teltscher, die Dichter Senn und Bauernfeld, die Beamten J. Hüttenbrenner, Berindl und Bernhard Teltscher; der Börsenrath Engelsberg, der (noch am Leben befindliche) Clavierspieler Szalay u.a.m. – Schubert soll in jenem Kreis »der Kanevas« geheißen haben, weil er, wenn ein Fremder eingeführt und der Gesellschaft vorgestellt wurde, immer zuerst seinen Nachbar zu fragen pflegte: »Kann er was?« – Im Jahre 1827 erhielt der korpulente Franz den Spitznamen »Schwammerl«; Groß und Witteczek nannten ihn kurzweg »Bertl«.

41 In dem »Buch von uns Wienern in lustigen gemüthlichen Reimlein von *Rusticocampius*«. Leipzig 1858.

Mit Malern, Poeten und solchem Pack
Hast gern dich herumgeschlagen,
Wir trieben da viel Schabernak
In unsern grünen Tagen.

Ein Dritter noch war – an Gemüth ein Kind
Doch that er Großes verkündigen
Als Künstler – mein lieber Moriz Schwind,
Historienmaler in München.

Er ist eine derbe Urnatur,
Wie aus tönendem Erz gegossen,
So war auch Schubert, – heiterer nur,
Das waren mir liebe Genossen.

Bald sich ein Kranz von Freunden flicht,
Kunst, jugendliches Vertrauen,
Humor verbanden sie – fehlten auch nicht
Anmuthige Mädchen und Frauen.

Da flogen die Tage, die Stunden so schnell,
Da stoben des Geistes Funken,
Da rauscht auch der schäumende Liederquell,
Den wir zuerst getrunken. 224

Wer reitet so spät durch Nacht und Wind!
Es rauschen der Töne Wogen;
Bald ach! ist der Vater mit seinem Kind,
Dem Lied, zum Vater gezogen!

Was ist Beifall der Welt, was Ruhm!
Und Zeitungs-Preisen und Krönen,
Wir hatten das wahre Publicum
Der Guten und der Schönen.

Wie göttlich ein Genie im Keim,
Das in höchst eigener Weise
Sich kräftig entwickelt, süß, geheim,
Im traut verwandten Kreise!

Stellt bei genialer Jugend sich ein
Gott Amor mit seinen Waffen,

Da ist viel holde Luft, viel Pein,
Ein ewiges Gähren und Schaffen.

Real das war der Schubert auch,
Kein künstlicher Textverdreher,
Doch freilich des Gedichtes Hauch
Erfaßt er als Sänger und Seher.

Der Rhythmus gewagt, die Harmonie
Bisweilen auch zerissen,
Doch sprudelt ihm reich die Melodie,
Von der man jetzt nichts will wissen.

Oft ging's zum »Heurigen« zum Wein,
Gleich außerhalb des Thores
Stellt meist sich auch Franz Lachner ein,
Cantores amant humores.

Und frisch nach Grinzing, Sievering
Mit andern muntren Gesellen,
Zikzak gar mancher nach Hause ging,
Wir lachten im Mondschein, im hellen.

so brach der Chor aus,
Wir wollen's dem Leser erklären,
Heißt: *C.a.f.f.e.e.* – Caffeehaus
Und nächtliches Punsch-Einkehren.

Nicht immer ging es so herrlich zu,
Nicht immer waren wir Prasser!
So trug mir Schubert an das Du
Zuerst mit Zuckerwasser.

Es fehlte an Wein und Geld zumal;
Bisweilen mit einer Melange
Hielten wir unser Mittagsmahl,
Mit diesem Wiener Pantsche.

Die Künstler waren damals arm!
Wir hatten auch Holz nicht immer,
Doch waren wir jung und liebten warm
Im ungeheizten Zimmer.

Verliebt war Schubert; der Schülerin
Galt's, einer der jungen Comtessen,
Doch gab er sich einer – ganz Andern hin,
Um die – Andere zu vergessen.

Ideel, daß uns das Herz fast brach.
So liebte auch Schwind, wir alle,
Den realen Schubert ahmten wir nach,
In diesem vermischten Falle.

X.

(1822.)

Dem Wanderer, der, von der Stadt St. Pölten aus die südliche Richtung längs dem Wasser der »Traisen« einschlagend, den steiermärkischen Gebirgen zustrebt, zeigt sich auf halbem Wege zwischen St. Pölten und dem drei Stunden davon entfernten alterthümlichen Wilhelmsburg zur linken Hand das Dorf *Ochsenburg* mit einem Lustschloß gleichen Namens, in anmuthiger Landschaft gelegen. Das Schloß, der Staatsherrschaft St. Pölten angehörend, war damals eine Besitzung des dortigen Bischofs Hofrath *von Dankesreithner*[1], eines Verwandten der Schober'schen Familie. In dieser Gegend, und zwar abwechselnd zwischen Stadt und Land, verlebten die beiden Freunde Franz von Schober und Schubert die Herbstmonate des Jahres 1821, als deren musikalische Frucht die ersten zwei Acte einer von Schober gedichteten und von Schubert in Musik gesetzten Oper zu voller Reise gediehen[2]. 227

»*Alfonso und Estrella*«, das rasch geförderte Werk treuverbundener Freundeskraft, ist die erste der beiden großen Opern, welche Schubert vollendet hat. Das Textbuch wurde, wie Schober selbst sich jetzt darüber ausspricht[3], in sehr glücklicher Jugendschwärmerei, aber auch in sehr großer Unschuld des Geistes und Herzens geschaffen. Schubert machte sich seiner-

1 Ihm sind die »Harfnerlieder« (*op.* 12) gewidmet.

2 Laut Originalpartitur (im Besitz des Wiener Musikvereins) ist der erste Act am 20. September 1821, der zweite am 20. October desselben Jahres begonnen, und der dritte Act am 27. Februar 1822 beendet worden.

3 In einem an mich gerichteten Briefe.

seits mit gewohnter Energie an die Arbeit, und die geniale Hast, mit welcher der von Melodien überströmende Tonsetzer diese, bevor noch die ganze Dichtung vollendet war, über die fertig gewordenen Theile derselben ausgoß, mag für den Dichter wohl eine Augenweide der seltensten Art gewesen sein.

Ein Brief Schober's, datirt von Wien 2. November 1821, und an den in Linz weilenden Freund Josef Spaun gerichtet, enthält einige Andeutungen über sein und Schubert's Treiben in St. Pölten und auf Schloß Ochsenburg. Schubert erwähnt in einer auf demselben Briefblatt folgenden Nachschrift der Oper nur mit wenigen Worten. Beide Schreiben[4], in welchen auch Wiener Verhältnisse berührt sind, werden hier unverkürzt wiedergegeben. Der Brief Schober's lautet:

»Theurer Freund!

Schubert und ich sind nun von unserm halb Land-halb Stadt-Aufenthalt wieder zurückgekehrt und bringen die Erinnerung an ein schönes Monat
228 mit. In Ochsenburg hatten wir mit den wirklich schönen Gegenden, in St. Pölten mit Bällen und Concerten sehr viel zu thun; dem ohngeachtet waren wir fleißig, besonders Schubert, er hat fast zwei Acte, ich bin am letzten. Ich hätte nur gewunschen, Du wärest da gewesen und hättest die herrlichen Melodien entstehen sehen, es ist wunderbar, wie reich und blühend er wieder Gedanken hingegossen hat. Unser Zimmer in St. Pölten war besonders lieb, die zwei Ehebetten, ein Sopha neben dem warmen Ofen, ein Fortepiano nahmen sich ungemein häuslich und heimisch aus. Abends referirten wir immer einander, was des Tages geschehen, wir ließen uns dann Bier holen, rauchten unsere Pfeife und lasen dazu, oder Sofie und Nettel kamen herüber und es wurde gesungen. Schubertiaden waren ein paar beim Bischof und eine bei dem Baron Mink, der mir recht lieb ist, wobei eine Fürstin, zwei Gräfinnen und drei Baroninnen zugegen, die alle auf's nobelste entzückt waren. Jetzt sind wir mit der Mutter hergekommen, in Heiligen-Eich wurde uns eine Tafel gegeben und der Himmel gab uns den ersten der herrlichen Tage zum Reisegeschenk, die uns bis heute, d.h. durch acht Tage beglückt haben. Nun ist der Bischof auch nachgekommen und St. Pölten ist so nach Wien versetzt. Es geht ihm und der Mutter gut. Sie sind ungewöhnlich heiter und lassen Dich sehr grüßen. Daß wir Kuppeln[5], der nachzukommen versprochen hatte und nicht kam, sehr hart entbehrten, kannst Du Dir denken, – wie Dich; denn Euch zwei hätten wir besonders gern zu Richtern über unsere
229 Arbeit gemacht. Ueberhaupt ist mir's wie einem, der in die Sonne gesehen

4 Das Original der beiden Briefe besitzt Herr *Heinrich Schubert* in Wien, der die Gefälligkeit hatte, es mir zur Copirung mitzutheilen.

5 Der Maler Leopold Kupelwieser.

hat und nun überall den fatalen schwarzen Fleck sieht, so störend ist mir überall Dein Abgang. Die Krone[6] fanden wir ganz verwüstet. Derffel ist nun ganz vom Whistteufel besoffen, er hat zwei stabile Whisttage bei sich, spielt wie sonst bei Hugelmann[7], Dornfeld, im Kaffeehause, folglich immer; auch Waldl ist von demselben Teufel besessen wie Huber[8], und beide werden noch durch ihre Vorstadtmenagen entfernt. Gahy hat Alles mit Dir verloren, ich habe ihn eigentlich traurig gefunden, er weiß nicht, was er thun soll und sieht in der Verzweiflung Spielen zu, ich werde suchen, ihm wieder etwas zu sein. Kuppel ist immer in Belvedere und copirt die Jo, und kommt daher fast gar nie, sondern schläft bei Schnorr, der noch weiter in der Heugasse wohnt. Sein ›Faust‹ ist gekauft um 2500 fl. C.M. Gestern sind die Freischützen von Weber gegeben worden, haben aber nicht recht gefallen[9]. Sehr freut mich's, daß Max so wohl ist. Goetz und seine Frau nehmen sich allerliebst aus und sind ganz selig, neulich sind sie in trunkner Vergessenheit durch die Vorstadt, Linie etc. immer gerade fortgegangen, bis sie sich endlich, als der Hunger sich spät genug meldete, in einer Gegend fanden, wo sie mit Mühe Brod auftrieben. Ich empfehle mich allen. Glaube nicht, es werde
immer wie jetzt gehen. Da ich an der Oper arbeite, glaube ich nichts anderes 230
schreiben zu können. Wenn Ottenwald das Gedicht noch hat, das ich ihm einst mit einem unsern Basrelief gab, so sei so gut und schreibe mir's ab, aber ich bitte Dich bald, Max soll schreiben. Der Principal des Hosp hat fallirt. Hosp ist also frei und muß nun zum Theater.

Dein *Schober.*«

Diesen Zeilen fügt Schubert bei:

»*Lieber Freund!*

Dein Schreiben hat mich sehr erfreut und ich wünsche Dir, daß Du fortwährend Behagen findest. – Nun aber muß ich Dir berichten, daß meine Dedicationen ihre Schuldigkeit gethan haben, nämlich der Patriarch[10] hat

6 Das Gasthaus zur »Ungarischen Krone« in der Himmelpfortgasse, wo sich die Schubertianer zu versammeln pflegten.

7 *Hugelmann*, Hof-Rechnungs-Offizial in Wien.

8 *Josef Huber* ein Freund Mayrhofers, welch Letzterer unter »Waldl« gemeint ist. Dieser *Huber* scheint derselbe zu sein, welcher später Generalconsul in Egypten geworden ist. (Chezy »Erinnerungen« II. Band.)

9 Dürfte wohl ein Irrthum sein.

10 Dem Patriarchen *Ladislaus Pyrker* widmete Schubert das *op.* 4 seiner Lieder (»Wanderer«, »Wanderers Nachtlied«, »Morgenlied«).

12 und der Frieß[11] durch Verwenden des Vogl 20 Ducaten springen lassen, welches mir sehr wohl thut.

Du mußt also so gut sein, Deine Correspondenz mit dem Patriarchen durch eine ihm und mir angemessene Danksagung zu beschließen. – Schober's Oper ist schon bis zum dritten Act gediehen und ich wünschte sehr, daß Du bei ihrem Entstehen mitsein könntest. Wir versprechen uns sehr viel davon. – Das Kärnthnerthor- und Wiedner-Theater sind wirklich dem
231 Barbaja verpachtet, und er übernimmt selbe am December. Nun lebe recht wohl. Grüße mir alle Bekannte, insonders Deine Schwester und Deine Brüder.

Dein Freund

Franz Schubert.

Schreibe recht bald an den Vater und an uns.

NB. Schicke mir Ottenwald's Wiegenlied[12].«

Der Schober'sche Operntext »in Unschuld des Herzens und Geistes geschaffen«, leidet an einem in die Augen springenden Gebrechen, dessen später noch erwähnt werden wird; die Anlage des Drama aber und die im Ganzen wohlgeformten Verse unterscheiden sich immerhin vortheilhaft von den übrigen Textbüchern, die Schubert für seine Opern benützt hat, und lassen das Dichtertalent, wie dieses sich später entfaltete, nicht verkennen. Die Oper hat keinen gesprochenen Dialog, sondern an dessen Stelle durchweg Recitative.

Die Ouverture, welche übrigens, wie auf der Partitur zu lesen, erst im December 1823 componirt wurde, ist eines der besten orchestralen Werke Schubert's, und erfreute sich in Wien großen Beifalles[13].

Die Handlung des Stückes faßt sich in Folgendem zusammen: Troila,
232 König von Leon, von Mauregato des Thrones beraubt, hat sich mit seinem Sohn Alfonso in ein stilles Thal des Nachbarreiches zurückgezogen, wo er von der Bevölkerung seiner Weisheit und seines wohlthätigen Wirkens wegen hoch verehrt wird. – Estrella, Mauregato's Tochter, schickt sich mit ihren

11 Moriz Graf Frieß, dem *op.* 2 (»Gretchen am Spinnrad«) dedicirt ist.

12 Schubert hat dieses Gedicht später in Musik gesetzt.

13 Die Ouverture (als *op.* 69 im Clavierauszug erschienen) wurde im Jahre 1823 als Einleitung zu dem Drama »Rosamunde« von Helmina Chezy aufgeführt, und mußte, wie Herr J. Hüttenbrenner behauptet, *zweimal* wiederholt werden; im Operntheater fand sie in Folge vergriffener Tempi eine kühle Aufnahme. Ein Motiv darin erinnert an das *Scherzo* der Beethoven'schen *D-Moll*-Sinfonie, die aber damals noch nicht bekannt war.

Gespielinnen zur Jagd an; da tritt Adolfo, der Feldherr ihres Vaters, eben siegreich aus der Schlacht zurückkehrend, vor sie hin, und von Liebe zu ihr entbrannt fleht er um Erhörung, die ihm aber nicht gewährt wird. Erzürnt darüber droht Adolfo, sich an der spröden Königstochter zu rächen. Mauregato erscheint; die Siegestrophäen werden ihm übergeben, und er fordert den Feldherrn auf, sich eine Gnade zu erbitten. Adolfo wirbt um die Hand der Tochter. Estrella beschwört ihren Vater, sie diesem Manne, den sie nicht lieben könne, nicht zu überantworten, und Mauregato, nach einem Mittel suchend, wie er die Tochter retten könne, erklärt, daß nach einem heiligen Spruch nur derjenige seine Tochter zum Traualtar führen dürfe, der die verloren gegangene Kette Eurichs wieder bringen werde. Adolfo, in seinen Hoffnungen abermals betrogen, gelobt sich, den König für diesen Treubruch dem Untergang zu weihen. Schluß des ersten Actes.

Im zweiten Act sehen wir Estrella auf der Jagd von den Genossen getrennt und einen Ausweg suchend, in das Thal niedersteigen, wo Troila und Alfonso wohnen. Alfonso gewahrt Estrella's Gestalt, die ihn an ein Traumbild erinnert, das er in der letzten Nacht gehabt, und von dem er seinem Vater (in einer Erzählung zu Anfang dieses Actes) Kunde gegeben. Berauscht von ihrem Anblick tritt er an sie heran, und nach wechselseitigem Austausch ihrer
Gefühle finden sich beider Herzen in glühender Liebe vereinigt. Als Estrella 233
zum Abschied drängt, überreicht ihr Alfonso als Erinnerungszeichen eine Kette, die ihm Troila als Pfand dafür, daß er ihn aus der düstern Einsamkeit noch befreien werde, gegeben hat.

Mittlerweile versammelt Adolfo die mit ihm Verschwornen um sich und nimmt ihnen das Gelöbniß ab, unter seiner Führung Maurogato's Reich zu stürzen. Dieser sendet Boten auf Boten, die sein verloren gegangenes Kind aufsuchen und zurückführen sollen; doch vergebens. Endlich erscheint Estrella zur Freude ihres Vaters und der in dem Palaste versammelten Hofleute. Mauregato entdeckt an ihrer Brust das Geschmeide, das er sogleich als Eurich's Kette erkennt. Von Gewissensbissen gefoltert, dringt er in Estrella, daß sie ihm bekennen möge, auf welche Weise sie in den Besitz des Kleinods gelangt sei. Estrella erzählt ihm das eben im Thal erlebte Abenteuer und gesteht ihre Liebe zu dem Jüngling, dessen Namen ihr aber unbekannt geblieben sei. Da stürzt der Anführer der Leibwache in den Saal herein mit der Schreckensnachricht, daß in den Straßen Oviedos der Aufruhr tobe und Adolfo an der Spitze der Empörer gegen den Palast heranstürme. Schon hört man von außen den Racheruf der Verschwornen; Mauregato aber ist entschlossen, den Kampf mit ihnen aufzunehmen; Estrella wird ihm zur Seite stehen. In Mitte allgemeinen Getümmels schließt der zweite Act.

Die Schrecken des nunmehr entbrannten Krieges dringen bis an die Grenzen des stillen Thales, Troila's und Alfonso's Aufenthalt. Adolfo hat im Kampfgewühl Estrella von der Seite ihres Vaters gerissen und schleppt

234 sie mit sich. Abermals versucht er es, ihre Liebe zu gewinnen, doch nicht mit besserem Erfolg als vorher. Wuthentbrannt zieht er seinen Dolch und heißt sie nun wählen zwischen Leben und Tod. Auf ihr Hülferufen erscheint Alfonso mit einigen Jagdgefährten und nimmt Adolfo gefangen. Estrella dankt ihrem Erretter, ringt aber sofort die Hände nach ihrem Vater, dessen Schicksal ihr unbekannt, und der vielleicht schon im Kampfe gefallen ist. Alfonso erfährt nun von ihr, daß sie die Tochter des Königs von Leon sei, und beschließt, diesem mit seinen Schaaren beizustehen. Auf seinen dreimaligen Hornruf erscheinen die anderen Genossen, an deren Spitze er sich nun stellt, um den Feind entgegenzutreten. Aufgeschreckt durch den Waffenlärm kommt Troila herbei und Alfonso gibt die Königstochter bis zu dem Ausgang des Kampfes in seinen Schutz. Der von Mauregato einstens vertriebene Herrscher gebietet seinen Gefühlen Schweigen und segnet den in den Kampf gegen die Empörer eilenden Sohn.

Mauregato, auf der Flucht dahereilend, sieht plötzlich den entthronten Troila vor sich, und seine Gestalt für die eines Geistes haltend, fleht er ihn um Erbarmen an. Troila tritt ihm freundlich entgegen, und indem er ihm für sein Verbrechen Verzeihung bietet, führt er ihm die Tochter zu.

In der Ferne ertönt ein kriegerischer Marsch. Alfonso kehrt mit den Seinen als Sieger zurück und legt sein Schwert zu Mauregato's Füßen; dieser weist auf Troila, als den rechtmäßigen König hin. Adolfo erkennt denjenigen wieder, dem er einstens gedient und für dessen Herrschaft er den Kampf gegen den Usurpator aufgenommen hat. Troila tritt dem Sohn Alfonso das Reich ab und Mauregato übergibt ihm seine Tochter. Die Landleute drängen
235 in den alten König, er möge sie nicht verlassen, und er gewährt ihnen die Bitte. Ein allgemeiner Jubelchor bildet den Schluß der Oper.

Der erste Act derselben[14] beginnt mit einer Introduction: *Chor der Landleute*, einem lyrisch-melodischen Gesang, aus welchem sich Solostellen des Tenors (der Jüngling) und des Alt (ein Mädchen) herausheben. Diesem folgt eine hübsche liedartig gehaltene *Baß-Arie* des Troila (*Allegro Es-Moll* $^4/_4$), sodann *Recitative*, und auf diese abermals ein *Chor der Landleute* (*G-Dur* $^3/_4$) von Sologesängen (Troila und Jüngling) durchwoben. Der Chorgesang

14 Die Original-Partitur (im Besitz des Wiener Musikvereins) ist von Schubert metronomisirt; er ließ davon eine Copie anfertigen, für welche (nach Aufzeichnungen bei J. Hüttenbrenner) die Verlagshandlung Diabelli von dem Ertrag der ihr in Commission gegebenen Schubert'schen Compositionen 100 fl. in Abzug brachte. – Auf einem Zettel aus dem Jahre 1822 (in Händen J. Hüttenbrenners) finden sich von Schubert's Hand folgende Zeilen: »Lieber Freund! Seien Sie so gut, und bringen Sie mir von der Oper (Alfonso) einen Act nach dem andern heraus zum Corrigiren. Auch wünsche ich, daß Sie sich um die bisherige Rechnung bei Diabelli bekümmerten, da ich Geld brauche.« – Eine von Liszt stark zusammengestrichene Copie der Partitur besitzt Herr J. Herbeck in Wien, das Autograf der Ouverture die Verlagshandlung Spina.

bewegt sich durchaus im Rhythmus und Charakter eines Ländlers, wie deren in der Schubert'schen Tanzmusik vorkommen, und nimmt sich in der Oper wunderlich genug aus. Ein *Duett* zwischen Troila und Alfonso (*Andante D-Moll* $^4/_4$) trägt den Charakter eines Liedes an sich und ist musikalisch unbedeutend; dagegen ragt die darauf folgende *Tenorarie* des Alfonso – mit Clarinettsolo – (*Larghetto B-Dur* $^3/_4$) durch schönen (allerdings vorwiegend lyrischen) Ausdruck über die vorhergegangenen Musikstücke hervor. Ein 236
Duett zwischen Alfonso und Troila, im Beginn bedeutend, verliert sich in seinem weiteren Verlaufe in banalen Phrasen. Der *Jagdchor* der Frauen (*Allegro G-Dur* $^6/_8$) ist in üblicher Weise frisch gehalten, gewinnt aber erst durch die mit ihm in Verbindung tretende schöne Arie Estrella's an Reiz und Bedeutung. Die darauf folgende *Baßarie* des Adolfo (*Allegro Es-Moll* $^4/_4$) imponirt anfänglich durch heroischen Anstrich, verfällt aber später in das Liedartige, von dem sie sich nicht mehr loszuringen vermag. Das *Duett* zwischen Estrella und Adolfo (*Andantino C-Dur* $^3/_4$) ist melodiös, und der sich anschließende, Allegro-Satz in*C-Moll* bringt durch seinen leidenschaftlichen Charakter eine wohlthuende Abwechslung in die lyrische Einförmigkeit. Das *Finale* wird durch einen (musikalisch gewöhnlichen) Chor (der Krieger) eingeleitet, der dann in einen Chorgesang gemischter Stimmen (das Volk) hinüberleitet. Es folgen kurze *Recitative* und *Arien* des Mauregato, Adolfo's und Estrella's; die musikalische Action erweitert sich zu einem lebhaften *Ensemble* mit Chor, an welches sich ein interessantes Orchester-Zwischenspiel anreiht. Die Musik gewinnt hier entschieden an dramatischem Ausdruck, der namentlich auch in den bald vereint, bald abwechselnd wirkenden Chormassen der Krieger, die zur Schlacht, und der Frauen, die zur Jagd rufen, in prägnanter Weise zu Tage tritt.

Den zweiten Act leiten *Recitative* Troila's und Alfonso's ein, von Harfe und Flöte begleitet. Die *Romanze* Troila's (Erzählung von dem Wolkenmädchen) erfüllt die Erwartungen nicht, welche man gerade an dieses Musikstück
zu knüpfen geneigt wäre, denn sie erhebt sich kaum über das Niveau einer 237
sentimentalen, in gewöhnlichen Phrasen sich bewegenden Cantilene; dagegen weht aus dem darauf folgenden *Duett* Alfonso's und Estrella's (in *G-Moll*) echt Schubert'sche Romantik. Man fühlt sich plötzlich wie von Blüthenduft und Waldesrauschen umfangen, und aus Melodie und Begleitung blickt uns wieder das lang vermißte, bedeutsame Antlitz des Meisters entgegen.

Recitativstellen Alfonso's und Estrella's, eine *Arie* des Ersteren und eine *Arie* der Letzteren (*Andantino A-Moll* $^4/_4$), von welchen keine von hervorragendem Interesse, sodann ein in trivialen Formen sich abwickelndes *Duett* Beider, das erst gegen den Schluß zu Schubert'sche Klänge bringt, bilden die weiteren Musikstücke. Der nun folgende *Doppelchor* der Verschwornen, in welchen eine Arie Adolfo's hineinverflochten ist (*Allegro agitato H-Moll*

$^{4}/_{4}$), erfreut durch stimmungsvolle Charakteristik in Gesang und instrumentaler Begleitung und zählt jedenfalls zu den (dünne gesäeten) dramatisch gestalteten und Schubert's würdigen Musikstücken der Oper. Eine *Arie* des Mauregato mit Chor (*Allegro D-Moll* $^{4}/_{4}$), ein *Duett* zwischen diesem und Estrella (*A-Moll* $^{4}/_{4}$) und eine *Arie* der Estrella (*Andantino A-Dur* $^{4}/_{4}$) bewegen sich wieder in gewöhnlichem Geleise und bieten keinerlei hervorragende Momente. Das *Finale* (*Allegro A-Moll* $^{4}/_{4}$) gestaltet sich auch hier zu einem großen Ensemble, an welchem Mauregato, Estrella, der Anführer der Leibwache, der Männer- und Weiberchor und von diesen abgesondert der außerhalb der Bühne befindliche *Chor der Verschwornen* theilnimmt, deren wiederholter Ruf: »Rache« sich wirksam contrastirend in das Klagegeschrei der Weiber und den Kampfruf der Männer mischt und der ganzen Scene, in
238 welcher dem Componisten endlich wieder Gelegenheit zu dramatischer Entfaltung gegeben ist, einen lebhaften Charakter verleiht.

Der dritte Act beginnt mit einer ziemlich umfangreichen[15], musikalisch schön und bedeutsam gestalteten *Orchester-Introduction* (*Allegro D-Moll alla breve*), deren leidenschaftlich unruhiger Charakter auf die Schrecknisse des in dem ruhigen Thal entbrannten Kampfes hinweist. Auf diese Einleitung folgt ein in recitativer Form gehaltener *Wechselgesang* des Jünglings und des Mädchens (*Allegro G-Moll* $^{4}/_{4}$), in welchem diese, von Bangen erfüllt, sich gegenseitig mittheilen, was sie von dem Fluchtgetümmel geschaut haben. Der Ruf vorübereilender Weiber: »Weh uns – fliehet!« schließt dieses Musikstück, welches durch Innigkeit und schönen, echt dramatischen Ausdruck eine hervorragende Stelle einnimmt. Auch das *Duett* (Nr. 3) zwischen Adolfo und Estrella (*Allegro assai F-Moll* $^{3}/_{4}$) ist in großem Styl gehalten und dürfte auf der Bühne von bedeutender Wirkung sein. Das darauf folgende *Ensemble*, ein Terzett zwischen Adolfo, Alfonso und Estrella (*Allegro D-Dur* $^{4}/_{4}$), welchem sich später vier Jäger beigesellen, erregt im Beginn schöne Erwartungen, bewegt sich aber gegen den Schluß zu in gewöhnlichen, an den damaligen italienischen Styl gemahnenden Formen. Nun folgt eine Reihe durchweg schöner, bedeutender *Recitative* Alfonso's und Estrella's, und auf diese ein kräftig gehaltenes Duett beider (*Allegro molto C-Dur* $^{4}/_{4}$), das durch die gesungenen Textworte einen heroischen Charakter erhält, von der Stelle an aber, wo die Stimmen sich zum Zwiegesang vereinigen, ebenfalls
239 wieder dem unverkennbaren Zug der italienischen Cantilene verfällt. Ein *Duett* der eben Genannten (*Allegro assai A-Moll* $^{4}/_{4}$), in welches der *Chor* der fliehenden Krieger eingreift, ist gut gearbeitet und von lebhaftem anregendem Ausdruck. Der darauf folgende *Doppelchor*[16] (*Allegro Es-Dur* $^{6}/_{8}$)

15 Das Musikstück füllt in der Partitur 26 Seiten aus.

16 Der zweite Chor stürmt hülfebringend auf die Bühne, nachdem ihn die Krieger Alfonso's wiederholt gerufen.

von Hornsignalen, die aus zwei Orchestern abwechselnd ertönen, eingeleitet und unterbrochen, bewegt sich in leicht rhythmisirten, melodisch geradezu an's Triviale streifenden Formen, und vermag auch später nicht, wo der *allgemeine Chor* der Krieger und Jäger dem Ganzen eine breitere Gestaltung gibt, musikalische Bedeutung zu gewinnen. Um so erfreulicher wirken wieder die *Recitative* Troila's, Alfonso's und Estrella's (*Allegro Es-Dur* $^4/_4$). Auch das sich anreihende *Ensemble* (die Vorigen, Krieger und Jäger Moderato *F-Dur* $^4/_4$) ist dramatisch effectvoll gearbeitet, wird aber überragt von der unmittelbar darauf folgenden *Scene*, in welcher der fliehende Mauregato plötzlich des Troila ansichtig wird, und diesen für den Geist des durch ihn von dem Thron verstoßenen Königs hält. Die vorhergehende Arie des wild und verzweifelnd sich geberdenden Mauregato (*Allegro agitato G-Moll* $^4/_4$) und die nun folgende Begegnung mit Troila sind in großartig dramatischem Styl gehalten und würden bei der Darstellung auf der Bühne zweifellos einen ergreifenden Eindruck hervorbringen. Auch das *Duett* zwischen Troila und Mauregato gestaltet sich durch Adel, Schönheit und Originalität der Behandlung zu einem der hervorragendsten Musikstücke der Oper. Die melodische Führung der beiden Stimmen, da wo sie am Schluß zusammengehen, läßt 240
freilich wieder italienischen Einfluß durchblicken. Letzteres gilt auch von dem übrigens ganz hübschen und theatralisch wirksamen Terzett (*B-Dur* $^4/_4$) zwischen Troila, Mauregato und Estrella.

Das *Finale* wird durch einen *Marsch* (für Harmoniemusik) eingeleitet, welchem sich ein frischer, aber nicht bedeutender *Chor* der Jäger und Krieger (*B-Dur* $^4/_4$) anschließt. Folgen nun *Recitative* Alfonso's und Mauregato's, sodann ein *Ensemble* (*Allegro B-Dur* $^4/_4$), an welchem alle Hauptpersonen des Stückes, und nebst dem Chor der Krieger auch jener der Landleute theilnehmen, deren charakteristischer Gesang an Troila die Bitte enthält, daß er nun fortan bei ihnen verweilen möge. Einzelne Stellen in dem eben erwähnten Ensemble, insbesondere das *Andante* (*A-Dur* $^4/_4$), in welchem Mauregato und Troila sich dem Liebespaar (Estrella und Alfonso) zuwenden, seinen Bund segnend und demselben das Reich überlassend, zeichnen sich durch Schönheit und Adel der Empfindung aus. Der *allgemeine Chor*, der im *Allegro* $^4/_4$-Tact und der hellen*E-Dur*-Tonart geräuschvoll die ganze Oper schließt, erhebt sich nicht über das Niveau eines gewöhnlichen Theaterfinale.

Die über den Werth und Charakter der einzelnen Theile der Oper hier gegebenen Andeutungen lassen zur Genüge erkennen, daß es in diesem ersten größeren Bühenwerk Schuber'ts keineswegs an Musikstücken fehlt, die, als des Meisters würdig, mit Freude begrüßt werden dürfen. Einzelne Arien, Duette und Chöre, das Finale des ersten Actes, die sämmtlichen Recitativstellen und die Orchestersätze zeichnen sich durch Schönheit, charakteristischen Ausdruck und dramatisches Leben aus, und die Thatsache, daß der 241 letzte Act im Ganzen genommen der musikalisch bedeutendste ist, kann dem Totaleffect der Oper nur bestens zu Statten kommen. Andererseits leidet aber das Werk an bedenklichen Gebrechen, welche, abgesehen von musikalisch unbedeutenden Gesangsstücken, ganz hauptsächlich in der das Gedicht durchziehenden und fast fortan festgehaltenen lyrischen Stimmung und der zum Theil dadurch herbeigeführten Reihenfolge der einzelnen Musikstücke gelegen sind. Dem Schober'schen Operntext fehlt der große dramatische Zug, woran übrigens weniger der Inhalt der Handlung als die dichterische Verarbeitung derselben Schuld trägt. Der lyrischen Ergüsse ist da kein Ende, und es darf nicht Wunder nehmen, wenn der, beiläufig bemerkt, von der Opernmusik Rossini's unverkennbar beeinflußte Tondichter, wo ihn die Situation im Stück nicht zu energischem, dramatischem Ausdruck auffordert, sich damit begnügt, das Füllhorn seiner Melodien über die breiten lyrischen Flächen des Textes auszuschütten und dem leichten Spiel seiner Muse mit einer gewissen Behaglichkeit vollen Spielraum zu gewähren. Die Gelegenheit zu dramatisch bedeutender Gestaltung ließ er sich, sobald sie ihm von dem Dichter geboten war, nicht entgehen, und wenn auch »Alfonso und Estrella« den heutigen Anforderungen an theatralische Darstellungen kaum entsprechen dürfte, darüber kann kein Zweifel sein, daß Schubert in einigen Scenen eben dieser Oper ein überraschendes Geschick auch in Bewältigung der großen Formen des musikalischen Drama an den Tag legte.

»Alfonso und Estrella« wurde, wie noch mitgetheilt werden wird, nur einmal (im Jahre 1854) auf der Bühne dargestellt, und es scheinen bei diesem
242 Anlaß die eben berührten Mängel über das Schicksal der Oper entschieden zu haben. Dreißig Jahre früher, als Schubert und seine Freunde bemüht waren, der Oper auf irgend einer größeren Bühne Eingang zu verschaffen, möchte es ihr bei der damals herrschenden Geschmacksrichtung an Lebensfähigkeit für längere Zeit nicht gefehlt haben.

Abgesehen von seinem musikalischen Gehalt bietet dieses Werk noch ein allerdings mehr äußerliches Interesse dadurch, daß es (nach einer Mittheilung A. Schindler's)[17] den Componisten desselben mit einem anderen großen Meister in eine, im Beginn allerdings nicht erfreuliche Berührung brachte und die Veranlassung zu einer Discussion zwischen beiden wurde, welche charakteristisch genug ist, um hier nicht mit Stillschweigen übergangen zu werden.

Carl Maria von Weber war im October 1823 nach Wien gekommen, um die Aufführung seiner für das Hofoperntheater daselbst geschriebenen Oper »Euryanthe« persönlich zu leiten. Diese wurde am 25. October zum ersten. Mal gegeben, hatte aber aus Gründen, die hier keiner weiteren Erörterung

17 *Anton Schindler*, der bekannte Freund Beethoven's, geb. zu Mädel in Mähren, gest. als Musikdirector zu Bokenheim bei Frankfurt a.M. im Jänner 1864.

bedürfen, bei weitem nicht jenen anhaltenden Erfolg, welcher dem »Freischütz« zu Theil geworden war[18]. 243

Schubert hatte der Aufführung ebenfalls beigewohnt und sein Urtheil über das neue Werk wurde für viele Musikfreunde maßgebend. Er äußerte vor Zeugen, daß Weber's Euryanthe zwar viele harmonische Schönheiten, aber keine einzige originelle Melodie enthalte, dieser überhaupt entbehre, was er Webern in der Partitur nachzuweisen bereit sei[19]. Da man ihm hierauf 244
entgegnete, Weber habe theilweise seinen Styl verändern müssen, weil die musikalische Kunst neue Bahnen einzuschlagen beginne und von nun an durch schwere Massen gewirkt werden müsse, meinte Schubert: »Wozu denn schwere Massen! Der Freischütz war so zart und innig, er bezauberte durch Lieblichkeit; in der Euryanthe aber ist wenig Gemüthlichkeit zu finden[20]«.

18 Die Oper wurde die ersten drei Male (25., 27. u. 29. October) unter Weber's Leitung gegeben, der vierten Vorstellung, die Capellmeister Kreuzer dirigirte, wohnte der Componist in einem Logenwirkel bei. Der Erfolg der ersten Aufführungen war ein glänzender. Frl. Henriette *Sonntag* sang die Partie der Euryanthe, Frau *Grünbaum* jene der Eglantine; *Forti* gab den Lysiart, die beiden andern Hauptrollen waren durch *Heitzinger* und *Seipelt* besetzt. Weber wurde am ersten Abend stürmisch gerufen, fuhr nach der Vorstellung in die »Ludlamshöhle«, wo 27 Dichter und Künstler versammelt waren und seiner ein festlicher Empfang harrte. Tags darauf kam Mosel und andere Musikfreunde, um ihn zu beglückwünschen u.s.w. (s. Weber's Briefe an seine Frau). »Euryanthe« wurde damals beiläufig noch sechs Male gegeben, später unter Duports Administration (wo die Schröder-Devrient die Titelrolle sang) und unter jener des Grafen Gallenberg wieder aufgenommen. Der Enthusiasmus war aber bald erkaltet, und Helmine Chezy, die Verfasserin des Textes, erklärte selbst, daß der Erfolg den gespannten Erwartungen nicht entsprochen habe. Eine Fraction der »Ludlamshöhle« gab dem Text die Schuld; Castelli meinte, die Oper sei um 50 Jahre zu früh gekommen, andere schoben wieder alle Schuld auf die Besetzung u.s.w., kurz, der anfängliche Triumph verwandelte sich alsbald in eine Niederlage. Auf andern deutschen Bühnen (in Berlin, Weimar und Dresden) errang die Oper schon damals großen Erfolg, desgleichen in London im Jahre 1831, wo ebenfalls Mina Schröder und Heitzinger sangen. – Daß Weber sich mit der Partitur zu Beethoven begeben und diesen ersucht habe, Aenderungen darin *nach Gutdünken* vorzunehmen, wie A. Schindler behauptet, wird als mit Weber's Denkweise ganz unvereinbar und durch nichts beglaubigt, auf das entschiedenste in Abrede gestellt (s. »Neue Zeitschrift für Musik« Bd. 13, Nr. 48).

19 »Jetzt haben Sie nun«, schrieb Hofrath Friedrich v. Rochlitz am 4. October 1823 an Herrn Tobias Haslinger in Wien, »jetzt haben Sie nun meinen lieben Maria v. Weber mit seiner Euryanthe in Wien. Er hat einen großen Feind zu besiegen und das ist er selbst in seinem Freischütz. Doch zweifle ich nicht, es wird ihm auch diesmal glücken. Er verdient es wahrlich.« – Dann aber am 22. December 1823: »Das Schicksal, das unsers Weber's ›Euryanthe‹ und wahrscheinlich unverdient in Wien erfahren hat, gereicht Ihrem Publicum keineswegs zur Ehre, und da man diesem von Alters her, und ehedem mit vollem Grund ein so feinsinniges Urtheil in musikalischen Angelegenheiten zutraut, so thut jenes Schicksal dem Weber überall großen Schaden, was mich wahrhaft schmerzt um seiner selbst, um Weber's, um Ihret, la selbst um Ihres Publicums willen.«

20 Denkwürdigkeiten von Helmine Chézy, II. Bd., S. 259.

Als dieses Urtheil dem Componisten zu Ohren kam, soll er gesagt haben: »Der Lasse soll früher etwas lernen, bevor er mich beurtheilt.«

Dieser vorlaute Ausspruch machte die Runde in Wiener Musikkreisen, und Schubert, der damals, obgleich erst 27 Jahre alt, nahezu ein Dutzend Opern, mehrere Sinfonien und ein Paar hundert Lieder geschrieben hatte, nahm, verletzt durch obige Worte, die Partitur von »Alfonso und Estrella« unter den Arm und begab sich damit zu Weber, um diesem zu zeigen, daß er mit gleichen Waffen gegen ihn kämpfen wolle.

Nachdem Carl Maria die Partitur durchgegangen, kam er auf Schubert's Urtheil über seine (Webers) Oper zu sprechen, und da dieser bei seiner
245 Meinung verblieb, entgegnete ihm der etwas gereizte Componist: »Ich aber sage Ihnen, daß man die *ersten* Hunde und die *ersten* Opern ertränkt«; eine Sentenz, welche darauf hindeutet, daß Weber der Meinung gewesen ist, »Alfonso und Estrella« sei Schuberts Erstlingswerk dieser Gattung.

Ungeachtet dieses Conflictes trennten sich die beiden wackeren Männer nicht als Feinde, und Weber hat sein hartes Urtheil stillschweigend damit zurückgenommen, daß er später die von Salieri und Hofrath Mosel sehr günstig beurtheilte Schubert'sche Oper auf des Letzteren Empfehlung im Hoftheater in Dresden zur Aufführung bringen wollte und seine persönliche Theilnahme an dem Werk in einem Briefe freundlich zu erkennen gab[21].

Einer mündlichen Mittheilung J. Hüttenbrenner's zufolge ist das Textbuch durch Wilhelmine Schröder an C.M. v. Weber in Dresden übersendet worden; die Partitur (wohl nur eine Abschrift des Originals) schickte Schubert der Sängerin *Anna Milder* zu, welche die Oper in Berlin zur Aufführung bringen wollte, von diesem Vorhaben aber wieder abstand. Der hier folgende, *wörtlich*
246 aufgenommene Brief der Milder (adressirt an Hrn. Franz Sch. *in der Rossau im Schulhaus*) gibt darüber näheren Aufschluß[22]. Derselbe lautet:

Berlin, den 8. März 1825.

»Mein verehrtester Herr Schubert!

Ich eile Ihnen zu melden, daß ich Ihre Oper *Alfonso und Estrella* sowie auch den zweiten Gesang der *Zulaika* (*sic*) mit unendlichem Vergnügen er-

21 Dieser Brief war *nach einer Mittheilung des Herrn Josef Hüttenbrenner* an eben denselben gerichtet, und später in die Hände des Herrn v. *Schober* gelangt. Letzterer erklärte mir aber, daß er dieses Schreiben *niemals besessen habe*. Dasselbe soll umfangreich und zur Beurtheilung des Verhältnisses zwischen Weber und Schubert von großem Interesse sein. – Es steht zu erwarten, daß in der von Max v. Weber herausgegebenen Biografie seines Vaters Carl Maria v. Weber über dessen Verhältniß zu Schubert nähere Aufschlüsse gegeben werden.

22 Das Original des Briefes ist in meinem Besitz.

halten habe. Herzlich danke ich Ihnen für ihre Bereitwilligkeit. Zulaika's zweiter Gesang ist himmlisch und bringt mich jedesmal zu Thränen. Es ist unbeschreiblich; allen möglichen Zauber und Sehnsucht haben Sie da hineingebracht, sowie im ersten Gesang der Zu. und im *Geheimniß*. Zu bedauern dabei ist nur, daß man alle diese unendlichen Schönheiten nicht dem Publicum vorsingen kann, indem die Menge leider nur Ohrenschmaus haben will. Sollte vielleicht der Nachtschmetterling nicht passend sein, eine für die Singstimme brillantere Musik zu machen, so würde ich bitten, daß Sie statt dem ein anderes Gedicht wählen möchten, und wo möglich von Goethe, welches sich in verschiedenen Zeitmaßen singen ließe, damit man mehrere Empfindungen darstellen kann. Wie zum Beispiel in Goethe's Gedichten zu finden. *Verschiedene Empfindungen an einem Platz*[23] oder ein ähnliches, welches ich Ihnen überlasse, damit das Ende davon brillant sein könne.

So viele Lieder, die Sie mir dediciren wollen, kann mir nur höchst erfreulich und schmeichelhaft sein. Den 1. Juni reife ich von hier ab, könnte ich
dann für meine Reisen und Concerte ein solches gewünschtes Lied von Ihnen 247
erhalten, so würde es mich unbeschreiblich glücklich machen, nämlich daß Sie einige passende Passagen und Verzierungen anbringen.

Was ›*Alfonso und Estrella*‹ Ihre Oper anbelangt, so ist es mir unendlich leid, bemerken zu müssen, daß das Buch hievon dem hiesigen Geschmack nicht entspricht, man ist hier die große hochtragische Oper gewöhnt oder die französisch-komische Oper. Nach diesem Ihnen hier beschriebenen Geschmack werden Sie selbst einsehen, daß Alfonso und Estrella durchaus kein Glück hier machen würde.

Sollte ich die Freude haben, in einer Ihrer Opern darstellen zu können, so müßte es wohl für meine Individualität berechnet sein, z.B. die Rolle einer Königin, Mutter oder Bäuerin. Ich würde daher rathen, etwas Neues zu machen und wo möglich in einem Act, und zwar ein orientalisches Sujet, wo der Sopran die Hauptperson; dies müßte Ihnen ganz vorzüglich gerathen, so wie ich aus Goethe's Divan ersehe. Auf drei Personen und Chor könnten Sie für hier der guten Aufführung gewiß sein, nämlich ein Sopran, ein Tenor, ein Baß. Sollten Sie ein solches Sujet finden, so ersuche ich, es mir mitzutheilen, um uns näher zu verständigen. Alsdann würde ich alles anwenden, daß wir die Sache in die Scene bringen. Lassen Sie mich gefälligst wissen, was mit Ihrer Oper Alfonso geschehen soll.

An meinen Freund und Lehrer Vogl bitte ich alle herzlichen Grüße zu entrichten; es thut mir unendlich leid, daß er so leidend ist; mir geht es nicht viel besser. Sagen Sie ihm, daß ich dieses Jahr nach Wiesbaden muß. Es würde mich unendlich glücklich machen, einige Zeilen von ihm zu erhalten. 248

23 Ueberschrift eines Goethe'schen Gedichtes.

An Fr. v. Lascny[24] bitte ich meine innigen Grüße zu bestellen. Dieser liebenswürdigen und kunstverständigen Frau wünschte ich wohl Ihre Lieder zu singen.

Ihrem geneigten Wohlwollen empfiehlt sich bestens

Ihre

ergebenste

Anna Milder.«

Im September 1827 begab sich Schubert – wie später erwähnt werden wird – auf ein Paar Wochen nach Gratz, wo er sein Absteigquartier in dem Hause des Advocaten *Dr. Carl Pachler* nahm. Nach Wien zurückgekehrt, schickte er im October an diesen das Textbuch der Oper »Alfonso« ein, welch' letztere nunmehr bis zu Anfang des Jahres 1843 bei *Dr.* Pachler in Aufbewahrung blieb. Schubert ließ die Partitur ohne Zweifel zum Zweck der Aufführung in Gratz zurück, und es fehlte in der That nicht an Versuchen, das Werk auf der Bühne darzustellen. Bei den Proben erklärte aber der damalige Orchesterdirector *Hysel, es sei technisch unmöglich zu spielen, was Schubert verlange.* Die Schwierigkeiten der Partitur erschienen dem damaligen Gratzer Orchester geradezu unüberwindlich. Auch mit »Fierrabras« (comp. 1823) soll ein Versuch gemacht worden sein, der aber aus demselben
249 Grund erfolglos blieb[25].

Im Jahre 1842 scheint einige Aussicht für die Darstellung der Oper »Alfonso« in Wien vorhanden gewesen zu sein. Darauf läßt wenigstens der folgende Brief Ferdinand Schubert's schließen, wenn man nicht etwa dem Gedanken Raum geben will, daß der Schreiber desselben die Hoffnung einer bevorstehenden Aufführung als Motiv der Zurückforderung der Partitur vorschützte[26].

Das Schreiben, datirt vom 26. Juni 1842 und an*Dr.* Pachler in Gratz adressirt, lautet:

»Ich habe durch meine Wiener Freunde mit großer Freude in Erfahrung gebracht, daß das Original der Oper ›Alfonso und Estrella‹, eine Composition

24 *Lascny, geb. Buchwieser*, welcher das*divertissement hongrois* dedicirt ist. – Herr Lascny war ungarischer Güterbesitzer, seine Frau eine ausgezeichnete Sängerin. Schubert und mehrere seiner Freunde waren daselbst öfter zu Besuch.

25 *Dr.* Faust Pachler, welchem ich obige Mittheilungen verdanke, bemerkt, daß sein Vater, als Alterego des Theaterdirectors Stöger, die Aufführung gewiß durchgesetzt hätte, wenn dies überhaupt möglich gewesen wäre. Er erinnert sich an eine oder zwei Orchesterproben im Gratzer Theater, vermuthet aber, daß die erste der durchprobirten Opern »Fierrabras« war.

26 Ich kann mich nicht entsinnen, daß je von einer Darstellung der Oper »Alfonso« in Wien die Rede gewesen wäre.

meines seligen Bruders Franz, sich, sorgfältig verwahrt, in ihren Händen befinde. Ich bin deshalb so frei, Euer Hochwohlgeboren freundlichst zu ersuchen, mir diese Partitur gefälligst einsenden zu wollen, da ich Hoffnung habe, diese Oper nächsten Winter im k.k. Hofoperntheater zur Aufführung zu bringen.«

Im Jänner 1843 gelangte die Oper wieder in den Besitz Ferd. Schubert's[27].
Eine Aufführung derselben in Wien hat nicht stattgefunden. Als aber im 250
Jahr 1847 *Dr.* Franz *Liszt* seinen Aufenthalt in Weimar nahm, sprach er gegen den Verfasser des Textes Franz v. *Schober* (damals Legationsrath daselbst) den Wunsch aus, eine Oper Schuberts auf dem dortigen Hoftheater zur Aufführung zu bringen. Schober bezeichnete ihm »*Alfonso und Estrella*« als die einzige ganz fertige, noch nirgends aufgeführte[28], und machte sich anheischig, sogleich an Ferdinand Schubert zu schreiben, damit dieser die Partitur der Hofopernintendanz übersende.

Nach Verlauf von zwei Monaten erhielt er von diesem den folgenden, vom 3. März 1848 datirten Brief[29]:

»Hochgeehrter, Edler Herr Legationsrath!

Es freut mich ungemein, daß Herr Hofcapellmeister *Dr.* Liszt auch der Opern meines seligen Bruders gedenkt, und dies um so mehr, als ich weiß, daß *Dr.* Liszt nur aus Begeisterung für diese Compositionen deren Vorführung beim Publicum zu erzielen sucht.

Nun ist es mir höchst unlieb, diesmal Ihrem Wunsche nicht augenblicklich willfahren zu können, da ich wegen der Opern des Verblichenen sowie wegen
einiger anderer Werke desselben bereits mit Breitkopf und Härtel in Unter- 251
handlungen stehe. Daß die Oper ›Alfonso und Estrella‹ so lange gelegen, ohne auf eine Bühne gekommen zu sein und deshalb geeignet sei, das Unternehmen mißtrauisch auf den geistigen Werth dieses Werkes zu machen, dürfte wohl nicht zu besorgen sein, da daran größtentheils der Umstand Schuld ist, daß ein Verehrer Schubert's in Gratz nach dem Tode des Com-

27 Hofrath v. Witteczek in Wien ermächtigte in einem Brief vom 14. Sept. 1842 den Professor *Dr.* Franz *Schreiner* in Graz, das Manuscript zu übernehmen, nachdem er *Dr.* Pachler's Bedenken über die Echtheit desselben behoben hatte. Unter dem 30. October bestätigte Schreiner die Uebernahme der Partitur und unter dem 19. Jänner 1843 Ferdinand Schubert den Empfang derselben. – Die Original-Partitur fand ich im Jahre 1861 im Besitz des Herrn Alexander *Thayer* (aus Boston) vor, der sie von der Familie des Ferdinand Schubert überkommen hatte. Dieselbe ist gegenwärtig Eigenthum des *Wiener Musikvereins.*

28 Darin irrte Herr v. Schober, da an ein halbes Dutzend Opern fertig und nicht aufgeführt war.

29 Eine Abschrift desselben theilte mir Herr v. Schober mit.

positeurs diese Oper aus Gewissenhaftigkeit so sorgfältig in einer Cassetruhe aufbewahrte, daß er sie erst nach 14 Jahren wiederfand[30].

Uebrigens ist es auch nicht mehr möglich, dieselbe während *Dr.* Liszt's Aufenthalt in Weimar dort noch einzustudiren, da sie noch nicht herausgeschrieben ist und die kurze Zeit es nicht mehr gestattet. Sobald ich jedoch mit Leipzig in Ordnung bin, werde ich Euer Edlen davon ungesäumt in Kenntniß setzen, damit Sie die weiteren Verfügungen treffen können.

Es freut uns alle außerordentlich, daß Euer Edlen noch immer ein wahrer Freund unsers Bruders Franz sind, und noch eifrig mitzuwirken bemüht sind, dem Verblichenen im Tod noch eine Ehrensäule errichten zu wollen. Nehmen Sie die Versicherung meiner ausgezeichneten Hochachtung und
252 haben Sie die Güte, dem Herrn Capellmeister *Dr.* Liszt meinen tiefsten Respect zu vermelden, und insbesondere meinen Dank zu überbringen für die edle Begeisterung, welche derselbe so rührig zur Verewigung mein es seligen Bruders Franz zum Opfer bringt.

Euer Edlen ergebenster Diener

Ferdinand Schubert.«

Auf diesen Brief erging von Seite des Herrn v. Schober unter dem 18. März 1848 ein dringlicher gehaltenes Schreiben[31] an den Besitzer der Partitur ab, und einige Tage darauf langte diese, an *Dr.* Liszt adressirt, in Weimar an[32]. Die Aufführung verzögerte sich aber bis zum Jahre 1854, in welchem die Oper und zwar am 24. Juni als Festvorstellung und zugleich als Schluß der Theatersaison zur Geburtstagsfeier des Großherzogs[33] unter Liszt's Direction in Weimar zum ersten Mal gegeben wurde. Das Werk war gut einstudirt und unter den Mitwirkenden[34] erfreuten sich besonders die Darsteller

30 Das ist wohl eine Entstellung des wahren Sachverhaltes. Schubert hatte die Original-Partitur, von welcher eine Abschrift auch nach Berlin gesendet worden war, seinem Freund *Dr.* Pachler *zur weitern Disposition* überlassen, und dieser wollte sie auch in Gratz zur Aufführung bringen. Von einem *Wiederfinden* konnte da nicht die Rede sein.

31 Eine Abschrift dieses Briefes wurde mir von Herrn v. Schober mitgetheilt.

32 In der »Skizze« S. 133 Anmerkung findet sich folgende Bemerkung: »Die Partitur von ›Alfonso und Estrella‹ befindet sich im Besitze des Verfassers des Textbuches, Franz Schober, welcher trotz wiederholter Aufforderung des Ferdinand Schubert nicht zu bewegen war, sie letzterem wieder zurückzustellen.« Diese auf einer ganz irrigen Mittheilung beruhende Angabe wurde in den Leipziger »Signalen« (Nr. I. 1862) berichtigt.

33 Aus diesem Grunde wurde auch an Stelle der Schubert'schen Ouverture eine »Jubelouverture« von Rubinstein aufgeführt.

34 Die Darstellenden waren: Milde (Troila), Liebert (Alfonso), Mayrhofer (Adolfo), Höfer (Mauregato), Frau Milde (Estrella).

des Troila und der Estrella anerkennenden Beifalls; auch das Orchester und 253
der Chor thaten ihre Schuldigkeit, dennoch war der Erfolg der Oper kein
durchgreifender[35] Weitere Versuche von Aufführungen haben in der Folgezeit 254
weder dort noch anderswo stattgefunden.

Von größeren Compositionen gehören diesem Jahr noch an:

Eine *Sinfonie* für Orchester in *H-Moll*, welche Schubert zum Dank für das ihm von dem Gratzer Musikverein ausgestellte Diplom eines Ehrenmitgliedes desselben dem Vorstand der Gesellschaft, *Anselm Hüttenbrenner*, in dem Zustand, in welchem sie sich eben befand, nämlich halbvollendet, übergab. Nach einer Mittheilung Herrn Josef Hüttenbrenner's ist nämlich der erste und zweite Satz vollständig componirt und der dritte (*Scherzo*)

35 In der neuen Zeitschrift für Musik sprach sich der Recensent *Gottwald* über das Schubert'sche Opern-Drama in folgender Weise aus: »Der Aufführung dieser Oper unseres größten Liedercomponisten sah ich mit dem wärmsten Interesse entgegen, da vorzugsweise Er in seinen hochpoetischen Tondichtungen für jede Gemüthsstimmung, ebenso für jeden Grad der Leidenschaft den richtigen Ton, und zwar in einer Weise wiederzugeben vermochte, die uns heute noch mit magischer Kraft in den Zaubergeist seiner Fantasie zieht. Nach vielen seiner außerordentlichen, oft so dramatisch bearbeiteten Lieder war man berechtigt, von Schubert auf dem Gebiete der Oper das Bedeutendste zu erwarten. Leider aber vereinigte sich in dieser Oper der poetische, tiefinnerliche Liedercomponist mit einem vollkommen prosaischen Dichter: dies der Grund, wenn Schubert's Oper für die Folge keine Lebensfähigkeit haben kann. Der äußerst magere Stoff der Handlung, der jeden Interesses bar, weder spannende Situationen, noch wirklich dramatische Effecte erlaubt, muß auf den Zuhörer ebenso erlahmend und abschwächend einwirken, als die über alle Gebühr ausgedehnten und festgehaltenen subjectiven Stimmungen und lyrischen Ergüsse. Diese letztern bilden so eigentlich das Element dieser Oper (die man nicht mit Unrecht als Liederoper bezeichnen dürfte –), daher Schubert fast durchgehends zum Reinmelodischen, das oft über die einfachste Liedform mit musikalischen Phrasen von 2 zu 2, 4 zu 4 Tacten nicht hinauskommt, immer wieder gedrängt werden mußte. Die unausbleibliche Folge ist die im Drama sich wohl am meisten rächende Monotonie, die selbst Schubert mit seinem Melodienreichthum nicht zu bannen vermochte. Dies muß um so mehr beklagt werden, als der Componist, wo ihm nur irgend ein Anhaltspunct möglich gewesen, z.B. am Schluß des ersten Actes; beim ersten Zusammentreffen Estrella's mit Alfonso – mit nebenbei gesagt recht interessanter Instrumentation –; im Verschwörungschor, am Schluß des zweiten Actes; ferner im dritten Act in der Scene zwischen Estrella und Adolfo, im Siegesmarsch und in manchem Andern vollständig bewiesen hat, wie mächtig er auf dem Gebiete der Oper hätte werden können, wenn ihm anders der entsprechende Dichter hiezu die Hand gereicht hätte.« – Dieses Urtheil stimmt so ziemlich mit dem von mir ausgesprochenen überein, nur ist hier zu viel der Schuld auf den Dichter gewälzt. – Der Componist P. *Cornelius*, welcher der Aufführung in Weimar beigewohnt hat, theilte mir mit, daß die Oper einige sehr schöne Musikstücke enthalte, aber – im Ganzen angesehen – sich unter den jetzigen Theaterzuständen und Geschmacksrichtungen kaum längere Zeit auf der Bühne behaupten dürfte, wobei freilich der Gedanke nahe liegt, wie viel werthloses Machwerk in Handlung und Musik von jeher und auch in unsern Tagen auf verschiedenen Bühnen Triumfe feiert, während diese sich einem Schubert'schen Werk beharrlich verschließen.

zum Theil. Das Fragment, im Besitz des Herrn Anselm Hüttenbrenner in Gratz, soll – namentlich der erste Satz – von hoher Schönheit sein. Ist dies der Fall, so dürfte sich wohl der intime Freund Schubert's demnächst entschließen, das noch ganz unbekannte Werk des von ihm hochverehrten
255 Meisters, von Schloß und Riegel zu befreien, um die Freunde der Schubert'schen Muse damit bekannt zu machen[36].

Die *Messe* in *As*, eine der bedeutendsten Kirchencompositionen unsers Meisters; die Cantaten: »*Volkslied*«[37] von Deinhartstein, »des *Tages Weihe*« (*op.* 146), das Frauenquartett: »*Gott in der Natur*[38]« und das Männerquartett: »*Geist der Liebe*« (*op.* 133 und 11). Die *Lieder*, welche diesem Zeitraum angehören, sind fast durchweg im Stich erschienen und weit verbreitet[39].

Als Schuber's Werke in die Oeffentlichkeit gelangten, war *Beethoven* bereits mit den beiden Riesenschöpfungen: der neunten Sinfonie und der*D*-Messe
256 beschäftigt.

Die Oper »Fidelio«, im Jahre 1805 componirt und aufgeführt, seit dem Jahre 1806 aber dem Staub der Theaterbibliothek überantwortet, war im Jahre 1814 dem Repertoir des Operntheaters wieder einverleibt worden und wurde von dieser Zeit an bis zum Jahre 1823 von einem Verein von Künstlern (Milder-Hauptmann, später Campi, Hönig und Frl. Schröder, Michael Vogl, Weinmüller und Radichi) in trefflicher Weise dargestellt.

Außer den gewaltigen Orchesterwerken hatte Beethoven eine bedeutende Anzahl unvergleichlicher Meisterstücke, namentlich im Gebiet der Clavier- und Kammermusik, geschaffen.

Vielfach noch unverstanden, wurde er von allen jenen bewundert, welche die Größe seines Geistes ahnen konnten.

Neben den Werken der ihm vorangegangenen großen Meister herrschten die seinen in allen musikalischen Kreisen oder brachen sich daselbst die Bahn; es fehlte nicht an glänzenden Anerbietungen von auswärts, und hatte er auch mit den Verlegern daheim hie und da seine liebe Noth, so befand er sich doch ihnen gegenüber lange Zeit hindurch in der glücklichen Lage,

36 Einen vierhändigen Clavierauszug der Sinfonie (welchen aber auch nur wenige »Geweihte« eingesehen haben), besitzt Herr Josef Hüttenbrenner.

37 Das »Volkslied« wurde auf Veranlassung des *Dr.* L. v. Sonnleithner componirt und am 11. Februar im Theresianum zur Geburtstagsfeier des Kaisers Franz unter Sonnleithner's Leitung aufgeführt. Im Jahre 1848 erschien es mit abgeändertem Text als »Constitutionslied« (*op.* 157) bei Diabelli im Stich. Die Composition ist im Geist des Haydn'schen Volksliedes gehalten.

38 Für Frl. Anna Fröhlich und die Schülerinnen des Conservatoriums geschrieben.

39 Das Lied: »*Aus* Heliopolis« (*op.* 65) heißt richtiger »*Heliopolis*« und das Lied »Heliopolis« (in L. 37) ist die Nr. 2 des Gedichtes: »An *Franz*« von Mayrhofer, und von dem Dichter »*Im Hochgebirg*« überschrieben. Den ganz unpassenden Namen »Heliopolis« scheinen die Verleger gewählt (?) zu haben.

den Preis, um welchen er seine Compositionen überlassen wollte, zu bestimmen und bei allfälligen Mäkeleien seinen souveränen Willen in entschiedener Weise zur Geltung zu bringen.

Anders war es in dieser Beziehung mit Schubert bestellt. Er schuf rastlos fort, ohne Hoffnung, auch nur den halben Theil dessen, was er schrieb, an Mann zu bringen und seine Thätigkeit nach Gebühr belohnt zu sehen. Als er starb, waren hundert und einige Lieder veröffentlicht, etwa der fünfte Theil seiner sämmtlichen Gesangscompositionen. Diese Lieder waren es
hauptsächlich, von deren Ertrag er sein Leben fristen mußte; denn seine 257
übrigen Werke fanden in Folge der Concurrenz, welche sie mit den Compositionen der älteren Meister zu bestehen hatten, hauptsächlich aber der erdrückenden Machtstellung, welche *Beethoven* einnahm, mit geringen Ausnahmen wenig Beachtung; und selbst den angestrengtesten Bemühungen um ihn besorgter Freunde ist es nicht gelungen, einigen seiner größeren Werke, ja nicht einmal den Liedern in Wien oder im Ausland raschen Eingang und Absatz zu verschaffen. Auch diesen letzteren gegenüber beobachteten nämlich die Verleger mitunter eine reservirte Haltung oder stellten Anforderungen an ihn, die er im Interesse der von ihm vertretenen Kunst entschieden zurückwies[40].

Dreißig Jahre hindurch athmeten zwei unsterbliche Meister der Tonkunst die Luft derselben Stadt ein; während eines Zeitraumes von sieben Jahren wandelte der nun auch schon gefeierte Schubert neben dem um 27 Jahre älteren Beethoven, ohne daß die Beiden zu einander in engere Berührung getreten wären.

Für diesen hegte Franz schon in jungen Jahren die höchste Ehrfurcht, und zu wiederholten Malen ließ er sich im Convicte von einer Production erzählen, zu welcher, ein Paar Monate vor seinem Eintritt in das selbe, das Orchester nach Schönbrunn beordert worden war, und wobei Beethoven
und Teyber[41], die Musikmeister des Erzherzogs Rudolf, gegenwärtig waren. 258

Als er, ein Knabe noch, nach dem Vortrage einiger kleiner, von ihm über Gedichte von Klopstock componirter Lieder einen Freund, der sie eben angehört hatte, fragte, ob er wohl glaube, daß jemals etwas aus ihm werden könne, und dieser ihm erwiderte, er sei jetzt schon etwas Tüchtiges, meinte Schubert: »Zuweilen glaube ich es wohl selbst im Stillen. Wer vermag aber nach Beethoven noch etwas zu machen?«

40 So wurde ihm zugemuthet, die Clavierbegleitung der Lieder einfacher und leichter zu machen, da die Schwierigkeit des Accompagnirens ihrer größeren Verbreitung im Wege stehe. Schubert nahm darauf keine Rücksicht und schrieb so fort, wie er es für gut hielt.

41 Teyber (Anton) geb. 1754, in Wien gest. als Kammercompositeur 1822.

Der feingebildete Pinterics[42], der dem großen Meister in dessen filologischen und politischen Discussionen zur Seite, oder nach Umständen als Kämpe gegenüber stand und überhaupt viel mit ihm verkehrte, war wohl auch mit Schubert bekannt und soll (nach Schindler) sogar einigen Einfluß auf diesen ausgeübt haben; es scheint aber nicht, daß er zwischen den beiden
259 Geistesverwandten irgend eine Vermittlung jemals beabsichtigt habe.

Beethoven war schwer zugänglich und hat wahrscheinlich bis zu dem Tag, an welchem die vierhändigen Variationen von Schubert (*op.* 10) mit dessen Dedication auf dem Titelblatt in seine Hände gelangten, von dem Componisten des »Erlkönig« wenig Notiz genommen.

Beider Wesen war auch grundverschieden, und wenn Schuberts Behäbigkeit, sein kindlich naiver Sinn, seine Unbeholfenheit im praktischen Leben, seine Freude an fröhlicher Gesellschaft und einem guten Glas Wein, seine Aufrichtigkeit und eine tüchtige Dosis specifischer Wiener Gemüthlichkeit an den Charakter Mozart's erinnern, so unterschied er sich durch diese Eigenschaften ebensosehr von dem einerseits launenhaften, mißtrauischen, sarkastischen und empfindlich stolzen, andererseits aber auch durch Seelengröße, Geistestiefe, durch classische und allgemeine Weltbildung ihn und Mozart überragenden Beethoven.

Was die oben erwähnten Variationen anbelangt, so schildert *Anton Schindler* deren Ueberreichung in folgender Weise[43]:

»Im Jahre 1822 machte sich Franz Schubert auf, um seine vierhändigen, Beethoven gewidmeten Variationen über ein französisches Lied, *op.* 10, dem von ihm hochverehrten Meister zu überreichen. Ungeachtet *Diabelli's* Begleitung und Verdolmetschung seiner Gefühle für diesen spielte er doch bei der Vorstellung eine ihm selber mißfällige Rolle. Die bis an's Haus festbewahrte Courage verließ ihn ganz beim Anblick der Künstler-Majestät. Und als
260 Beethoven den Wunsch geäußert, Schubert möge die Beantwortungen seiner Fragen niederschreiben, war die Hand wie gefesselt. Beethoven durchlief das überreichte Exemplar und stieß auf eine harmonische Unrichtigkeit. Mit

42 *Carl Pinterics* war Privatsecretär des Grafen *Palffy* in Wien, in dessen Hause auf dem Josefsplatz er sein Bureau hatte. Er war ein vielseitig gebildeter Mann, vortrefflicher Clavierspieler und besonders geschickt im Ausschneiden von Kunstgegenständen aus Kartenpapier. Seine Wohnung befand sich damals in der Nähe der Carlskirche im sogenannten Zuckerbäckerhaus. Dahin kamen nun häufig Vogl, Schubert, Schober, Gahy, v. Asten u.a.m., und wie sich von selbst versteht, wurde da fleißig musicirt. Pinterics war im Besitz der vollständigsten Sammlung Schubert'scher Lieder. Aber auch sein Verzeichniß, welches deren 505 enthielt, war kein erschöpfendes. Mit Beethoven kam er häufig in dem Gasthause »Zum Blumenstöckl« zusammen. Ein Officier der Deutschen Garde war der dritte im Bunde. Pinterics starb am 6. März 1831. – Auch er erlaubte sich (sowie Vogl), Abänderungen in Schubert'schen Liedern vorzunehmen, die er den Verlegern plausibel zu machen suchte.

43 Biografie Beethoven's II. Theil, S. 177.

sanften Worten machte er den jungen Mann darauf aufmerksam, beifügend, das sei keine Todsünde; indessen ist Schubert vielleicht gerade in Folge dieser begütigenden Bemerkung vollends außer alle Fassung gekommen. Erst außer dem Hause raffte er sich wieder zusammen und schalt sich selber derbe aus. Das war seine erste und letzte Begegnung mit Beethoven, denn er hatte niemals wieder den Muth, sich ihm *vorzustellen*.«

Die Richtigkeit dieser Episode mit den nicht sehr wahrscheinlichen, und für Schubert geradezu demüthigenden Details, wie sie eben angegeben wurden, hat der nunmehr heimgegangene Biograf Beethoven's zu verantworten; constatirt muß aber werden, daß eine in Wien noch lebende, mit Schubert wohlbekannte und vertraute Person (Hr. Josef Hüttenbrenner) kurz nach Ueberreichung des Musikstückes aus Schubert's Mund gehört haben will, daß er allerdings sich zu Beethoven begeben, *diesen aber nicht zu Hause getroffen und sofort die Variationen der Magd oder dem Diener übergeben habe*, demnach Beethoven damals weder gesehen und noch weniger gesprochen habe. Hüttenbrenner bemerkt weiter, Schubert habe später mit Freude vernommen, daß Beethoven an den Variationen Gefallen finde und sie oft und gerne mit seinem Neffen Carl durchspiele.

Im Sommer 1822 kam Hofrath Friedrich von *Rochlitz* von Leipzig nach Wien, um Beethoven aufzusuchen und mit ihm einiges Musikalische, namentlich die Composition des Goethe'schen »Faust«, zu besprechen. 261

In dem zweiten Briefe, den er über seine Begegnung mit dem Meister an Christian Härtel in Leipzig schrieb, kommt folgende Stelle vor, welche hier darum angeführt wird, weil sie auf eine persönliche Berührung Schubert's mit Beethoven ausdrücklich hindeutet. Dieselbe lautet:

»Eben 14 Tage darauf (nach dem ersten Zusammentreffen mit Beethoven) will ich (Rochlitz) zu Tisch gehen, da begegnet mir der junge Compositeur Franz Schubert, ein enthusiastischer Verehrer Beethoven's. *Dieser hatte zu ihm von mir gesprochen*. Wenn Sie ihn unbefangener und fröhlich sehen wollen, sagte Schubert, so dürften Sie nur eben jetzt in dem Gasthause[44] speisen, wohin er alleweile in derselben Absicht gegangen ist. Er brachte mich hin. Die Plätze waren meist besetzt; Beethoven saß umgeben von mehreren seiner Bekannten, die mir fremd waren, u.s.w.« Von Schubert ist in dem Brief weiter nicht die Rede.

So innig dieser mit den Werken Beethoven's, namentlich seinen Sinfonien vertraut war, die er in den Concerten hörte und gerne auf dem Clavier (zu vier Händen) durchspielte, so wenig hatte sich der Letztere um Schubert's Leistungen gekümmert, eine Außerachtlassung, welche einem *Beethoven* wohl verziehen werden darf.

44 Wahrscheinlich in jenem »Zum Stern« oder »Zur Eiche« auf der Brandstätte.

Versenkt in das Schaffen tiefster Geisteswerke, meist im Gebiete der Orchester- und Kammermusik, hatte dieser weder Zeit noch Anlaß, den Schubert'schen Liedern, die eben erst an das Tageslicht zu dringen begannen,
262 seine Aufmerksamkeit zu schenken.

Erst in der letzten Zeit seines Lebens lernte er die Compositionen desjenigen, der zu ihm, als zu seinem Ideal hinaufsah, näher kennen, und so wie Jean Paul, der sich durch Schubert's Genius in hohem Grade angezogen fühlte, nach der in seinen letzten Lebensjahren eingetretenen Erblindung in Schubert's Liedern Trost fand, und noch einige Stunden vor seinem Tode den »Erlkönig« zu hören verlangte, so beschäftigte sich auch Beethoven in den letzten Lebenstagen mit Schubert'schen Liedern, die ihm bis dahin fast gänzlich unbekannt geblieben waren.

Schindler theilt darüber Folgendes mit:[45]

»Da die Krankheit, der Beethoven nach viermonatlichem Leiden endlich doch erlag, ihm vom Anbeginne derselben die gewohnte Geistesthätigkeit unmöglich machte, so mußte man an eine Zerstreuung für ihn denken, die seinem Geiste und seiner Neigung entsprach. So kam es auch, daß ich ihm eine Sammlung von Schubert'schen Liedern und Gesängen, ungefähr 60 an der Zahl, und darunter viele damals noch im Manuscripte, vorlegte. Dies geschah nicht allein in der Absicht, ihm eine angenehme Unterhaltung zu verschaffen, sondern ihm auch Gelegenheit zu geben, Schubert in seiner Wesenheit kennen zu lernen, um eine günstigere Meinung von seinem Talente zu bekommen, welches ihm von jenen Exaltirten, die es wohl auch mit anderen Zeitgenossen so hielten, verdächtig gemacht wurde. Der große Meister, der früher nicht fünf Lieder von Schubert kannte, staunte über die Zahl derselben und wollte gar nicht glauben, daß Schubert bis zu jener Zeit
263 (Februar 1827) deren bereits über 500 geschrieben hatte. Aber staunte er schon über die Zahl, so gerieth er in die höchste Verwunderung, als er ihren Inhalt kennen lernte. Mehrere Tage hindurch konnte er sich gar nicht davon trennen, und stundenlang verweilte er täglich bei ›Iphigenie‹, ›Grenzen der Menschheit‹, ›Allmacht‹, ›Junge Nonne‹, ›Viola‹, den ›Müller-Liedern‹ und andern mehr.« Mit freudiger Begeisterung rief er wiederholt aus: »Wahrlich, in dem Schubert wohnt ein göttlicher Funke.« – »Hätte ich dies Gedicht gehabt, ich hätte es auch in Musik gesetzt!« So bei den meisten Gedichten, deren Stoff, Inhalt und originelle Bearbeitung von Seite Schubert's er nicht genug loben konnte. Eben so konnte er nicht begreifen, wie Schubert Muße hatte, »sich über so viele Dichtungen zu machen, wovon manche zehn andere enthält,« wie er sich ausdrückte; und solcher Gesänge im großen Styl hat Schubert allein an hundert geliefert, die keineswegs bloß lyrischen Charakters sind, sondern die weitausgesponnensten Balladen und dialogisirte Scenen

45 In der »Niederrheinischen Zeitung«.

enthalten, die, indem sie dramatisch bearbeitet sind, in der Oper selbst am Platze wären und ihre Wirkung auch dort nicht verfehlen würden. Was hätte wohl der große Meister gesagt, wenn er z.B. die »Ossianischen Gesänge«, die »Bürgschaft«, »Elysium«, den »Taucher« und andere große, die nun kürzlich erst erschienen sind, zu Gesicht bekommen hätte? – Kurz, die Achtung, die Beethoven für Schubert's Talent bekam, war so groß, daß er nun auch seine Opern und Clavierwerke sehen wollte; allein seine Krankheit nahm bereits in dem Grade zu, daß er diesen Wunsch nicht mehr befriedigen konnte. Doch sprach er noch oft von Schubert und prophezeite: »daß dieser noch viel Aufsehen in der Welt machen werde,« so wie er auch bedauerte, 264
ihn nicht früher schon kennen gelernt zu haben.

Bekanntlich war es Anselm Hüttenbrenner, der auf die Nachricht von Beethoven's schwerer Erkrankung von Gratz herbeigeeilt, sich bei diesem in der letzten Stunde seines Lebens ganz allein befand und dem Sterbenden die Augen zudrückte.

Einige Zeit vor[46] dieser Katastrofe hatten sich Schubert, Josef Hüttenbrenner (der Gewährsmann dieser Episode) und der Maler Teltscher (letzterer in der Absicht, die Züge des Meisters unbeobachtet in sein Skizzenbuch aufzunehmen) in Beethoven's Wohnung begeben und umstanden da eine Weile lang das Krankenlager des seinem Ende entgegensehenden Mannes. Beethoven, welchen man vorher benachrichtiget hatte wer die Eingetretenen seien, fixirte sie unbeweglichen Auges und machte mit der Hand einige diesen unverständliche Zeichen. Schubert, auf das tiefste erschüttert, verließ sodann mit seinen Begleitern das Zimmer, und dieser Besuch ist, sowie er der letzte war, so auch wahrscheinlich der erste gewesen, welchen er Beethoven abgestattet hat, da sich mehrere noch lebende und mit Schubert sehr vertraut gewesene Personen eines mehr als zufälligen Zusammentreffens Beider in keiner Weise erinnern können[47]. 265

46 A. Schindler bemerkt (Biografie von Beethoven 11. Theil, S. 143), daß *Fremde* in den letzten zwei Wochen vor Beethoven's Tod *nicht* mehr zugelassen wurden.

47 Ferdinand Schubert, um seines Bruders Verhältniß zu Beethoven gefragt, gab die etwas vage Antwort: »Sie sind *selten* zusammengekommen.« Bekanntlich war Beethoven häufig im Paternoster-Gäßchen in der »Fuchshöhle« des Hrn. Steiner anzutreffen, und ebenda ist auch Schubert öfter mit ihm zusammengekommen. – Wilhelm von Lenz bemerkt in seiner Biografie Beethoven's: »Franz Schubert, der Beethoven des Liedes, kannte Beethoven nur kurze Zeit. Man hatte ihm den edlen Geist verdächtigt, ihn absichtlich von Beethoven entfernt gehalten. Als er wenige Tage vor seinem Tode Schubert seinem Geiste nach erkannte«, sagte er: »Wahrlich, in dem Schubert glüht ein göttlicher Funke. Ganz Europa hat dieses Urtheil bestätigt. Auf einem englischen Flügel in Cadix fand ich die ›Winterreise‹« u.s.f.

Dem Begräbnisse Beethoven's folgte Schubert in Begleitung Franz Lachner's und Josef Randhartinger's[48] Auf dem Rückweg von demselben kehrte er (wie mir Letzterer mittheilte) mit den beiden Begleitern in einer Weinstube »auf der Mehlgrube« ein. Da ließ er die Gläser mit Wein füllen und leerte das erste auf das Andenken des eben zu Grabe Getragenen, das zweite aber auf das Andenken dessen, welcher unter den Dreien ihm der erste nachfolgen würde, nicht ahnend, daß schon im darauf folgenden Jahr dieser erste er selbst sein werde. Sein oft ausgesprochener Wunsch, an der Seite Beethoven's den ewigen Schlaf zu schlafen, wurde ihm erfüllt. – –

Wie bereits erwähnt, zeigten nach der begeisterten Aufnahme des »Erlkönig« Seitens des großen Publicums die Musikverleger in Wien großes Interesse für Schubert'sche Compositionen.

Nebst Cappi[49] und Diabelli erklärten sich auch Leidesdorf, Eder, Czerny,
266 Thaddäus Weigl, Pennauer und Artaria zu deren Verlag bereit, und es erschienen auch mehrere seiner Werke in diesen musikalischen Verlagshandlungen[50]. Mit Leidesdorf pactirte Schubert auf die Lieferung von Liedern für zwei Jahre; doch scheint es davon wieder abgekommen zu sein; auch mit Peters in Leipzig wurden durch Vermittlung Josef Hüttenbrenners Unterhandlungen angeknüpft, deren sogleich erwähnt werden wird.

Die bei Cappi und Diabelli in Commission herausgegebenen zwölf Werke hatten über 2000 Gulden eingetragen, und von dem »Erlkönig« allein waren in den ersten drei Vierteln des Jahres 1821 um 800 fl. Exemplare abgesetzt worden, von deren Erlös Diabelli 50 Procente erhalten haben soll.

Schubert hatte es damals in seiner Macht, für seine materielle Existenz einen soliden dauernden Grund zu legen und von seinen massenhaft erschei-
267 nenden Werken großen Vortheil zu ziehen. Aber dem in den Erwerbsgeschäften des Lebens unerfahrenen, nur für den Augenblick sorgenden und gegen-

48 In der Zeitschrift: »Sammler«, Jahrg. 1827, Nr. 45) ist *Schubert* als Einer der 38 Fackelträger bezeichnet, welche den Sarg Beethoven's bei dessen Leichenbegängniß umgaben. Lachner und Randhartinger sind da namentlich nicht aufgeführt.

49 Der Verlag Cappi löste sich im Jahre 1823 auf.

50 Diese Verlagshandlungen sind seither zum größten Theil auf andere Firmen übergegangen; so der reiche Verlag des Kunst- und Industrie-Comptoirs, dann jener von Eder und Tranquillo Mollo auf Steiner (jetzt Haslinger), jener von Leidesdorf, Czerny, Weigl und Pennauer auf Diabelli, jener von Cappi auf Witzendorf u.s.w. – Der Pact mit Leidesdorf soll auf 1200 fl. gelautet haben. Dem Kunstverleger Dominico Artaria wollte er, wie mir Herr Doppler mittheilte, keine seiner Compositionen überlassen, weil dieser einmal drei Streichquartette, die Sch. noch als Schüler Salieri's componirt, und mit der Aufschrift: »Herrn Anton Salieri von seinem Schüler F. Sch. gewidmet«, ihm überreicht hatte, mit den Worten zurückwies: »Schülerarbeit nehme ich nicht!« Doch überließ er ihm später mehrere Compositionen, darunter das *Rondeau op.* 70. – In dem Vertrag, in welchem Leidesdorf das Verlagsrecht Schubert'scher Compositionen auf Diabelli übertrug, ist auch ein *Trio* von *Lachner* und *Schubert* erwähnt.

über dem Eigennutz gewinnsüchtiger (später durch ihn reich gewordener) Verleger wehrlos dastehenden Manne war es nicht gegeben, diese günstigen Verhältnisse in seinem Interesse auszubeuten[51].

In einer schwachen Stunde, wahrscheinlich geldbedürftig, ließ er sich von Diabelli bereden, demselben die Platten sammt Eigenthumsrecht der ersten zwölf Hefte um den Preis von 800 fl. CM. abzutreten. Diabelli honorirte ihn zwar für seine weiteren Arbeiten, Schubert verlor aber durch diesen Schritt seine Unabhängigkeit und brachte sich um den Vortheil, der ihm daraus erwachsen sein würde, wenn er Eigenthümer seiner Werke geblieben wäre[52]. Die um ihn besorgten Freunde, ohne deren Wissen dies geschehen, bedauerten den Vorfall, ohne deswegen aufzuhören, sich seiner mit gleicher 268
Sorgfalt wie bisher anzunehmen[53].

Als diejenigen Personen, welche bedacht waren, einigen Schubert'schen Werken, und namentlich seinen *Opern* nicht blos in Wien, sondern auch anderwärts Verbreitung und vortheilhafteren Absatz zu verschaffen, müssen unter Anderen auch *Franz v. Schober* und *Josef Hüttenbrenner* bezeichnet werden. Der Erstere bemühte sich, acht Jahre hindurch, doch vergeblich, die Oper »Alfonso und Estrella« auf einem der Theater in Wien, Dresden, Prag, Gratz, Berlin oder Pest zur Aufführung zu bringen. Ein Brief[54], welchen Schober am 24. December 1824 von Breslau aus an Schubert richtete, bezeugt, wie ihm auch in der Fremde das Wohl seines Freundes am Herzen lag. Die betreffende Stelle lautet:

51 »Wenn ich erwäge« – sagt J. Mayrhofer (in »Erinnerungen an F. Schubert«) – wie meinem armen Freunde Krankheiten und Geldverlegenheiten zusetzten, fällt mir immer bei, daß er vorzüglich in zwei Dingen gefehlt hat, die seine financielle Lage und äußere Selbstständigkeit hätten begründen können. Er veräußerte unbedachtsamer Weise gegen einen wohlwollend entworfenen und schon in der Ausführung begriffenen Plan das Eigenthumsrecht auf diese und nachfolgende Arbeiten, und vernachlässigte eine günstige Constellation zur Erlangung einer mit Gehalt verbundenen musikalischen Anstellung. Genußliebe, verstärkt durch frühere Entbehrungen und Unkenntniß der Welt dürften ihn zu solchen Mißgriffen verleitet haben. – In späterer Zeit (1827 und 1828) stellte er an die Verleger immerhin bescheidene Anforderungen, welche aber diesen überspannt erschienen.

52 Einer schriftlichen Mittheilung des Herrn *Dr.* L. v. Sonnleithner entnommen.

53 Die veräußerten Lieder und Compositionen waren folgende: »Erlkönig«, »Gretchen am Spinnrad«, »Schäfers Klagelied«, »Der Wanderer«, »Rastlose Liebe«, »Memnon«, »Antigone und Oedip«, »Am Grabe Anselmos«; Walzer (1–3), die vierhändigen Variationen (*op.* 10), eine vierhändige und drei zweihändige Sonaten (in *H, D* und *E*). – Das Lied »Der Wanderer« soll den Verlegern von der Zeit seines Erscheinens an bis zum Jahre 1861 in runder Summe 27000 fl. eingetragen haben.

54 Das Original besaß (und besitzt vielleicht noch) die Ferd. Schubert'sche Familie.

»Nun auf Deine Sachen. Was machen denn Deine Opern? Ist die Castelli'sche schon gegeben, und die Kupelwieser'sche[55]? Verlautet denn gar nichts
269 von C.M. Weber[56]? Schreib' ihm doch und wenn er Dir nicht genügend antwortet, begehre sie zurück. Ich habe Mittel, an Spontini zu kommen; willst Du, daß ich einen Versuch mache, ob man ihn zur Aufführung bewegen könnte, denn es soll schwer bei ihm halten! Ich glaube, es hängt nur davon ab, daß etwas ganz gegeben wird, um den Enthusiasmus für Dich auf's neue im Volke zu beleben, aber gut wäre es wohl, wenn es bald geschähe. Also mit Leidesdorf geht es schlecht? Das ist mir doch sehr leid, *und auch Deine Müllerlieder haben kein Aufsehen gemacht?* Die Hunde haben kein eigenes Gefühl und keinen eigenen Gedanken und überlassen sich blind dem Lärm und fremder Meinung; wenn Du Dir nur ein paar Lärmtrommeln von Recensenten verschaffen könntest, die immerfort ohne Ende in allen Blättern von Dir sprächen, es würde schon gehen; ich weiß ganz unbedeutende Leute, die auf *diese* Weise berühmt und beliebt geworden sind, warum sollte es denn der nicht benützen, der es im höchsten Maße verdient. Castelli schreibt in ein paar auswärtige Blätter, du hast eine Oper von ihm gesetzt; er soll's Maul aufmachen. Moritz[57] hat uns die Müllerlieder geschickt, schicke Du mir doch, was sonst erschienen ist. Wie freue ich mich, daß Du wieder ganz gesund bist[58], ich werde es auch bald sein. Für das Gedicht danke ich Dir mehrmals, es ist so wahr und empfunden und hat auf mich großen Eindruck gemacht. Ja wohl! Im siechen Alter schleicht das Volk umher!
270 Lebe wohl und liebe mich, wir werden gewiß wieder vereiniget werden. In Moritzens Brief wirst Du

Ewig Dein

Schober.«

Hüttenbrenner suchte die Oper »Des Teufels Lustschloß« (in ihrer zweiten Bearbeitung) auf die Bühne zu bringen, und wendete sich zu diesem Ende an die Direction des Josefstädter Theaters, an Graf Gallenberg in Wien, an Capellmeister Winter in München und an Director Holbein in Prag. Keine dieser Bemühungen war aber von Erfolg gekrönt und Schubert hatte überhaupt seit dem Jahr 1820 nicht mehr die Genugthuung, eine seiner Opern auf dem Theater dargestellt zu sehen. Die Direction des Josefstädter Theaters ließ es bei dem Versprechen, die erwähnte Oper aufzuführen, bewenden;

55 »Die Verschwornen« (Der häusliche Krieg) und »Fierrabras«.

56 Wegen »Alfonso und Estrella«.

57 Moriz Schwind.

58 Schubert hatte sich längere Zeit hindurch unwohl gefühlt.

Graf Gallenberg erklärte, er werde sie im Hoftheater geben lassen, wenn ihm für die Unkosten und den allfälligen Nichterfolg 10.000 fl. garantirt würden; in München war ebenso wenig zu erreichen, und nur Director Holbein erklärte sich unter gewissen Vorbehalten bereit, die Oper zur Darstellung zu bringen. Er schrieb nämlich unter dem 22. October 1822 an Josef Hüttenbrenner[59]:

»Es macht mir ein besonderes Vergnügen, jungen Talenten die gewöhnlich rauhe Bahn der Kunst zu ebnen. Belieben Sie mir Buch und Musik von ›Teufels Lustschloß‹ zu senden. Entspricht es ihrer Aeußerung, so soll der Aufführung nichts im Wege stehen. Bedaure, daß ich während meines Aufenthaltes in Wien vom 20. September bis 19. October nicht das Vergnü- 271
gen hatte, Ihre und Ihres talentreichen Freundes persönliche Bekanntschaft zu machen.«

Die Correspondenz hatte weiter kein Resultat, und die genannte Oper ist bis zum heutigen Tag überhaupt nirgends noch zur Aufführung gekommen.

Ein Beweis, wie zurückhaltend sich damals auch die ausländischen Verleger selbst Schubert's *Liedern* gegenüber benahmen, ist das nachstehende von Peters ebenfalls an Jos. Hüttenbrenner gerichtete Schreiben:

Leipzig, 14. November 1822.

»Zeitherig gehäufte Geschäfte mögen mich wegen etwas verspäteter Beantwortung Ihres Geehrten vom 18. October entschuldigen.

Sehr dankbar bin ich Ihnen für Ihre Mittheilung in Betreff des H. Schubert. Mehrere Gesangscompositionen desselben sind mir vortheilhaft bekannt und erwecken Vertrauen zu dem, was Sie mir von diesem Künstler Vortheilhaftes sagen. Recht gerne will ich zu einer weiteren Verbreitung der Werke dieses Componisten beitragen, als solches die Wiener Handlungen können, allein ehe ich mich deßhalb auf etwas einlasse, erlauben Sie mir, Ihnen eine kleine Darstellung meiner Handelsverhältnisse zu machen.

In dem Augenblick, als ich in meine jetzige Handlung eintrat, faßte ich den Plan, mich als Verleger vortheilhaft auszuzeichnen, nie etwas Schlechtes, sondern vielmehr so viel wie möglich nur das Beste zu drucken. Ganz diesen Plan auszuführen, ist nicht möglich, denn von den vorzüglichsten Künstlern allein so viel Manuscripte zu erhalten, als ich brauche, ist unmöglich, und zweitens sind wir Verleger auch oft durch Convenienzen gezwungen, Manches zu drucken, was außerdem wenigstens ich nicht drucken würde; ja wir 272
müssen sogar manches Oberflächliche verlegen und dadurch für jedes Publi-

59 Derselbe theilte mir das Original des Briefes mit.

kum sorgen, denn mit bloß classischen Werken würden wir einen sehr beschränkten Geschäftskreis haben, weil bekanntlich die Zahl der Kenner nicht die Mehrzahl ist; dessenungeachtet habe ich mich aber durch Gewinnsucht nicht zu dem einträglicheren aber gehaltlosen Modetand verführen lassen, sondern darauf gesehen, daß auch die Werke für den größeren Haufen nie schlecht waren, übrigens immer auf meinen Lieblingszweck hingearbeitet und die Herausgabe vorzüglicher Werke mein Hauptbestreben sein lassen, und in der Folge wird das Bestreben immer sichtbarer werden, indem ich mit jedem Jahre nur gute Verbindungen anknüpfe, auch meine zunehmenden ökonomischen Kräfte mir erlauben werden, solche Verbindungen zu erhalten.

Aus diesem nun ergeben sich aber zwei Dinge, die mich gar oft gefesselt halten; das erste ist die Zeit, von der ich fast immer in Zaum gehalten werde; um möglichst viele gute Werke zu erhalten, muß ich Verbindungen mit guten Künstlern suchen und solche dadurch befestigen, daß ich nicht nur solche zufrieden zu stellen suche, sondern mich auch zu ihrem *stets* bereitwilligen Verleger anbot, was für beide Theile gut und angenehm ist. Meine Verbindung mit den mehrsten meiner mir werthen Autoren, wie Spohr, Romberg, Hummel etc. ist zum freundschaftlichsten Verhältniß geworden; aus doppelter Hinsicht bin ich nunmehr verpflichtet, *alles* zu übernehmen, was mir solche Freunde und gute Künstler senden, wenn auch, wie oft der Fall vorkommt, manches darunter ist, woran ich voraussehe, daß kein Gewinn
273 dabei ist. Durch diese Verpflichtung nun wird meine Zeit sehr beschränkt; denn nicht allein, daß jene Künstler mich fortwährend beschäftigen, sondern ich muß auch noch einige Zeit in Vorrath behalten für Werke, die mir von solchen unerwartet zukommen, wie es jetzt bei einigen der Fall ist; meine übrige Zeit reicht dann selten hin, um noch andere nöthige Sachen herauszugeben, so daß ich also fast immer gehindert bin, neue Componisten-Verbindungen anzuknüpfen, weil zu deren Werken keine Zeit ist.

Der zweite Punkt, welcher eine neue Verbindung erschwert und aus dem früher Gesagten hervorgeht, ist die Neuheit und der in meinem neuen Wirkungskreise noch unbekannte Name eines angehenden Componisten. Gar oft trifft mich der Vorwurf, daß ich zur Bekanntmachung der Werke neuer Componisten nicht beitragen wolle und er nicht bekannt werden könne, wenn sich der Verleger mit der Ausgabe seiner Werke nicht befasse; allein dieser Vorwurf trifft mich ganz unwahr, alles kann ich nicht machen, sondern *einem* Plane muß man folgen, wenn etwas Ordentliches herauskommen soll; ich trachte nach den Werken der schon anerkannten Künstler, manches drucke ich zwar außerdem, allein kann ich von *diesen* genug erhalten, so muß ich die Einführung neuer Componisten anderen Verlegern überlassen. Diese können auch etwas thun, und viele derselben thun jenes gern, weil sie die Honorare der schon älteren und theueren Künstler scheuen. Ist aber der neue Componist namhaft geworden und werden seine Werke als gut erkannt, dann bin ich sein Mann, denn dann schlägt die Herausgabe seiner Werke in meinen, mehr auf Ehre als auf Gewinn gegründeten Plan, und lieber will ich seine Werke theurer honoriren als anfänglich wohlfeil beziehen. 274

Sie sehen also, daß es mir schwer fällt, in Ihren Vorschlag wegen Hrn. Schubert sogleich einzugehen, wobei namentlich meine sehr beschränkte Zeit ein Hauptgrund ist; indeß nach dem, wie ich von demselben schließe, möchte ich den Wunsch des jungen Künstlers doch auch nicht gern abschlagen. Als Mittelding würde ich daher vorschlagen, daß mir Hr. Schubert einige seiner zum Druck bestimmten Werke zur Ansicht übersende, denn *ungesehen* drucke ich *nichts* von einem noch wenig bekannten jungen Componisten. Macht ein großer bekannter Künstler etwas Schlechtes, so fällt der Tadel auf ihn, denn mir war *sein Name Bürge*, bringe ich aber etwas von einem neuen Künstler, was nicht gefällt, so trifft *mich* die Schuld, denn wer heißt mich etwas drucken, wenn ich nicht die eigene Ueberzeugung von dessen Güte habe? Hier gewährt mir der Name des Componisten keinen Schutz. Daß Hr. Schubert bei mir seine Werke in treue Hände niederlegt, ist keine Frage, er ist bei mir vor jedem Mißbrauch gesichert. Finde ich dieselben nach Wunsch, so will ich davon behalten was ich kann, dagegen darf mir Hr. Schubert auch nicht übel nehmen, wenn mir etwas nicht gefällt, ich werde ganz offen sein, denn solche Offenheit führt am sichersten zu einem guten Vernehmen.

Ferner muß ich bitten, daß er mir bloß die gelungensten Werke sende; zwar wird er nichts herausgeben, was er nicht für gelungen hält, indeß dem sei, wie ihm wolle, ein Werk fällt besser aus wie das andere, und *ich muß* das Beste haben, ich sage, ich muß das Beste haben, wenn ich einen Componisten bei einem Publico, das sehr ausgedehnt ist, einführen will, nicht um dabei eines Gewinnes sicher zu sein, sondern meines Credits wegen. 275

Ich habe mir es sauer werden lassen, meinen Verlag möglichst zu vervollkommnen, allein es wird mir auch schon auf vielen Seiten der Lohn dafür, daß meine Handlung ein vorzügliches Zutrauen genießt; man ist gewohnt, daß ich viele gute Werke herausgebe, und wenn ich bisweilen mit einem neuen Autor reussire, so schenkt man ihm schon deßhalb mehr Vertrauen, weil man glaubt, daß er gut sein müsse, weil ich mich damit befasse. Freilich sind schon einige Mal Täuschungen dabei vorgefallen, allein nun werde ich immer vorsichtiger, um meinen sauer erworbenen Credit zu erhalten und immer mehr zu befestigen. Aus diesem Grunde verlange ich von einem neuen Autor, daß er mir das Gelungenste liefere, damit ich ihn gleich gehörig empfehlen kann und meine Empfehlung gerechtfertigt werde. Auch wird durch den ersten Eindruck oft die Bahn für die ganze Folge gebrochen, daher angehenden Componisten nicht genug die gute Lehre wiederholt werden kann, daß sie mit der Herausgabe ihrer Werke so behutsam wie möglich zu

Werke gehen. Sie können viel wagen, aber nur wenig drucken lassen, bis erst ihr Ruf gegründet ist.

Spohr hat erst 58, Andreas Romberg 66, Bernhard Romberg 38 Werke herausgegeben, während jetzt viele andere Künstler, welche weit jünger sind, schon über 100 drucken ließen. Diese nun anerkannten Künstler haben auch weit mehr componirt, aber nicht herausgegeben, und will man dagegen einen fruchtbaren und dabei gediegenen Mozart, Haydn, Beethoven etc. aufstellen, so erkläre ich solche als seltene Erscheinungen, die man allerdings zu Vor-
276 bildern nehmen muß; allein die Erfahrung muß erst lehren, ob man ihnen gleich ist, und welche Menge früherer Werke von Mozart etc. sind nicht gedruckt worden.

Haben Sie nun die Güte, sich wegen des hier Mitgetheilten mit Hrn. Schubert zu besprechen und weiters zu verfügen. Was die Bedingungen seinerseits betrifft, so bitte ich solche mir mitzutheilen, indem es für mich ein unangenehmes Gefühl ist, auf ein Geistesproduct ein Gebot zu thun. Uebrigens werden die Bedingungen keinen Anstand geben, denn die Beständigkeit, mit welcher meine Autoren bei mir bleiben, beweist schon, daß mit mir gut auskommen ist, und mir selbst kann ich das Lob ertheilen; übrigens werden ja die Bedingungen des jungen Künstlers nicht so hoch gestellt sein, daß solche nicht leicht annehmbar wären.

Daß von einem Werke des Hrn. Schubert in Wien allein 300 abgesetzt werden können, will ich glauben, sobald solches in Wien gedruckt, ich aber setze dort schwerlich 100 ab, ob ich gleich mit allen Handlungen in Verbindung stehe. Sie werden solches recht wohl begreifen, auch ich will mich nicht auf eine Auseinandersetzung der Ursachen einlassen, allein daß es so ist, dürfen Sie mir glauben; die Erfahrung bestätigt solches nur zu sehr, und nur selten geschieht darin eine Ausnahme. Ich empfehle mich Ihnen und bleibe mit aller Hochachtung

Hochwohlgeboren ergebenster Diener

B.V. Peters.«

»Wenn Hr. Schubert Gesangscompositionen einsendet, so sind mir Gesän-
277 ge, die einen Namen haben, wie Beethoven's Adelaide oder dergleichen lieber als bloße Lieder, denn es erscheinen so viele Lieder und Gesänge, daß man diesem Titel nicht genug Aufmerksamkeit schenkt.«

Auch diese Bemühungen Hüttenbrenner's sind resultatlos geblieben. Später ist Schubert mit Verlegern in Leipzig und Mainz in directe Unterhandlungen getreten, welche zum Theil auch Erfolg hatten.

Nach einer mir ebenfalls von Hrn. J. Hüttenbrenner gemachten Mittheilung war unserem Tondichter um diese Zeit Gelegenheit geboten, durch Annahme eines Amtes, dessen Besorgung ihn in dem freien Gebrauch seiner

Zeit nur wenig beschränkt haben würde, sich eine gesicherte Stellung zu erringen, deren Innehabung ihm einige Jahre später wohl zu Statten kommen konnte. Der damalige Hofmusikgraf Moriz von Dietrichstein, dem Tondichter von jeher sehr gewogen, ließ ihm nämlich durch Vogl die Stelle eines *Organisten* der Hofkapelle antragen. Die Kunde davon überbrachte Hüttenbrenner dem Vater Schubert's, damals Schullehrer in der Rossau, der sie mit großer Freude annahm. Franz aber weigerte sich zum Leidwesen des Vaters, die Stelle anzunehmen, ohne Zweifel aus Scheu, in ein Verhältniß der Abhängigkeit zu gerathen, das ihn seiner vollen Freiheit berauben könnte. Einige Jahre darauf, als dasjenige noch immer nicht eingetroffen war, was er scherzweise vor Freunden als eine Forderung seiner Kunst aussprach, nämlich: »daß ihn der Staat erhalten sollte, damit er frei und sorglos componiren könne«[60], bewarb er sich aus freien Stücken um eine Vice-Hofkapellmeister-
stelle, die aber (wie später noch erwähnt werden wird) einem Andern verlie- 278
hen wurde.

Noch ist hier eines Dankschreibens zu erwähnen, welches er von dem Bischof Dankesreithner in St. Pölten für die Dedication der »Harfnerlieder« (*op.* 12) erhielt[61]. Dasselbe lautet:

»Wohlgeborner Herr!

Sie haben mir eine wahrlich unverdiente und ganz besondere Ehre dadurch erwiesen, daß Sie mir das zwölfte Werk Ihrer allgemein geschätzten und beliebten musikalischen Kunstproducte gewidmet. Empfangen Sie sowohl für diese Auszeichnung und Aufmerksamkeit, als für die mit Ihrem gütigen Zueignungsschreiben übersendeten Exemplare dieses vortrefflichen Werkes meinen sehr verbindlichen Dank und das Geständniß, daß ich mich als großen Schuldner von Ihnen erkenne. Ein Exemplar habe ich sogleich meinem Secretär Herrn Gießrigl, eines dem Herrn Prof. Kastl übergeben. Beide waren hocherfreut darüber.

Gott, von welchem jede gute Gabe kommt, hat Sie vorzugsweise mit einem so seltenen, so erhabenen Musiktalente ausgestattet, daß Sie durch die fernere Bearbeitung und Benutzung desselben Ihr Glück standhaft gründen können. Da ich Ihnen dieses Lebensglück recht herzlich wünsche, versichere ich Sie, daß ich mit ausgezeichneter Hochachtung und vieler Verbindlichkeit bin

Ihr
ergebenster Diener

Johann Nep. *m.p.*, Bischof.« 279

60 Wer denkt nicht dabei an die in neuester Zeit creirten Künstlerstipendien?

61 Ob für diese Widmung ebenfalls ein Honorar ausgefallen, ist mir nicht bekannt geworden.

Schubert richtete um diese Zeit an die Gesellschaft der Musikfreunde das Ersuchen um Aufnahme als *ausübendes* Mitglied (für den Violapart), wurde aber abweislich beschieden, weil, wie es in der Motivirung hieß, statutengemäß nur *Dilettanten*, und nicht auch solche Personen zugelassen werden könnten, *welche von der Musik leben*[62].

XI.

(1823.)

Das Jahr 1823 stellt sich als eines der productivsten und musikalisch bedeutsamsten in Schubert's Erdenwallen dar. Er brachte diese Zeit in Wien zu, rastlos schöpferischer Thätigkeit hingegeben, von welcher mehrere große Werke verschiedener Art beredtes Zeugniß geben.

Die im Lied schon früher bewährte Meisterschaft findet in neuen Gesängen herrlichen Ausdruck, und als ihre schönste Blüthe treibt nunmehr der Liederkranz: »Die schöne Müllerin« farbenprächtig, duftend herauf. Deßgleichen gehören unseres Tondichters reifste und gelungenste Arbeiten auf dem dramatisch-musikalischen Gebiet und zwar die Musik zu dem Drama »*Rosamunde*« von Helmina Chezy, die Oper »*Fierrabras*« und ohne Zweifel auch die Operette: »*Der häusliche Krieg*« (Die Verschwornen) eben dieser Zeit an.

Helmina Chezy[1], eine damals vielgelesene Schriftstellerin, der jetzigen
281 Generation aber fast nur noch als Verfasserin des Textbuches zu Weber's »Euryanthe« im Gedächtnisse, stattete im Sommer 1823 der österreichischen Residenzstadt, wo sie einige Freunde ihrer novellistischen Muse zählte, den ersten Besuch ab. Die wunderliche Frau hatte eigentlich die Absicht gehabt, von Dresden, ihrem letzten Aufenthaltsort, sich wieder dem Norden zuzuwenden; da aber bei 'der Abreise der preußische Paß in der Handtasche

62 Einer bestimmt lautenden Mittheilung Herrn *Nottebohm's* entnommen.

1 *Wilhelmine Christine Chezy*, geb. v. Klencke, Enkelin der Louise Karschin, erblickte 1783 zu Berlin das Licht der Welt und verheiratete sich 1805 mit dem französischen Orientalisten Antoine Leonhard Chezy in Paris, welche Ehe 1810 wieder gelöst wurde. Helmine verließ sofort Frankreich mit ihren beiden Söhnen Wilhelm und Max, und nahm in verschiedenen deutschen Städten bald kürzeren, bald längeren Aufenthalt, ausschließlich schriftstellerischen Arbeiten lebend. Nach mannigfachen Kreuz- und Querzügen durch Deutschland kam die ruhelose Frau im Jahre 1823 nach Wien, wo sie bis 1828 verweilte, während dieser Zeit aber größere Ausflüge, namentlich in die oberösterreichischen Gebirge unternahm. Ihre Selbstbiografie erschien kurze Zeit vor ihrem Tode unter dem Titel: »Unvergessenes, Denkwürdigkeiten aus meinem Leben«, Leipzig bei Brockhaus 1858, 2 Theile. In neuester Zeit (1863) veröffentlichte ihr Sohn Wilhelm: »Erinnerungen aus meinem Leben«. Beider Memoiren sind hier als Quellen benützt.

nicht zu finden war, wohl aber der österreichische zum Vorschein kam, beauftragte Helmina, diesen Umstand für einen Ausspruch des Schicksals haltend, den Kutscher, über Prag nach Wien zu fahren. Ihr Aufenthalt daselbst währte nur einige Tage; sie begab sich mit ihren beiden Söhnen Wilhelm und Max zum Curgebrauch nach dem nahegelegenen Baden, wo sie in dem Hause eines Grafen O'Donnel Wohnung nahm.

In Baden schrieb Helmina das Drama: »*Rosamunde*«. Ein junger Freund, Namens *Kupelwieser* (Bruder des Malers Leopold K. und Verfasser des Textbuches von »Fierrabras«), bat sie nämlich um ein dramatisches Gedicht, welches Franz Schubert in Musik setzen sollte. Das Theaterstück war bestimmt, als Beneficevorstellung des Fräulein M. Neumann (später verehelichte 282
Lukas), einer hübschen Schauspielerin am Theater an der Wien, zu welcher Kupelwieser eine zärtliche Neigung hegte, gegeben zu werden. Die Heldin, welche sich Helmina auserkor, zählt nicht zu den geschichtlich bekannten Personen dieses Namens, sondern ist eine erfundene Prinzessin von Cypern und der Grundgedanke einem spanischen Drama entlehnt. Die Arbeit wurde in fünf[2] Tagen zu Stande gebracht und sofort an *Wilhelm Vogel*[3], damals Director des Theaters an der Wien, gesendet.

Es unterliegt keinem Zweifel, daß die Geschmacksrichtung, welche in diesem Musentempel der Vorstadt vorwaltete, einem Unternehmen, wie ein solches von Frau Chezy mit Beihilfe Schubert's gewagt wurde, nicht eben günstig gewesen ist. Inhaber des Theaters war Graf Ferdinand *Palffy*, Leiter und unbedingter Beherrscher desselben der besagte Vogel, dessen Einfluß auf das Institut schon darum auf das Entschiedenste hervortrat, weil er das Theater mit Lustspielen und Dramen eigener Erzeugung zu versorgen wußte, die das naive, schaulustige Publicum in hohem Grad befriedigten[4]. 283

2 Dieser auffallend kurzen Frist erwähnt Wilhelm Chezy.

3 Er pflegte sich *William* Vogel zu nennen, soll aus Carlsruhe gewesen und dort in den Vierziger Jahren im Elend gestorben sein.

4 Helmina Chezy spricht sich darüber in den »Denkwürdigkeiten« folgendermaßen aus: »Graf Palffy überließ dem Director Vogel vollständig die Theaterleitung, da dieser sein Publicum genau kannte und wußte, was er ihm bieten konnte, um es zu befriedigen. Er war hauptsächlich darauf bedacht, Cassestücke zu liefern, die eine Zeitlang vorhielten und den Saal füllten. Zogen sie nicht mehr, so wurden sie durch neue ersetzt. Ein arger Bösewicht war dabei obligat, dazu noch eine Hand voll Liebesjammer, ein mächtiger Retter und Beschützer, ein paar Knalleffecte und das Drama gefiel. Der Autor empfing, gleichviel ob das Stück ansprach oder nicht, 100 fl. C.M. Erschien das Publicum nur spärlich, so behalf man sich mit Comparserieen und anderen Lockmitteln.« Wilhelm Chezy ergänzt diese Schilderung in Nachstehendem: »Das Theater an der Wien zeichnete sich damals vorzüglich durch die Vollendung seiner mechanischen Hülfsmittel aus. Versenkungen, Flugwerke, Verwandlungen der Gestalten gingen mit seltener Meisterschaft vor sich. Das Stück, welches im Winter 1823–24 im Theater an der Wien noch am besten zog, war ein Melodram, ›der Wolfsbrunnen‹, welches die Sage vom Belustigungsort dieses Namens bei Heidelberg behandelte. Das Schauspiel war ein so-

So war denn auch, ohne daß Chezy davon wußte, ebenfalls zum Benefice des Frln. Neumann bereits »*Der böse Krollo*« aus Vogel's Feder geflossen, ein Spektakelstück von jener drastischen Wirkung, für welche die Besucher der Vorstadttheater von jeher große Empfänglichkeit gezeigt haben. »Krollo« folgte später auf »Rosamunde« und trug alsbald über die Cyprische Prinzessin den Sieg davon. Helmina, welcher diese Zustände nicht unbekannt bleiben
284 konnten, übergab mit einem gewissen Gefühl von Bangigkeit[5] ihre Dichtung
dem Componisten; dieser goß in gewohnter Unbefangenheit den Strom schöner Melodien über das Textbuch aus, die auch von dem einsichtsvolleren Theil des Publicums gleich in der ersten Vorstellung gewürdigt und mit rauschendem Beifall aufgenommen wurden.

Die erste Aufführung des mit Chören, Orchestermusik und Tänzen ausgestatteten Schauspieles fand am 20. December 1823 statt[6]. Der Inhalt der Handlung ist folgender:

Einer väterlichen Grille wegen ward die Fürstin Rosamunde im Hirtenstande erzogen. Nach vollendetem achtzehnten Jahre soll ihre Aja allem Volke ihren Stand entdecken und sie die Regierung antreten. Am 3. Juni ist
285 der Termin um. Manches Wundersame kettet sich an diese Begebenheit,

genanntes Viehstück, nämlich eines, worin ein Thier eine bedeutende Rolle spielte, und dieses Thier nicht durch ein Wesen seines eigenen Geschlechtes, sondern durch einen Menschen vertreten war. Der Wolf wurde mit Meisterschaft unter solchem Beifalle gespielt, daß schon nach der zweiten Vorstellung der Künstler darauf bestand, auf dem Zettel genannt zu werden, sonst würde er nicht mehr auftreten. Seinem Verlangen ward willfahrt.« – Von W. Vogel heißt es ebenda: »Im Jahre 1823, als er den Regentenstab am Gestade des schmutzigen Wienflüßchens führte, war er ein alternder Mann von kränklichem Aussehen und mit einer Harthörigkeit behaftet, welcher er, beiläufig bemerkt, mit bewundernswerther Klugheit die beste Seite abzugewinnen verstand. Wenn er nämlich etwas nicht gern hörte, so steigerte sich die Harthörigkeit zur Taubheit, die allem Schreien unzugänglich blieb. Wenn er etwas nicht hören sollte, fügte sich's nicht gar zu selten, daß sein Uebel plötzlich nachließ.«

5 »Ich fühlte es,« sagt Chezy in ihren Aufzeichnungen, »daß die Dichtung nicht an ihrem Platz war, denn das Theater an der Wien hatte sein eigenes Publicum, und für dieses hätte ich nichts schreiben können, da ich es gar nicht kannte.«

6 Am 18. Dec. 1823 erschien in den belletristischen Blättern von Wien folgende Anzeige; »Frau Helmine v. Chezy hat der Direction des k.k. priv. Theaters an der Wien ein neues Drama mit Chören: ›Rosamunda von Cypern‹ übergeben. Die Musik hiezu ist von dem rühmlich bekannten talentvollen Tonsetzer Herrn Franz Schubert, und die erste Samstag den 20. December stattfindende Vorstellung desselben wurde der Schauspielerin dieses Theaters, Dlle. Neumann, von der Direction als Benefice bewilligt. Die Namen der Dichterin und des Compositeurs sichern dieser Künstlerin durch die getroffene Wahl die würdevolle Aufnahme eines Werkes, welches an Gediegenheit mit Recht den vorzüglicheren neuerer Zeit angereiht zu werden verdient.« – Der Theaterzettel kündigte an: »Rosamunde Fürstin von Cypern. Romantisches Schauspiel in vier Aufzügen mit Chören, Musikbegleitung und Tänzen, von Helmina Chezy, geb. Freiin Klencke. Musik von Herrn Schubert.«

worunter auch die Ankunft des Prinzen von Candia, der von Kindheit an mit Rosamunden verlobt, nach Empfang eines geheimnißvollen Briefes nach Cypern eilt, aber an er Küste Schiffbruch leidet und sich ganz allein rettet. Fulgentius, der Statthalter von Cypern, hat unterdessen 16 Jahre lang auf Cypern regiert, und er ist des Herrschens so wenig müde, daß er die Nachricht von dem Dasein der todtgeglaubten Rosamunde gar unliebsam vernimmt. Diese hat bereits den verkleideten Prinzen von Candia gesehen, und beide erkennen sich durch einen geheimsympathetischen Zug der Romantik als das für einander bestimmte Paar. Der Prinz, der sich nicht zu erkennen geben will, um die Treue seiner Geliebten zu prüfen, und vielleicht auch, weil alle seine Reisegefährten ertrunken sind und er auf keine Unterstützung rechnen kann – tritt in die Dienste des Fulgentius und gewinnt sein Vertrauen, da er seine Tochter aus Räuberhänden befreit. So weit ginge nun alles nach Wunsch; aber – Fulgentius selbst verliebt sich rasend in Rosamunde und da sie diese Glut nicht erwidern kann, verfolgt er sie mit eben so grimmigem Haß, beschuldigt sie, den Ueberfall seiner Tochter veranlaßt zu haben und läßt sie in's Gefängniß werfen. Damit noch nicht zufrieden, tüncht er einen Brief mit dem stärksten auf der Stelle tödtenden Gift und befiehlt dem verkleideten Prinzen, den er in das Geheimniß dieses Mordes einweiht, den Brief Rosamunden zu übergeben. Diese hat inzwischen Mittel gefunden zu entkommen, sie kehrt in die Hütte ihrer alten Pflegerin zurück. Dort findet sie der Prinz von Candia und theilt ihr des Fulgentius Mordanschlag mit. Zu allem Unglück wird das liebende Pärchen von Fulgentius
überrascht und würde übel wegkommen, wenn nicht der Prinz den Tyrannen 286
überredete, Rosamunde sei bei dem ersten Anblick des vergifteten Briefes in Wahnsinn verfallen, eine Nothlüge, welche die verständige Geliebte durch ihre Gesten unterstützt. Der leichtgläubige Fulgentius überläßt nun noch seinem Vertrauten die Sorge um Rosamunden und abermals scheint sich Alles zum Guten zu wenden. Nun kommt aber ein Brief vom Bürgermeister Albanus (dies ist, beiläufig gesagt, der Mann, welcher den geheimnißvollen Brief an den Prinzen von Candia geschrieben und alljährlich am 2. Juni im Hause der Aja den Geburtstag der Prinzessin ausgerufen), der mit Fulgentius' Regiment gleichfalls unzufrieden ist. Unglücklicher Weise überrascht dieser den Prinzen abermals bei Lesung dieses Briefes; nun hat die Leichtgläubigkeit ein Ende; es ist um das Leben des falschen Vertrauten geschehen, er soll den Brief ausliefern und – sterben; der Prinz aber will leben und heiraten, gibt daher mit rascher Besonnenheit statt Albanus' Schreiben den Giftbrief an Fulgentius; dieser steckt die Nase hinein und – stirbt.

Der musikalische Theil besteht aus Gesangs- und Instrumentalstücken. Zu den ersteren zählt eine *Romanze* (in *F-Moll* $^6/_8$ für Alt), ein einfach schönes Strofenlied von echt Schubert'schem Gepräge, und drei Chöre: Ein *Jäger-*, ein *Hirten-* und ein *Geisterchor*, von welchen der erste (*D-Dur* $^6/_8$ für

gemischte Stimmen) frisch und melodiös gehalten ist, ohne bedeutend zu sein; der zweitgenannte (vierstimmig *B-Dur* $^{2}/_{4}$) durch Lieblichkeit und namentlich den reizenden Mittelsatz einen wohlthuenden Eindruck macht,
287 wogegen der Geistergesang (für vier Männerstimmen *D-Dur* $^{4}/_{4}$) sich als ein ernstes tiefsinniges Musikstück darstellt[7]. Die Instrumentalsätze sind nach der Aussage competenter Beurtheiler, welche den damaligen Aufführungen beigewohnt haben, zum großen Theil schön und bedeutend, so daß eine Wiederbelebung des musikalischen Theiles von »Rosamunde« – falls sich dieser noch complet vorfindet, im Concertsaal angezeigt erschiene.

Als Ouverture wurde die von Schubert zu »Alfonso und Estrella« componirte aufgeführt, die derart gefiel, daß sie (wie Herr Josef Hüttenbrenner behauptet) *zwei Mal* wiederholt werden mußte. Auch die »Romanze«, von Frau *Vogel* gesungen, und einer der Chöre (wohl der Jägerchor?) fanden lebhaften Beifall, wie denn überhaupt Schubert diesmal sich eines freundlicheren Entgegenkommens erfreute, als dies bei seinen früheren dramatisch-musikalischen Versuchen der Fall war. Es bestand nämlich damals schon eine geschlossene Phalanx von Schubertianern, die es als Ehrensache ansahen, für den genialen Tondichter in die Schranken zu treten.

Daß die künstlerische Freiheit und Eigenthümlichkeit in Schubert's Musik, die in der Jetztzeit so anregend wirkt, *damals* als »Bizarrerie« ausgelegt und
288 getadelt wurde, darf nach den Erfahrungen, welche in dieser Beziehung zu allen Zeiten gemacht worden sind, nicht Wunder nehmen[8]. Aehnliches begab sich ja auch in unseren Tagen.

Uebrigens erlebte das Schauspiel, da es ungeachtet der hübschen Musik langweilig befunden wurde, nur ein Paar Vorstellungen, um dem lebensfähigeren »bösen Krollo« Platz zu machen[9], der durch glänzende Ausstattung

7 Die oben erwähnten Gesangsstücke sind mit Clavierbegleitung, der Geistergesang auch mit Horn- und Posaunenbegleitung bei Diabelli als *op.* 26 im Stich erschienen. Auch sind die Chöre in Wien mehrmals zur öffentlichen Aufführung gelangt. Eine Abschrift eines Theiles der Instrumentalmusik des ersten Actes besitzt *Dr. Schneider*, das Original der Balletmusik (Nr. 2 u. 9) der Musikalienhändler *Spina* in Wien.

8 So schrieb damals ein Kritiker (in der Zeitschrift »Der Sammler«): »Herr Schubert zeigt in seiner Composition Originalität, leider aber auch *Bizarrerie*. Der junge Mann steht in der Entwickelungsperiode, wir wünschen, daß sie glücklich von statten gehe. Diesmal erhielt er des Beifalls *zu viel*, möge er sich in Zukunft nie über das *zu wenig* beklagen können.« Dagegen bemerkt Chezy (in den »Denkwürdigkeiten meines Lebens«), der schließliche Nichterfolg der »Rosamunde« sei zum Theil auch dadurch herbeigeführt worden, daß sich Schubert anläßlich der Euryanthe-Aufführung mit Weber entzweit, und die Anhänger des letzteren, gegen Schubert aufgebracht, entweder von der Vorstellung der »Rosamunde« weggeblieben seien oder durch ihre Anwesenheit, so viel sie konnten, geschadet hätten.

9 Chezy meint, die *dritte* Vorstellung der »Rosamunde« würde dem Stück alle Anerkennung verschafft haben, »aber der böse Krollo gab es nicht zu, daß sie gegeben wurde.«

und das drastische Spiel der Darstellenden die von Director Vogel gewünschte Anziehungskraft in der That auf das Publikum ausübte[10]. 289

Ueber die Aufführung der »Rosamunde« ließ die Verfasserin des Textes am 13. Jänner 1824 in die »Wiener Zeitschrift« folgende überschwängliche Erklärung einrücken:

»Das Orchester that Wunder; es hatte Schubert's herrliche Musik nur zwei Mal und in einer einzigen Probe durchspielen können, und führte die Ouverture und die meisten übrigen Nummern mit Präcision und Liebe aus. Ein majestätischer Strom als süß verklärender Spiegel der Dichtung durch ihre Verschlingungen dahin wallend, großartig, rein melodiös, innig und unnennbar rührend und tief, riß die Gewalt der Töne alle Gemüther hin. 290
Ja selbst, wenn sich Mitglieder des Publikums, das seit diesem Herbst an der Wien auf Wölfe und Leoparden Jagd macht, in die ›Rosamunde‹ hinein verirrt hätten, und selbst, wenn ein antimelodischer Parteigeist sich in die Masse der Zuhörer geschlichen, dieser Strom des Wohllautes hätte alles besiegt.

Wien, 4. Jänner 1824.

H. Chezy.«

Demnach wäre das Schauspiel nur zweimal aufgeführt, und dann für immer zurückgelegt worden.

10 »Im Allgemeinen (bemerkt Chezy in den ›Denkwürdigkeiten‹) waren die Wiener so wohlwollend gegen mich, daß ich den geringen Erfolg meines Stückes bald verschmerzte. Die ›Rosamunde‹ war sehr dürftig ausgestattet worden. Madame *Vogel* als Aja konnte wenig wirken. Das Publikum sieht zwar gerne Mütter in den besten Jahren, aber sie sollen jung aussehen. Es hört gerne Romanzen von Schubert, und hat dies namentlich bei der meinigen allgemein bewiesen, aber sie erfordert eine frische Stimme. Mad. Vogel sang sie brav und die Begleitung mit Blasinstrumenten konnte ihre Wirkung nicht verfehlen. Fulvius hätte nicht glücklicher gewählt werden können, es war Hr. Rott. Das Talent des Frl. *Neumann* war erst im Aufblühen.« – Wilhelm Chezy sagt von Madame Vogel: »Wie ihr Mann unscheinbar, leibarm, war die Frau füllreich und stattlich, er ein dürrer Zaunpfahl, sie ein Stückfaß, er bleich und fahl, sie glühend roth, er kränklich, sie strotzend von Gesundheit, obschon längst über die Jugend hinaus. Auf der Bühne, wo sie ältere Rollen mit vielem Geschick spielte, sah sie noch vortrefflich aus, natürlich durch die Anwendung der bekannten Mittel, von denen eines wirklich heroisch war. Ich habe die Anwendungen desselben mehr als einmal in der Garderobe des Theaters mit angesehen. Das Stückfaß legte sich ein Mieder an von urwüchsig starkem Zwilch mit Stahlschienen, starkem Fischbein, wohlbeschlagenen Schnürlöchern und neuen Schnüren aus gezwirntem Hanf, die von zwei handfesten Hausknechten zusammen gezogen wurden. Wenn die beiden vierschrötigen Oesterreicher aus Leibeskräften das Mieder zuzogen, jeder ein Knie an eine der ungeheuern Hüften gestemmt, glaubte man eine Folterkammer und eine Hexe vor sich zu erblicken. Es gehörte in der That auch einige Hexerei dazu, daß die so grausam eingezwängte Masse athmen, sich bewegen und sprechen konnte, was sie ganz leidlich fertig brachte.«

Die *zweite* große Oper, und wenn man die unvollendet gebliebenen: »Die Bürgschaft« und »Sakontala« einbezieht, die *vierte*, ist »*Fierrabras*«, heroisch-romantische Oper in drei Aufzügen. Auch diese war bestimmt, im Theater aufgeführt zu werden. Das Textbuch wurde im Jahre 1822 über Auftrag der damaligen Hoftheater-Administration (Barbaja) von *Josef Kupelwieser* (derzeit Secretär im Josefstädter Theater, der mir das Factum mittheilte) verfaßt[11], und demselben ein angemessenes Honorar zugesichert. Da jedoch in dem zweiten darauffolgenden Jahre die Administration aufgelöst wurde[12], war
291 weder von einer Aufführung der Oper noch von einer Honorirung des Textbuches mehr die Rede. Die Musik componirte Schubert in Wien, wie es scheint zum großen Theil im väterlichen Hause in der Rossau.

Von der Leichtigkeit und Schnelligkeit, mit der er arbeitete, gibt die Partitur dieser Oper abermals ein glänzendes Zeugniß. Kaum hatte er das Textbuch in Händen, so ergossen sich auch seine Melodien unaufhaltsam stromartig über dasselbe, und wenn die auf der Partitur-Abschrift befindliche Zeitangabe richtig ist, so hat er den ersten, über 300 Seiten ausfüllenden Act *in sieben Tagen* componirt.

Die ganze Oper (an 1000 Seiten der geschriebenen Partitur ausfüllend) vollendete er in dem Zeitraume vom 23. Mai bis 26. September, also innerhalb vier Monaten. Dabei fand er noch Luft und Muße, eine Operette, Lieder und Clavierstücke zu componiren.

Die Handlung der Oper (die gleich jener von »Fernando« »die Freunde von Salamanka«, »Claudine von Villabella« und »Alfonso und Estrella« auf spanischem Boden spielt) ist folgende:

König Carl hat in blutiger Schlacht den Maurenfürsten besiegt und dessen Sohn Fierrabras gefangen genommen. Letzterer war vier Jahre früher mit seiner Schwester Florinde in Rom gewesen, sah daselbst Emma, die Tochter König Carl's, ohne jedoch zu wissen, wer sie sei, und erglüht seit jener Zeit für sie in Liebe. Florinde aber erblickte Roland, einen Ritter aus Emma's Gefolge, und – glücklicher als Fierrabras – fand sie ihre Neigung zu ihm erwidert. Beide Theile verließen dann die heilige Stadt, um in ihre Heimat zurückzukehren, Fierrabras mit dem Vorsatze, den Glauben seiner Väter
292 abzuschwören.

11 Auf dem in der Theaterbibliothek befindlichen Manuscript-Textbuch steht geschrieben:
»*pres.* Wien 22. Juli 1823.
Letacha,
k.k. Polizei-Obercommissär als Theater-Censor.
Fierrabras, heroisch-romantische Oper in drei Acten. – Für das k.k. Hofoperntheater nächst dem Kärnthnerthor censurirt. – Wien am 21. Juli 1823.«

12 Barbajas Pachtung und die damit vereinigte Administration des Theaters an der Wien endete am 31. März 1825. Darauf folgte *Carl's* Gastspiel und dessen Theaterpacht.

Die gefangenen Mauren werden dem Könige vorgeführt; Fierrabras erblickt unter den Anwesenden Emma, von welcher er nun durch Eginhardt, einen Ritter an Carl's Hof, erfährt, daß sie die Tochter von seines Vaters Besieger sei. Ritter Eginhardt, von seinem Herrn auserwählt, mit der Gesandtschaft zu ziehen, welche dem Maurenfürsten die Friedensbedingungen zu übergeben hat, erscheint in dem Garten des hellerleuchteten Schlosses mit einer Laute, um in der Stille der Nacht Emma, seiner Geliebten, den Scheidegruß zu bringen. Diese tritt während des Gesanges auf den Balkon, verschwindet aber bald wieder; das Thor des Schlosses öffnet sich und Eginhardt wird eingelassen. Gleich darauf kommt Fierrabras, der, stutzig gemacht durch eine im Innern des Hauses vor sich gehende Bewegung und den Ruf von Leuten, die Jemanden zu suchen scheinen, bei Seite tritt, um das Ende abzuwarten. Plötzlich öffnet sich die Pforte; Emma geleitet Eginhardt heraus und bedeckt den Fliehenden mit ihrem Schleier. Da tritt ihnen Fierrabras entgegen, bereit, die verletzte Ehre des Hauses mit seinem Schwerte zu rächen. Auf Emma's Flehen aber läßt er Eginhardt seine Flucht ungestört fortsetzen und bietet mit edler Resignation der (von ihm geliebten) Königstochter den Arm, um sie in das Schloß zurückzuführen. König Carl tritt aber eben mit seinem Gefolge zur Pforte heraus, und als er seine Tochter am Arme des Mauren erblickt, erfaßt ihn Grimm über das verletzte Gastrecht, und er befiehlt seinem Getreuen Eginhardt (um dessen Liebe zu Emma er nichts weiß) den Fierrabras in den Kerker zu werfen. Dieser opfert sich für seinen Rivalen und wird in Fesseln abgeführt. Mittlerweile sammeln sich die zu dem Gesandtschaftszug bestimmten Ritter, um mit Fahnen, Palmen und anderen Friedens-Symbolen nach dem Hoflager des Maurenfürsten zu ziehen. Damit 293
schließt der erste Act.

Der Anfang des zweiten Actes führt uns die Ritter, die eben die Grenze des Heimatlandes überschritten haben, wieder vor. Eginhardt und Roland senden dem Vaterland in einem herzlichen Gesange, der dann von dem Chor der Ritter aufgenommen wird, ihre Abschiedsgrüße zu.

Eginhardt, der den Genossen träumerisch nachgefolgt war und den es mächtig nach der Heimat zurückzieht, wird von den Rittern auf seinen Wunsch zurückgelassen und ihm bedeutet, in dem Falle, als ihm Gefahr drohen sollte, in das Horn zu stoßen, damit die Freunde ihm zu Hilfe eilen könnten. Kaum sind diese fortgezogen, so erscheinen Mauren, die Eginhardt gefangen nehmen und mit sich fortschleppen. Die auf das Hornsignal herbeieilenden Ritter zerstreuen sich nach allen Seiten hin, um ihn aufzusuchen. Eginhardt wird in das Hoflager des Maurenfürsten gebracht, der ihn um das Schicksal seines Sohnes befragt, und als er vernimmt, daß dieser im Kerker schmachte, der ganzen Frankenbrut den Untergang schwört. – Florinde erfährt, daß Roland mit unter den Abgesandten sich befinde. Die Ritter langen an, Roland verkündiget dem Fürsten, daß sein Heer geschlagen und

Fierrabras den Christenglauben angenommen habe. Der Maurenfürst flucht seinem Sohne und befiehlt, die Abgesandten in den Thurm zu sperren, um sie der Rache seiner Krieger preiszugeben. Florinde beschließt, Roland und seine Freunde zu retten. Sie eilt, in der einen Hand das Schwert, in der andern eine Leuchte haltend, in das finstere Gemach, in welchem sich die Ritter befinden, um diese von dem drohenden Ueberfall der Mauren zu be-
294 nachrichtigen. Bald ertönt das Wirbeln der Trommeln, der Ruf der Trompete und das Feldgeschrei der Feinde. Die Ritter wehren sich mit in der Eile zusammengerafften Waffen. Roland und Eginhardt unternehmen es, sich durch die Feinde zu den Ihrigen durchzuschlagen, um dann mit deren Hilfe den Thurm zu entsetzen. Eginhardt gelingt es, auf dem Rosse eines gefallenen Mauren der Grenze zuzujagen; Roland wird gefangen.

Der dritte Act beginnt wieder in König Carl's Schloß. Emma ist mit den Jungfrauen beschäftigt, den Heimkehrenden Kränze zu winden. König Carl tritt zu ihnen, und seine Tochter, gemartert von Gewissensbissen über das Schicksal ihres Retters Fierrabras, bekennt dem Vater ihre Liebe zu Eginhardt und den von diesem begangenen Verrath. Fierrabras wird sogleich in Freiheit gesetzt. Eginhardt stürzt herein, erzählt, was im Maurenlager vorgegangen und fleht um Hilfe. Carl befiehlt, daß alle Waffenfähigen zum Zug gegen den Feind sich rüsten sollen und bedeutet Eginhardt, die Freunde zu retten, wenn er sein verwirktes Leben wieder erringen wolle.

Die Ritter halten sich noch unbesiegt im Thurm, auf nahe Hilfe hoffend. Da errichten die Mauren einen Holzstoß, um Roland zu verbrennen. Florinde, als sie die Schreckensscene von der Zinne aus sieht, steckt ihren Schleier an eine Lanze und gibt den Mauren das Zeichen, daß sie das Bollwerk übergeben wolle.

Die Pforte öffnet sich; Florinde und die Ritter treten heraus. Die Tochter des Maurenfürsten stürzt ihrem Vater zu Füßen und bekennt ihm ihre Liebe
295 zu Roland. Er aber befiehlt, sie und die Ritter dem Tode zu weihen.

Da stürzt Brutamonte mit der Botschaft herbei, daß das Frankenheer in vollem Anmarsch sei. Die Mauren dringen mit gezückten Säbeln auf die Ritter ein; schon aber stürmen Eginhardt und Fierrabras voran; Roland entreißt Florinde ihrem Vater, der sie in den Thurm zurückführen will und ist eben im Begriff, den Maurenfürsten zu durchbohren, als Fierrabras den schon gehobenen Arm aufhält, ihm zurufend, daß er seines Vaters schonen möge. König Carl und Emma erscheinen: der überwundene Maurenfürst wird aufgefordert, den Zwist zu enden; Eginhardt sinkt dem Könige zu Füßen. Dieser verzeiht und führt ihm Emma als seine Braut zu; der Maurenfürst aber, durch die Fürsprache des Sohnes erweicht, legt Florinden's Hand in jene Roland's; Fierrabras erbittet sich von König Carl, von nun an seinen siegreichen Fahnen folgen zu dürfen; mit allgemeinem Jubelchor schließt die Oper.

Der musikalische Theil enthält nebst der Ouverture[13] 23 Musikstücke. Erstere ist ein interessantes, echt Schubert'sches Orchesterstück von ernstem Charakter, beginnend mit einer Introduction (in *F, Andante* $^{3}/_{4}$), an welche sich das Thema anschließt (*F-moll, Allegro ma non troppo* $^{4}/_{4}$), das, immer wieder auftauchend, einem rothen Faden gleich die Ouverture durchzieht.

Die Oper beginnt mit einem *Chor* der in dem königlichen Schloß in Emma's Gemach mit Spinnen beschäftigten Hoffräuleins (*Andantino C-Dur* $^{6}/_{8}$). Eine Solostimme führt den Gesang weiter, worauf der Chor die erste Strofe wieder aufnimmt. Nach kurzem gesprochenem Dialog singt *Emma* 296
dieselbe Melodie (in *G-Moll*), der Chor schließt sodann mit dem Eingangslied (in *C-Moll*) das Musikstück ab[14], welches, melodiös und liederartig gehalten, der Situation wohl entspricht.

Auf diesen ersten Chor folgt abermals ein *Chor*, der die Sieger bekränzenden Jungfrauen, sodann ein in knapper Form gehaltenes, nicht eben bedeutendes *Liebesduett* zwischen Emma und Eginhardt (*Andantino As-Dur* $^{3}/_{4}$).

Die Scene verwandelt sich in den Prunksaal des königlichen Schlosses. Es ertönt ein *Marsch* (*Allegro mod. D-Dur* $^{4}/_{4}$) und nach diesem der kräftige 297
Chor der Ritter[15], zu welchem der Gesang der Weiber und Jungfrauen (als Mittelsatz) ein gar liebliches Gegenspiel bildet[16]. Beide Chöre vereinigen

13 Das Manuscript der Ouverture besitzt die Verlagshandlung Spina in Wien.

14 *Chor.*
Der runde Silberfaden
Läuft sinnig durch die Hand
Zum Frommen wie zum Schaden
Webt sich ein Liebespfand.

Solo.

Wie er die Welt begrüßet
Der Säugling neu belebt,
Die Hülle ihn umfließet,
Von Spinnerhand gewebt.

Chor (erste Strofe).
Solo.

Zur Hülle selbst im Grabe,
Zur Klag' im Treuebruch
Webt sich als Spinnergabe
Von Spinnerhand gewebt u.s.w.

Chor (erste Strofe).

15 *Ritter.*
Zu hohen Ruhmespforten
Klimmt er auf schroffem Gleis (*sic*),
Nicht fröhnt er hohlen Worten,
Die That nur ist sein Preis.

16 *Frauen.*
Den Sieger laßt uns schmücken
Von frischem Kranz umlaubt (*sic*)

sich schließlich zum *allgemeinen Chor*, worauf noch einmal der Marsch erklingt.

Folgen nun *Recitative* des von Würde und Salbung triefenden König Carl, *Wechselchöre*, diese von hoher Schönheit, und ein allgemeiner *Chor*, sodann *Recitative* des Fierrabras und Roland und ein reizender *Chor* der Jungfrauen mit Sopran-Solo[17]. (*Andantino A-Dur* $^6/_8$). Es entwickelt sich hierauf ein
298 *Ensemble*, an welchem der König, Roland, Ogier, Fierrabras, Eginhardt, Emma und die Ritter theilnehmen.

Der Eingangsmarsch und Chor läßt sich abermals vernehmen; diesem folgt ein *Duett* Roland's mit Fierrabras (*Allegro moestoso con sforza A-Dur* $^4/_4$), melodiös, aber nicht bedeutend, und das *Finale*. Dasselbe beginnt mit Eginhardt's Abschiedsständchen vor der Schloßterrasse, einem in dem üblichen Romanzenton gehaltenen Gesangsstück (*Andante A-Moll* $^4/_4$). Unheilverkündende Accorde begleiten das Auftreten des Fierrabras, der in einem *Recitativ* und einer durch schöne Begleitung sich auszeichnenden *Arie* sein Mißgeschick beklagt.

Da regt sich's in dem Flügel des königlichen Schlosses; der Ruf: »Wo ist sie?« »Verfolget die Spuren« u.s.f. schlägt an sein Ohr, und es beginnt von da an eine Reihe dramatisch bewegter Scenen, gehoben durch den Glanz durchaus schöner, ausdrucksvoller Musik. Auch das darauf folgende *Terzett* und ein von diesem durch Recitative und eine Arie *Emma's* geschiedenes *Quartett* sind Musikstücke von hohem musikalischem Werth. Der Hornruf ertönt; er ist für die Ritter das Zeichen zum Aufbruch. Der *Wechselgesang* der Ritter und Reisige (*Allegro vivave C-Dur* $^4/_4$), aus welchem sich ein *Solo-*
299 *quartett*[18] (Emma, König, Eginhardt und Fierrabras), trefflich gearbeitet, heraushebt, schließt effectvoll den ersten Act.

Muth strahlet aus den Blicken
Der Lorbeer um das Haupt!

17 *Emma.*
Der Landestöchter fromme Pflichten
Weih'n Edler Dir die Heldenzier;
Mir war des Amtes zu verrichten,
Ich reich' für sie den Kranz nur dir.

Chor.

Vaterhuld und milder Sinn
Schmückt den hohen Helden,
Seiner Tugenden Gewinn
Bleibt der Dank der Welten.

18 *Emma, Eginhardt und Fierrabras.*
Dulden nur und Schweigen
Ziemt um solchen Preis,
Und kein Blick darf zeigen,
Was die Seele weiß.

Carl.

Der *zweite Act* beginnt mit einem liedartigen *Wechselgesang* Roland's und Eginhardt's (*Andantino C-Dur* $^4/_4$), die dem Vaterland den Scheideblick zuwerfen. Der *Chor* der Ritter wiederholt die melodische Weise. Diese ziehen ab; aus der Ferne ertönt der *Marsch* der herannahenden Mauren (*Allegro vivace F-Dur*), ein charakteristisches Tonstück. Eginhardt stoßt in's Horn und sein Ruf wird von den Freunden erwiedert. Der kräftige wilde *Gesang* der Mauren[19], die in dem Hornsignal Verrath wittern, droht dem Verräther mit dem Tod. Nachdem sie Eginhardt mit sich genommen, ertönt abermals Hörnerschall, die Ritter kehren zurück, um den Zurückgebliebenen aufzusuchen; der nun folgende *Chor* (*Allegro molto vivace F-Dur* $^6/_8$) bildet ein be- 300
wegtes, interessant gearbeitetes Musikstück. Noch schöner und bedeutender aber ist das darauf folgende *Duett* zwischen Florinde und Maragond mit obligater Cellobegleitung[20] (*Andante con moto As-Dur*).

An dieses reiht sich ein *Terzett* (der Admiral, Florinde und Eginhardt *Andante con moto Es-Dur* $^4/_4$), sodann der *Chor* der in das Maurenlager einziehenden, den Frieden preisenden Ritter (*Allegro mod. E-Dur* $^4/_4$), ein *Terzett* zwischen Florinde, Roland und dem Admiral, an welchem die Ritter und Mauren abwechselnd im Chor theilnehmen, eine leidenschaftlich gehaltene *Arie* Florindens (*Allegro furioso*), welche die verrätherisch gefangen gehaltenen Ritter zu befreien beschließt, und das *Finale*. Die im Innern des Thurmes versammelten Ritter geben ihren schmerzlichen Gefühlen in einem einfach-schönen *Vocalchor* Ausdruck. Auf diesen folgen Recitative, ein *Duett* Roland's und Florindens mit Begleitung des Chors und nun abermals ein schöner, religiös gehaltener *Gesang* der Ritter. Von da an beginnt *Orchester-*

Ernst und Strenge zeigen
Ist mein Pflichtgeheiß
Vor des Frevlers Zeugen
Werd' der Schmach er preis (*sic*).

Chor.

Fort zum Siegesreigen,
Fort auf sein Machtgeheiß,
Eures Ruhmes Zeugen
Bringt des Finders Preis.

19 *Chor der Mauren.*
Was mag der Ruf bedeuten?
Seid wohl auf eurer Hut,
Mög' er Verrath bedeuten,
So ströme bald sein Blut.

20 *Florinde.*
Weit über Glanz und Erdenschimmer
Ragt meiner Wünsche hohes Ziel,
Und jedem Glück entsag' ich immer,
Lohnt mich der Liebe süß Gefühl u.s.w.

musik und *Melodram* (in *tempo d'Allegro*). Von allen Seiten ertönen Schlachtsignale; außerhalb des Thurmes entbrennt der Kampf; Roland und Eginhardt schlagen sich mit dem Ruf: »Für Treue, Lieb' und Vaterland« durch die Feinde. Ihnen antwortet der Chor der Ritter. Hierauf folgt *Melo-*
301 *dram* mit Schlachtgetümmel und der *Schlußgesang* der Ritter:

Muth und Besinnung schwinden,
Ein düstres Todesgrau'n
Läßt mich nur Qualen finden,
Zerstört ist mein Vertrau'n.

Der *dritte* Act beginnt – gleich dem ersten – mit einem *Chor* der im königlichen Schloß versammelten, Kränze windenden Jungfrauen, aus welchem ebenfalls wieder die Solostimme Emma's sich heraushebt.

Auf diesen folgt ein *Duett* des Königs und seiner Tochter, Recitative und ein zärtliches *Terzett* (Emma, Eginhardt, Fierrabras), in welchem Eginhardt sich von der Geliebten verabschiedet (*Allegro mod. C-Dur* $^{3}/_{4}$).

Die Scene verwandelt sich in das Innere des Thurmes, der von den Mauren belagert wird. Die Ritter sind um Florinden beschäftigt. Die nun folgende *Arie* der Letztgenannten mit Begleitung des Chores (*Andante con* Motto F-Moll $^{2}/_{4}$), ein einfach schöner Klagegesang, ist eines der gelungensten Musikstücke der Oper[21]. – Es ertönt aus der Nähe ein *Trauermarsch*, an diesen
302 reiht sich noch weiters Orchestermusik an und folgt sodann eine lebhaft bewegte dramatische Scene (Florinde und die Ritter), in welcher Florinde das Oeffnen der Thurmthore befiehlt und die Ritter mit dem Freunde zu sterben verlangen. Ihnen antwortet der wilde energische Chor der Mauren[22],

21 *Florinde.*
Des Jammers herbe Qualen
Erfüllen dieses Herz,
Zum Grabe muß er wallen,
O unnennbarer Schmerz! u.s.f.

Chor (als Mittelsatz).

Laß dein Vertrau'n nicht schwinden,
Noch leuchtet uns ein Hoffnungsstrahl,
Noch kann sich Rettung finden,
Und spurlos flieht der Leiden Qual.

Florinde.

Und seines Todes Wunde
Bringt mir Verderben auch.

Chor.

Des Herzens tiefste Wunde
Heilt froher Hoffnung Hauch.

22 *Mauren.*
Der Rache Opfer fallen,

Ensemble (*tempo di marcia D-Moll* $^4/_4$), von den Schlägen des großen Beckens begleitet. Florinde stürzt in die Arme ihres Vaters; folgen nun Recitative und ein *Ensemble* (Admiral, Florinde, Chor der Ritter und Mauren), endlich das *Finale* (*Allegro mod. B-Dur* $^4/_4$). Kriegerische Signale ertönen; diesen reihen sich an Recitative, ein kurzer Chor der Ritter, abermals Recitativstellen von Chorstellen unterbrochen, und der *Schlußgesang* mit Soloquartett (*Allegro vivace* $^2/_4$):

Vereint durch Bruderbande
Gedeiht nur Menschenglück,
Es weilt im Vaterlande
So gern' der Söhne Blick.

Das Textbuch dieser Oper gehört jener Gattung der »heroisch-romantischen« an, in welchen Tapferkeit und Edelmuth um die Palme ringen. Alle 303
darin Auftretenden sind mehr oder weniger Helden, mit Ausnahme des ganz passiven *Fierrabras*, der doch der Oper seinen Namen leiht, in der That aber darin eine klägliche Rolle spielt. Seine Opferfreudigkeit ist eine grenzenlose; – dankt er doch dem Könige, als ihn dieser (anstatt des Eginhardt) einsperren läßt. Uebrigens fehlt es dem Stück nicht an Prunk, kriegerischen Aufzügen, Waffenlärm und Waffenthaten, welchen gegenüber Emma und der Frauenchor das sanfte lyrische Element vertreten. Die liedartige Weise tritt auch in dieser Oper da und dort hervor; immerhin aber ist dem Componisten Gelegenheit zu dramatisch-musikalischer Entfaltung geboten, welche sich Schubert nicht entgehen ließ. Die Männerchöre sind von kräftiger Färbung und namentlich jene der Mauren von nationalem Charakter. Der Gesang wechselt mit gesprochenem Dialog, und diesem ist – sowie auch dem Melodram und Recitativen – eine nicht unbedeutende Stelle eingeräumt.

Zur Aufführung im Theater ist die Oper nicht gelangt; einige Jahre nach Franzens Tod führte sein Bruder Ferdinand Bruchstücke daraus in seinen Concerten auf; im Jahre 1858 wurden in einem Concert des Wiener Männergesang-Vereines die Ouverture, die erste Scene des zweiten Actes (für Tenor, Baß und Männerchor) und die Scene im Thurm (für Sopran und Chor) aus dem dritten Act, und im Jahre 1862 der Vocalchor: »O theures Vaterland« aus dem zweiten Act in gelungener Weise und mit Beifall aufgeführt.

Der Oper »Alfonso und Estrella« gegenüber befände sich »Fierrabras« – wenn je eine Darstellung desselben auf der Bühne beabsichtigt werden sollte –

Vergeblich war ihr Droh'n,
Bald wird die Luft erschallen,
Empfangen sie den Lohn.

insoferne im Nachtheil, als der gesprochene Dialog darin eine breite uner-
304 quickliche Rolle spielt, während die erstgenannte Oper an Stelle desselben Recitative enthält. Hier müßte vor Allem durch Kürzung und Verbesserung der Textworte oder Einschaltung neu dazu componirter Recitative gründliche Abhülfe getroffen werden. Dann aber möchte man geneigt sein, dieser Oper der zweckmäßigeren Gruppirung der Musikstücke und der lebendigeren dramatisch wirksameren Handlung wegen mit mehr Zuversicht einen Bühnenerfolg vorherzusagen, als dem lyrisch-einförmigen Drama »Alfonso«.

Noch ist eines zwar klein geformten, aber zierlichen und lustig glitzernden Juweles zu gedenken, welches in Gestalt einer *Operette* vor einigen Jahren in dem Schubert'schen »Schatzkästchen« aufgefunden und aus diesem herausgehoben wurde.

In dem achten Jahrgang der von J.F. Castelli veröffentlichten »dramatischen Sträuschen«[23] findet sich unter anderen zumeist dem Französischen entlehnten Stücken auch die einactige Oper »Die *Verschwornen*« enthalten. Der Verfasser schrieb zu derselben nachstehendes Vorwort:

»Die Klage der deutschen Tonsetzer geht meistens dahin: ›Ja; *wir möchten gerne Opern in Musik setzen, schafft uns nur Texte dazu!*‹ Hier ist einer, meine Herren! – Wollen Sie ihn mit Tönen begleiten, so bitte ich meine Worte auch etwas gelten zu lassen und der Verständlichkeit der Intrigue nicht zu schaden, indem Sie Rouladen der musikalischen Charakteristik vorziehen. Ich glaube, die Oper müsse *eine dramatische Handlung mit Musik begleitet* – nicht *eine Musik mit darunter gelegtem Texte sein*, und der Total-
305 eindruck gilt meinem Erachten nach mehr, als einem einzelnen Sänger Gelegenheit geben, seine Gurgelfertigkeit zu zeigen. – Laßt uns etwas für die eigentliche *deutsche* Oper thun, meine Herren!«

Dieses Vorwort, welches in dem Jahrgang 1823 der »Sträuschen« zu lesen ist, während das Singspiel nach der auf einer *Abschrift* der Originalpartitur befindlichen Angabe bereits im Jahre 1819 componirt sein soll, legte die Vermuthung nahe, es habe der Verfasser des Textes gar nicht darum gewußt, daß seine Verse bereits in musikalisches Gewand gekleidet seien, und zwar von keinem Geringeren als von Franz Schubert. Castelli erinnerte sich noch im Greisenalter, einstens vernommen zu haben, daß der ihm persönlich bekannte Schubert die Composition seiner Operette in Angriff genommen habe[24]. Da aber diese niemals zur Aufführung gelangt und ihm überdieß zugeraunt worden sei, der Componist habe den *Humor* des Dichters gar nicht aufgefaßt, sondern ein sentimental-düsteres Tongemälde geschaffen, so sei ihm auch jedes weitere Interesse daran entschwunden. Ueber den

23 Sie erschienen im Verlag bei Wallishausser in Wien.

24 Einer kurzen Unterredung entnommen, welche ich mit Castelli unmittelbar nach der Aufführung der Operette im Concertsaal gepflogen habe.

Zeitpunkt der Entstehung des Singspieles konnte er nach so langer Zeit in keiner Weise mehr Aufschluß geben[25].

Auffallend bleibt es, daß Ferdinand Schubert (der doch die Jahreszahl 1819 auf die von ihm verfaßte Copie gesetzt zu haben scheint) in seinen 306
Aufzeichnungen allenthalben das Jahr 1823 als Entstehungszeit der Operette hinstellt. Für diese spätere Periode, mit welcher so recht die Blüthezeit der Schaffenskraft unseres Tondichters beginnt, spricht aber auch der musikalische Gehalt des Singspieles[26].

Ein charakteristischer Zug Schubert's ist es, daß er gegen den Verfasser des Textes auch nicht mit Einer Silbe seiner Composition Erwähnung that, welche Zurückhaltung der alte Castelli damit vergelten zu wollen schien, daß er nach der ersten Aufführung des musikalischen Theiles der Operette im Concertsaal die unbegreifliche Behauptung wagte: Es könne nicht die 307
ganze Musik von Schubert herrühren! Bezüglich der Auffassung des Textes aber fühlte er sich von seinem Vorurtheil gründlich geheilt.

Der ursprüngliche Titel: »Die *Verschwornen*« wurde von der in den Zwanziger Jahren waltenden Censursbehörde beanständet und sofort in den minder Gefahrdrohenden: »Der häusliche Krieg« umgewandelt.

Die Operette besteht aus eilf Musikstücken verschiedener Art, welche durch gesprochenen Dialog voneinander geschieden sind. Die Handlung des Stückes – im Grunde nichts anderes als eine Uebersetzung der »*Lisistrate*«

25 Diesen Aufschluß würde ohne Zweifel die Originalpartitur geben, auf welcher Schubert in gewohnter Weise den Tag der Inangriffnahme und der Beendigung des Werkes bezeichnet haben wird. Das Autograf liegt aber nicht vor und ist wahrscheinlich zu gleich mit anderen Schubert'schen Compositionen von Ferdinand Schubert verkauft worden.

26 *Bauernfeld* verlegt in seiner 1829 verfaßten »Skizze« die Entstehungszeit der Operette in das Jahr 1824; Josef *Hüttenbrenner* will mit Bestimmtheit wissen, daß ihm Schubert »Die Verschwornen« erst 1824 oder 1825 auf dem Clavier vorgespielt habe, und er erinnert sich um so lebhafter daran, da der Componist selbst an seiner Musik Gefallen fand und die Aufführung der Oper auf dem Theater wünschte, zu welchem Ende auch er und Hüttenbrenner mehrmals Schritte (doch immer vergeblich) gethan haben. Auf einem Zettel (im Besitz des letzteren) findet sich folgende Notiz aus dem Jahre 1824: »Der häusliche Krieg, beim Vater componirt, censurirt und für die Aufführung im Hofoperntheater passirt.« Ein Schreiben von Schubert an Kupelwieser aus dem Jahre 1824 erwähnt der Operette. – In einem Aufsatz in der »Augsb. Allg. Ztg.«, welcher im October 1862 anläßlich der Aufführung der »Verschwornen« in München erschien, hieß es unter Anderm: »Ein Jahr, nachdem Schubert seine Arbeit (die Operette) bei der Wiener Oper eingereicht hatte, hielt er die Zeit für reif, um sich nach dem Schicksal seines Werkes Erkundigungen zu erlauben. Darauf erhielt er die Partitur aus der Theater-Bibliothek zurück, gerollt, geknüpft und eingeschlagen, kurz in demselben Zustand, wie er sie vor 13 Monaten der beurtheilenden Weisheit zu Handen gegeben hatte.« Ob und wie viel an der Sache Wahres, ist mir nicht bekannt geworden; J. Hüttenbrenner erinnert sich nicht eines solchen Vorfalls.

von Aristofanes in das Wienerisch-Mittelalterliche faßt sich in Folgendem zusammen:

Graf Heribert von Lüdenstein, Bannerherr, Astolf von Reisenberg, Garold von Nummen, Friedrich von Trausdorf, Lehensmänner des Heribert, und mit ihnen viele Ritter sind in den heiligen Krieg gegen die Saracenen gezogen. Ihre Frauen: Ludmilla, Helena, Luitgarde, Kamilla und jene der übrigen Ritter trauern um die Männer und sehnen sich nach ihrer endlichen Rückkehr. Ludmilla, aufgebracht darüber, daß ihr Mann, das Gebot der Ehre der Pflicht der Liebe voranstellend, sie auf so lange Zeit verlassen konnte, entbietet die Frauen aller jener Ritter, die ebenfalls in den Krieg gezogen sind, auf ihr Schloß, um sie dahin zu bestimmen, daß sie den Männern bei ihrer Rückkehr in die Heimat mit Gleichgiltigkeit und Kälte entgegentreten möchten. Der Page des Grafen, Udolin, der den zurückkehrenden Rittern vorausgeeilt war, er fährt durch Isella, Zofe der Gräfin und seine Geliebte, diesen Verschwörungsplan und wohnt in Frauenkleidern der entscheidenden Frauensitzung bei. Ludmilla's Vorschlag wird einstimmig angenommen. Die
308 Ritter langen im Schlosse an. Udolin verräth seinem Herrn das Vorhaben der Frauen. Schnell ist von den Rittern der Entschluß gefaßt, die List mit gleichen Waffen zu bekämpfen und den gleichgiltig scheinenden Frauen mit noch größerer Kälte zu begegnen. In dem Saale des Schlosses treffen die Ritter mit ihren Frauen zusammen; die Verstellung wird von beiden Theilen auf's beste durchgeführt, nur daß die Ritter, ohne ihre Frauen auch nur begrüßt zu haben, alsbald in den Prunksaal ziehen, um dort ihr Trinkgelage abzuhalten. Die Gräfin ist bestürzt über das Benehmen ihres Gatten, die übrigen Frauen fangen bereits an, ihr über die angezettelte Verschwörung Vorwürfe zu machen. Da kommt Isella und berichtet der Gräfin, ihr Gemahl habe bei der Tafel den Humpen erhoben, den Krieg und Kriegsruhm leben lassen und beigefügt: »Nur kurze Zeit wollen wir hier ausruhen, dann geht es wieder hin auf's Feld der Ehre zu neuen Lorbeern. Bis dahin laßt uns keine Gemeinschaft mit unsern Ehefrauen pflegen.« – Die Bestürzung Ludmilla's und der übrigen Frauen erreicht ihren Höhepunkt. Der Zustand fängt an, unerträglich zu werden; schon begehrt die Gräfin eine geheime Unterredung mit dem Grafen; die übrigen Frauen bestehen ebenfalls auf der Zusammenkunft mit ihren Männern. Helene kommt, die Erste, mit Astolf zusammen; die Gräfin ahnt, daß ihre Sache verrathen sei, sie tritt ihrem Gemahl liebevoll entgegen, und dieser, kaum mehr im Stande, seinen Gefühlen Einhalt zu thun, rettet sich nur noch durch die Lüge, daß ein fürchterlicher Schwur ihn und seine Waffengefährten binde, wieder in's Feld zurückzukehren. Er sagt der Gräfin ein letztes Lebewohl und entfernt sich. Udolin und Isella
309 treten ein. Ersterer vertraut der Gräfin, die Ritter, einstmals von Sarazenen umringt und ohne Hoffnung zu entkommen, hätten das Gelübde abgelegt, für den Fall ihrer Rettung noch einen Feldzug zu unternehmen und ihren

Ehefrauen nicht den kleinsten Beweis von Zuneigung zu geben, außer wenn diese aus Liebe zu ihnen die Rüstung anzögen und mit ihnen für den Glauben fechten würden. Die Gräfin erklärt, daß sie dies nie thun werde. Isella nimmt eine Rüstung von der Wand und bekleidet sie damit, doch nur aus Scherz, wie sie vorgibt. Der Graf erscheint; gerührt von dem Anblick seiner Frau, ruft er die Ritter herbei; die Gräfin will die Waffen wieder ablegen, da erscheinen aber auch die übrigen Frauen in Waffenschmuck und zwingen ihre Anführerin, ebenfalls so zu bleiben. Die Männer geben sich nun besiegt, der Graf erklärt die Geschichte von dem Gelübde als erfunden; Isella und Udolin reichen sich die Hand zum Bunde.

Die von Schubert componirte Musik enthält: ein *Duett* zwischen Isella (Sopran) und Udolin (Tenor)[27] (*Allegro A-Dur* $^{4}/_{4}$); eine *Romanze* der Helene (Moderato F-Moll $^{6}/_{8}$), einen *Chor* der Rittersfrauen (*Allegro mod. C-Dur* $^{4}/_{4}$), aus mehreren in Tonart und Rhythmus verschiedenen Theilen bestehend; den *Verschwörungschor* der Frauen (*Allegro D-Moll* $^{4}/_{4}$) mit einem Schlußsatz (*Andantino D-Dur* $^{6}/_{8}$), einen *Marsch und Chor* der Ritter (*Allegro mod. H-Moll* $^{4}/_{4}$), einen *Chor der Ritter* (*Allegro mod. Es-Dur* $^{4}/_{4}$), einen *Chor der Ritter und Frauen* (*Andantino C-Dur* $^{3}/_{4}$) und ein *Duett* zwischen dem 310
Grafen und der Gräfin (*F-Dur* $^{4}/_{4}$), ein *Duett* zwischen Astolf und Helene (*Andantino B-Dur* $^{3}/_{8}$) mit dem Schlußsatz (*Allegro vivace* $^{2}/_{4}$), eine *Ariette* des Grafen (*Allegro mod. A-Dur* $^{2}/_{4}$), eine *Ariette* der Gräfin (*Allegro mod. C-Dur* $^{2}/_{4}$) und das *Finale* (*Allegro giusto D-Dur* $^{4}/_{4}$), dieses mehrere durch Tonart und Rhythmus geschiedene Theile enthaltend, von welchen sich der Marsch und Chor der Frauen (*G-Dur* $^{4}/_{4}$), das *Solo* der Gräfin mit Begleitung des Männer- und Frauenchores (*Andante C-Dur* $^{4}/_{4}$) und der Schlußchor (*Allegro mod. C-Dur* $^{6}/_{8}$) herausheben.

Dieses reizende Singspiel gewährt schon darum ein erhöhtes Interesse, weil mit demselben in neuester Zeit der Reigen in der Vorführung von Schubert's dramatisch-musikalischen Leistungen eröffnet und der erste Impuls zu weiteren Versuchen nach dieser Richtung hin gegeben wurde.

Nachdem die Operette über vierzig Jahre in Gesellschaft anderer Kleinodien ungekannt und unbenützt geruht hatte, wurde der musikalische Theil derselben am 1. März 1861 in Wien zum ersten Mal in einem Musikvereinsconcert einer zahlreichen, mit gespannter Aufmerksamkeit lauschenden Zuhörerschaft mit glänzendem Erfolge vorgeführt[28]. Die Frische und Anmuth

27 Der Part des Pagen Udolin ist im Duett (Nr. 1) für Tenor, in den übrigen Musikstücken für Sopran componirt.

28 Die Aufführung im Concertsaal leitete der artist. Director des Musikvereines Herr *Johann Herbeck*, welchem überhaupt die Bekanntschaft mit der Operette zu verdanken war. Es sangen darin: Frl. *Hofmann* (Gräfin), Frl. *Ottilie Hauer* (Helene), Frl. *Bertl* (Isella), Hr. *Mayerhofer* (Graf) und Hr. Olschbauer (Udolin und Astolf). Bei der

311 der Melodien, verbunden mit trefflicher Charakterisierung der Personen des Stückes, wirkte in eben dem Maße anregend, als die Sicherheit und Leichtigkeit in Behandlung des Vocalen und Instrumentalen in so Manchen, die an Schubert's Begabung nach dieser Seite hin gezweifelt, freudiges Erstaunen hervorrief. Unser Tondichter zeigte sich übrigens auch hier vorzugsweise als großer Lyriker. Der zu Grunde gelegte Text gibt keine Veranlassung zu eigentlich dramatischen Effecten, wenn auch Einzelheiten, wie beispielsweise das Finale, den aufrichtigsten Neid noch lebender Tonsetzer erregen dürften. Es zieht da ein Liederspiel von eilf Nummern an uns vorüber, deren eine reizender ist als die andere[29].

Was die Aufführung der »Verschwornen« im Theater anbelangt, so hat die freie Reichsstadt am Main der Vaterstadt des Componisten den Rang abgelaufen. In Frankfurt gelangte die Oper bereits am 29. August 1861 mit bestem Erfolg zur ersten Darstellung, welcher bald darauf noch weitere
312 folgten[30].

zweiten Aufführung (22. März) übernahm die Hofopernsängerin Frl. *Kraus* die Rolle der Gräfin und der Hofopernsänger Hr. *Walther* die Tenorpartie.

29 Im Frühjahr 1862 erschien bei Spina ein von *Dr. Schneider* verfaßter Clavierauszug mit und ohne Text, und noch andere Arrangements der Operette.

30 Die erste Anzeige von der Aufführung enthielt das »Frankfurter Museum«, welches sich dahin aussprach, daß das reizende Werkchen, dessen süße Musik den weichen Schmelz südlicher Weisen mit dem energischen Charakter deutscher Klänge auf's wunderbarste vereinige, von Seite der Kritik und des Publikums die freundlichste Aufnahme gefunden und als eine wesentliche Bereicherung des Repertoirs gepriesen werde. »Die Musik«, heißt es weiter, »ist so sein, duftig, anmuthig und reizend, wie man es nur von dem berühmten vielseitigem Liedersänger erwarten darf. Eine Nummer ist schöner als die andere. Die Oper war mit bemerkenswerthem Geschick in Scene gesetzt. Der Schauplatz war sehr hübsch arrangirt. Die Mitwirkenden gaben sich alle Mühe; man fühlte heraus, daß sie Freude an dem Werke haben. Der Beifall war ein lebhafter.« – In den »Didaskalien« des Frankfurter Journal's wurde des theatralischen Ereignisses in folgender Weise gedacht: »Mit dem ›*Häuslichen Krieg*‹, einer hinterlassenen einactigen Oper von dem genialen Liedercomponisten Franz *Schubert* (Text von Castelli), hat unsere Direction einen guten Griff gethan. Das anmuthige Tonwerk ist bereits zweimal mit entschiedenem Beifall gegeben und dürfte sich dauernd auf unserem Repertoir erhalten. Das hiesige Theater ist das erste, welches die Operette zur Aufführung bringt, nachdem dieselbe im Frühjahr d. J. durch eine Concert-Aufführung der ›Gesellschaft der Musikfreunde‹ in Wien zuerst bekannt geworden. Die Veranlassung zur Composition dieser Oper dürfte wohl das Vorwort sein, das Castelli bei der Veröffentlichung eines ›Die Verschwornen‹ betitelten Operntextes diesem voransetzte. Es waren 42 Jahre nöthig, um dieser Tondichtung von ausgesprochenem innerem Werthe den Weg zur Bühne zu bahnen, während indeß so vieles Gehaltlose über dieselbe geschritten ist. Der Castelli'sche Text lädt zu einer charakteristischen und dramatisch lebensvollen musikalischen Behandlung in jeder Hinsicht ein; seine Handlung ist reich an drastischen Momenten. Schubert hat es verstanden, die vielen lyrischen, sentimentalen und komischen Situationen, welche der Text bietet, mit seinem Gefühle auszubeuten: die Musik ist von der lebhaftesten dramatischen Bewegung, von seltenem

In Wien wurde sie am 19. October 1861 zum ersten Mal im Hofoperntheater gegeben. Die Aufführung des musikalischen Theiles erwies sich zwar der im Concertsaal vorausgegangenen nicht ebenbürtig, die Aufnahme der Novität seitens des Publikums war aber eine sehr günstige. Daß »Die Verschwornen« sich demungeachtet nur kurze Zeit auf dem Repertoir hielten, ist Verhältnissen zuzuschreiben, die mit dem inneren Werth der Schubert'schen Composition nichts zu schaffen haben, sondern in den ökonomi- 313
schen Verhältnissen des Theaters und dem Verlangen des Publikums, den ganzen Abend durch *eine* größere Opernvorstellung ausgefüllt zu sehen, ihre naheliegende Erklärung finden[31].

In neuester Zeit (October 1862) wurde das Singspiel auch im Hoftheater zu München[32] und in Salzburg zur Darstellung gebracht, wo es sich ebenfalls 314
eines durchgreifenden Erfolges zu erfreuen hatte. – –

Melodienreichthum, frisch, stimmungsvoll und originell. Jede einzelne Nummer hat ihre eigenen Reize.«

31 »Der häusliche Krieg« wurde in Verbindung mit einem Tanzdivertissement oder einer zweiten Operette gegeben. – Im Hofoperntheater in Wien sang Frl. *Fischer* die Isella und Herr *Erl* den Astolf; die übrige Besetzung war jene der zweiten Concertaufführung.

32 Die Vorführung der Operette in München veranlaßte einen Musikreferenten in der »Augsb. Allg. Zeitung« zu folgenden, theils allgemeinen, theils speciell auf Schubert Bezug habenden Betrachtungen, deren bezeichnendste Stellen hier herausgehoben erscheinen:
»Der Galgenhumor der Impotenz – heißt es da – welcher nicht selten in der literarischen wie musikalischen Kritik das Wort zu ergreifen sich berufen glaubt, liebt es, vor allen andern Argumenten gegen uneigennützige höhere Geistesthätigkeit den Hinweis auf die geringschätzige Gleichgiltigkeit zu führen, mit welcher solche Bestrebungen von maßgebender Seite, von der sie Aneiferung oder Unterstützung empfangen sollten, aufgenommen wurden. Und mancher, der auf Meisters Worte zu schwören erzogen ist, nimmt häufig für ein Zeichen der heutigen Zeit, was Gemeinfehler des Menschengeschlechtes seit Menschengedenken ist. *Nach der Erfahrung der Geschichte kann man behaupten, daß bei keiner Kunst das Urtheil der Zeitgenossen so große, so langsam überwindliche Mühe habe, den Leistungen der Muse gerecht zu werden, als bei der Kunst der Musik.* Das Erdenwallen der großen deutschen Tondichter, woferne sie nicht, wie Gluck und Händel, bei fremden Völkern ihr Glück zu machen wußten, gehört theils zu den trübseligsten, theils zu den bescheidensten Erfahrungen, welche das fleischgewordene Genie in den bunten Verhältnissen des bürgerlichen Lebens zu machen hatte. Auch für Franz Schubert, den letzten von den großen Meistern, welche durch die Kunst der Töne den Ruhm des deutschen Volkes vor andern erhöhten, konnte von der thatkräftigen Ermunterung, welche seinem Genie von maßgebender Seite widerfahren, bittere Geschichten sagen. Früh, viel zu früh für die Verehrung seines Schaffens, kaum in's Mannesalter getreten, starb der reichbegabte Wiener, und Jahrzehente mußten vergehen, ehe eine Gesellschaft emsiger Dilettanten dem vergrabenen Spiel die langentbehrte Ehre der ersten Aufführung und den Bühnen von Beruf das Zeichen gab, daß sie durch das fertige Renommée des zu den Classikern versammelten Schubert gedeckt, kein kühnes Wagniß mehr unternehmen, wenn sie den ›häuslichen Krieg‹ vor die Lampen brächten. – Gleichsam aus einer andern Welt, aus einer Welt, die nicht mehr die des musikalischen Schaffens von heute ist, klangen diese einfachen,

Wie schon erwähnt, gehört auch der reizende Liederkranz: »Die schöne Müllerin« dem hier behandelten Zeitabschnitte an.

Eines Tages besuchte Schubert den Privatsecretär des Grafen Seczenyi, Herrn Benedict *Randhartiger*[33] (derzeit k.k. Hofkapellmeister), mit welchem er in freundschaftlichem Verkehr stand. Kaum hatte er das Zimmer betreten, als der Secretär zum Grafen beschieden wurde. Er entfernte sich sofort, dem Tondichter bedeutend, daß er binnen kurzem zurück sein werde. Franz trat an den Schreibtisch, fand da einen Band Gedichte liegen, von denen er das
315 eine und andere durchlas, steckte das Buch zu sich und ging fort, ohne Randhartinger's Rückkehr abzuwarten. Dieser vermißte alsbald nach seiner Zurückkunft die Gedichtsammlung und begab sich des anderen Tages zu Schubert, um das Buch abzuholen. Franz entschuldigte seine eigenmächtige Handlung mit dem Interesse, welches ihm die Gedichte eingeflößt hätten, und zum Beweis, daß er das Buch nicht fruchtlos mit sich genommen habe, präsentirte er dem erstaunten Secretär die Composition der ersten »Müllerlieder«, die er zum Theil in der Nachtzeit vollendet hatte.

Einen merkwürdigen Beleg seiner selbst durch körperliche Leiden nicht zu hemmenden Productionskraft gibt die *verbürgte* Thatsache, daß Franz mehrere »Müllerlieder« und das Lied »Der Einsame« in siechem Zustand im Spital niedergeschrieben hat[34].

Von *Liedern* entstanden um diese Zeit noch: »Viola«, »Der zürnende Barde«, »Drang in die Ferne«, »Pilgerweise«, »Auf dem Wasser zu singen«, »Du bist die Ruh«, »Geheimniß« und »*Der Zwerg*« (eigentlich »Treubruch«), Fragment eines Gedichtes von H. Collin, durchweg dem Schönsten angehörend, was Schubert im Lied geschaffen. Namentlich ist »*Der Zwerg*« als eine der ergreifendsten, dramatisch belebten Compositionen anerkannt, ein Meisterstück, welches der Tondichter, von seinem Verleger zur Ablieferung eines Liedes gedrängt, ohne jegliche Vorbereitung in aller Eile auf das Papier hinwühlte, indem er gleichzeitig an dem Gespräch eines Bekannten[35] theil-
316 nahm, der gekommen war, ihn zu einem Spaziergang abzuholen – ein würdiges Seitenstück zu der Ruhe und Sammlung, mit welcher Mozart mitten im Hauslärm die herrlichen Ensemblestücke in der »Hochzeit des Figaro« niederschrieb.

zartsinnigen, herzergreifenden Weisen, diese Fülle melodischen Reichthums, diese zierlich sorgsame Instrumentirung, diese fromme priesterliche Thatäußerung einer sich selbst noch heilighaltenden Kunst, welche die glorreichen Effecte eines Meyerbeer und R. Wagner noch nicht erfahren hat.«

33 Der Gewährsmann dieser Entstehungsgeschichte der ersten »Müllerlieder«.

34 Darüber findet sich noch eine nähere Andeutung in der später folgenden »Charakteristik«.

35 Es war dies ebenfalls Randhartinger, der Gewährsmann obiger Erzählung.

Noch entstanden in diesem Jahr eine Sonate für Clavier und *Arpeggione* (unveröffentlicht) und die schöne Sonate in *A-Moll*[36] (*op.* 143).

Nachdem Schubert schon früher zum Ehrenmitglied des Gratzer Musikvereins ernannt worden war, wurde ihm und Vogl – wahrscheinlich auf Anregung des damals als Secretär beim Musikverein in Linz fungirenden Albert Stadler – nunmehr auch die Anerkennung zu Theil, als Ehrenmitglieder des dortigen Musikvereins aufgenommen zu werden.

XII.

(1824.)

Nach dem im Jahre 1863 erfolgten Ableben des Professors *Leopold Kupelwieser* fand sich in dessen brieflichem Nachlaß ein Schreiben Franz Schubert's an ihn vor, datirt 31. März 1824, dessen Inhalt einen schmerzlich überraschenden Einblick in die damalige Gemüthsstimmung des Tondichters gewährt.

Das Fehlschlagen so mancher Hoffnung – insbesondere was die Aufführung seiner Opern im Theater anbelangt – bedrängte äußere Verhältnisse, anhaltendes körperliches Unwohlsein, die lange währende Abwesenheit mehrerer seiner vertrautesten Freunde[1] von Wien, endlich, wie man wohl annehmen darf, etwas Liebesgram, überantworteten den zwar ernsten, aber nichts weniger als weltschmerzelnden Gefühlen nachhängenden Schubert um diese Zeit einer trübseligen, an Verzweiflung grenzenden Gemüthsstimmung. Auf das reich blühende Leben der eben vorhergegangenen Periode folgte – allerdings nur vorübergehend – ein Zustand physischer Abspannung und moralischer Niedergeschlagenheit, wie wir einem solchen in Schubert's Leben kein zweites Mal wieder begegnen.

Leopold Kupelwieser[2], von Sehnsucht getrieben, die Heimat der Künste 318
zu schauen und daselbst seiner weiteren Ausbildung in der Malerkunst obzuliegen, war – ein 27jähriger Jüngling – zu Anfang dieses Jahres in Gesellschaft eines russischen Edelmanns, Namens Alexis *Beresin*, nach Italien ge-

36 Von den Verlegern Mendelssohn gewidmet.

1 *Kupelwieser* befand sich in Italien, *Schober* in Preußen.

2 L. *Kupelwieser*, geboren 1796 zu Pisting in Niederösterreich, wurde Professor und k. Rath an der Kunstakademie in Wien, und starb daselbst am 17. Nov. 1862.

reist, und hatte zunächst in Rom längeren Aufenthalt genommen[3]. An ihn sind (unter dem erwähnten Datum) die nachstehenden Zeilen[4] gerichtet:

»Lieber Kupelwieser!

Schon längst drängt es mich, an Dich zu schreiben, doch niemals wußte ich wo aus, wo ein. Doch nun beut sich mir die Gelegenheit durch Smirsch[5], und ich kann endlich wieder einmal Jemanden meine Seele ganz ausschütten. Du bist ja so gut und bieder, Du wirst mir gewiß manches verzeihen, was mir Andere sehr übel nehmen würden. – Mit einem Wort, ich fühle mich
319 als den unglücklichsten, elendsten Menschen auf der Welt.

Denke Dir einen Menschen, dessen Gesundheit nie mehr richtig werden will, und der aus Verzweiflung darüber die Sache immer schlechter statt besser macht; denke Dir einen Menschen, sage ich, dessen glänzendste Hoffnungen zu nichte geworden sind, dem das Glück der Liebe und Freundschaft nichts bietet als höchstens Schmerz, dem Begeisterung (wenigstens anregende) für das Schöne zu schwinden droht, und frage Dich, ob das nicht ein elender, unglücklicher Mensch ist? *Meine Ruh' ist hin, mein Herz ist schwer, ich finde sie nimmer und nimmermehr*, so kann ich jetzt wohl alle Tage sagen, denn jede Nacht, wenn ich schlafen geh', hoffe ich nicht mehr zu erwachen, und jeder Morgen kündet mir neu den gestrigen Gram. So freude- und freundelos verbringe ich meine Tage, wenn nicht manchmal Schwind mich besuchte und mir einen Strahl jener vergangenen süßen Tage zuwendete. – Unsere Gesellschaft (Lesegesellschaft)[6] hat sich, wie Du wohl schon wissen wirst, wegen Verstärkung des rohen Chores im Biertrinken und Würstelessen den Tod gegeben, denn ihre Auflösung erfolgt in zwei Tagen, obwohl ich schon beinahe seit Deiner Abreise sie nicht mehr besuchte. Leidesdorf[7], mit dem ich recht genau bekannt geworden bin, ist

3 Als die beiden Reisenden nach Sicilien überfuhren, erkrankten sie am Nervenfieber: Beresin starb, Kupelweiser aber erholte sich und blieb bis in das Jahr 1825 in Italien.

4 Der Brief ist addressirt: *Al Signor Leopoldo Kupelwieser, pittore tedesco, recapito al Caffe greco a Roma*. Derselbe wurde mir von der Familie Kupelwieser freundschaftlichst mitgetheilt.

5 *Smirsch*, damals Cassier am kaiserlichen Hof, und ein geschickter Blumenmaler, besorgte während K's. Aufenthalt in Italien dessen Geschäfte. S. lebt derzeit in Pension in Wien.

6 Diese Leseabende fanden bei *Schober* und *Bruchmann* statt. Es wurden dabei die Classiker, auch Homer vorgenommen. Schubert pflegte diesen ästhetischen Uebungen beizuwohnen, in welchen Franz v. Schober und Bruchmann (Sohn) gewöhnlich die Vorlesenden waren.

7 Leidesdorf, Kunst- und Musikalienhändler in Wien, etablirte sich später in Florenz. Ein Theil der Schubert'schen Compositionen wurde von ihm verlegt.

zwar ein wirklich tiefer und guter Mensch, doch von so großer Melancholie, daß ich beinahe fürchte, von ihm mehr als zu viel in dieser Hinsicht profitirt 320
zu haben; auch geht es mit meinen und seinen Sachen schlecht, daher wir nie Geld haben. Die Oper von Deinem Bruder[8] (der nicht sehr wohl that, daß er vom Theater wegging) wurde für unbrauchbar erklärt, und mithin meine Musik nicht in Anspruch genommen. Die Oper von Castelli: Die *Verschwornen*, ist in Berlin, von einem dortigen Compositeur componirt, mit Beifall aufgenommen worden[9]. Auf diese Art hätte ich also wieder zwei Opern umsonst componirt. In Liedern habe ich wenig Neues gemacht[10], dagegen versuchte ich mich in mehreren Instrumentalsachen, denn ich componirte zwei Quartette für Violinen, Viola und Violoncello und ein Octett, und will noch ein Quartett[11] schreiben; überhaupt will ich mir auf diese Art den Weg zur großen Sinfonie bahnen.

Das Neueste in Wien ist, daß Beethoven ein Concert gibt, in welchem er seine neue Sinfonie, drei Stücke aus der neuen Messe und eine neue Ouverture produciren läßt[12]. Wenn Gott will, so bin ich auch gesonnen, künftiges Jahr ein ähnliches Concert zu geben[13]. Ich schließe jetzt, damit ich nicht zu 321
viel Papier brauche, und küsse dich tausend Mal. Wenn Du mir über Deine jetzige begeisterte Stimmung und über Dein sonstiges Leben schreiben würdest, so freuete nichts mehr

Deinen treuen Freund

Franz Schubert.«

»Meine Adresse wäre dann: An die Kunsthandlung Sauer und Leidesdorf, weil ich Anfangs März[14] mit Esterhazy nach Ungarn gehe.«

In innigem Zusammenhang mit diesem melancholischen Brief stehen folgende, die damalige Gemüthsstimmung bezeichnende Tagebuchs-Notizen:

»Schmerz schärft den Verstand und stärkt das Gemüth, dahingegen Freude sich um jenen selten bekümmert und dieses verweichlicht oder frivol macht.«

8 *Josef Kupelwieser*, der Verfasser des Textes zu der Oper »*Fierrabras*«.

9 Ich habe nicht erfahren können, welcher Componist in Berlin »Die Verschwornen« in Musik setzte.

10 Der Catalog weist deren nur sechs aus.

11 Diese Streichquartette sind wohl die bekannten in*A-Moll*, in *Es*- und *E-Dur*.

12 Die neunte Sinfonie, die *D*-Messe und Ouverture (*op*. 124) Das Concert fand am 7. Mai statt.

13 Dieser Vorsatz kam erst im Jahre 1828 zur Ausführung.

14 Muß wohl *Mai* heißen.

»Aus dem tiefsten Grunde meines Herzens hasse ich jene Einseitigkeit, welche so viele Elende glauben macht, daß nur eben das, was sie treiben, das Beste sei, alles Uebrige aber nichts. *Eine* Schönheit soll den Menschen durch das ganze Leben begleiten – wahr ist es, – doch soll der Schimmer dieser Begeisterung alles andere erhellen.«

»27. März. Keiner, der den Schmerz des Andern, und Keiner, der die Freude des Andern versteht. Man glaubt immer zu einander zu gehen und
322 man geht nur *neben* einander. O Qual für den, der dieß erkennt!«

»Meine Erzeugnisse in der Musik sind durch den Verstand und durch meinen Schmerz vorhanden; jene, welche der Schmerz allein erzeugt hat, scheinen die Welt am meisten zu erfreuen.«

»Die höchste Begeisterung hat zum ganz Lächerlichen nur einen Schritt, sowie die tiefste Weisheit zur krassen Dummheit.«

»Mit dem Glauben tritt der Mensch in die Welt; er kommt vor Verstand und Kenntnissen weit voraus; denn um etwas zu verstehen, muß ich vorher etwas glauben; er ist die höhere Basis, auf welche der schwache Verstand seinen ersten Beweispfeiler aufpflanzt. Verstand ist nichts als analisirter Glaube.«

»29. März. O Fantasie, du unerforschlicher Quell, aus dem Künstler und Gelehrte trinken! O bleibe bei uns, wenn auch von Wenigen nur anerkannt und verehrt, um uns vor jener sogenannten Aufklärung, jenem Gerippe ohne Fleisch und Blut zu bewahren.«

Daß das nächtige Dunkel, welches sich über Schubert's Seele gelagert hatte, auf seine Productionskraft keineswegs lähmend einwirkte, bezeugen die gerade um jene Zeit entstandenen Compositionen. Die umfangreichste
323 darunter ist das (in dem Brief an Kupelwieser erwähnte) *Octett*[15] für Streich- und Blasinstrumente, ein nicht eben durch Gedankentiefe hervorragendes, aber anmuthiges und anregendes Werk von echt Schubert'schem Gepräge.

15 Es ist geschrieben für zwei Violinen, Viola, Clarinett, Fagott, Waldhorn, Cello und Contrabaß. Wie auf der Original-Partitur (im Besitz von Spina) zu lesen, begann Schubert die Composition im Februar und war am *ersten März* damit fertig. Das Octett erschien als *op.* 166 bei Spina in Stimmen. Einen vierhändigen Clavierauszug (ebenda herausgegeben) verfaßte S. Leitner. (*Dr.* L. v. Sonnleithner.)

Dasselbe wurde (nach Hrn. *Doppler's* Mittheilung) von Schubert auf Bestellung des Grafen *Ferdinand Troyer*[16], Obersthofmeister des Cardinal-Erzherzogs Rudolf von Oesterreich, im Jahre 1824 componirt und in demselben Jahr unter *Schuppanzigh's*[17] Leitung an der ersten Violine und Mitwirkung des Grafen als Clarinettist, zuerst in Wien im Spielmann'schen 324
Hause auf dem Graben, wo Troyer wohnte, aufgeführt. Von dem damals berühmten Rasumoffskischen Quartett wirkten dabei *Weiß* und *Linke* mit. Im Jahre 1827 wurde es in dem sogenannten Abonnements-Cyklus des Hrn. Schuppanzigh und später in ein Paar Städten Deutschlands (zuletzt in Frankfurt a.M.) mit Erfolg gegeben. In Wien brachte es Herr *Josef Helmesberger* nach einer Pause von 34 Jahren in einer seiner Quartett-Productionen zu Ende des Jahres 1861 in abgekürzter Form[18] unter großem Beifall »als neu« zur Aufführung.

Von ähnlicher Art und Bedeutung wie das Octett sind die Streichquartette in *A-Moll*, in *E-* und *Es-Dur*, welche überhaupt als die ersten duftigen Blüthen Schubert'scher Kammermusik bezeichnet werden dürfen. Auch die *Introduction* und *Variationen* für Clavier und Flöte (*op.* 160) und eine (unveröffentlichte) *Sonate* für Pianoforte und Harfe in*A-moll*[19] gehören dieser Zeit an; deßgleichen das bekannte *Salve regina* (als *op.* 149 im Stich erschienen) und
die »Beiträge« zu der von M.F. Leidesdorf in Wien herausgegebenen und 325

16 Graf Troyer, ein Zögling des Josef Friedlowsky, Professors am Conservatorium in Wien, galt für einen ausgezeichneten Dilettanten auf der Clarinette. – Ein gewisser Melzer spielte damals den Contrabaß und Radecki blies das Horn.

17 Schuppanzigh (Ignaz), geb. 1776 in Wien, war der Gründer des bekannt und berühmt gewordenen Quartettvereins und Leiter der damals im Augarten veranstalteten Donnerstag-Morgenconcerte. Als Fürst Rasumoffsky (russischer Botschafter in Wien) ein auserlesenes Streichquartett herzustellen beabsichtigte, trat Schuppanzigh und auf dessen Vorschlag auch *Franz Weiß* (geb. 1778 in Schlesien, gest. 1830 in Wien) als Violaspieler, und *Josef Linke* (geb. 1783 zu Trachenberg in Preußisch-Schlesien, gest. 1837 in Wien) als Violoncellospieler in des Fürsten Dienste und bildeten mit letzterem, der selbst die zweite Violine spielte, jenes weltbekannte Beethoven-Quartett. Nach Auflösung der fürstlichen Kammercapelle machte Schuppanzigh mehrere Jahre hindurch Reisen durch Nordeuropa und kehrte dann nach Wien zurück, wo er 1824 Mitglied der Hofcapelle und von 1828 an (unter Graf Gallenberg) Musikdirector am Hofoperntheater wurde. Er starb im März 1830 in Wien.

18 Das Octett ist sechssätzig und besteht aus einem*Adagio (F-Dur* $^4/_4$), an welches sich ein *Allegro* (in gleicher Tonart und Zeitmaß) anschließt; aus einem*Andante (B-Dur* $^4/_4$); einem *Allegro vivace (D-Moll* $^3/_4$) sammt Trio; einem *Andante (C-Dur* $^2/_4$) mit sieben Variationen; einem *Menuetto (Allegretto F-Dur* $^3/_4$) mit Trio und Coda und einem kurzen Satz: *Andante molto As-Dur* $^4/_4$ schließend, und dem Finale (*Allegro F-Dur* $^4/_4$) ebenfalls mit einem kurzen Zwischensatz (*Andante molto*) und mit dem Eingangsthema (*Allegro molto*) abschließend.

19 Eine Copie dieser Sonate (für Clavier und Arpeggione) besitzt Josef v. Spaun.

beifällig aufgenommenen Sammlung von sechs und dreißig *Ori ginal-Deutschen* für Clavier[20].

Das *Duo* für Clavier und Flöte (*op.* 160) dürfte wohl eine bestellte, auf die Virtuosenschaft einer bestimmten Person berechnete Arbeit sein. Der Gedanke liegt nahe, daß dasselbe für den Flötenvirtuosen *Ferdinand Bogner*[21], Honorar-Professor des Conservatoriums in Wien, der durch seine Verwandtschaft mit der Familie Fröhlich auch Schubert bekannt und befreundet war, oder für jenen »braven Flötenspieler« geschrieben wurde, dessen die Hofschauspielerin Sofie Müller in ihrem Tagebuch aus dem Jahre 1825 (von dem noch die Rede sein wird) erwähnt, welcher ungenannte Flötenspieler aber wahrscheinlich derselbe Bogner gewesen ist.

Die Composition besteht aus einer Introduction und dem Thema: »*Trockene Blumen*« aus den Müllerliedern, das dann sieben Mal variirt wird. Schubert hatte dabei die Absicht (und durfte wahrscheinlich keine andere haben), dem Flöten- und dem Clavierspieler Gelegenheit zur Erprobung ihrer Kunstfertigkeit auf den bezüglichen Instrumenten zu verschaffen. Beide
326 sind vollauf mit Rouladen beschäftigt, und das Musikstück wird heut zu Tage nur unter der Voraussetzung noch genießbar, daß es mit eben so großer Geläufigkeit als Reinheit und präcisem Zusammenwirken vorgetragen wird[22]. Der Componist hat es zweifelsohne – wie fast alle derlei »Gefällig keitsstücke« – in Eile auf das Papier hingeworfen und sich nicht mehr darum gekümmert.

Von Gesangscompositionen ist das Lied: »*Der Gondelfahrer*« und das gleichnamige *Quartett* (für Männerstimmen) – beide in verschiedener Weise componirt – zu erwähnen. Das Quartett zählt zu den gelungensten Conceptionen Schubert's in dieser Gattung und wurde bald nach seinem Erscheinen in Privatgesellschaften in Wien oft und gerne gesungen. In dem Hause der Frau *Lascny* (geb. *Buchwieser*, bekannt als treffliche Sängerin) erlebte Schubert die Freude, den zweiten Baß darin von dem Sänger *Luigi Lablache* , dem er außerordentliche Verehrung zollte, vorgetragen zu hören.

Im Mai 1824 folgte Franz der Familie des Grafen Carl Esterhazy nach Zelész. Dieser Ausflug dahin und der längere Aufenthalt auf jener Besitzung,

20 Czerny, Horzalka, Pixis, Preisinger, Schoberlechner und Worzischek trugen ebenfalls ihr Schärflein dazu bei.

21 Ferd. Bogner, geb. 1786 in Wien, Schüler des Flötisten Florian Heinemann, galt als tüchtiger Flötenspieler. Er war Beamter bei der k.k. Hofkammer, seit 1821 Professor im Wiener Conservatorium, und producirte sich zu wiederholten Malen in öffentlichen Akademien. B. verehlichte sich mit *Barbara Fröhlich*, Sängerin und Gesangslehrerin in Wien, und starb am 24. Juni 1846.

22 Oeffentlich scheint es zu Schubert's Zeiten nicht gespielt worden zu sein; in Wien wurde es in neuerer Zeit (im März 1862) in einer Privat-Abonnements-Soirée im Musikvereinssaal von den Herren *Doppler* und *Dachs* zu Gehör gebracht.

wo er, den Staub und alles Ungemach der Residenz von sich schüttelnd, in einem gebildeten, von seinem Genie begeisterten Kreise ruhig heitere Tage verleben durfte, bewährte sich als die wirksamste Kur gegen jene Anwandlung von Verzweiflung, die ihn kurz vorher überkommen hatte. Er schuf in ländlicher Abgeschiedenheit mehrere bedeutende Compositionen[23], und ein 327
vom 18. Juli datirtes, an Bruder Ferdinand in Wien datirtes Schreiben bezeugt, daß mittlerweile die trübe Stimmung einer zwar ernsten, aber gefaßteren Lebensanschauung gewichen war. Der Brief lautet:

»Ueber Deine Quartettgesellschaft wundere ich mich um so mehr, da Du den Ignaz dazu zu bewegen mochtest. Aber besser wird es sein, wenn ihr euch an andere Quartetten als die meinigen haltet, denn es ist nichts daran, außer daß sie vielleicht Dir gefallen, dem Alles von mir gefällt. Die Erinnerung an mich ist mir noch das Liebste dabei. War es bloß der Schmerz über meine Abwesenheit, der Dir Thränen entlockt, Die du Dir nicht zu schreiben getrautest? Oder fühltest Du bei dem Andenken an meine Person, die von ewig unbegreiflicher Sehnsucht gedrückt ist, auch um Dich ihren trüben Schleier gehüllt? Oder kamen Dir alle die Thränen, die Du mich schon weinen sah'st, in's Gedächtniß? Dem sei nun wie ihm wolle, ich fühle es in diesem Augenblick deutlicher, Du oder Niemand bist mein innigster, mit jeder Faser meiner Seele verbundener Freund! – Damit Dich diese Zeilen nicht vielleicht verführen, zu glauben, ich sei nicht wohl *oder nicht heiteren Gemüthes*, so beeile ich mich, Dich des Gegentheils zu versichern. Freilich ist's nicht mehr jene glückliche Zeit, in der uns jeder Gegenstand mit einer jugendlichen Glorie umgeben scheint, sondern jenes fatale Erkennen einer miserablen Wirklichkeit, die ich mir durch 328
meine Fantasie (Gott sei's gedankt) so viel als möglich zu verschönern suche. Man glaubt, an dem Orte, wo man einst glücklich war, hänge das Glück, indem es doch nur in uns selbst ist, und so erfuhr ich zwar eine unangenehme Täuschung und sah eine schon in Steyer gemachte Erfahrung hier erneut, doch bin ich jetzt mehr im Stande, Glück und Ruhe in mir selbst zu finden, als damals. Als Beweis dessen werden Dir eine große Sonate und Variationen über ein selbst erfundenes Thema, beides zu vier Händen, welche ich bereits componirt habe, dienen. Die Variationen erfreuen sich eines ganz besondern Beifalls. Ueber die dem – übergebenen Lieder tröste ich mich, da nur einige davon mir gut erscheinen, als: *Wanderers Nachtlied* und der *entsühnte*, nicht aber

23 Das *Duo* für Clavier (*op.* 140), comp. im Juni, Märsche, Tänze (comp. im October), »Gebet vor der Schlacht«, »Abendroth« und Clavierübungen entstanden damals in Zelesz.

entführte Orest, über welchen Irrthum ich sehr lachen mußte. Suche wenigstens diese sobald als möglich zurück zu bekommen. Daß Du Dich recht wohl befindest, freut mich um so mehr, da ich hoffe, daß ich selbes Wohlbefinden mit dem meinigen kommenden Winter *kräftiglichst* genießen werde. Grüße mir Eltern, Geschwister und Freunde innigst. Du sei mir tausendmal geküßt. Schreibe sobald wie möglich und lebe recht, recht wohl. Mit ewiger Liebe

Dein Bruder Franz[24].«

Mit Franz von Schober, der sich in den Jahren 1824 und 1825 in Preußen aufhielt, um eine neue Lebensbahn einzuschlagen, scheint unser Tondichter
329 in lebhaftem Brieflichem Verkehr gestanden zu haben. Darauf deutet ein ebenfalls von wehmüthigen Gefühlen angewehtes Schreiben Schobers[25] (datirt 2. December 1824, Breslau) an Schubert hin, dem ich folgende Stelle entlehne:

»Herzlieber Schubert!

Aus meinem Brief nach Zelész wirst Du Dich wohl wenig ausgekannt haben, er war auch in der ärgsten Lage geschrieben. Du mein guter, ewig theurer Freund, Dir hat meine Liebe ihren Werth behalten, Du hast mich um mir selbst willen geliebt, wie mein Schwind und auch Kupelwieser wird treu sein. Und sind denn wir nicht gerade die, die unser Leben in der Kunst fanden, wenn die andern sich damit nur unterhielten, die gewiß und allein unser Innerstes verstanden, wie es nur der Deutsche verstehen kann? Ich fühl's, ich war zu sehr einer Menge von Dingen und Leuten preisgegeben und vergeudete mich und meine Zeit; es war nöthig, daß ich herausgerissen wurde, daß meine Umgebung geläutert, ich selbst zur Thätigkeit gebracht würde, nun ist das eine geschehen und das andere im Werden, und ich kann also im Ganzen nur einen vorgerückten schöneren Stand der Dinge erblicken, und werde, wenn auch alles scheitert, wenigstens tüchtiger und ebenso liebevoll in eure Arme zurückkehren, die ihr mir nun die Einzigen seid. Ich habe eine entfernte Hoffnung euch diesen Winter noch zu sehen, es müßte ein schöner, aber doch komischer Traum werden. Der Baron V., der sehr
330 an abenteuerlichen, ungewöhnlichen Sachen hängt, will nämlich um eines Rendezvous willen, auf das er diesen Sommer in Carlsbad eingegangen, auf eine Nacht nach Wien in eine Redoute kommen, bloß Courier hinfahren, die Nacht da sein und ebenso extrapost wieder zurück. Er hat mich auf den Fall, als das zu Stande kommt, eingeladen, mitzufahren, und war, als er eben

24 Das Schreiben ist abgedruckt in der »Neue Zeitschrift für Musik« 1839.

25 Das Original des Briefes besaß (und besitzt vielleicht noch) die Familie des Ferd. Schubert.

von Carlsbad kam, sehr von diesem Plan erfüllt. Nun scheint er aber schon, in eine Menge anderer Sachen verwickelt, wieder abgekühlt zu sein. Wenn es aber geschieht, würde ich euch den Ort sagen, wo ihr mich zu erwarten hättet, und wir verlebten eine selige Nacht«[26].

Daß sich Schubert gelegentlich als Dichter versuchte, davon liefern die Textworte zu dem Terzett, welches er für die Geburtstagfeier des Vaters componirte, sowie die »Beiträge« zu Salieri's Jubelfeier, das Lied »In das Stammbuch eines scheidenden Freundes« und die Stelle in Schober's Brief aus dem Jahre 1824, in welchem ihm dieser »für das so wahre und empfundene Gedicht« dankt, wiederholte Beweise.

Hier mögen noch zwei Gedichte[27] (das erste datirt vom September 1820, das zweite: »Mein Gebet« überschrieben, vom 8. Mai 1823) ihre Stelle finden, die – wie R. Schumann sich darüber ausspricht – wenn sie auch eine wenig 331
geübte Hand verrathen, immerhin von poetischem Geschick und jener vorherrschenden Gemüthsstimmung zeugen, welche Nähe stehende an Schubert bemerkt haben. Dieselben lauten:

»Laßt sie nur in ihrem Wahn,«
Spricht der Geist der Welt,
»Er ist's, der im schwanken Kahn
So sie mir erhält.«

Laßt sie rennen; jagen nur
Hin nach einem fernen Ziel,
Glauben viel, beweisen viel
Auf der dunkeln Spur.

Nichts ist wahr von alledem,
Doch ist's kein Verlust,
Menschlich ist ihr Weltsystem
Göttlich bin ich's mir bewußt.

Mein Gebet.

Tiefer Sehnsucht heil'ges Bangen
Will in schön're Welten langen;

26 Der weitere Inhalt bezieht sich auf musikalische Angelegenheiten und ist bereits (bei dem Jahre 1822) angegeben worden.

27 Dieselben befanden sich, so wie auch die Erzählung: »Mein Traum«, in Ferdinand Schubert's Besitz, welcher sie A. Schumann im Jahre 1838 zur Veröffentlichung in der »Leipziger Musikzeitung« mittheilte.

Möchte füllen dunklen Raum
Mit allmächt'gem Liebestraum.

Großer Vater! reich' dem Sohne,
Tiefer Schmerzen nun zum Lohne,
Endlich als Erlösungsmahl
Deiner Liebe ew'gen Strahl.

Sieh, vernichtet liegt im Staube,
Unerhörtem Gram zum Raube,
Meines Lebens Martergang
332 Nahend ew'gem Untergang.

Tödt' es und mich selber tödte,
Stürz' nur Alles in die Lethe,
Und ein reines kräft'ges Sein
Lass', o Großer! dann gedeih'n.

Schließlich folgt noch die Erzählung eines Traumes, dessen Auslegung billig dem Leser überlassen bleibt.

Mein Traum.

Den 3. Juli 1822.

»Ich war ein Bruder vieler Brüder und Schwestern. Unser Vater, unsere Mutter waren gut. Ich war allen mit tiefer Liebe zugethan. – Einstmals führte uns der Vater zu einem Lustgelage. Da wurden die Brüder sehr fröhlich. Ich aber war traurig. Da trat mein Vater zu mir und befahl mir, die köstlichen Speisen zu genießen. Ich aber konnte nicht, worüber mein Vater zürnend mich aus seinem Angesichte verbannte. Ich wandte meine Schritte und mit einem Herzen voll unendlicher Liebe für die, welche sie verschmähten, wanderte ich in ferne Gegend. Jahre lang fühlte ich den größten Schmerz und die größte Liebe mich zertheilen. Da kam mir Kunde von meiner Mutter Tode. Ich eilte sie zu sehen, und mein Vater, von Trauer erweicht, hinderte meinen Eintritt nicht. Da sah ich ihre Leiche. Thränen entflossen meinen Augen. Wie die gute alte Vergangenheit, in der wir uns nach der Verstorbenen Meinung auch bewegen sollten, wie sie sich einst, sah ich sie liegen. Und wir folgten ihrer Leiche in Trauer und die Bahre versank. – Von dieser Zeit an blieb ich wieder zu Hause. Da führte mich mein Vater wieder einstmals in seinen Lieblingsgarten: er fragte mich, ob
333 er mir gefiele. Doch mir war der Garten ganz widrig und ich getraute mir

nichts zu sagen. Da fragte er mich zum zweiten Male erglühend: ob mir der Garten gefiele? Ich verneinte es zitternd. Da schlug mich mein Vater und ich entfloh. Und zum zweiten Male wandte ich meine Schritte und mit einem Herzen voll unendlicher Liebe für die, welche sie verschmähten, wanderte ich abermals in ferne Gegend. Lieder sang ich nun lange, lange Jahre. Wollte ich Liebe singen, ward sie mir zum Schmerz. Und wollte ich wieder Schmerz nur singen, ward er mir zur Liebe. So zertheilte mich die Liebe und der Schmerz. Und einst bekam ich Kunde von einer frommen Jungfrau, die einst gestorben war. Und ein Kreis sich um ihr Grabmal zog, in dem viele Jünglinge und Greise auf ewig wie in Seligkeiten wandelten. Sie sprachen leise, die Jungfrau nicht zu wecken. Himmlische Gedanken schienen immerwährend aus der Jungfrau Grabmal auf die Jünglinge wie leichte Funken zu sprühen, welche sanftes Geräusch erregten. Da scheute ich mich sehr auch da zu wandeln. Doch nur ein Wunder, sagten die Leute, führt in diesen Kreis. Ich aber trat langsamen Schrittes, immer Andacht und fester Glaube, mit gesenktem Blicke auf das Grabmal zu, und eh' ich es wähnte, war ich in dem Kreise, der einen wunderlieblichen Ton von sich gab; und ich fühlte die ewige Seligkeit wie in einen Augenblick zusammengedrängt. Auch meinen Vater sah ich versöhnt und liebend. Er schloß mich in seine Arme und weinte. Noch mehr aber ich.«

XIII.

(1825.)

Nachdem unser Tondichter schon während seines früheren Aufenthaltes in Steyr einen Vorgeschmack von der Schönheit des Landes empfangen hatte, regte sich nun in ihm abermals die Sehnsucht nach den Bergen und blauen Seeen Oberösterreichs. Noch vor dem Beginn der Sommerszeit begab er sich auf die »Wanderung«, welche sich diesmal bis Salzburg, Gastein und den Tirolerbergen zu ausdehnen sollte.

In Oberösterreich traf er verabredeter Maßen mit Vogl zusammen, der bereits am 31. März nach Stadt Steyr vorausgeeilt war[1]. 335

1 Aus einem, von dem Grafen Johann Mailath im Jahre 1832 herausgegebenen Tagebuch der berühmten Hofschauspielerin *Sofie Müller* (welche im Jahre 1824 von Mannheim nach Wien gekommen war, und im Jahre 1830 in Hietzing gestorben ist) geht hervor, daß *Jenger*, *Vogl* und *Schubert* in den ersten Monaten des Jahres 1825 mehrere Male bei ihr zu Besuch und zu Tische waren, und daß sie selbst Schubert'sche Lieder, besonders eben neuentstandene, gerne sang, oder Vogl's Vortrag mit Begeisterung zuhörte. Als solche neue Lieder sind erwähnt: »Die junge Nonne«, jene aus dem »Pirat«, das »Fragment aus Aeschilus«, »Ihr Grab«, »Der Einsame« und »Drang in die Ferne.« Der »alte« Lange (Hofschauspieler, Pianist, Maler und Operncompositeur, gest. 1827 in Wien) wohnte diesen Productionen zuweilen bei. Am 30. März, dem Tag vor Vogl's

Der Sänger hauste sich, wie gewöhnlich, bei Paumgartner ein; Schubert
336 nahm abwechselnd bei Koller und Schellmanns[2] sein Absteigequartier.

Wandernden Barden gleich zogen die beiden Künstler mit dem Beginn der Sommerszeit durch die blühenden Gauen des schönen Landes, um bald in stattlichen Klöstern, bald in Städten und Städtchen die schon berühmt gewordenen Weisen erklingen zu lassen. Namentlich in Linz und Gmunden und dann wieder an dem eigentlichen Ausgangspunkte ihrer Wanderschaft – in Vogl's Heimat – wurde längere Rast gemacht[3]. Allerorts fanden sie

Abreise, waren sie zum letzten Mal bei ihr versammelt; Schubert's wird in dem Tagebuch noch im April und December erwähnt. Er spielte da mit Jenger die Ouverture »seiner Oper« und producirte die Lieder aus »Fräulein am See«. Die Müller brachte den Sommer in *Gratz* zu, wo sie mit *Pachler's* bekannt wurde, welcher Familie wir im Jahre 1827 begegnen wer den. – *Jenger* (Johann Baptist), 1797 im Breisgauischen geboren, war ein intimer Freund Schubert's und vortrefflicher Begleiter seiner Lieder auf dem Clavier. Er accompagnirte hauptsächlich B. Schönstein. – Jenger starb 1855 als Hofkriegsrath-Beamter in Wien.

2 Aus den letzten Tagen vor Schubert's Abreise datirt auch das hier folgende Briefchen sammt Gedicht des jüngeren Schellmann, der sich damals zur Ablegung der Rigorosen in Wien aufhielt. Der kurze Inhalt des in meinem Besitz befindlichen Schreibens ist folgender: »Lieber Schubert! Sie noch zu grüßen, meine bei Ihnen vergessenen Handschuhe und das geliehene Buch zu holen, das sind die Zwecke, weßhalb ich hier bin – und die alle, bis auf das Buch, wovon ich die Hälfte fand, scheiterten. Leben Sie wohl, grüßen Sie mir alle Steyrer, meine Eltern, Vogl, die Pepi und besonders meinen Schatz, den sie leicht auskundschaften. Nehmen Sie dieses Blatt mit – es wird Sie an ein Versprechen erinnern.
V. S.

Das Sternchen.
(Mit Bleistift geschrieben.)

1.

Ein Sternchen möcht' ich sein
Mit hellem, goldnem Schein,
Und säh' sie Nachts aus ihrem Haus
Zum schmalen Fensterchen heraus,
Wollt' ich so freundlich strahlen,
Ich müßte ihr gefallen.

2.

Und was mein Mund nicht laut
Zu sagen sich getraut
Von meiner Liebe heißem Schmerz,
Das wollt' ich strahlen in ihr Herz,
Das Sternchen sollt' ihr's sagen,
Sie müßte mich beklagen.«

(Wahrscheinlich sollte Schubert dieses Gedicht in Noten setzen.)

3 Schubert kam am 29. Mai nach Steyr, und blieb daselbst bis zu Anfang Juni. Die Zeit vom 28. Juli bis halben August, und vom 12. bis 21. September brachte er abermals dort zu; in Linz hielt er sich 14 Tage, in Steyeregg auf dem Gut des Grafen Weißenwolf acht Tage auf. Die Reise nach Gastein fällt in die Zeit zwischen dem zweiten und

Freunde und Bekannte, von welchen sie auf's Herzlichste aufgenommen wurden[4]. Die noch lebenden Zeugen jener Wanderzeit gedenken mit Freude 337
der vergnügten Stunden, die sie in Gesellschaft des anspruchlosen, damals sehr heiter gestimmten Schubert verlebt haben. An musikalischen Genüssen fehlte es selbstverständlich nicht, wobei neuentstandene Lieder, von Vogl vorgetragen, oder Schubert'sche Claviercompositionen die Hauptrolle spielten, und daß der nie rastende Genius des Tondichters auch in dieser Zeit der mannigfachsten Zerstreuungen nicht geschlummert hat, bezeugen mehrere auf der Reise entstandene Compositionen.

Einige Briefe, welche Schubert damals theils an seine Familie, theils an Freunde und Bekannte gerichtet, oder von diesen erhalten hat[5], mögen hier, der Zeitfolge nach gereiht, ihre Stelle finden, da sie einen Blick in sein Inneres gewähren, und wohl auch so manches Streiflicht auf sein äußeres Leben fällt.

Am 2. Juni richtete die Sängerin *Anna Milder-Hauptmann* von Berlin aus, wo sie seit dem Jahre 1816 ihren Aufenthalt genommen hatte, an den von ihr hochverehrten Liedercomponisten folgende, in stylistischer Beziehung etwas nachläßig gehaltene Zeilen:

»Geehrtester Herr Schubert!

Ich kann nicht unterlassen, Ihnen von meiner musikalischen Abendunterhaltung Nachricht zu geben, die den 9. d. M. stattgefunden hat; ich habe 338
doch die Suleika vor dem Publicum gesungen, und zwar bin ich dazu aufgefordert worden, wie Sie sehen. Der Erlkönig und die Suleika haben unendlich gefallen, und zu meiner großen Freude kann ich Ihnen diese Zeitung schicken; ich wünsche und hoffe, daß sie Ihnen ebenfalls die Freude verursachen möge. Man wünscht, daß die Suleika bald zu haben wäre, und sie wird vermuthlich schon erschienen sein. In Berlin ist Trautwein der honetteste Musikhändler, wollten Sie die Suleika hier herausgeben, rathe ich Ihnen diesen Mann.

dritten Aufenthalt in Steyr. Auf diesen Ausflügen befand sich Schubert fast ununterbrochen in Vogl's Gesellschaft.

4 In *Gmunden* war es Hofrath *Schiller*, damals Oberamtmann des Salzkammergutes; in *Ebenzweier* der 85jährige, aber geistig noch rüstige *Klodi*, Besitzer des Schlosses und der Herrschaft Ebenzweyer; in *Linz die Spaun's*, unter diesen der durch literarische Arbeiten bekannt gewordene landständische Sindicus *Anton Spaun;* in *Steyeregg* die gräflich *Weißenwolf'sche* Familie, wo sie gastliche Aufnahme fanden, anderer Freunde in Steyr, St. Florian u.s.w. nicht zu gedenken.

5 Die Originalien sämmtlicher hier vorzuführenden an Schubert gerichteten Briefe aus den Jahren 1825 bis einschließlich 1828 sind – mit wenigen Ausnahmen – durch Vermittlung des Herrn *J. Herbeck* in meinem Besitz gelangt.

Wie steht's mit die Empfindungen an meinem Platze von Goethe?[6] haben Sie daran gedacht? Ich reife den 30. d. von hier ab, und erhalte wahrscheinlich vor der Abreise von Ihnen nichts, was mir unendlich leid thut. Den Monat August bin ich in Ems meiner Gesundheit wegen; hätten Sie vielleicht Gelegenheit, mir von Ihren letzteren Compositionen dorthin zu schicken, oder nach Paris, wo ich zwei Monate sein werde, September und October, würden Sie mich unendlich erfreuen. Wie geht's dem Vogl? Ich hoffe gut und nach meinen Wünschen sehr wohl, grüßen Sie ihn gefälligst unendliche Mahle von mir, ich betrübe mich noch, daß ich in Wien war und nicht so glücklich war, ihn zu sehen. Haben Sie die Güte zu sagen, daß ich nach Paris
339 reife, ich werde dort durchaus nicht singen, obschon man im Publiko mehr weiß, wie ich. Leben Sie recht wohl, und vergessen Sie bei Ihren Compositionen nicht

Ihrer ergebensten

Anna Milder.«

Dieser Brief war zunächst Schubert's Vater in Wien übergeben worden, der denselben (am 8. Juni) mit nachstehenden Zeilen an seinen Sohn übersendete:

»Lieber Sohn!

Der Herr Vater der Madame Milder überbrachte mir diesen Brief an Dich und ließ mich aus Berliner Zeitungsblättern sehr viel Rühmliches über die am 9. Juni d. J. von seiner Tochter gegebene Abendunterhaltung lesen, wo auch Deine Compositionen sehr erhoben werden.

Es wundert mich und alle Angehörigen sehr, warum Am gar nichts von Dir hören läßt. Segenswünsche und Freundschaftsgrüße ohne Zahl soll ich Dir von allen Seiten mittheilen. Auch Dein letzter Hausinhaber[7] ließ sich schon um eine Nachricht von Dir durch seine Dienstmagd anfragen. Ich und alle meine Anverwandten sind, Gott sei Dank, wohlauf, und in der Erwartung auf eine erfreuliche Antwort von Dir, wünsche ich Dir alles wahre und dauerhafte Gute als

6 »Verschiedene Empfindungen an einem Platz«, ein ziemlich umfangreiches Gedicht, in welchem die Empfindungen des Mädchens, des Jünglings, des Schmachtenden und des Jägers geschildert werden. Schubert hat es nicht componirt.

7 Schubert wohnte damals im Fruhwirt'schen Hause Nr. 100 neben der Carlskirche bei einem Oelverschleißer.

Dein treuer Vater

F. Schubert[8].«

»An den hochzuverehrendsten Herrn v. Vogl, Deinen erhabenen Gönner, meine herzliche Verehrung.« 340

Der erste der (mir vorgelegenen) *Schubert*'schen Briefe ist an den damaligen Bankal-Assessor *Josef Spaun*, seinen ehemaligen Convicts-Kameraden und treuesten Freund, gerichtet[9], welchen er in Linz besuchen wollte, der aber kurz vor seiner Ankunft daselbst im Dienste nach Galizien übersetzt worden war.

Das Schreiben[10] lautet:

Linz, 21. Juli 1825.

»Lieber Spaun!

Du kannst Dir denken, wie sehr mich das ärgern muß, daß ich in Linz einen Brief an Dich schreiben muß – nach Lemberg. Hol' der Teufel die infame Pflicht, die Freunde auseinander reißt, wenn sie kaum aus dem Kelch der Freundschaft genippt haben. *Da sitz'* ich in Linz und *schwitz'* mich halb tod in dieser schändlichen *Hitz*. Habe ein Heft neuer Lieder[11] und Du bist nicht da. Schämst du Dich nicht? Linz ist ohne Dich wie ein Leib ohne Seele, wie ein Reiter ohne Kopf, wie eine Suppe ohne Salz. Wenn nicht der Jägermaier gutes Bier hätte und auf dem Schloßberg ein passabler Wein zu haben wäre, so müßte ich mich auf der Promenade aufhängen aus Schmerz über die entfloh'ne Linzer Seele. Du siehst, daß ich ordentlich ungerecht werde gegen das übrige Linzthum, indem ich doch in Deiner Mutter Hause, 341
in der Mitte Deiner Schwestern, des Ottenwalt und Max[12] recht vergnügt bin und aus den Leibern manches noch andern Linzers der Geist herauszu-

8 Ob Schubert auf den freundlichen Brief der Milder geantwortet, ist mir nicht bekannt geworden; in dem Antwortschreiben an seinen Vater (vom 25. Juli 1825) findet sich eine auf den Brief der Milder Bezug habende Stelle.

9 Das Original besitzt Freiherr v. Spaun in Wien.

10 Der Brief wird um eine Stelle gekürzt wiedergegeben, welche auf eine noch lebende, mit Schubert vertraute Person Bezug hat.

11 Damit sind wohl die Gesänge von W. Scott gemeint, die er zu Anfang dieses Jahres componirt hatte.

12 *Max v. Spaun*, Hofkammer-Secretär (gest. 4. April 1844), war im Jahre 1825 Regierungspraktikant in Linz. Er war der jüngste Bruder des Hofrathes *Josef Freiherr v. Spaun* und der *Maria v. Spaun*, verehelichten *Ottenwalt*.

blitzen scheint. Nur fürcht' ich, wird dieser Geist nach und nach verblitzen, und da möchte ich vor Unmuth zerplatzen. Ueberhaupt ist es ein wahres Elend, wie jetzt überall alles zur faden Prosa verknöchert, wie die meisten Leute dabei ruhig zusehen oder sich gar wohl dabei befinden, wie sie ganz gemächlich über den Schlamm in den Abgrund glitschen. Aufwärts geht's freilich schwerer, und doch wäre dies Gesindel leicht zu Paaren zu treiben, wenn nur *von oben* etwas geschehe.

Uebrigens lasse Dir kein graues Haar wachsen, daß Du so weit von uns bist; biete dem einfältigen Schicksal Trotz, laß Dein weiches Gemüth wie einen Blumengarten erblühen, daß Du in dem kalten Norden Wärme des Lebens verbreiten und Deine göttliche Abkunft beurkunden mögest.

Niederträchtig ist die Trauer, die ein edles Herz beschleicht; wirf sie von Dir und zertritt den Geier, der sich in Deine Seele hineinfrißt.

Von Schober höre ich, daß er nach Wien zurückkommen soll. Nun frag ich, was wird er da machen?[13] Indessen freue ich mich doch sehr auf ihn,
342 ich hoffe, er wird wieder ein etwas lebendigeres und gescheidteres Wesen in die zwar sehr zusammengeschmolzene Gesellschaft hineinbringen.

Ich bin seit 20. Mai in Oberösterreich und ärgerte mich, als ich erfuhr, daß Du ein paar Tage zuvor von Linz abgereist bist. Ich hätte Dich so gerne noch einmal gesehen, ehe Du Dich dem polnischen Teufel überliefert hast.

In Steyr hielt ich mich nur vier Tage auf, worauf wir (Vogl und ich) nach Gmunden gingen, wo wir sechs volle Wochen recht angenehm zubrachten. Wir waren bei *Traweger*[14] einloschirt, der ein prächtiges Fortepiano besitzt und, wie du weißt, ein großer Verehrer meiner Wenigkeit ist. Ich lebte da sehr angenehm und ungenirt. Bei Hofrath von *Schiller* wurde viel musicirt, unter andern auch einige von meinen neuen Liedern aus W. Scott's ›Fräulein vom See‹, von welchen besonders die Hymne allgemein ansprach.

Daß Du mit dem jungen Mozart zusammenkommst, freut mich recht. Grüße ihn von mir.

Nun lebe wohl mein lieber Spaun, denke öfters an Deinen aufrichtigen Freund

Franz Schubert.«

343 »Schreibe mir doch nach Steyr.«

13 Herr v. Schober hatte Wien auf ein paar Jahre verlassen und Schubert meinte wohl, er werde vielleicht nicht so bald zurückkehren.

14 *Trawegen* war Kaufmann in Gmunden. *Carl* Schubert scheint ihn schon im Jahre 1818 besucht oder überhaupt seine Bekanntschaft gemacht zu haben; denn er schreibt an Franz: »Traweger, der sich mir als Deinem Bruder sehr gefällig und liebevoll bezeigte, läßt Dich herzlich grüßen und sagen, Du möchtest auf ihn bedacht sein, wenn Du vier- oder achtstimmige Männersingstücke hättest.«

Von den Wiener Freunden scheint sich der geniale *Moriz Schwind* am lebhaftesten brieflich mit Schubert unterhalten zu haben; denn dem hier folgenden Schreiben waren offenbar eines oder mehrere schon vorausgegangen. Der erste der mitzutheilenden Briefe ist zwar etwas mysteriöser Natur und wird wohl nur von jenen Personen vollkommen verstanden werden, denen das Verhältniß bekannt ist, in welchem der damals zur Schwärmerei hinneigende Maler und der mehr realistische Musiker zu der Familie H. in Wien gestanden haben; dennoch soll der Brief unverkürzt wiedergegeben werden, da auch ein derlei Herzenserguß, wie der nun folgende, immerhin zur Charakteristik des derbgemüthlichen Verhältnisses der beiden Freunde zu einander beiträgt, und Schubert's Brief an Bauernfeld (vom 19. September) auf diese beiden Schreiben Schwind's Bezug nimmt. Der Brief lautet:

»Mein lieber Schubert!

Ich glaube fast, daß mein letzter Brief einiges enthalten hat, was Dir unangenehm war. Ich will aufrichtig sein und Dir gestehen, was mich noch immer kränkt. Du erinnerst Dich gewiß daran, wie Du das letzte Mal nicht zu H. gekommen bist. Ich müßte ganz blind sein, wenn ich mich's verdrießen ließe, ja wenn es mir nicht angenehm wäre, wenn Du thust, was Du willst und Dich um das bekümmerst, was ich allenfalls von Dir begehre. Hättest Du aber daran denken wollen, wie viel Liebe Dich erwartet hat, so wärst Du gekommen. So wenig es mich abhalten wird, Dir zu sein und zu thun, was Dir bis jetzt von mir willkommen war, so muß ich mich fast fürchten, so viel Freuden von Dir zu empfangen, da ich sehe, wie wenig Uebergewicht 344
ich über Dein Mißtrauen und Deine Furcht, Dich geliebt und verstanden zu sehen, durch so manches Jahr habe erringen können. Das mag der Grund einiger boshaften Späße sein, die ich nicht habe unterdrücken können, so sehr sie mir selbst weh thun. Das verteufelte Spotten hat wohl überhaupt seinen Grund in ähnlichen Dingen. Warum soll ich's nicht sagen? Seit ich Dich und Schober kenne, bin ich gewohnt, mich in allen Dingen verstanden zu sehen. Da kommen die Andern und spotten und lauern in Verbindungen und Gedanken herum, von denen sie irgend ein Fragment zu Gesicht bekommen, und wir lassen sie Anfangs gewähren, dann thun wir's selber mit, und da der Mensch nicht von Diamant ist, so verliert sich Unersetzliches um den Spottpreis eines erträgliches Umganges. Wenn das zu bitter ist, so war ich leider oft zu gut. Ich bitte Dich, antworte mir hierüber, so grob und so aufrichtig als ich, denn es ist alles besser als diese qualvollen Gedanken, die ich nicht los werden kann.

Ich höre, daß Du mich schon bald erwartest; das ist aber leider nicht wahr. Ich kann es nicht verschieben, mich ganz auf das Malen zu werfen, und ein ganzer Sommer ist das geringste, was ich meinen bisherigen Versu-

chen zugeben kann, um nur zu einiger Sicherheit zu gelangen. Auch muß ich Schober erwarten und kann dann nicht gleich weglaufen; er wird sich so genug ärgern, daß Du nicht hier bist. Uebrigens gehe ich fleißig nach Grinzing, wo sich mehr als eine saure Woche vergessen läßt. Ich habe etwas anderes schreiben wollen, aber ich höre Dich ordentlich spotten, wiewohl Du so gut als ich und noch besser weißt, wie wohlthuend und lieblich ein
345 Umgang ist, in dem man sich und seine Freunde verstanden sieht. Beiliegendes Zeitungsblatt schickt dir die N. Du wirst bemerken, wie sie sich bemüht hat, Deine Freundschaft mit Tieze zu vernichten, dem Du auch in ihrer Gegenwart verschiedene Ehrentitel beigelegt hast. Es grüßen Dich Alle vielmals und es ist kein Ende von Erinnerungen und Wiederholungen aus der Zeit, wo Du da warst.

Ich weiß nicht, ob ich Dir geschrieben habe, daß ich bei Grillparzer war. Er zeigte viele Freude über meine ›Hochzeit‹[15] und versicherte mich, in zehn Jahren werde er sich noch jeder Figur erinnern. Da wir in Ermangelung eines Weimar'schen Herzogs, der zu schützen und zu zahlen vermag, nichts begehren können, als das geistige Urtheil bedeutender Männer, so kannst Du Dir denken, wie vergnügt ich nach Hause ging. Uebrigens bezeugte er sich sehr freundlich und gesprächig, großentheils über die mangelhafte und er-
346 künstelte Richtung gewisser Künstler und Gelehrten, die wir kennen. Daß er die ›Hochzeit des Figaro‹ ganz so ansieht wie ich, war mir kein kleiner Triumph. Mit seiner Oper[16] wird es nichts sein, denn sie gehört nimmer sein, und er kann daher nicht ganz thun, wie er will. Dafür hofft er Dir eine Oper vom Königsstädter Theater in Berlin zu verschaffen, dessen Director er kennt und der eine Oper sucht. Er wiederholte öfters, daß es ihm eine wahre Angelegenheit sei. Bauernfeld studiert und grüßt Dich. Viele Empfehlungen an Herrn v. Vogl; er soll ja nicht vergessen, der schönsten Frl.

15 Schwind hatte ein Bild: die Hochzeit des Figaro darstellend, gemalt. Helmina *Chezy* erwähnt (in den »Denkwürdigkeiten«) dieses Bildes in folgender Weise: »Mein ältester Sohn Wilhelm schuf sich schnell einen Dichterkreis von ausgezeichneten Leuten, von denen er mir täglich zu erzählen pflegte. Er befreundete sich dort mit Bauernfeld, Ernst v. Feuchtersleben, Andreas Schumacher, Christian Huber und anderen verheißnißvollen Dichtern, deren Knospe sich reich entfaltete. Auch Moriz Schwind, der geniale Künstler, gefiel sich sehr in ihrem Kreise. Schwind arbeitete in jenem Sommer an seiner köstlichen Zeichnung: ›Die Hochzeit des Figaro‹. Welche Kraft, welche Gedankenfülle, welch' überschwänglicher Humor, welche Heiterkeit! Wer mag das köstliche Kunstwerk besitzen? Nur in den besten Werken der florentinischen Schule habe ich eine so innige Verschmelzung der Romantik mit dem Geist der Antike gefunden!« – Auch Wilhelm Chezy erwähnt in den »Erinnerungen« dieses Bildes, welches damals viel Aufsehen machte.

16 Vermuthlich »*Melusine*«, die Beethoven componiren sollte, und welche später K. Kreutzer in Musik setzte und im Josefstädter-Theater aufführte.

Amalia[17] in irgend einer gelegentlichen Schäferstunde die zwei Zeichnungen abzulocken. Ich selbst habe sie nicht, und da ich doch bald malen soll, so brauche ich sie unumgänglich. Zur Fr. v. Lascny kann ich noch immer nicht. Das ist auch .... Wenn Du nach *Ebenzweyer* kommst, so empfiehl mich und richte aus, was Du nur Schönes austreiben kannst. Schreibe mir auch recht bald, wie es Dir geht, was Du machst, wie es Dir gefällt und ob Du bestätigt findest, was ich Dir erzählte. Empfiehl mich bei Hofrath Schiller so artig als Du weißt. Wenn ich an voriges Jahr denke, so halte ich mein unterthänigstes Compliment noch für grob. Weißt Du von der Fritzi Dornfeld nichts, von Linz und Florian? Ich werde curios ausstreichen, wenn ich hier fertig bin. Lebe recht wohl

Dein Schwind.« 347

Der Brief, *dto.* 25. Juli nach Gmunden adressirt, wurde dem mittlerweile nach Steyr abgegangenen Schubert nachgesendet. Dieser richtete von dort aus an demselben Tag an seine Eltern folgendes Schreiben:

»Theuerste Eltern!

Mit Recht verdiene ich den Vorwurf, den Sie mir über mein langes Stillschweigen machten, allein da ich nicht gern leere Worte schreibe und unsere gegenwärtige Zeit wenig Interessantes darbietet, so werden Sie mir's verzeihen, daß ich erst auf Ihr liebevolles Schreiben etwas von mir vernehmen lasse. Sehr freute mich das allerseitige Wohlbefinden, zu dem ich, der Allmächtige sei gepriesen, auch das meinige hinzufügen kann. Ich bin jetzt wieder in Steyr, war aber sechs Wochen in Gmunden, dessen Umgebungen wahrhaftig himmlisch sind und mich so wie ihre Einwohner, besonders der gute Traweger, innigst rührten und mir sehr wohl thaten. Ich war bei Traweger wie zu Hause, höchst ungenirt. Bei nachheriger Anwesenheit des Herrn Hofrath Schiller, der der Monarch des ganzen Salzkammergutes ist, speisten wir (Vogl und ich) täglich in seinem Hause und musicirten sowohl da, als auch in Traweger's Hause sehr viel. Besonders machten meine neuen Lieder aus Walter Scott's ›*Fräulein vom See*‹ sehr viel Glück. Auch wunderte man sich sehr über meine Frömmigkeit, die ich in einer Hymne an die heil. Jungfrau ausgedrückt habe und, wie es scheint, alle Gemüther ergreift und zur Andacht stimmt. Ich glaube, das kommt daher, weil ich mich zur Andacht nie forcire und, außer wenn ich von ihr unwillkürlich übermannt werde, nie dergleichen Hymnen oder Gebete componire, dann aber ist sie 348
auch gewöhnlich die rechte und wahre Andacht. Von Gmunden gingen wir über Puschberg, wo wir einige Bekannte antrafen und uns einige Tage auf-

17 Mit *Amalie* dürfte die Tochter des Hofrathes Schiller in Gmunden gemeint sein.

hielten, nach Linz, wo wir acht Tage verweilten, die wir wechselweise in Linz selbst und in Steyreck zubrachten. Zu Linz quartirte ich mich im *Spannischen* Hause ein, wo man *Spaun's* (dessen, den Sie kennen) Versetzung nach Lemberg noch sehr betrauert. Ich las einige Briefe von ihm, die er von Lemberg geschrieben hatte, die sehr betrübt lauten und wirkliches Heimweh verrathen. Ich schrieb ihm nach Lemberg, machte ihn über sein weibisches Benehmen sehr aus, wäre aber an seiner Stelle vermuthlich noch jammervoller als er. In Steyreck kehrten wir bei der Gräfin *Weißenwolf* ein, die eine große Verehrerin meiner Wenigkeit ist, alle meine Sachen besitzt und auch manches recht hübsch singt. Die Walter Scott'schen Lieder machten einen so überaus günstigen Eindruck auf sie, daß sie sogar merken ließ, als wäre ihr die Dedication derselben nichts weniger als unangenehm[18]. Mit der Herausgabe dieser Lieder gedenke ich aber doch eine andere Manipulation zu machen als die gewöhnliche, bei der gar so wenig herausschaut, indem sie den gefeierten Namen des Scott an der Stirn tragen und auf diese Art mehr Neugierde erregen könnten und mich bei Hinzufügung des englischen Textes auch in England berühmter machen würden. Wenn nur mit den – von Kunsthändlern etwas Honnetes zu machen wäre, aber dafür hat schon die weise und wohlthätige Einrichtung des Staates gesorgt, daß der Künstler ewig der Sclave
349 jedes elenden Krämers bleibt.

Was den Brief der Milder betrifft, so freut mich die günstige Aufnahme der ›Suleika‹ sehr, obwohl ich wünschte, daß ich die Recension selbst zu Gesichte bekommen hätte, um zu sehen, ob nicht etwas daraus zu lernen sei; denn so günstig als auch das Urtheil sein mag, eben so lächerlich kann es zugleich sein, wenn es dem Recensenten am gehörigen Verstand fehlt, welches nicht so selten der Fall ist.

In Oberösterreich finde ich allenthalben meine Compositionen, besonders in den Klöstern Florian und Kremsmünster, wo ich mit Beihilfe eines braven Clavierspielers meine vierhändigen Variationen und Märsche mit günstigem Erfolge producirte. Besonders gefielen die Variationen aus meiner neuen Sonate zu zwei Händen[19], die ich allein und nicht ohne Glück vortrug, indem mich einige versicherten, daß die Tasten unter meinen Händen zu singenden Stimmen würden, welches, wenn es wahr ist, mich sehr freut, weil ich das vermaledeite Hacken, welches auch ausgezeichneten Clavierspielern eigen ist, nicht ausstehen kann, indem es weder das Ohr noch das Gemüth ergötzt. Ich befinde mich gegenwärtig wieder in Steyr und wenn Sie mich bald mit einem Schreiben beglücken wollen, so wird es mich noch hier treffen, indem wir nur 10 bis 14 Tage verweilen und dann die Reise nach Gastein antreten, einer der berühmten Badeörter, ungefähr 5 Tage von Steyr entfernt. Auf

18 Die Lieder wurden auch der Gräfin gewidmet.

19 Wird *op*. 42 gemeint sein.

diese Reise freue ich mich außerordentlich, indem ich dadurch die schönsten Gegenden kennen lerne und wir auf der Rückreise das wegen seiner herrlichen Lage und Umgebungen berühmte Salzburg besuchen werden. Da wir von dieser Reise erst halben September zurückkommen werden und dann noch einmal nach Gmunden Linz, Steyreck und Florian zu gehen versprochen 350
haben, so dürfte ich wohl schwerlich vor Ende October in Wien eintreffen. Uebrigens bitte ich, doch mein Quartier neben der Carlskirche zu miethen und gefälligst die 28 fl. W.W. indessen zu erlegen, die ich bei meiner Wiederkunft mit Dank zurückerstatten werde, weil ich es einmal versprochen habe und es doch möglich wäre, daß ich früher eintreffe, als ich glaube. Das Wetter war hier den ganzen Juni und halben Juli sehr unstät, dann 14 Tage sehr heiß, daß ich ordentlich mager wurde vor lauter Schwitzen, und jetzt regnet es 4 Tage beinahe in einem fort. Den Ferdinand und seine Frau sammt Kindern lasse ich schönstens grüßen. Er kriecht vermuthlich noch immer zum Kreuz[20] und kann Dornbach nicht los werden; auch wird er gewiß schon wieder 77 Mal krank gewesen sein und 9 Mal sterben zu müssen geglaubt haben, als wenn das Sterben das Schlimmste wäre, was uns Menschen begegnen könnte. Könnte er nur einmal diese göttlichen Berge und Seen schauen, deren Anblick uns zu erdrücken oder zu verschlingen droht, er würde das winzige Menschenleben nicht so sehr lieben, als daß er es nicht für ein großes Glück halten sollte, der unbegreiflichen Kraft der Erde zu neuem Leben wieder anvertraut zu werden. Was macht Carl[21]? Wird er reisen oder nicht? Er hat wohl jetzt viel zu thun; denn ein verheirateter Künstler ist verpflichtet, sowohl Kunst- als Naturstücke zu liefern, und wenn 351
beide Arten gerathen, so ist er doppelt zu loben, denn das ist keine Kleinigkeit. Ich leiste Verzicht darauf. *Ignaz* wird vermuthlich jetzt eben bei *Hollpein* sein; denn da er nur Morgens, Nachmittags und Abends dort ist, so wird er schwerlich zu Hause sein. Ich kann nicht aufhören, seine Ausdauer zu bewundern, nur weiß man nicht recht, ob es eigentlich ein Verdienst ist oder keines, ob er sich dadurch mehr den Himmel oder die Hölle verdient. Er möchte mich doch darüber aufklären. Der Schneider[22] und seine Schneiderin sollen auf den zu kommenden kleinen oder kleine Schneiderin schön Acht haben, auf daß die Schneider zahllos werden wie der Sand am Meere, nur sollen sie darauf sehen, daß keine Aufschneider oder Zuschneider, keine Ehr- oder Gurgelabschneider überhand nehmen. Und nun muß ich das Geschwätz endlich enden, da ich glaubte mein langes Schweigen durch

20 Das ehemals Weigert'sche (jetzt Wittmann'sche) Gasthaus, wo die Familie Schubert zusammenzukommen pflegte. Franz ging nicht gerne dahin, denn der Wirth fälschte den Wein, der ihm dann Kopfweh verursachte.

21 Schubert's Bruder, Landschaftsmaler.

22 Schubert's Schwager, Schullehrer,

ein *dito* Schreiben ersetzen zu müssen. Marie und Pepi und den kleinen Probstl Andre[23] küsse ich tausend Mal. Uebrigens bitte ich Alles, was nur grüßbar ist, schönstens zu grüßen. In Erwartung einer baldigen Antwort verharre ich mit aller Liebe

Ihr

treuester Sohn

Franz.«

Ein Schreiben geschäftlicher Art ist das folgende von Herrn *Hüther* im Namen der Verlagshandlung Pennauer in Wien an Schubert[24] unter dem
352 27. Juli 1825 gerichtete:

»Verehrtester Freund!

Bei meiner Rückkunft von Leipzig erfuhr ich, daß Sie bereits nach Oberösterreich abgereist wären, Niemand konnte mir aber eine bestimmte Adresse geben, ich mußte daher bis heute des Vergnügens entbehren, mich um Ihr Wohlsein zu erkundigen, und rücksichtlich Ihrer neuen Compositionen in Unterhandlungen zu treten. Heute erst erfahre ich durch Herrn v. Pinterics Ihren Aufenthalt bei Herrn v. Vogl und benütze diesen Augenblick, um Ihnen Gegenwärtiges zuzusenden. Ich kann (Sie in solcher Gesellschaft wissend) nur Ihr Wohlsein vermuthen, gehe daher gleich zum Geschäft über und bin so frei mich anzufragen, was Sie im Laufe dieser Zeit componirt und davon geneigt wären, im Publikum erscheinen zu lassen. Ich bitte Sie ferner, mir zu sagen, wie viele Lieder Sie aus W. Scott's Werken componirten, ob die deutsche Uebersetzung im Metrum des englischen Originals ist und daher geeignet wäre, beide Texte unter die Composition zu legen. Ich bitte Sie, mir den genauesten Preis als Anfänger zu machen und überzeugt zu sein, daß ich mein Möglichstes zur Ausstattung einer sehr schönen Ausgabe und Verbreitung Ihrer Compositionen beitragen werde. Von Ihren Werken habe ich das Heft ›Die junge Nonne‹ ausgegeben, ein zweites Heft Lieder folgt nächstes Monat, die Sonate[25] aber, welche auch schon gestochen ist und wo ich täglich vom Erzherzog Rudolf die Erlaubniß der Dedicasse erwarte, im Monat September. Ich bitte mir zu wissen zu machen, auf welche
353 Weise ich Ihnen Exemplare der Lieder zusenden darf. Ich hoffe, Sie werden mit der Auflage zufrieden sein, und obwohl bei drei Correcturen einige un-

23 Schubert's Geschwister.

24 Es ist adressirt: »An Herrn Michael von Vogl, Mitglied der k.k. Hofkapelle und Kammersänger, für Herrn Franz Schubert in Steyr.«

25 In *A-Moll, op.* 42.

bedeutende Fehler bei den beiden Heften stehen geblieben, so sind doch selbe sogleich verbessert worden und nur die ersten zwanzig Exemplare, welche nicht einmal alle ausgegeben worden, sind fehlerhaft geblieben. Ich werde Ihnen durch eine Privatgelegenheit per Adresse des Herrn v. Vogl einen Abdruck der Sonate zusenden und bitte selbe genau durchzusehen; denn mir liegt sehr daran, daß die Werke fehlerfrei bei mir erscheinen. Wollen Sie mir gefälligst anzeigen, wie lange Sie noch von Wien wegzubleiben gedenken. Sehr lieb wäre mir die Nachricht, daß Sie ein Werk zu vier Händen geschrieben hätten, und bitte Sie hierauf zu reflectiren, wenn Sie Luft zu einem recht brillanten Werke von nicht zu großem Umfang zu componiren hätten, z.B. eine große Polonaise oder Rondeau mit einer Introduction etc. oder eine Fantasie! – Ich erbitte mir nochmals Ihre billigsten Bedingungen hinsichtlich der Lieder von W. Scott und ersuche Sie, Ihre gefällige Zuschrift blos an uns mit Adresse: A. Pennauer, Kunsthändler in Wien, zu stellen. Ich wünsche Ihnen recht schöne und günstige Witterung, um ungehindert Ausflüge in die herrlichen Umgebungen Ihres Aufenthaltes machen zu können, bitte Sie uns Herrn v. Vogl ganz ergebenst zu empfehlen und der armen, jetzt ganz verlassenen Wiener manchmal zu gedenken. Genehmigen Sie die Versicherung meiner vorzüglichsten Werthschätzung und Auszeichnung, mit welcher verharret Ihr ganz ergebenster Diener

Fr. *Hüther.*«

»*P.S.* Es wird Sie vielleicht interessiren, von unsern Theatern etwas zu
erfahren. Ich kann Ihnen mit Gewißheit sagen, daß Barbaja auf zehn Jahre 354
die Direction der Oper übernommen hat und bereits schon von Duport das Chorpersonale wieder engagirt wird. Mit der deutschen Oper aber!! – ist es total aus; wie ich höre, wird nur Ballet und *opera italiana*. Graf Palffy möchte gerne einen Compagnon mit viel Geld. Der Wunsch ist gut, dürfte aber schwer zu realisiren sein. – Ueber das Schicksal dieses Theaters ist man noch ganz ungewiß; indessen hat Herr Carl[26] vom bairischen Theater für drei Monat zum Versuch dasselbe gepachtet und fängt am 15. August zu spielen an.«

Auf den früher erwähnten Brief M. Schwind's hatte Schubert in seiner Art, wahrscheinlich in derb humoristischer Weise, geantwortet; am 1. August schreibt Schwind abermals an ihn:

26 Wie bereits erwähnt, endete Barbaja's Pacht und die damit vereinigte Administration des Theaters an der Wien am 13. März 4825. Der später bekannt gewordene Director Carl (von Bernbrunn), vom Isarthor-Theater in München, gastirte daselbst vom August 1825 bis März 1826 und schloß im August 1826 einen Pachtvertrag mit dem Grafen Palffy ab. Im Jahre 1835 brachte er das Theater käuflich an sich.

»Liebster Schubert!

Ich muß einen schönen Unsinn geschrieben haben, das merke ich an dem schönen Gesetzel ›Diamant und Fragment‹, wofür ich aber durchaus keinen Zusammenhang finden kann. Uebrigens sei's wie's sei, ich habe doch etwas erfahren, was mir im Schlaf nicht eingefallen, daß Dich bei H. Jemand beleidigt hat. Von der N. glaub' ich es nicht und ich hoffe, Du auch nicht, und
355 von den Andern sollte es mich sehr wundern. Hättest Du's nur gleich gesagt, die Sache hätte sich anders zeigen müssen, oder ich Dir nicht einen Augenblick zugemuthet, hinzugeh'n; auch wirst Du wohl glauben, daß ich auch keine Sehnsucht mehr nach einer solchen Gesellschaft hatte. Indessen werde ich in Teufels Namen das Haus umkehren, ob sich etwas findet, was einer ecclatanten Widerrufung oder Deiner Beschuldigung gleich sieht. Ich kann Dich aber bei allen Heiligen versichern, daß ich gar keine Vorstellung davon habe.«

»Den 6. Abends.

Ich habe die N. von weiten, aber so bestimmt als möglich gefragt, und schon der Gedanke liegt ihr so fern, daß ich Dir gutstehe, sie hat sich nicht sonderbar benommen, noch weniger zweideutig. Ich hoffe, Du wirst, wenn Du zurückkömmst, an die Sache nicht mehr denken.

Schober ist hier. Er grüßt Dich tausendmal. Er ist ganz der alte, ja lebendiger und frischer. Von Kupelwieser ist heut' ein Brief aus Padua gekommen, in drei Wochen dürfte er schon hier sein. Die junge Nonne ist erschienen. Ich habe viel zu thun, daß ich nicht weiß, wann ich reisen kann, ich hoffe aber zuversichtlich, Dich zu sehen. Lebe recht wohl und schreibe uns bald. Bauernfeld macht Examen und Lebensblätter durcheinander, und wir sind recht fröhlich zusammen, so weit wir es ohne Dich sein können. Wenn Du
356 Resi Clodi[27] siehst, so grüße sie; ich freue mich sehr, sie wieder zu sehen. Empfiehl' mich Herrn Vogl, und erinnere ihn an die zwei Zeichnungen, die Mali hat. Pinterics, Doblhoff und Alle grüßen Dich.

Dein Schwind«[28].

»Bald hätte ich das Wichtigste vergessen. Schober hat mit Tieck, der Theater-Hofrath in Dresden geworden ist, wegen Deiner Oper ›Alfonso‹ gesprochen. Du mußt gleich schreiben, ob sie noch in Dresden ist oder wo

27 Des alten Clodi Tochter in Ebenzweyer.

28 Der Brief ist adressirt an Herrn Franz Schubert, Compositeur in Steyr bei Herrn Vogl.

sonst, denn Tieck wartet auf Nachricht. Ich habe nicht mehr Zeit. Lebe vielmal wohl.«

Am 14. August schreibt Schwind abermals:

»Lieber Schubert!

Ich weiß zwar nicht, wo Du bist, aber der Brief wird Dir schon nachgeschickt werden[29]. Daß Schober schon da ist, wirst Du aus meinem letzten Brief schon wissen, wenn Du ihn erhalten hast. Nun ist aber Kupelwieser seit acht Tagen auch schon da. Nach den letzten Briefen konnten wir ihn erst in drei Wochen erwarten. Er sieht prächtig aus und hat einen vollkommenen Haarputz, den er Nervenfiebers halber lange Zeit hat entbehren müssen. Sie grüßen Dich alle tausend Mal. Es fehlt nichts, als daß Du endlich einmal zurückkömmst. Schober und Kupelwieser wohnen beisammen. 357

Dein Hausherr möchte *bestimmt* wissen, ob Du Dein Quartier *bestimmt* diesen Winter wieder wirst beziehen wollen. Schreibe mir das *bestimmt*, so werde ich ihm's sagen.

Wenn gewisse Unterhandlungen nach meinem Wunsche ausschlagen, so bin ich entschlossen, für mich zu wohnen, aber wahrscheinlich auf der Wieden. *Rieder*[30] ist an der Ingenieurs-Akademie als Professor mit 600 fl. angestellt, dafür aber in dem Verdacht, daß er heirathen will. Wenn Du Dich ernstlich um die Hoforganistenstelle bewirbst, so kannst Du's auch so weit bringen. Es wird Dir nichts übrig bleiben, als ordentlich zu leben, da Du im widrigen Falle bei der entschiedenen gänzlichen Armuth Deiner Freunde Deine fleischlichen und geistigen Bedürfnisse von Fasanen und Punsch in einer Einsamkeit wirst befriedigen müssen, die einem wüsten Inselleben oder einer Robinsonade nichts nachgeben wird. Vom Theater scheint gar keine Rede mehr zu sein, wenigstens von Opern, und da im Winter keine Harmonie bei Wasserburger ist, so können wir uns was pfeifen. Wie freu' ich mich wieder auf die erste Schubertiade. Wegen Deiner Sinfonie können wir uns gute Hoffnungen machen. Der alte *Hönig*[31] ist Dekan der juridischen Facultät und wird als solcher eine Akademie geben. Dieß kann wohl Gelegenheit geben, vielmehr es wird darauf gerechnet, daß sie aufgeführt wird.«

29 Der Brief ist an Herrn Franz Schubert, bei Herrn Vogl in Steyr adressirt. Der Adresse ist beigefügt: »Im Falle der Abwesenheit wird gebeten, dies Herrn Vogl nachzusenden.«

30 Wilhelm Rieder, derzeit k.k. Custos in der Gemälde-Gallerie am Belvedere, wurde damals Professor der freien Zeichnung an der Ingenieur-Akademie in Wien.

31 Carl Hönig, Hof- und Gerichts-Advocat in Wien.

»Den 1. Sept.

Ich war unterdessen ein wenig unglücklich, bin aber schon wieder frisch. 358 So lange man noch den Muth hat, aufrichtig zu sein, läßt sich alles beilegen. Kommen kann ich nicht, denn ich habe zu viel zu thun. Damit Du aber nicht glaubst, ich sei durch gewisse Leute gehalten, so wisse nur, daß ich doch nach Weikenstein, dann nach *Azenbruck*[32] gehe, wo Schober jetzt ist, um das Landleben zu genießen. Wiewohl ich noch aus Deinem Mund nicht weiß, ob Du schon wieder gut bist, so schmeichle ich mir doch, daß ich und Bauernfeld nicht hinauskommen können, könnte auch noch ein Grund für Dich sein, eher zu kommen. Kupelwieser ist sehr fleißig und Schober scheint ernste Anstalten dazu zu machen, aber wiewohl auf diese Art Jeder glücklich ist, haben wir keine frohe Vereinigung ohne Dich. Du kannst Dich darauf verlassen, Du findest ein größeres Leben als Du es verlassen hast. N., die einzige, die Du bezweifelst, zeigt ihre unbegrenzte Anhänglichkeit an Dich und Deine Sache so vielfach und natürlich, daß, wenn ich einigen Glauben verdiene, ich mich verbürgen kann, daß Du nicht leicht vor Jemand leben und singen kannst, der Dich mehr achtet oder einen innigeren Antheil und tiefere Freude empfinden kann.

Worschizek[33] geht auf den letzten Füßen und der Hoforganismus will 359 ernstlich betrieben sein. Es wird, so viel ich erfahren kann, auf ein Georgel über ein gegebenes Thema ankommen, um ein gemachter Mann zu sein.

In Gmunden wird Dir doch eine Orgel zu Gebot stehen, um Dich zu üben. Schließlich bitte ich Dich, Herrn Vogl nebst allen möglichen Empfehlungen Tag und Nacht anzuliegen, die bewußten zwei Zeichnungen auf jede Art zu erobern und mitzubringen. Ich hoffe, daß ich und meine Kunst ihm lieber sein werden, als selbige Dame, die übrigens so liebenswürdig sein mag, als sie will, und zu deren Gunst und Freundschaft ich ihm alles Glück wünsche, ja im Nothfall mit aller uneigennützigen Anstrengung behilflich sein will. Ich möchte selbe Sachen gerne malen, und weiß den nicht für meinen Freund zu halten, der mir da entgegen ist oder hilft.

Ich bleibe der Deinige, so lange ich mich selbst nicht verlasse, und wünsche für mich und alle die Du liebst baldige

Ankunft oder Antwort.

Dein Schwind.«

32 Der Lustort, dessen bereits (bei 1821) erwähnt wurde.

33 Worschizek (Johann Hugo), geb. 1791 zu Wamberg in Böhmen, gest. am 19. Nov. 1825 in Wien – mithin ein paar Monate, nachdem obiger Brief geschrieben worden war. Worschizek componirte eine große Anzahl von Clavier- und Gesangsstücken, auch eine Cantate, eine Sinfonie und Kirchenmusik, zum Theil geschätzte Werke. Er war k.k. Hoforganist, welche Stelle nach seinem Tod Simon Sechter erhielt.

»Viel Schönes von Pinterics, Doblhoff, Randhartinger, und glaube mir's auf meine Treue, das Herzlichste von der kleinen Person. Briefe erhalte ich von Haus, wo ich auch sei.«

Schubert unternahm mittlerweile eine kleine Gebirgstour und sendete am 12. September von Gmunden aus seinem Bruder Ferdinand folgenden ausführlichen Reisebericht:

»Lieber Bruder!

Deiner Aufforderung gemäß möchte ich Dir freilich eine ausführliche
Beschreibung unserer Reise nach Salzburg und Gastein machen, allein Du
weißt wie wenig ich zum Erzählen und Beschreiben geeignet bin; da ich indessen bei meiner Zurückkunft nach Wien auf jeden Fallerzählen müßte,
so will ich es doch lieber jetzt schriftlich als dann mündlich wagen, ein 360
schwaches Bild all' dieser außerordentlichen Schönheiten zu entwerfen, indem
ich jenes doch besser, als dieses zu treffen hoffe.

Wir reiseten nämlich ungefähr halben August von *Steyr* ab, fuhren über
Kremsmünster, welches ich zwar schon öfter gesehen habe, aber wegen seiner
schönen Lage nicht übergehen kann. Man übersieht nämlich ein sehr liebliches Thal, von einigen kleinen sanften Hügeln unterbrochen, auf dessen
rechter Seite sich ein nicht unbedeutender Berg erhebt, durch dessen Gipfel
das weitläufige Stift schon von der Fahrstraße, die über einen entgegenge-
setzten Bach herabführt, den prächtigsten Anblick gewährt, der besonders
durch den mathematischen Thurm sehr erhöht wird. Hier, wo wir schon
länger bekannt sind, besonders Herr v. Vogl, der hier studirt hat, wurden
wir sehr freundlich empfangen, hielten uns aber nicht auf, sondern setzten
unsere Reise, ohne daß sie eine besondere Erwähnung verdiente, bis nach
Vöklabruck fort, wo wir Abends anlangten; ein trauriges Nest. Den andern
Morgen kamen wir über Straßwalchen und Frankenmarkt nach Neumarkt,
wo wir Mittag machten. Diese Oerter, welche schon im Salzburgischen liegen,
zeichnen sich durch eine besondere Bauart der Häuser aus. Alles ist beinahe
von Holz. Das hölzerne Küchengeschirr steht auf hölzernen Stellen, die außen
an den Häusern angebracht sind, um welche hölzerne Gänge herumlaufen.
Auch hängen allenthalben zerschossene Scheiben an den Häusern, die als
Siegestrophäen aufbewahrt werden aus längst vergangenen Zeiten, denn man
findet die Jahreszahl 1600 und 1500 häufig. Auch fängt hier schon das bai-
rische Geld an. Von Neumarkt, welches die letzte Post vor Salzburg ist, sieht 361
man schon Bergesspitzen aus dem Salzburger Thal herausschauen, die eben
mit Schnee bedeckt waren. Ungefähr eine Stunde von Neumarkt wird die
Gegend schon wunderschön. Der Waller-See, welcher rechts von der Straße
sein helles blaugrünes Wasser ausbreitet, belebt diese anmuthige Gegend

auf das herrlichste. Die Lage ist sehr hoch und von nun an geht es immer abwärts bis nach Salzburg. Die Berge steigen immer mehr in die Höhe, besonders ragt der fabelhafte Untersberg wie zauberhaft aus den übrigen hervor. Die Dörfer zeigen Spuren von ehemaligem Reichthum. An den gemeinsten Bauernhäusern findet man überall marmorne Fenster- und Thürstöcke, auch sogar manchmal Stiegen von rothem Marmor. Die Sonne verdunkelt sich und die schweren Wolken ziehen über die schwarzen Berge wie Nebelgeister dahin; doch berühren sie den Scheitel des Untersberges nicht, sie schleichen an ihm vorüber, als fürchteten sie seinen grauenvollen Inhalt. Das weite Thal, welches mit einzelnen Schlössern, Kirchen und Bauernhöfen wie angesäet ist, wird dem entzückten Auge immer sichtbarer. Thürme und Paläste zeigen sich nach und nach; man fährt endlich an dem Kapuzinerberg vorbei, dessen ungeheure Felswand hart an der Straße senkrecht in die Höhe ragt und fürchterlich auf den Wanderer herabblickt. Der Untersberg mit seinem Gefolge wird riesenhaft, ihre Größe will uns fast erdrücken. Und nun geht es durch einige herrliche Alleen in die Stadt selbst hinein. Festungswerke aus lauter Quadersteinen umgeben diesen so berühmten Sitz der ehemaligen Churfürsten. Die Thore der Stadt verkünden mit ihren Inschriften die verschwundene Macht des Pfaffenthums. Lauter Häuser von 4 bis 5 Stockwerken
362 erfüllen die ziemlich breiten Gassen und an dem wunderlich verzierten Hause des *Theophrastus Paracelsus* vorbei geht es über die Brücke der Salzach, die trüb und dunkel mächtig vorüberbraust. Die Stadt selbst machte einen etwas düstern Eindruck auf mich, indem ein trübes Wetter die alten Gebäude noch mehr verfinsterte, und überdies die Festung, die auf dem höchsten Gipfel des Mönchberges liegt, in alle Gassen der Stadt ihren Geistergruß herabwinkt. Da leider gleich nach unserer Ankunft Regen eintrat, welches hier sehr oft der Fall ist, so konnten wir, außer den vielen Palästen und herrlichen Kirchen, deren wir im Vorbeifahren ansichtig wurden, wenig zu sehen bekommen. Durch Herrn *Pauernfeind*, ein dem Herrn v. Vogl bekannter Kaufmann, wurden wir bei dem Grafen von *Platz*, Präsident der Landrechte, eingeführt, von dessen Familie, indem ihnen unsere Namen schon bekannt waren, wir freundlichst aufgenommen wurden. Vogl sang einige Lieder von mir, worauf wir für den folgenden Abend geladen und gebeten wurden, unsere sieben Sachen vor einem auserwählten Kreise zu produciren, die denn auch unter besonderer Begünstigung des schon in meinem ersten Briefe erwähnten Ave Maria's[34] Allen sehr zu Gemüthe gingen. Die Art und Weise, wie Vogl singt und ich accompagnire, wie wir in einem solchen Augenblick *Eins* zu sein scheinen, ist diesen Leuten etwas ganz Neues, Unerhörtes. Nachdem wir den andern Morgen den Mönchberg bestiegen, von welchem man einen großen Theil der Stadt übersieht, mußte

34 Die bekannte Hymne aus den Gesängen von W. Scott's »Fräulein vom See«.

ich erstaunen über die Menge herrlicher Gebäude, Paläste und Kirchen. 363
Doch gibt es wenig Einwohner hier, viele Gebäude stehen leer, manche sind nur von einer, höchstens zwei bis drei Familien bewohnt. Auf den Plätzen, deren es viele und schöne gibt, wächst zwischen den Pflastersteinen Gras, so wenig werden sie betreten. Die Domkirche ist ein himmlisches Gebäude nach dem Muster der Peterskirche in Rom, versteht sich im verkleinerten Maßstabe. Die Länge der Kirche hat die Form eines Kreuzes, ist von vier ungeheuren Höfen umgeben, von denen jeder einzelne einen großen Platz bildet. Vor dem Eingange stehen die Apostel in riesenhafter Größe aus Stein gehauen. Das Innere der Kirche wird von vielen marmornen Säulen getragen, ist mit den Bildnissen der Churfürsten geschmückt, und in allen seinen Theilen wirklich vollendet schön. Das Licht, welches durch die Kuppel hereinfällt, erleuchtet jeden Winkel. Diese außerordentliche Helle macht eine göttliche Wirkung und wäre allen Kirchen anzuempfehlen. Auf den vier Plätzen, welche die Kirche umgeben, befinden sich große Springbrunnen, die mit den herrlichsten und kühnsten Figuren geschmückt sind. Von hier gingen wir in das Kloster zu St. Peter, wo *Michael Haydn* residirt hat. Auch diese Kirche ist wunderschön. Hier befindet sich, wie Du weißt, das Monument des M. Haydn. Es ist recht hübsch, aber steht auf keinem guten Platz, sondern in einem abgelegenen Winkel. Auch lassen diese herumliegenden Zettelchen etwas kindisch; in der Urne befindet sich sein Haupt. Es wehe auf mich, dachte ich mir, dein ruhiger klarer Geist, du guter Haydn, und wenn ich auch nicht so ruhig und klar sein kann, so verehrt dich doch gewiß Niemand auf Erden so innig als ich. (Eine schwere Thräne entfiel meinen Augen, und wir gingen weiter. –) Mittags speiseten wir bei Herrn Pauernfeind, und als uns Nachmittags das Wetter erlaubte auszugehen, bestiegen 364
wir den zwar nicht hohen, aber die allerschönste Aussicht gewährenden Nonnenberg. Man übersieht nämlich das hintere Salzburger Thal. Dir die Lieblichkeit dieses Thales zu beschreiben, ist beinahe unmöglich. Denke Dir einen Garten, der mehrere Meilen im Umfange hat, in diesem unzählige Schlösser und Güter, die aus den Bäumen heraus- oder durchschauen, denke Dir einen Fluß, der sich auf die mannigfaltigste Weise durchschlängelt, denke Dir Wiesen und Aecker, wie eben so viele Teppiche von den schönsten Farben, dann die herrlichen Massen, die sich wie Bänder um sie herumschlingen, und endlich stundenlange Alleen von ungeheueren Bäumen, dieses Alles von einer unabsehbaren Reihe von den höchsten Bergen umschlossen, als wären sie die Wächter dieses himmlischen Thals, denke Dir dieses, so hast Du einen schwachen Begriff von seiner unaussprechlichen Schönheit. Das übrige von Salzburgs Merkwürdigkeiten, welche ich erst auf der Rückreise zu sehen bekommen, lasse ich auch bis dahin, indem ich meine Beschreibung chronologisch verfolgen will.«

»Den 21. September, Steyr.

Du siehst aus dem angemerkten Datum, daß zwischen dieser und jener Zeile mehre Tage verflossen sind, und wir von Gmunden leider auf Steyr umsiedelten. Um also meine Reisebeschreibung (die mich schon reuet, weil sie mir zu lange dauert) fortzusetzen, folgt wie folget Folgendes: Der folgende Morgen war nämlich der schönste Tag von der Welt und in der Welt. Der Untersberg, oder eigentlich der Oberste glänzte und blitzte mit seinem Ge-
365 schwader und dem gemeinen Gesindel der übrigen Berge herrlich in oder eigentlich neben der Sonne. Wir fuhren durch das oben beschriebene Thal, wie durch's Elisium, welches aber vor jenem Paradies noch das voraus hat, daß wir in einer scharmanten Kutsche saßen, welche Bequemlichkeit Adam und Eva nicht hatten. Statt den wilden Thieren begegneten uns mancherlei allerliebste Mädchen, – – –. Es ist gar nicht recht, daß ich in einer so schönen Gegend so miserable Späße mache, aber ich kann heut' einmal nicht ernsthaft sein. So steuerten wir denn, in Wonne versunken über den schönen Tag und über die noch schönere Gegend gemächlich fort, wo uns nichts auffiel, als ein niedliches Gebäude, welches Monat-Schlößchen heißt, weil es ein Churfürst in einem Monat für seine Schöne aufbauen ließ. Das weiß hier jeder Mensch, doch stößt sich Niemand daran. Eine Toleranz zum Entzücken. Auch dieses Gebäudchen sucht durch seine Reize das Thal zu verherrlichen. Nach einigen Stunden gelangten wir in die zwar merkwürdige, aber äußerst schmutzige und grausliche Stadt Hallein. Die Einwohner sehen alle wie Gespenster aus, blaß, hohläugig und mager zum Anzünden. Dieser schreckliche Contrast, den dieser Anblick des Ratzenstadtl's etc. auf jenes Thal erzeugt, machte einen höchst fatalen Eindruck auf mich. Es ist, als wenn man von dem Himmel auf einen Misthaufen fiele, oder nach einer Mozart'schen Musik ein Stück von dem unsterblichen A. hörte. Den Salzberg, sammt den Salzwerken anzusehen, war Vogl nicht zu bewegen, dessen große Seele, angetrieben durch die Gicht, nach Gastein strebte, wie in finsterer Nacht der Wanderer nach einem lichten Punkt. Wir fuhren also weiter über Golling, wo sich schon die ersten hohen, unübersteiglichen Berge zeigten, durch deren
366 fürchterliche Schluchten der *Paß Lueg* führt. Nachdem wir dann über einen großen Berg langsam hinaufkrallten, vor unserer Nase, sowie zu beiden Seiten schreckliche Berge, so daß man glauben könnte, die Welt sei hier mit Brettern vernagelt, sieht man plötzlich, indem der höchste Punkt des Berges erreicht ist, in eine entsetzliche Schlucht hinab, und es droht einen im ersten Augenblicke einigermaßen das Herz zu schüttern. Nachdem man sich etwas von dem ersten Schreck erholt hat, sieht man diese rasend hohen Felswände, die sich in einiger Entfernung zu schließen scheinen, wie eine Sackgasse, und man studirt umsonst, wo hier der Ausgang sei. In dieser schreckenhaften Natur hat auch der Mensch seine noch schreckenvollere Bestialität zu ver-

ewigen gesucht. Denn hier war es, wo auf der einen Seite die Baiern und die Tiroler auf der andern Seite der Salzach, die sich tief, tief unten brausend den Weg bahnt, jenes grauenvolle Morden vollbrachten, indem die Tiroler, in den Felsenhöhlen verborgen, auf die Baiern, welche den Paß gewinnen wollten, mit höllischem Lustgeschrei herabfeuerten, welche getroffen in die Tiefe herabstürzten, ohne je sehen zu können, woher die Schüsse kamen. Dieses höchst schändliche Beginnen, welches mehre Tage und Wochen fortgesetzt wurde, suchte man durch eine Capelle auf der Baiern Seite und durch ein rothes Kreuz in dem Felsen auf der Tiroler Seite zum Theil zu bezeichnen, und zum Theil durch solche heilige Zeichen zu sühnen. Du herrlicher Christus, zu wie viel Schandthaten mußt Du Dein Bild herleihen. Du selbst, das gräßlichste Denkmal der menschlichen Verworfenheit, da stellen sie Dein Bild auf, als wollten sie sagen: Seht! die vollendetste Schöpfung des großen Gottes haben wir mit frechen Füßen zertreten, sollte es uns
etwa Müh kosten, das übrige Ungeziefer, genannt Menschen, mit leichtem 367
Herzen zu vernichten? – Doch wenden wir unsere Augen ab von so niederschlagenden Betrachtungen und schauen wir lieber, daß wir aus diesem Loch hinauskommen. Nachdem es nun eine gute Weile abwärts geht, die beiden Felswände immer näher zusammenrücken und die Straße sammt dem Strom auf zwei Klaftern Breite eingeengt werden, so wendet sich hier, wo man es am wenigsten vermuthet, unter einem herüberhängenden Felsen bei dem zornigen Wüthen der eingezwängten Salzach, die Straße zur angenehmen Ueberraschung des Wanderers. Denn nun geht es, obwohl noch immer von himmelhohen Bergen eingeschlossen, auf breiterem Wege und eben dahin. Mittags kamen wir in Werffen an. Ein Markt mit einer bedeutenden Festung, von den Salzburger Churfürsten erbaut, wird jetzt vom Kaiser renovirt. Auf unserer Rückreise bestiegen wir selbe, es ist v....... hoch, gewährt aber eine herrliche Aussicht in das Thal, welches auf einer Seite von den ungeheuren Werffner Gebirgen, die man bis Gastein sieht, begrenzt ist. Himmel, Teufel, das ist etwas Erschreckliches, eine Reisebeschreibung, ich kann nicht mehr. Da ich so in den ersten Tagen des Octobers nach Wien komme, so werde ich Dir dieses Geschreibsel selber übergeben und das Uebrige mündlich erzählen.«

Am 13. Sept. richtete Bauernfeld an den dicken Freund, der damals wieder bei Vogl in Steyr war, folgende Zeilen:

»Lieber Schubert!

Ich weiß kaum, ob Du die Züge dieses kennst, der Dir da schreibt, und ob Du nicht zur bessern Orientirung zu der Unterschrift Deine Zuflucht
nehmen mußt; wisse es also: Ich bin der Bauernfeld. – – Ich grüße und 368

küsse Dich herzlich – jetzt aber gleich zum Allernothwendigsten, denn Du mußt diesen Brief so bald als möglich bekommen und in einer Viertelstunde muß er auf die Post.

Erstens schreibe sogleich, ob Du Dein Zimmer behalten willst, denn Dein Hausherr fragt in Einem fort.

Zweitens: Moriz Schwind und ich machen Dir die Proposition, ein ordentliches Quartier zu nehmen und uns alle drei zusammenzustecken; bist Du es zufrieden, so bestätige es mit einem holden Ja.

Drittens: Selbiger Plan wird aber nicht sogleich ausgeführt, sondern erst im October oder November. Ich werde bis dahin bei Schober wohnen und Du irgendwo. Ich bitte Dich, antworte mir *sogleich* auf alles dieses, und *klar und deutlich*.

Wie geht's Dir, dickster Freund? Ich glaube, Dein Bauch wird zugenommen haben; Gott erhalte ihn und lasse ihn gedeihen! Schober ist in Atzenbruck; Schwind ging gestern dahin, ich werde ihm wahrscheinlich bald folgen, aber nur auf einige Tage. Schreibe mir nur gleich und setze der Adresse bei: abzugeben im lithografischen Gewölbe des Hrn. Trenschenski im Zwettelhof. Lebe wohl, lebe wohl, lebe wohl!

Wenn Du mir sein ordentlich schreibst, so werde ich Dich vielleicht mit einem verständigen und gehaltreichen Brief bedienen.

Dein Freund
369 Bauernfeld.«

Wenige Tage darauf (18.–19. Sept.) antwortete ihm Schubert von Steyr aus mit folgenden Zeilen:

»Lieber Freund!

Wirklich war mir Dein Geschreibsel nicht mehr im Gedächtniß; die alles zerstörende Zeit und Deine bis zur Grobheit schnelle Hand haben es so weit gebracht. In letztem Falle denk' ich dies gleich zu thun. Was das Quartier im Frühwirthischen Hause anbelangt, so bin ich gesonnen, es zu behalten, habe ihm dieses auch schon durch mein väterliches Haus wissen zu machen gesucht; es sei nun, daß man ihn vergessen hat, oder daß er ängstlich und umständlich ist, so seid auf jeden Fall Einer oder alle zusammen so gut, ihm in meinem Namen 25 fl. W.W. zu geben und zu versichern, daß ich Ende October komme. Was unser Zusammenleben betrifft, so wäre mir's zwar sehr angenehm, da ich aber dergleichen Junggesellen- und Studentenplane schon kenne, so möchte ich nicht gerne, daß ich am Ende zwischen zwei Stühlen auf der Erde säße. Sollte sich indessen was Gescheidtes finden, so gibt es ja immer noch Mittel, mich von meinem Hausherrn auf gute Art zu trennen. Jene erwähnten 25 fl. wären ihm für October einzuhändigen, welche

ich mit meiner Ankunft pünktlichst zurückbezahlen werde. Auf Sch. und Kupelwieser bin ich sehr begierig, auf jenen, wie ein Mensch nach gescheiterten Planen, auf diesen wie einer, der von Rom und Neapel kommt, aussieht. Schwindt ist ein wahrer Garnhaspel, denn von seinen zwei Briefen, die er mir geschrieben, ist einer confuser als der andere. Ein solcher Gallimathias von Verstand und Unsinn ist mir noch nicht vorgekommen. Wenn 370
er nicht in dieser Zeit sehr schöne Sachen gemacht hat, so ist ihm ein so hirnloses Gerede nimmer zu verzeihen. Grüße mir diese drei, auch Rieder und Dietrich, wenn Du sie sehen solltest. Rieder lasse ich gratuliren zu seiner Professur. Steiger[35] und Louis Hönig[36] besuchten mich in Gmunden, welches mich sehr freute. Wenn Ihr zu Eurem übrigen großen Verstand nur ein Quentel hinzugethan hättet, so würdet Ihr mich mit Eurer Gegenwart beehrt haben. Aber das ist von Euch auf Brand und Mord verliebten Jungen nicht zu verlangen. Wie oft werdet Ihr wieder unglücklich gewesen sein und Eure Seufzer und Klagen in Bier und Punsch ersäuft haben. Ha, ha, ha! bald hätte ich vergessen Dir zu sagen, daß ich in Salzburg und Gastein gewesen, deren Gegenden vie kühnste Fantasie überflügeln. Lebe wohl.

Dein Schubert.«

»Grüße mir alle Freunde. Schreibe mir, aber was Gscheidt's, etwa ein musikalisches Gedicht.

NB. Eben sagt mir Vogl, daß es möglich wäre, daß er Ende dieses oder Anfangs October mit Haugwitz nach Italien reisete; in diesem Falle komme ich auch früher, Anfangs October.« 371

Vogl begab sich in der That nach Italien, um Heilung seines Gichtleidens zu suchen, und verweilte daselbst bis zum Frühjahr 1826, in welchem er seine Hochzeit feierte. Für Schubert, der aus mehrfachen Gründen an Vogl's Gesellschaft gebunden war[37], gab es dann auch kein längeres Verweilen

35 *Steiger* (Johann) von Amstein, Montanistiker und derzeit Ministerial-Secretär in Wien, war mit Schubert wohl befreundet.

36 *Hönig* (Ludwig), Bruder des Advokaten *Dr.* Carl Hönig in Wien, dessen Haus u.a. auch Schubert, Schwindt, Schober und Bauernfeld besuchten. – *Anna Hönig, Dr.* Carl Hönig's Tochter, verheirathete sich später mit Mayerhofer v. Grünbühel, dessen bereits Seite 219) gedacht wurde.

37 So bedauert Schubert in folgendem Briefchen an *Steiger*, daß er wegen Vogl's Abreise ihn und die Freunde nicht zu dem Pfleger Clodi in Ebenzweier begleiten könne. »Lieber Steiger! Es ist mir sehr leid, daß ich Euch nicht zu Clodi begleiten kann, da wie heute an den Alter-See fahren und diese Fahrt nicht verschoben werden kann, indem Vogl beschlossen hat, *Morgen!!* von Gmunden abzureisen. Dies erfuhr ich erst heute früh, daher wirst Du mich entschuldigen. Sei nicht böse, mir ist recht leid.

mehr; er begab sich nach Linz, wo sich eben Freund *Gahy* befand, mit welchen vereint er einen Einspänner miethete, der die beiden Wanderer am dritten Tag nach ihrer Abreise von dort glücklich bei dem Fruhwirth'schen Hause absetzte. Die gute Laune, welche Schubert während des ganzen Aufenthaltes in Oberösterreich begleitet hatte, verließ ihn auch auf der Heimreise nicht; diese aber trat er gerade zu rechter Zeit an, denn in den Taschen war (wie mir Hr. Gahy mittheilte) bei seinem Anlangen in Wien bereits die vollständigste Ebbe eingetreten.

So endete eines der äußerlich glücklichsten Jahre in des Tondichters Leben, dem es leider nicht mehr beschieden war, die schönen Fluren des ihm lieb
372 gewordenen Ländchens in späterer Zeit – wie er dies so sehr wünschte – noch einmal zu begrüßen.

Was Schubert's musikalische Thätigkeit in diesem Jahr anbelangt, so sind die Lieder aus W. Scott's »Fräulein am See«[38], welche er schon fertig nach Oberösterreich mitbrachte, und die Claviersonate in*A-Moll*[39] (*op.* 42), die er (Aufzeichnungen zufolge) in Gastein vollendet hat, als schöne, bedeutende Compositionen hervorzuheben. Den ersteren reiht sich noch ein Kranz durchweg gelungener und derzeit wohlbekannter[40] Lieder an, und es ist wohl kein bloßer Zufall, daß zwei derselben: »Heimweh« und »Die Allmacht«[41] in *Gastein* entstanden sind, da Franz an diesem Ort mit Ladislaus Pyrker zusammentraf, der seinen Tondichtungen gleich im Beginne lebendigen Antheil bezeugt hatte. Der »Trauermarsch« (*op.* 55) und »*Marche heroique*« (*op.* 66), ersterer anläßlich des Todes des Kaisers Alexander, letzterer zur
373 Feier der Thronbesteigung des Kaisers Nicolaus von Rußland als vierhändiges Clavierstück componirt, gehören ebenfalls dieser Zeit an[42].

Abends hoffe ich Euch noch in Euerm Gasthaus zu sehen. In Hinsicht der Besichtigung der Salzarbeiten fragt nur in dem Kuffen Handelamt nach H. Kinnsberger, welcher gestern mit mir sprach. Dein Schubert.« Das Original dieser Zeilen (aus des Consuls Wagner Autografen-Sammlung) besitzt die k. Bibliothek in Berlin.

38 Sie sind als *op.* 52 der Gräfin *Sofie v. Weißenwolf*, geb. v. Breuner, dedicirt, auf deren Schloß in Oberösterreich Schubert und Vogl einige Zeit zubrachten. Diese Dame, geb. 1794, war seit 1815 an den Grafen Johann Nep. Ungnad Graf Weißenwolf (geb. 1779), Herr v. Steieregg, Spielberg u.s.w., Erblandhofmeister und Oberstlieutenant in der österr. Armee, vermählt. Die Gräfin war musikalisch und im Besitz einer Altstimme. Sie starb 1847.

39 Schubert widmete sie dem Erzherzog Rudolf.

40 »Der blinde Knabe«, »Sängers Habe«, »Im Wald«, »Auf der Brücke« u.s.w. Wenig gekannt sind die zwei groß angelegten Gesänge aus dem Schauspiel: »Lacrimas«.

41 Sie sind dem Dichter (L. Pyrker) gewidmet.

42 Schubert schrieb die beiden Märsche einzig und allein aus Luft am Componiren, ohne von Jemanden dazu bestimmt worden zu sein. Wie mir Herr Lickl mittheilte, bemühte sich damals der Tondichter vergebens, diese Clavierstücke bei *Steiner* oder sonst wo

Nicht veröffentlicht, und darum beinahe ganz unbekannt ist das Vocalquartett »*Der Tanz*« von Schnitzer, mit Clavierbegleitung – eine für die Familie *Kiesewetter* bestimmte Gelegenheitscomposition, deren Textworte den Zweck hatten, der Tochter des Hauses, *Irene* (nachmals verehlichte Freiin Prokesch von Osten), einer leidenschaftlichen Tänzerin, unter Hinweisung auf die Folgen der Tanzwuth, Mäßigung in dem Genuß dieses Vergnügens zu predigen[43].

Schubert's Musik (*Allegro giusto C-Dur* $^{6}/_{8}$), leicht und tanzmäßig gehalten, die Sopranparthie mit Rouladen reichlich ausgestattet, gibt den Sinn des Gedichtes trefflich wieder und wurde zu jener Zeit häufig in Privatzirkeln aufgeführt. 374

Eine in neuester Zeit als »Reliquie« im Stich erschienene »letzte« Sonate für Clavier in *C* verdient, obzwar sie unvollendet blieb, darum Erwähnung, weil sie im ersten Satz groß angelegt ist und die Kennzeichen eines bedeutenderen Werkes an sich trägt[44].

Endlich ist noch einer *Clavierbegleitung* von Schubert zu gedenken, welche sich mit der Schlußstrofe eines dramatischen Gedichtes: »*Der Falke*«[45] betitelt, zum Melodram verbindet und dasselbe zu declamatorisch-musikalischem Abschluß bringt.

In dem hier in Rede stehenden Jahr widerfuhr Schubert die – von ihm wahrscheinlich nicht angestrebte – Ehre, als Ersatzmann in den Repräsentantenkörper des Musikvereins gewählt zu werden. Ueber seine allfällige Thätigkeit in dieser Stellung ist nichts weiter bekannt geworden.

an Mann zu bringen, während andere ganz unbedeutende Compositionen willige Abnehmer fanden.

43 Das Gedicht enthält die folgenden zwei Strofen:
Es redet und träumet die Jugend so viel
Von Tänzen, Galoppen, Gelagen,
Auf einmal erreicht sie ein trügliches Ziel,
Da hört man sie seufzen und klagen.
Bald schmerzet der Hals und baldschmerzet die Brust
Verschwunden ist alle die himmlische Lust;
Nur diesmal noch kehr' mir Gesundheit zurück,
So flehet vom Himmel der hoffende Blick.

44 Sie erschien bei Whistling in Leipzig und ist mit dem Datum April 1825 versehen. Die vier Sätze sind*Moderato C-Dur* $^{4}/_{4}$, *Andante A-Moll* $^{6}/_{8}$, *Menuetto As-Dur* $^{3}/_{4}$ mit Trio *H-Dur* $^{3}/_{4}$, und ein*Rondo*-Fragment *Allegro C-Dur* $^{2}/_{4}$.

45 Verfasser des Gedichtes ist Freiherr *Adolf v. Pratobevera*. Die Schlußworte spricht Ritter Kuno vor seinem Dahinscheiden. Schubert schrieb auf Ersuchen die Clavierbegleitung dazu, in welcher Form die Verse bei der scenischen Darstellung des Gedichtes recitirt wurden.

Im Spätsommer 1825 – noch vor Schubert's Rückkehr aus Oberösterreich – war Franz von Schober nach zweijähriger Abwesenheit in Preußen wieder
375 nach Wien zu längerem Aufenthalt heimgekehrt.

Der durch sein und Kupelwieser's Wanderleben in seinen Grundfesten erschütterte Schubertbund consolidirte sich wieder, und zu Ende des darauffolgenden Jahres schlug der Tondichter bei Schober abermals seine Wohnung auf.

XIV.

(1826.)

Seit dem Jahr 1816, in welchem Schubert sich um die Musiklehrerstelle in Laibach erfolglos bewarb, hat er keinen weiteren Schritt gethan, sich eine von dem Ertrag seiner Compositionen unabhängige Stellung zu gründen. Die Gelegenheit, den Posten eines Hoforganisten zu erlangen, ließ er (nach der Behauptung Josef Hüttenbrenners) unbenützt vorübergehen. Erst im Jahre 1826 fühlte er sich – wahrscheinlich über Aufforderung wohlwollender Freunde – veranlaßt, um die Stelle eines Vicekapellmeisters in der kaiserlichen Hofkapelle in Wien als Bewerber aufzutreten[1].

Kaiser Franz hatte nämlich (mit Entschließung vom 8. Jänner 1826) über Vorschlag des Grafen Moriz Dietrichstein (vom 24. Jänner 1825) den Metro-
377 politan-Capellmeister Johann *Wittasek*[2] in Prag zum Vicehofkapellmeister ernannt, obschon *Umlauf*[3] dafür vorgeschlagen war.

»Er ist – heißt es in jener Entschließung – mir persönlich als ein guter Compositeur der Kirchenmusik bekannt, und ein guter Musikmeister, welches auch hier, besonders bei Abnahme der Kräfte des Hoftenor Korner, wünschenswerth ist.«

1 Die auf diese Angelegenheit bezüglichen Taten sind Aufzeichnungen des Herrn Josef Hüttenbrenner entnommen.

2 *Wittasek* (Johann Nepomuk August), geb. 1770 zu Horin in Böhmen, schrieb Tänze, Lieder, Sonaten, Concerte, Sinfonien. Cantaten und Stücke für Kammermusik, welch letztere noch in den Jahren 1805–1810 beifällig aufgenommen wurden. Kränklichkeit und vorgerücktes Alter bestimmten ihn, die angebotene Vicehofkapellmeistersstelle nicht anzunehmen. Er starb 1839 in Prag als Präses der Gesellschaft zur Beförderung der Kirchenmusik.

3 *Umlauf* (Michael), geb. 1781 in Wien, ein tüchtiger Musiker, wurde Weigl's Adjunct im Operntheater. Beethoven hielt viel auf ihn, und er und Schuppanzigh waren auch die Hauptleiter der von Beethoven im Jahre 1824 veranstalteten Akademien, in welchen die *D*-Messe und *D-Moll*-Sinfonie zuerst zur Aufführung gelangten.

Da Wittasek die Stelle nicht annahm, erfolgte ein zweiter Vorschlag. Unter dem 29. December 1826 erstattete Graf Harrach, damals Hofmusikgraf, an den Obersthofmeister Fürst Trautmannsdorf folgenden Bericht:

»Nach dem, am 7. Mai 1825 erfolgten Tod Salieri's wurde Eibler Hofkapellmeister, und dessen Vice-Hofkapellmeistersstelle erledigt, und bis heute nicht besetzt. Graf Moriz Dietrichstein hat zwar am 24. Juli 1825 den Umlauf vorgeschlagen, allein es erfolgte keine Erledigung, daher ein neuer Vorschlag erstattet wird.

Competenten sind: 1. *Seyfried*[4], Kapellmeister in Wien; 2. *Girowetz*[5], 378
Hoftheaterkapellmeister; 3. Franz *Schubert*, Compositeur; 4. Conradin *Kreutzer*[6], Kapellmeister; 5. Joachim *Hoffmann*, Tonkünstler; 6. Anselm *Hüttenbrenner*, Director des steirischen Musikvereines; 7. Wenzel *Würfel*[7], Kapellmeister am Kärnthnerthortheater; 8. Franz *Gläser*[8], Kapellmeister am Josefstädtertheater. 379

4 *Seyfried* (Ignaz Ritter von), geb. 1776 in Wien, ein Schüler Mozart's und Kozeluch's im Clavierspiel und Haydn's im Generalbaß, widmete sich um das Jahr 1795 vollständig der musikalischen Kunst, in welcher er eine bedeutende Thätigkeit entfaltete. Seine musikalischdramatischen Arbeiten schrieb er fast durchgehends für das Theater an der Wien, bei dem er (1797–1827) als Kapellmeister und Operndirector angestellt war. In Melodramen versuchte er sich mit vielem Glück. Nach der Uebernahme des Theaters seitens des Schauspielers *Carl* zog er sich zurück und schrieb Kirchen- und Kammermusik. Bei Beethoven stand er bekanntlich nicht in Gunst. Seyfried starb 1841 in Wien und ruht auf dem Währinger Kirchhof.

5 *Girowetz* (Adalbert), geb. 1763 zu Budweis in Böhmen, widmete sich anfänglich dem Rechtsstudium, trat später als Secretär in die Dienste des Grafen Fünfkirchen, auf dessen Schloß Chlumetz er seine ersten Sinfonien und Kammermusik schrieb, die sich großen Beifalls erfreuten. Er bereiste Italien, blieb zwei Jahre in Neapel und ging sodann nach Paris und London, wo er drei Jahre verblieb, fortan musikalisch beschäftigt und auf's beste aufgenommen. Im Jahre 1804 wurde er Opernkapellmeister in Wien und trat nach der Verpachtung des Theaters in Pension. Er schrieb eine große Anzahl Werke jeder Gattung. Von seinen Opern gefielen besonders: »Agnes Sorel« und »Der Augenarzt«. Girowetz starb 1850 in Wien.

6 *Kreutzer*, geb. 1782 zu Mößkirch im Badischen, kam 1804 nach Wien, wo er bis 1811 blieb. Von 1812–1816 hielt er sich in Stuttgart auf; um das Jahr 1821 kam er wieder nach Wien, wo er (unter Barbaja) Hoftheater-Kapellmeister wurde, welche Stelle er bis 1833 bekleidete. In diesem Jahr übernahm er die Kapellmeisterstelle am Josefstädter-Theater, verließ aber 1840 Wien, ging zunächst nach Köln, dann als Musikdirector nach Riga, wo er 1849 starb. Kreutzer's musikalische Productivität ist allbekannt.

7 *Würfel*, geb. 1791 zu Planim in Böhmen, schrieb viele Clavierstücke und die Opern: »Rübezahl« und »Der Rothmantel«. Um das Jahr 1815 war er Musikprofessor in Warschau. Im J. 1824 kam er nach Wien, wo er 1826 Hoftheaterkapellmeister wurde.

8 *Gläser* Franz (geb. 1792), Componist der Opern: »Die Brautschau«, »Der Bernsteinring« und »Des Adlers Horst«, sowie verschiedener Romanzen und Märsche, war im Jahre 1826 Kapellmeister im Leopoldstädter-Theater, ging später nach Berlin und von dort (1842) nach Kopenhagen, wo er als Hofkapellmeister 1861 starb.

Diese Bittsteller sind alle verdienstliche Männer, und jeder kann unter sich (*sic*) mehr oder weniger auf Berücksichtigung Anspruch machen.«

In der »Detaillirung der Verdienste« heißt es, Schubert betreffend:

»Schubert beruft sich auf seine Dienste als Hofsänger, bestätigt durch ein Zeugniß Salieri's, der ihm Composition lehrte, und versichert, daß er bereits fünf Messen componirt, die in verschiedenen Kirchen producirt wurden«[9].

380 Die Besetzungsangelegenheit fand diesmal eine rasche Erledigung.

Es wurden nämlich nur *Weigl und Umlauf* vorgeschlagen. Mit Entschließung vom 22. Jänner 1827 ernannte der Kaiser den Hoftheaterkapellmeister Josef *Weigl*[10], welchem er schon früher für diesen Fall Zusicherungen gemacht haben soll, zum Vicehofkapellmeister mit dem Gehalt von tausend Gulden und zweihundert Gulden Quartiergeld. Damit waren Schubert's Hoffnungen auf Gründung einer gesicherten Existenz und einen ihm angemessenen Wirkungskreis, der eben seine Kräfte für den Dienst nicht zu sehr in Anspruch genommen haben würde, mit Einem Schlag vernichtet. Als er davon hörte, soll er (nach einer Mittheilung des Frh. v. Spaun) gesagt haben: »Gerne hätte ich diese Stelle erhalten mögen; da sie aber einem so würdigen Mann wie Weigl verliehen wurde, muß ich mich wohl damit zufrieden geben.«

9 In der Hofkapelle war bis dahin keine Schubert'sche Messe zur Aufführung gelangt. *Dr.* Hauer theilte mir darüber Folgendes mit: »Um das Jahr 1827 saß ich (Hauer) einmal nach irgend einer Abendmusik mit Schubert vertraulich bei einem Glas ›Schwarzen‹ im Kaffeehaus ›Zum Rebhuhn‹.« Da sagte er mir: »Unlängst brachte ich dem Hofkapellmeister Eibler eine Messe zur Aufführung in der Hofkapelle. Eibler äußerte, da er meinen Namen vernahm, daß er noch keine Composition von mir gehört habe. Ich bilde mir gewiß nicht viel ein, aber ich hätte doch geglaubt, daß der Hofkapellmeister in Wien schon etwas von mir gehört habe. Als ich nach einigen Wochen kam, um mich nach dem Schicksal meines Kindes zu erkundigen, sagte Eibler, die Messe sei gut, aber nicht in dem Styl componirt, den der Kaiser liebt. Nun so empfahl ich mich und dachte bei mir: Ich bin denn nicht so glücklich, im kaiserlichen Styl schreiben zu können.« – Daß Eibler die Schubert'sche Messe (wahrscheinlich jene in *As*) zur Aufführung nicht acceptirte, darf nicht Wunder nehmen, da Kaiser Franz an dem Styl der *Reutter*'schen Messen (»die kurz, nicht schwer auszuführen und gehörig durchgeführte Fugen enthielten«) besonderes Gefallen fand. (S. den Brief des Grafen Moriz Dietrichstein an den Grafen Lichnowsky vom 23. Februar 1823, über die Composition einer Messe von Beethoven für die kaiserliche Hofkapelle, in Schindler's Beethoven-Biografie II. Th. S. 30.)

10 *Weigl* (Josef), Sohn des aus Baiern nach Wien eingewanderten Josef Weigl (erster Violoncellist der italienischen Oper und Mitglied der Hofkapelle), wurde 1766 zu Eisenstadt in Ungarn geboren. Er schrieb eine große Anzahl von Opern, Operetten, Cantaten, Oratorien, Kirchenwerke, Ouverturen, Balletmusik, Landwehrlieder u.s.w. Von den Opern sind »Das Waisenhaus« und die »Schweizerfamilie« die bekanntesten. Letztere wurde im März 1809 zum ersten Mal in Wien gegeben. Schon 1790 oder 1791 wurde Weigl an Salieri's Stelle Hoftheaterkapellmeister. Er starb in Wien im Februar 1846.

Diese Worte würden beweisen, daß Schubert seine Meinung über Weigl, welchen er im Jahre 1819 (ob mit Recht, kann hier nicht beurtheilt werden) in dem Verdacht hatte, ein Intriguenschmieder gegen ihn zu sein, seither 381
geändert, oder, wenn wirklich Grund zu diesem Verdacht vorhanden war, in seiner Gutmüthigkeit die Sache schon wieder vergessen hatte.

Einer anderen Gelegenheit, die sich ihm zur Erlangung einer definitiven Anstellung bei dem *Hofoperntheater* in Wien dargeboten hat, erwähnt A. Schindler in folgender Weise:

Im Jahr 1826 war Schubert Gelegenheit gegeben, in eine ehrenvolle Stelle ein- und aus seinen beschränkten Verhältnissen herauszutreten. Durch den Abgang des Kapellmeisters *Krebs*[11] nach Hamburg war nämlich die Dirigentenstelle am Kärnthnerthortheater vacant geworden, und Schubert's Freunde (in erster Reihe Vogl) bemühten sich, die Stelle für ihn zu erobern. Es gelang auch, die Aufmerksamkeit des Administrators Duport auf den jungen Componisten zu lenken; doch sollte seine definitive Anstellung von einer abgelegten Prüfung abhängig gemacht werden, die darin bestand, daß ihm einige zusammenhängende Opernscenen, die eigens für den Zweck gedichtet waren, zu componiren aufgegeben wurden. Er vollendete auch die Arbeit, deren Hauptpartie für die *Schechner*[12] bestimmt war. Schon bei den Clavier- 382
proben machte ihn die Sängerin auf das Unpraktische in der hauptsächlichsten Arie aufmerksam und bat um Abänderung, die aber, einige Kürzungen und Vereinfachung der Begleitung betreffend, von Schubert entschieden abgelehnt wurde. Bei der ersten Orchesterprobe stellte sich heraus, daß die Sängerin in der erwähnten Arie nicht durchzudringen vermöge, und Schubert wurde nun auch von Freunden und Bekannten ersucht, Aenderungen vorzunehmen. Jedoch vergebens. Er blieb bei seiner Weigerung. So kam es zur Generalprobe und alles ging gut von Statten bis zur beregten Arie, deren Charakter den Ausbruch der höchsten Leidenschaftlichkeit athmete. Wie es

11 *Krebs* (Carl August), geb. 1804 in Nürnberg, widmete sich schon in jungen Jahren der Tonkunst als ausübender und schaffender Künstler. Im Jahre 1824 kam er nach Wien, wo er Hofopernkapellmeister wurde, drei Jahre darauf aber einem Ruf als Musikdirector an das Hamburger Stadttheater Folge leistete.

12 *Schechner* (Nanette), geb. zu München im Jahre 1806, war eine der bedeutendsten deutschen Sängerinnen. Schülerin des Schauspielers Weber trat sie in das Chorpersonal der italienischen Oper in München ein, und fand da Gelegenheit, in Cimarosa's Oper: »*Orazj e Curiazj*« an Stelle der berühmten Grassini die Rolle des Curiazio zu übernehmen, die sie auf's glänzendste ausführte. Damit war ihr Ruf gegründet. Sie sang noch einige Zeit in der italienischen Oper, wendete sich aber dann dem deutschen Gesang zu und kam 1825 nach Wien, wo sie sehr gefiel. Im J. 1827 ging sie nach Berlin, wo sie neben der Sonntag und Catalani Triumphe feierte. Wiederholte Brustleiden bewogen sie, um das Jahr 1835 die Bühne zu verlassen. Seit 1832 mit dem Gallerieinspector und Maler Waagen in München vermählt, lebte sie daselbst in Zurückgezogenheit und starb am 30. April 1860.

zu erwarten, so geschah es. Die Sängerin, in unausgesetztem Kampf mit dem Orchester, namentlich mit den Blasinstrumenten, wurde von den auf ihre kolossale Stimme eindringenden Massen erdrückt. Entkräftet sank sie auf einen zur Seite des Prosceniums stehenden Stuhl. Tiefes Schweigen im ganzen Hause, Spannung auf allen Gesichtern. Während dessen sah man den Administrator Duport zu einer und der andern der auf der Bühne sich bildenden Gruppen treten, bald wieder mit der Sängerin und den anwesenden Kapell-
383 meistern insgeheim sprechend. Schubert seinerseits saß während dieser für jeden der Anwesenden wahrhaft beängstigenden Scene wie eine plastische Figur auf seinem Stuhl, den Blick unverwandt auf die vor ihm aufgeschlagene Partitur geheftet. Nach langer Deliberation trat endlich Duport an's Orchester heran und sagte in höflichem Tone folgende Worte: »Herr Schubert, wir wollen die Aufführung um einige Tage verschieben und bitte ich Sie, wenigstens in der Arie die nothwendigen Aenderungen zu machen und es dem Fräulein Schechner zu erleichtern.« Mehrere der Künstler im Orchester ersuchten nun Schubert, ebenfalls nachzugeben. Nachdem dieser den Vorgang mit steigendem Ingrimm angehört, rief er mit erhobener Stimme aus: »Ich änd're nichts!« schlug die Partitur laut schallend zu, nahm sie unter den Arm und ging raschen Schrittes zum Hause hinaus. Mit der Anstellung hatte es nun sein Ende.

So Anton Schindler, dessen Zuverlässigkeit schon bei einer anderen Gelegenheit in Zweifel gezogen werden mußte, und der nun hier abermals eine Episode aus Schubert's Leben mittheilt, die mit dem schlichten gutmüthigen Wesen unseres Tondichters kaum in Einklang zu bringen ist. Auch muß zur Steuer der Wahrheit bemerkt werden, daß ein *Augenzeuge* jener Theaterprobe, *Franz Zierer* (Professor am Conservatorium in Wien, und schon zu jener Zeit Mitglied des Hofopernorchesters), wohl zugibt, daß die Schubert'sche *Concertarie* der, schon in Abnahme begriffenen Stimme der Schechner durch die großen Intervallensprünge beschwerlich wurde[13], daß
384 aber dieser Gewährsmann sich einer so leidenschaftlichen Scene, wie es die von Schindler geschilderte ist, sich *nicht entsinnt*, vielmehr erklärt, Schubert habe sich während der Probe seiner Art gemäß still und ruhig benommen. – *Josef Hüttenbrenner* dagegen behauptet sogar, die Sängerin sei mit der »wunderschönen Arie Schubert's«, wie sie sich ausdrückte, sehr zufrieden gewesen, und die Anstellung nicht an seinem Starrsinn, sondern einfach an Theater-Intriguen gescheitert. Welcher Art die Concertarie war und ob sie noch erhalten, ist mir nicht bekannt geworden. Nach *Zierer* war es eine große selbstständige Concert-Arie mit Orchesterbegleitung. Uebrigens ist

13 Dagegen trug die Schechner eine Arie aus Kreutzers Oper: »*Cordelia*«, welche bei diesem Anlaß ebenfalls producirt werden sollte, sehr schön vor. – »Cordelia« wurde im J. 1833 im Josefstädtertheater aufgeführt.

damals weder diese, noch die gleichfalls von der Schechner vorzutragende Opernarie aus Kreutzer's »Cordelia« zur Aufführung gekommen.

Es liegt hier der Gedanke nahe, daß wenn Schubert auch die Dirigentenstelle erhalten hätte, er sich darin nicht lange behauptet haben würde, da ihm die dazu nothwendigen Eigenschaften fast durchweg fehlten, und sein rastlos schaffender Geist ihn in der genauen Erfüllung der ihm obliegenden Pflichten weit eher gehindert als gefördert hätte[14].

Will man sich Schubert durch eine bestimmte äußere Lebensstellung gebunden denken, so konnte diese nur das Amt eines Hoforganisten sein, dem 385
er vollkommen gewachsen war, und welches ihm früher oder später den Weg zu der Stelle eines Vice-Hofkapellmeisters gebahnt haben dürfte, die er ebenfalls mit Leichtigkeit versehen konnte. Der Trieb nach vollständiger Unabhängigkeit ließ ihn aber (nach Herrn Josef Hüttenbrenner's Mittheilung) damals die dargebotene Hand zurückweisen, und als nun der Wunsch in ihm erwachte, sich durch Annahme einer Bedienstung eine gesicherte Existenz zu verschaffen, um nicht ausschließlich von dem im Inlande schon etwas prekär werdenden Absatz seiner Compositionen abzuhängen, hatten sich die Umstände zu seinem Nachtheil geändert, und er war, diesmal gegen seinen Willen, der bisherigen Ungebundenheit zurückgegeben.

Was den eben erwähnten prekären Absatz seiner Compositionen anbelangt, so bezeugen die Geschäftsbriefe mehrerer Musikverleger aus den Jahren 1826, 1827 und 1828 (die der Zeitfolge nach hier aufgeführt erscheinen), daß sich Schubert um diese Zeit mit ausländischen Verlegern in Verkehr setzte, und namentlich *Schott* in Mainz und *Probst*[15] in Leipzig sich für seine Werke zu interessiren anfingen. Beinahe durch die ganze, mir bekannt gewordene Correspondenz der Verleger mit dem Componisten zieht sich aber, einem rothen Faden gleich, die mehr oder weniger entschieden betonte Bitte an Letzteren, Musikstücke zu schreiben, die dem Spieler keine zu großen Schwierigkeiten bereiten, und das Fassungsvermögen der Zuhörer nicht überstiegen. 386

So ist gleich der hier folgende Brief[16] des Musikverlegers *Probst* (datirt aus Leipzig, 26. August 1826) in dieser Beziehung charakteristisch.

Derselbe lautet:

14 Es ist auch *davon* die Rede, daß Franz die Stelle eines *Correpetitors* beim Hofoperntheater ein paar Tage hindurch versehen habe. Diese Anstellung paßte für ihn wohl am allerwenigsten. – Zierer ist übrigens der Meinung, daß es sich bei Schubert weder um die Erlangung einer Kapellmeisters- noch einer Correpetitorsstelle *jemals* gehandelt habe. Auch der so wohl unterrichtete *Dr.* Leopold Sonnleithner weiß über diesen Punkt keine Auskunft zu geben.

15 Probst's Verlag ging später auf Kistner über.

16 Das Schreiben ist adressirt: »An den Tonsetzer Franz Schubert auf der Wieden Nr. 100 nächst der Carlskirche, 5. Stiege, 2. Stock.«

»Es war wohl ehrenvoll und schätzbar für mich, Ihre Bekanntschaft durch Ihr Werthestes vom 12. d. zu erwerben, und indem ich für Ihr Vertrauen herzlich danke, bin ich sehr gern erbötig, zur Verbreitung Ihres Künstlerrufes nach meinen Kräften beizutragen. Nur gestehe ich Ihnen offen, daß der eigne, sowohl oft geniale, als wohl auch mitunter *etwas seltsame* Gang Ihrer Geistesschöpfungen in unserem Publicum noch nicht genugsam und allgemein verstanden wird. Deßhalb bitte ich, bei Uebersendung Ihrer Manuscripte gefälligst darauf Rücksicht zu nehmen. Lieder mit Auswahl, nicht zu schwierige Pianoforte-Compositionen *à* 2 und 4 m., angenehm und leicht verständlich gehalten, würden mir passend scheinen, Ihren Zweck und meinen Wunsch zu erreichen. Ist einmal die Bahn gebrochen, dann findet alles Eingang; im Anfang muß man jedoch dem Publicum einigermaßen nachgeben. Ihre Manuscripte erbitte durch Herrn Lähne, Buchhalter bei Artaria & Comp., dort an mich zu befördern. Genehmigen Sie die vorzügliche Hochachtung Ihres

387 ergebenen H.A. Probst.«

Durch eine in jeder Beziehung reservirte Haltung charakterisirt sich das folgende Schreiben[17] von *Breitkopf* und *Härtel*, datirt aus Leipzig 7. September 1826:

»Euer Wohlgeboren gütige Geneigtheit, uns einige Werke Ihrer Composition zur Herausgabe zu überlassen, erwiedern wir mit unserem verbindlichen Dank und mit der Versicherung, daß es uns sehr angenehm sein würde, ein wechselseitiges angenehmes Verlagsverhältniß mit Ihnen zu gewinnen. Da wir jedoch mit dem merkantilen Erfolg Ihrer Compositionen noch ganz unbekannt sind, und Ihnen deßhalb mit dem Erbieten einer bestimmten pecuniären Vergütung (welche der Verleger nur nach seinem Erfolg bestimmen oder genehmigen kann) nicht entgegenkommen können, so müssen wir Ihnen überlassen, ob Sie, um durch einen Versuch vielleicht eine dauernde Verbindung einzuleiten, uns diesen erleichtern und für das erste Werk, oder die ersten, welche Sie uns zusenden werden, bloß eine Anzahl Exemplare als Vergütung annehmen wollen. Wir zweifeln nicht an Ihrer Beistimmung hierzu, da es Ihnen, wie uns, weniger auf der Herausgabe Eines Werkes, als um die Einleitung zu einem fortgesetzten Verhältniß zu thun sein wird. In diesem Falle schlagen wir vor, uns zuerst ein oder zwei Stücke für das Pianoforte allein oder zu vier Händen mitzutheilen. Wenn unsere Hoffnung auf einen guten Erfolg irgend erfüllt wird, so daß wir Ihnen für

17 Das Original besitzt *Dr.* Schneider in Wien. Der Brief ist adressirt an den Componisten F. Schubert in Wien, auf der Wieden Nr. 100 nächst der Carlskirche, 5. Stiege, 2. Stock.

die folgenden Werke anständige baare Vergütung offeriren können, so wird es uns zum Vergnügen gereichen, Ihnen dadurch das Verhältniß mit uns 388 annehmlich zu machen. Mit vollkommenster Hochachtung Euer Wohlgeboren

ergebenster

Breitkopf u. Härtel.«

Was Schubert's musikalische Leistungen in diesem Zeitraum anbelangt, so bezeugen mehrere damals entstandene Compositionen sein unaufhaltsames Vorwärtsdrängen auf dem Gebiete der Kammermusik, des mehrstimmigen und selbst des *ein*stimmigen Liedes. Denn von bekannten Gesangscompositionen fällt in diese Zeit nebst den Liedern: »Ueber Wildemann«[18], »Ständchen«, »Trinklied«[19] (aus Shakespear's: »Antonius und Cleopatra«) auch der erste Theil der »*Winterreise*«; sodann die mehrstimmigen Gesänge: »*Nachthelle*«[20] und das Männerquartett: »Grab und Mond« (in der Sammlung »Die 389 Minnesänger« enthalten). Im Gebiet der Kammermusik aber entstanden damals zwei Werke für Streichquartett, in welchen Schubert seine Meisterschaft auch nach dieser Seite hin zuerst in überzeugender Weise bethätigte 390

18 »*Wildemann*«, ein romantisch gelegenes Städtchen im Harzgebirge.

19 »Ständchen« und »Trinklied« enthalten von Schubert's Hand die Angabe: »Componirt in Währing, Juli 1826.« Ueber die Entstehungsart des »Ständchen« theilte mir Herr Franz Doppler (Geschäftsführer in der Musikalienhandlung Spina) folgendes Geschichtchen mit: »Schubert befand sich eines Sonntags im Sommer 1826 mit mehreren Bekannten (worunter auch Doppler) von Pötzleinsdorf aus auf dem Heimweg nach der Stadt, als er beim Wandern durch Währing Freund *Tieze* in dem Gasthausgarten ›Zum Biersack‹ an einem Tisch sitzend sah.« Die Gesellschaft beschloß daher, ebenfalls Rast zu machen. *Tieze* hatte ein Buch vor sich liegen, in welchem Schubert alsbald zu blättern begann. Plötzlich hielt er inne, und auf ein Gedicht zeigend äußerte er: »Mir fällt da eine schöne Melodie ein, hätte ich nur Notenpapier bei mir!« Herr Doppler zog nun auf der Rückseite eines Speisezettels die entsprechenden Linien, und in Mitte eines durch Harfenisten, Kegelschieber und hin und her eilende Kellner verursachten echten Sonntagtumultes schrieb Schubert das reizende Liedchen auf.

20 »Nachthelle«, eines der poetischsten Tongebilde, wurde am 25. Jänner 1827 in einem der Donnerstagsconcerte im Musikverein aufgeführt. Als Einladung, dieser Aufführung beizuwohnen, erhielt Schubert von seinem Freund *Ferdinand Walcher* (derzeit erzherzoglicher Hofrath in Wien) folgendes, in meinem Besitz befindliche Schreiben:
»Du nicht, das weiß ich wohl, aber das wirst Du mir glauben, daß Tieze heute Abend beim Verein Deine ›Nachthelle‹ singen wird, wozu Dich N. Fröhlich mittelst der drei mitfolgenden Billets einladet, die ich die Ehre habe, Dir des großen Schnees wegen im Wege des Kaffeehauses zur lustigen Plunzen zu übermitteln.
Wien 27/1 1827.

Dein wohlaffectionirter Gönner Walcher.

Vidi Julimauser aus Freiburg.«

und sich unter den hervorragendsten Tondichtern einen Platz in erster Reihe zu erringen wußte.

Es sind dies die Streichquartette in *D-Moll* und*G-Dur*, Compositionen von echt Schubert'schem Gepräge, sein und duftig gehalten, ausgestattet mit einer Fülle reizender Melodien, und von jenem Hauch der Romantik durchzogen, der uns fast aus allen bedeutenden Tonschöpfungen des Meisters entgegenweht. Empfing auch dieser die Anregung dazu zunächst von einem Kreis musikalischer Bekannter[21], so steht doch andererseits außer Zweifel – und mehrere Aeußerungen von ihm (wie der Brief an L. Kupelwieser vom Jahre 1824) deuten darauf hin – daß er sich eben zur Aufgabe gemacht hatte, nunmehr auch in dieser Gattung Zeugniß seines Strebens und seiner vorgeschrittenen Reise abzulegen.

Die beiden Streichquartette überragen in der That entschieden die zunächst
391 vor ihnen entstandenen Werke gleicher Art, und es ist ihnen an innerem Werth nur noch das später (1828) componirte Streichquartett in *C* an die Seite zu setzen. Wie leicht übrigens unserem Meister die Arbeit auch hier von Statten gegangen, bezeugt die kurze Frist, die zwischen der Inangriffnahme und Beendigung des *G*-Quartettes in Mitte liegt. Innerhalb *zehn* Tagen[22] hat Schubert eine seiner schönsten Compositionen hingezaubert.

Das *Rondeau brillant* in *H-Moll* (*op.* 70) wohl das bedeutendste von den Duos, welche Schubert für Clavier und Violine componirt hat, gehört ebenfalls dieser Zeit an[23].

Zu Ende dieses Jahres wurde unserm Tondichter noch die Genugthuung zu Theil, von dem Ausschuß der Gesellschaft der Musikfreunde »für die wiederholten Beweise der Theilnahme«, die er dem Institut gegenüber an

21 Es waren dies die Brüder *Carl* und *Franz Hacker* (Violine und Viola), Ersterer im Jahre 1830 gestorben, Letzterer Oberlandesgerichtsrath in Wien, *Franz Hauer* (derzeit Fabriksarzt »in der Öd«) und der Cellist des Hofopherntheaters, *Bauer*. Von den zwei Quartetten gelangte damals nur jenes in *D-Moll* zur Aufführung. In der Hacker'schen Wohnung (Schönlaterngasse Nr. 673) wurde es unter Schubert's Leitung, der in den frischcopirten Stimmen die ihm nöthig scheinenden Correcturen und Abkürzungen vornahm, in Gegenwart Randhartinger's und Holzapfel's zum ersten Mal am 29. Jänner 1826 und dann Tags darauf durchprobirt, und am 1. Februar in der Wohnung des Hofkapellsängers *Josef Barth* als neues Werk gespielt. (Nach einer Mittheilung des Herrn *Dr.* Hauer und dem damit übereinstimmenden Tagebuch Herrn Franz Hacker's.)

22 Das Original (im Besitz des Herrn Spina) enthält das Datum 20–30. Juni 1826.

23 Das Rondeau erschien im Kunstverlag Artaria in Wien, der auch das Autograf besaß, bis dieses in die Hände des Herrn Balsch, eines russischen Edelmannes, überging. Der Violinvirtuose *Slawik* aus Prag spielte das *Duo* mit Herrn Bocklet in einer Gesellschaft bei Artaria, wo auch Schubert gegenwärtig war. Dieser Violinspieler *à la* Paganini reussirte aber weder mit diesem Stück, noch mit der »Fantasie« (*op.* 159), die er im Jahr 1828 im Redoutensaal vortrug. Seinem brillanten Spiel fehlte die Reinheit des Tons.

den Tag gelegt, ein Dankschreiben sammt Beischluß von Einhundert Gulden Conv. M. zu erhalten.

Das Schreiben lautet:

»Sie haben der Gesellschaft der Musikfreunde des österreichischen Kaiserstaates wiederholte Beweise der Theilnahme gegeben, und Ihr ausgezeichnetes 392
Talent als Tonsetzer zum Besten derselben und insbesondere des Conservatoriums verwendet.

Indem sie Ihren entschiedenen und ausgezeichneten Werth als Tonsetzer zu würdigen weiß, wünschet sie Ihnen einen angemessenen Beweis ihrer Dankbarkeit und Achtung zu geben, und ersucht Sie, den Anschluß nicht als ein Honorar, sondern als einen Beweis anzunehmen, daß sich Ihnen die Gesellschaft verpflichtet finde und mit Dank die Theilnahme, die Sie ihr bewiesen, anerkenne.

Von dem leitenden Ausschusse der Gesellschaft der Musikfreunde des österr. Kaiserstaates.

Wien, am 12. October 1826.

Kiesewetter *m/p.*«

Unter den Beweisen der Theilnahme waren hauptsächlich jene mehrstimmigen Gesänge gemeint, die Schubert in den Jahren 1820–1822 über Ersuchen des Frln. Josefine Fröhlich für die Schülerinnen des Conservatoriums geschrieben hatte, und welche damals wiederholt in den »Abendunterhaltungen« zur Aufführung gelangten.

Als ein Zeichen seines Dankes für die ihm von dem Musikverein dargebrachte Huldigung übergab Franz im Jahre 1828 dem Musikverein die großeC-Sinfonie, welche aber damals von den ausübenden »Künstlern« der Gesellschaft als unausführbar abgelehnt wurde.

XV.

(1827.)

Wie schon erwähnt, beschränkten sich Schubert's Reisen auf ein Paar Ausflüge nach Ungarn (1818 und 1824) und nach Oberösterreich (1819 und 1825), welchen nunmehr im Jahr 1827 noch eine Reise nach Graz folgte, wo er und *Jenger* in dem Hause des*Dr. Carl Pachler* die freundlichste Aufnahme fanden.

Die Familie *Pachler*, deren Name zuerst bei Besprechung der Oper »Alfonso und Estrella« genannt worden ist und die nun in dieser Episode aus Schubert's letzter Lebenszeit plötzlich in den Vordergrund tritt, bestand aus dem Herrn des Hauses, der Hausfrau und Beider Sohn: *Faust*, der zur Zeit des Schubert-Besuches im achten Lebensjahre stand[1].

Carl Pachler war der jüngste Sohn eines Bräumeisters, dessen Vater, aus Tirol nach der Steiermark eingewandert, daselbst seinen bleibenden Aufenthalt genommen hatte. Nach dem Tod seiner Mutter, die als Witwe den Be-
394 trieb der Bräuerei und der Gastwirthschaft leitete, trat *Carl* in den Besitz der beiden Gewerbe, deren weitere Führung aber, da er als Advocat in Graz anderweitigen Beschäftigungen obzuliegen hatte, einem Werkführer und beziehungsweise Pächter überlassen wurde. In seiner Eigenschaft als ordentlicher bürgerlicher Bräumeister widerfuhr ihm auch die Ehre, von dem dortigen uniformirten Bürgercorps, dessen Wiedererrichtung seinem bei dem Kaiser eingelegten Fürworte zu danken war, zum ersten Oberst desselben gewählt zu werden.

Im Jahre 1816 (seinem 26. Lebensjahre) vermählte er sich mit *Marie Leopoldine Koschak*, Tochter des *Dr. Adalbert Koschak* in Graz, eines als Freund der Musik und Geselligkeit allenthalben wohlbekannten Mannes. *Marie Pachler* war nach dem einstimmigen Zeugniß jener Personen, welche sie gekannt haben, eine durch Schönheit und mannichfache Talente, namentlich durch musikalische Begabung ausgezeichnete Frau. Sie versuchte sich schon in ihrem neunten Jahre in der Composition und spielte Beethoven's Sonaten mit seinem Verständniß, worüber ein Zeugniß des Meisters, den sie im Jahre 1817 in Wien hatte kennen lernen, vorliegt. Ihre früheste Ausbildung erhielt sie im väterlichen Hause, und auf die Entwicklung ihrer geistigen Fähigkeiten war der damalige Professor der Geschichte in Graz, *Julius Schneller*[2], von entscheidendem Einfluß. Dieser scheint auch ihre Bekanntschaft mit Beethoven vermittelt zu haben. Der Meister wurde im Jahr
395 1827 von der Pachler'schen Familie zum Besuch er wartet; sein im März desselben Jahres erfolgter Tod vernichtete aber diese Hoffnung[3], und so er-

1 Die auf Schubert's Verhältniß zur Familie *Pachler* bezüglichen Mittheilungen verdanke ich der Güte des Herrn *Dr. Faust Pachler*, Scriptor in der k.k. Hofbibliothek in Wien.

2 Professor *Schneller*, von der Censursbehörde verfolgt, verließ Graz im Jahre 1823 und begab sich nach Freiburg im Breisgau, wo er als Professor der Filosofie im Jahre 1834 gestorben ist.

3 Als *Jenger* 1825 von Graz, wo er beim Generalcommando angestellt war, nach Wien transferirt wurde, übersendete ihm Frau Pachler (durch einen gewissen Strasser) einen Empfehlungsbrief an Beethoven und durch den Hofschauspieler *Rettich* (einen intimen Freund des Pachler'schen Hauses) ein zweites Schreiben, welches Jenger im November 1826 Beethoven einhändigte. Jenger schrieb darüber an Frau Pachler, daß Beethoven von ihrem Musiktalente mit Freude gesprochen und geäußert habe, es wäre für ihn gescheidter gewesen, zu ihr nach Graz, als zu dem Bruder nach Oberösterreich zu gehen; indessen hoffe er, sie noch in Graz zu sehen.

schien daselbst an seiner Statt Franz Schubert in Gesellschaft seines Freundes Jenger, welch' Letzterer auch Beethoven dahin zu geleiten bestimmt war.

Die gesellige Unterhaltungsgabe des *Dr.* Pachler, die seine Bildung und das Musiktalent seiner Frau, die als Mädchen nur durch besondere Verhältnisse von dem Ergreifen der Virtuosenlaufbahn abgehalten worden war, und die daselbst geübte Gastfreundschaft schufen das Pachler'sche Haus zu einem Vereinigungsort fast aller in Graz sich aufhaltenden oder durchreisenden Celebritäten. Berühmte Sänger und Schauspieler besuchten dasselbe während ihrer Gastspiele; Schubert, Teltscher und Schönstein wohnten daselbst, und jeder Fortziehende empfahl den neu Ankommenden wieder dahin. Auch der Dichter *Gottfried Ritter von Leitner*, der um das Jahr 1825 in die Familie eingeführt worden war, gehörte dem auserlesenen Kreise an, von welchem sich diese fortan umgeben sah, und jene von seinen Gedichten, welche
Schubert in den Jahren 1827 und 1828 in Musik setzte, waren diesem von 396
Frau Marie Pachler zur Composition empfohlen worden.

Solcher Art war der Familienkreis[4], in welchem Schubert kurze Zeit vor seinem Scheiden aus dieser Welt eine Reihe schöner Tage verlebte, die eine solche Anziehungskraft auf ihn ausübten, daß er schon für das nächste Jahr die Möglichkeit eines abermaligen Besuches daselbst in Aussicht nahm. Er und Jenger waren bereits im Sommer 1826 – doch vergebens – in Graz erwartet worden. Im Herbst 1827 endlich sollte Beider Wunsch in Erfüllung gehen.

Eine Reise nach der Hauptstadt der Steiermark war in damaliger Zeit an sich schon keine Kleinigkeit; bei Jenger und Schubert aber, von welchen der Erstere an den Kanzleidienst gebunden war, der Letztere mit fortwährender Ebbe in seinem Geldbeutel zu kämpfen hatte, häuften sich die Schwierigkeiten in ungeahnter Weise, und es bedurfte, wie der hier folgende Briefwechsel bezeugt, eines vollen Jahres, um den gefaßten Entschluß zur Ausführung zu bringen.

In einem Brief vom 1. August 1826 an Frau *Marie Pachler* bedauert Jenger, von Wien nicht abkommen zu können, und fügt bei: »Vielleicht geschieht es noch im Herbst, und kann ich nicht fort, so kommt doch ganz gewiß
Freund *Schubert* und der Maler *Teltscher*, welche beide sich bei Ihnen, gnä- 397
dige Frau, vorstellen werden.« Schubert kam aber nicht und Jenger vertröstete wieder auf das nächste Jahr. In einem Brief vom 29. December 1826 schreibt er: »Freund Schubert hat sich's bestimmt vorgenommen, künftiges

4 Von der Familie Pachler ist noch der Sohn *Dr. Faust Pachler* am Leben. *Dr. Carl* P. starb im Jahre 1850 in einem Alter von 60 Jahren, und Frau *Marie* P. im Jahre 1855 in einem Alter von 61 Jahren in Graz. – *Leitner* wurde erster Secretär bei den steirischen Ständen, trat später in Pension und lebt derzeit völlig zurückgezogen in Graz. – Auch *Anselm Hüttenbrenner* hat daselbst seinen bleibenden Aufenthalt genommen.

Jahr nach Graz zu reisen; doch wenn er nicht *mit mir* kommt, so geschieht es wieder nicht – wie heuer.«

Am 12. Jänner 1827 schreibt er abermals an Frau Pachler: »Schubert läßt Ihnen, gnädige Frau, unbekannter Weise die Hände küssen, und auch *er* freut sich sehr, die Bekanntschaft einer so warmen Anhängerin Beethoven's zu machen. Gott gebe, daß unser allseitiger Wunsch, dieses Jahr nach Graz kommen zu können, in Erfüllung gehe.«

Und am 25. Mai: »Ich halte dafür, daß es am besten wäre, die Reise nach Gratz zu Anfang des Monats September anzutreten. Schubert bringe ich dießmal ganz gewiß mit, auch einen zweiten Freund, Lithograf Teltscher.«

Am 12. Juni eröffnete Schubert selbst die Correspondenz mit folgenden Zeilen:

»Euer Wohlgeboren, Gnädige Frau!

Obwohl ich nicht einsehe, wie ich ein solch freundliches Anerbieten, als Euer Gnaden mir durch das an Jenger gesendete Schreiben bekannt machten, irgend verdiene, noch ob ich je etwas entgegen zu bieten im Stande sein werde, so kann ich doch nicht umhin, einer Einladung zuzusagen, wodurch ich nicht nur das vielgepriesene Gratz endlich zu sehen bekomme, sondern überdieß Euer Gnaden persönliche Bekanntschaft zu machen die Ehre habe.
Ich verharre mit aller Hochachtung
Euer Wohlgeboren
398 ergebenster Franz Schubert.«

Am 16. Juni schrieb Jenger abermals als Antwort auf einen Brief der Frau *Dr.* Pachler vom 7. desselben Monats:

»Freund Schubert war über ihre gütige Einladung ganz entzückt, und seinen Dank und Versprechen, dieser schönen Einladung zu folgen, enthält das beiliegende Blättchen[5].

Wir freuen uns recht herzlich auf den Ausflug in die liebe Steiermark, und ich hoffe auch, daß Sie, beste gnädige Frau, mit meinem Reisegefährten zufrieden sein werden. Wir wollen dann wieder einmal so ganz der Musik leben, und Schubert soll manch neues liebes Liedchen in unsern musikalischen Kranz winden. Auch Freund *Dr.* Carl soll in jeder Hinsicht mit uns zufrieden sein; wir stellen auch an der Bier- und Weinschenke unsern Mann.«

Der Wunsch der beiden Freunde ging in der That bald darauf in Erfüllung. Am 30. August 1827 kündigte Jenger der Frau *Dr.* Pachler die bevorstehende Abreise mit folgenden Worten an:

5 Schubert's Brief vom 12. Juni.

»Künftigen Sonntag, den 2. September reisen Freund Schubert und ich mit dem Eilwagen um halb zehn Uhr Abends hier ab und hoffen zu Gott, am Montag Abends neun Uhr in Graz bei Ihnen einzutreffen, worauf wir uns schon herzinniglich freuen.«

Im Hause Pachler war man auf Schubert sehr gespannt und der damals siebenjährige Sohn *Faust* wollte vor Aufregung und Erwartung gar nicht zu Bette gehen, sondern die Ankunft der beiden Gäste abwarten. Er sollte sie aber erst am nächsten Morgen beim Frühstück begrüßen, wo sich Schubert (dessen Lithografie ihm schon früher gezeigt worden) im grünen Rock und weißen Beinkleidern einfand. 399

Der Aufenthalt in Graz gestaltete sich zu einem sehr angenehmen, durch Musik und Ausflüge in die schöne Umgebung mannichfach belebten. Die Familie Pachler wohnte damals ausnahmsweise nicht auf dem Land, und so wurden denn von der Stadt aus Partien, und zwar nach *Wildbach*, einem kleinen, der Witwe Massegg, Tante des *Dr.* Carl Pachler und Mutter von sechs eben im Aufblühen begriffenen Töchter gehörigen Gut, sowie nach dem am »Ruckerlberg« gelegenen *Hallerschlössel*[6], Pachlers gewöhnlichem Landaufenthalt, unternommen, an welchen Schubert, Jenger und *Anselm Hüttenbrenner* theilnahmen.

Von diesen durch fröhliche Stimmung, insbesondere auch durch die Gesellschaft anmuthiger Frauen belebten Landpartien ist nichts weiter zu berichten, als daß jedesmal viel des Weines vertilgt wurde, wobei Jenger und Schubert kaum in letzter Reihe gestanden haben dürften[7]. Zu Hause fehlte
es dagegen nicht an musikalischer Unterhaltung, deren Kosten fast ausschließ- 400
lich die beiden Gäste der Familie Pachler bestritten, indem Schubert (in Ermanglung eines Sängers) seine Lieder (unter anderen auch den »Wanderer an den Mond«) selbst vortrug, und mit Jenger vierhändige Clavierstücke spielte.

6 Der Ort, in welchem das Hallerschlössel gelegen ist, heißt *Sparbersbach*; das Schlössel wurde damals (1827) von Freunden der Familie Pachler bewohnt.

7 Als Erinnerungszeichen an den Besuch in Wildbach figurirt an einer Stallthür daselbst Schubert's Porträt, das er vielleicht selbst beistellte und daran festmachte oder später nachsendete. Bei den Ausflügen nahmen die drei Freunde Schubert, Jenger und A. Hüttenbrenner in dem einen der Wagen, die Familie Pachler in dem andern Platz An der Partie nach Sparbersbach betheiligte sich auch eine schöne junge Witwe, für deren Reize Jenger (und vielleicht auch Schubert) nicht unempfindlich war. Der hier folgende, von der schönen Frau verfaßte Theaterzettel deutet darauf hin, daß es bis zum Fußfall, vielleicht auch zu der Bitte um einen Kuß gekommen ist. Der Titel des Stückes heißt: »Der Fußfall im Hallerschlössel oder Zwil chen's [will sagen; zudringlich werden] mi nit so!« *Personen: Harengos* (*Dr.* Haring, Besitzer des Hallerschlössels). *Pachleros* (*Dr.* Carl Pachler), *Schwammerl* (Spitzname des dicken Schubert), *Schilcherl* (A. Hüttenbrenner, von seiner Vorliebe zum »Schilcherwein« so genannt).

Der gemüthlich-heitere Aufenthalt in Graz dauerte bis in die letzte Woche des September; denn schon am 27. d. M. richtete Jenger von Wien aus an die von ihm hochverehrte gastfreie Wirthin in der Steiermark folgende Zeilen:

»Durch den morgen von hier nach Grätz abfahrenden glücklichen Steyrer Josef Hüttenbrenner senden wir – Freund Schwammerl und ich – Ihnen, liebe gnädige Frau, sowie dem Freund *Dr.* Carl noch unseren herzlichsten und innigsten Dank für alle uns erwiesene Güte und Freundschaft, die wir ewig nie vergessen werden, und zwar um desto weniger, als Schubert und ich noch gar selten so herrliche Tage verlebten, als jetzt in dem lieben Grätz und seinen Umgebungen, worunter *Wildbach* mit seinen lieben Bewohnern obenan steht. – Hier will sich's noch nicht recht geben, besonders bei mir, wo ich jetzt wieder am großen Karren stark ziehen muß, jedoch keinen Strick abreißen werde. Im Vergleich mit den vorhergegangenen 20 Tagen ist es fast nicht auszuhalten, und doch muß es jetzt auch wieder recht sein. Eine kleine Beschreibung unserer Rückreise dürfte Sie, liebe gnädige Frau, wohl ein wenig interessiren, und deßhalb fange ich in Fürstenfeld an; denn
401 daß die Trennung von unsern lieben guten Hausleuten uns etwas schwer geworden, und selbst der Himmel in unsere Trauer miteingestimmt hat, wird Ihnen Freund Karrer wohl erzählt haben.«

Folgt nun in dem Brief eine Beschreibung der Rückreise, die wir hier kurz andeuten.

In Fürstenfeld nahm die Bürgermeisterin *Wittmann* die beiden Reisenden auf; am 21. September besuchten sie den Calvarienberg, fuhren nach eingenommener Mahlzeit weiter, und langten Abends um 8 Uhr in Hartberg an, wo sie im Hause des Stadtrichters *Zschok* Nachtquartier fanden. Am 22. Früh um 5 Uhr setzten sie die Reise fort, frühstückten in der Pinga, gingen über den die Grenze bildenden Berg, von dessen Höhe sie, die Mützen schwingend, dem Lande Steiermark und allen Lieben ein Lebewohl und Dankesworte zuriefen, und fuhren dann über Aspang, Pitten, Waibersbach, Sebenstein vorbei nach *Schleinz*, wo sie bei dem Kaufmann *Stehmann* übernachteten, daselbst den Sonntag sehr lustig zubrachten, und am Montag mit diesem und noch zwei anderen Gästen die Rückreise nach Wien antraten. Sie trafen daselbst um 10 Uhr Abends ein, und trennten sich unter den Tuchlauben vor Schubert's Wohnhaus beim »blauen Igel«, mit dem Vorsatz, den Lieben in Graz sogleich Nachricht von sich zu geben.

So fügte denn auch Schubert Jengers Brief folgendes, für die Wiener Gesellschaft nicht eben schmeichelhafte Schreiben an Frau *Dr.* Pachler bei:

»Euer Gnaden!

Schon jetzt erfahre ich, daß ich mich in Grätz zu wohl befunden habe,
402 und Wien will mir nicht recht in den Kopf, 's ist freilich ein wenig groß,

dafür ist es leer an Herzlichkeit, Offenheit, an wirklichen Gedanken, an vernünftigen Worten und besonders an geistreichen Thaten. Man weiß nicht recht, ist man g'scheidt oder ist man dumm, so viel wird hier durcheinander geplaudert, und zu einer innigen Fröhlichkeit gelangt man selten oder nie. S'ist zwar möglich, daß ich selbst viel daran schuld bin mit meiner langsamen Art zu erwarmen. In Grätz erkannte ich bald die ungekünstelte und offene Weise mit und neben einander zu sein, in die ich bei längerem Aufenthalt sicher noch mehr eingedrungen sein würde. Besonders werde ich nie die freundliche Herberge mit ihrer lieben Hausfrau, dem kräftigen Packleros und dem kleinen Faust vergessen, wo ich seit langer Zeit die vergnügtesten Tage verlebt habe. In der Hoffnung, meinen Dank auf eine würdige Weise noch an den Tag legen zu können, verharre ich mit aller Hochachtung

Euer Gnaden
ergebenster

Franz Schubert.«

»*NB*. Das Opernbuch[8] hoffe ich in einigen Tagen senden zu können.«

Noch am Tag der Abreise Schubert's von Graz schrieb Frau Pachler einen Brief an Jenger, den dieser in Wien vorfand und in welchem sie an ihn die Bitte richtete, Schubert zu vermögen, daß er zum bevorstehenden Geburts- und Namenstag ihres Gatten ein vierhändiges Clavierstück schreibe, das der 403
kleine Faust bei diesem Anlaß mit ihr spielen könne[9].

Schubert componirte wirklich einen kleinen Marsch mit Trio[10] und übersendete die Composition in Begleitung des folgenden Schreibens an Frau Pachler.

»Hiermit überschicke ich Euer Gnaden das vierhändige Stück für den kleinen Faust. Ich fürchte, seinen Beifall nicht zu erhalten, indem ich mich für dergleichen Compositionen eben nicht sehr geschaffen fühle. Ich hoffe, daß sich Euer Gnaden besser befinden als ich, da mir meine gewöhnlichen Kopfschmerzen schon wieder zusetzen. Doctor Carl bitte ich meinen herzlichen Glückwunsch zu seinem Namensfest abzustatten und zu melden, daß ich das Buch meiner Oper, welches Herr Gottdank, dieses Faulthier, schon seit Monaten zum Durchlesen hat, noch immer nicht zurückerhalten kann. Uebrigens verharre ich mit aller Hochachtung

8 Ohne Zweifel »Alfonso und Estrella.«

9 Sie hatte Schubert schon mündlich darum angegangen, und der Zweck des Briefes war nur *der*, ihn an sein Versprechen zu erinnern.

10 Eine Copie desselben ist im Besitz des Freiherrn *Josef von Spaun* in Wien.

Ihr ergebenster

Franz Schubert.«

Wien, den 12. October 1827.

Unter demselben Datum schrieb Jenger an Faust Pachler:

»Lieber kleiner Freund!

Daß ich mir Deine Commission angelegen sein ließ, siehst Du nun an diesem Blatte. Studire es also fleißig und denke am vierten kommenden
404 Monats an Freund Schwammerl und mich. Entrichte Deinem lieben Vater zu seinem Namenstag von uns alles erdenkliche Schöne; wir wollen uns an jenem Tag im Geist zu Euch versetzen. Schreibe mir bald wieder, Dein Brief hat mir viel Freude gemacht. Doch habe ich denselben erst am zehnten dieses Monats durch Freund Gometz[11] erhalten.«

Schubert illustrirte seinen Aufenthalt in der Steiermark durch mehrere Tanzcompositionen, die als »Grätzer Galoppe« und »Grätzer Walzer« im Stich erschienen sind. Auch die »*Valses nobles*« und »Ori ginaltänze«[12] gehören dieser Zeit an; das Lied: »Heimliches Lieben« und die »Altschottische Ballade« von Herder entstanden (über Anregung der Hausfrau) im Pachler'schen Hause. Die Lieder: »Im Wald« und »Auf der Bruck« wurden zuerst in Graz verlegt[13], und die Gesänge: »Das Weinen« und »Vor meiner Wiege« –
405 von Leitner – »Heimliches Lieben« und »An Silvia« sind der von ihm hochverehrten Frau Marie Pachler gewidmet[14]. Besonderes Gefallen fand

11 Gometz war – gleich Jenger – beim Generalcommando in Graz angestellt und kam nachher zum »Hofkriegsrath« nach Wien, wo er derzeit noch bedienstet ist. – Frau Pachler, in Besorgniß, daß Schubert auf die Composition vergessen könne, ließ wahrscheinlich den kleinen Faust selbst einen Bittbrief aufsetzen. Schubert schrieb die kleine Composition zwischen dem 10. und 12. October.

12 Die »Grazer« Tänze und »*Valses nobles*« erschienen – die Galoppe ohne Opus-Zahl als Nr. 10 der »Favorit-Galoppe« – die anderen als *op.* 91 und 77 bei T. Haslinger, die »Original-Tänze« bei Diabelli.

13 Sie wurden lithografirt und gedruckt bei J. Franz Kaiser in Graz, und verlegt bei *Kienreich* daselbst, dem sie Schubert aus Gefälligkeit überlassen zu haben scheint. Die beiden Lieder waren bereits im Jahre 1825 entstanden; im Jahre 1828 erschienen sie bei Haslinger.

14 »Heimliches Lieben« ist nicht, wie der gedruckte themat. Katalog aussagt, von *Leitner*, sondern befand sich unter verschiedenen, der Frau Pachler von einem Freund ihrer Familie zugesendeten Gedichten. Die Leitner'schen Gedichte erfreuten sich im Hause Pachler großen Beifalles, und die Hausfrau verfehlte nicht, Schubert auf einige derselben aufmerksam zu machen. Am 26. October 1827 schrieb Jenger an sie: Ihre paar Zeilen vom 5. erhielt ich heute früh sammt dem Packetchen, das ich gleich Freund *Schwammerl*

diese an der »Altschottische Ballade« von Herder, von welcher ihr Jenger sogleich eine Abschrift besorgen mußte. Die Ballade – ein Duett zwischen Mutter und Sohn – ist strofisch behandelt, von kleinem Umfang, aber stimmungsvoll und von echt Schubertschem Gepräge[15]. Andere Lieder aus dieser Zeit sind durchweg bedeutend und schon lange bekannt und beliebt
geworden. 406

Von *mehrstimmigen Gesängen* sind aufzuführen: das komische Terzett »Der *Hochzeitsbraten*«[16], »*Schlachtgesang*« von Klopstock für Doppelchor, das »*Ständchen*« von Grillparzer, »*Nachtgesang im Wald*«[17] und eine italienische *Cantate* zu Ehren des Fräuleins *Irene* K.[18] für Männerquartett mit
Begleitung von zwei Clavieren[19]. 407

übergab, worüber seine Empfangsbestätigung hierneben folgt. – Das Packet enthielt wahrscheinlich die erste Ausgabe von Leitner's Gedichten. – Die Dedicationsangelegenheit kam im darauf folgenden Jahr zum Abschluß. *Irene Kiesewetter* übernahm dabei die Stellvertretung der Frau Pachler. Letztere scheint mit der Annahme gezögert zu haben, und Schubert, entweder ungehalten über diese Verschleppung oder aus Fahrlässigkeit, unterließ; es, ein mit der Dedication versehenes Exemplar nach Graz zu senden, so daß Frau Pachler sich ein solches bei Deyrkauf um den Ladenpreis verschaffen mußte. – Anstatt der »Ballade«, welche Schubert zu düster land, wurde »An Silvia« in das Heft (*op.* 106) aufgenommen.

15 Die Ballade erschien (in Graz) abgesondert im Stich, da Schubert das düstere Lied den übrigen der Frau Pachler gewidmeten Gesängen nicht beigeben wollte. – Das Manuscript besitzt Herr Spina, und eine Abschrift Freiherr v. *Spaun*, in welcher aber das Vorspiel von fünf Tacten weggelassen, und in dem Gesang der Mutter eine kleine Abänderung – wahrscheinlich eine *Vogl*'sche »Verbesserung« – enthalten ist. Die Ballade ist vor kurzem bei Spina als Nr. 5 des »Liederkranzes« im Stich erschienen. – C. Loewe hat dasselbe Gedicht – aber durchcomponirt – in Musik gesetzt.

16 Das Manuscript besitzt Herr Spina. – Im Jahre 1829 brachte *Franz Roser* dieses Terzett mit Instrumentalbegleitung als scenische Darstellung im Josefstädter-Theater zur Aufführung.

17 Dieser schöne Chor wurde am 3. Mai 1827 in einem Concert des Herrn *Lewy* zum ersten Mal öffentlich und mit Beifall aufgeführt. Die Proben davon wurden in Dornbach abgehalten.

18 Ohne Zweifel Irene *Kiesewetter*, später verehlichte Freiin *Prokesch von Osten*. Die Cantate ist, dem Text nach zu urtheilen, eine Gelegenheits- (Gratulations)-Composition zur Feier der Wiedergenesung des Fräuleins, und wahrscheinlich für italienische Sänger geschrieben. In dem Haus des Kunstgelehrten *Rafael Kiesewetter* wurde besonders alte, aber auch moderne Musik cultivirt. Berühmte italienische Sänger, wie z.B. Lablache, fanden sich daselbst ein, und Herr Bocklet fantasirte da einmal über ein von Lablache ihm gegebenes Thema. Schubert war ebenfalls mit der Familie bekannt und erhielt Einladungen zu den musikalischen Unterhaltungen.

19 Die Composition beginnt in *C-Dur* $^4/_4$. Der Männerchor geht am Schluß bei den Worten:
Evviva dunque la bella Irene,
La delizia del nostro amor

Noch im October dieses Jahres, also unmittelbar nach der Rückkehr von der Reise, vollendete Franz das düstere Gemälde der »*Winterreise*«[20] – ein seltsamer Gegensatz zu den heiteren Bildern, von welchen erfüllt er aus den steyrischen Bergen heimgekehrt war, zugleich aber auch eine jener Thatsachen, die Schubert's von der Außenwelt völlig losgelöstes Productionsvermögen in schlagender Weise charakterisiren.

Im darauffolgenden Monat entstand das *Trio* in*Es-Dur*[21], ein Werk, das ihm auch im Gebiet der Kammermusik die gebührende Anerkennung verschaffte und sich neben den gleichartigen Werken der größten Meister als diesen ebenbürtig fortan behauptet hat. Das *Es*-Trio ist – sowie auch das etwas früher entstandene in *B* – eine der wenigen Instrumentalcompositionen Schubert's, die noch bei Lebzeiten des Meisters in Privatgesellschaften und auch in öffentlichen Concerten von ausgezeichneten, für den Componisten begeisterten Musikern[22] vorgeführt und mit entschiedenem Beifall aufgenom-
408 men wurden.

Damit war aber Schubert's Thätigkeit in dieser Zeitperiode nicht erschöpft; auch die Kirchen- und Claviermusik sollte ihren Theil abbekommen. Er schrieb nämlich die *deutsche Messe* auf einen von Professor Johann Filipp Neumann (Dichter der Oper »*Sakuntala*«) verfaßten Text für gemischten Chor mit Orgel oder Instrumentalbegleitung[23] und als Anfang das »*Gebet des Herrn*«, ebenfalls für gemischten Chor mit Instrumentalbegleitung – einfache melodiöse und kirchlich gehaltene Gesänge – ferner im Gebiet der Claviermusik die von den Verlegern unter dem Namen *Impromptus*

in einen Chor gemischter Stimmen über. Die Cantate ist noch ungedruckt. Eine Abschrift besitzt Frhr. v. *Spaun.*

20 Von dem Lied »Die Krähe« an, mithin die letzten zehn Lieder des Cyclus.

21 Das Manuscript befindet sich dermalen im Besitz der Frau Gräfin *Rosa von Almasy* in Wien, welche es aus dem Nachlaß der Gräfin Caroline Folliot von Crenneville (geb. Gräfin Esterhazy, ihrer Tante und einstigen Schülerin Schuberts) überkommen hat.

22 Die beiden Trio's pflegten Carl Maria von Bocklet (Clavier), Schuppanzigh (Violine) und Linke (Cello) zu spielen. Bei einem solchen Anlaß (im Spaun'schen Hause) küßte einmal der für Schubert schwärmende Bocklet diesem die Hand und rief den Anwesenden zu, sie wüßten nicht, welchen Schatz sie an Schubert hätten.

23 Es sind dabei Oboe, Clarinett, Horn, Posaune und Orgel oder Contrabaß verwendet. Die Messe besteht aus dem Introitus, Gloria, Credo, Offertorium, Sanctus, Nach der Wandlung, *Agnus Dei* und dem Schlußgesang. Die Begleitung des »Gebet des Herrn« ist dieselbe wie jene der Messe. Eine Copie dieses Kirchenwerkes besitzt Frhr. Josef v. *Spaun.* Diese Messe schrieb Schubert für die Hörer des Polytechnikums in Wien; derzeit wird sie auch von Männerstimmen mit Orgelbegleitung vorgetragen. Ferdinand Schubert setzte sie als dreistimmige Kirchenlieder zum Gebrauch der Normalschüler.

(III–VIII*op*. 142) herausgegebenen Clavierstücke, und ein Paar kleine Gelegenheitscompositionen[24].

Noch liegen aus diesem Jahre zwei an Schubert gerichtete, auf musikalische Angelegenheiten sich beziehende Briefe vor, welche hier ihre Stelle finden. Der erste derselben, datirt vom 15. Jänner und rein geschäftlicher Art, rührt 409
von dem Musikverleger H.A. *Probst* in Leipzig her, welchem Schubert einige Manuscripte zum Verlag übersendet hatte; der zweite, mit dem Datum 7. November, von Hofrath *Friedrich Rochlitz*, einem aufrichtigen Bewunderer Schubert's, welchen er für die Composition eines seiner Gedichte zu gewinnen suchte.

Das ablehnende Schreiben Probst's lautet[25]:

»Erst spät erhielt ich Ihre Manuscripte durch Artaria & *Comp*. So gerne ich auch das Vergnügen hätte, Ihren Namen in meinen Katalog einzuverleiben, so muß ich doch für jetzt darauf verzichten, da ich durch Herausgabe von Kalkbrenners *oeuvres complets* mit Arbeit überhäuft bin. Auch gestehe ich, daß mir das Honorar von 80 fl. C.M. für jedes Manuscript etwas hoch angesetzt schien. Ich halte die Werke zu Ihrer Verfügung und empfehle mich Ihnen mit vorzüglicher Hochachtung.«[26]

In einer, wie bemerkt, ganz verschiedenen, obwohl ebenfalls musikalischen Angelegenheit wendete sich Rochlitz mit folgenden Zeilen an den Wiener Barden:

»Euer Wohlgeboren

kennen die Hochachtung und Zuneigung, die ich gegen Sie und Ihre Compositionen hege; Herr Haslinger hat Ihnen auch meinen Dank für Ihre 410
Musik zu jenen meinen drei Liedern[27] sowie meinen Wunsch, daß Sie ein größeres Gedicht durch Ihre Kunst verschönern möchten, mitgetheilt, so wie Ihre Geneigtheit dazu. Erlauben Sie daher, daß ich sogleich auf diesen Gegenstand komme. Das Gedicht, welches ich im Sinne habe, ist: ›*Der erste*

24 Ein *Alegretto*, dem abreisenden Herrn Ferd. *Walcher* »zur Erinnerung« mit dem Datum 26. April, dessen Original Hofrath Walcher in Wien besitzt, und den vierhändigen Marsch mit Trio (in *G-Dur*) für den siebenjährigen Sohn Faust der Frau Marie Pachler (im October geschrieben).

25 Dasselbe ist adressirt an Herrn Franz Schubert, Tonkünstler und Compositeur.

26 Im Jahre 1828 verlegte Probst das *Es*-Trio (*op*. 100) – wie es scheint, das einzige Schubert'sche Werk, das bei dessen *Lebzeiten* im Ausland verlegt worden ist. – Im Jahre 1840–41 erschien die C-Sinfonie bei Breitkopf und Härtel.

27 »Alinde«, »An die Laute«, »Zur guten Nacht« (in *op*. 81 enthalten).

Ton‹[28]. Sie finden es im fünften Bande meiner gesammelten Schriften, welche Haslinger besitzt. Ich will hieher setzen, wie ich mir die Musik dazu denke; nur glauben Sie ja nicht, daß ich damit eine Art Vorschrift (zu welcher ich kein Recht habe) geben wolle; nehmen Sie vielmehr, was ich sage, bloß als einen Vorschlag zu eigener Erwägung und folgen Sie dann, was sich Ihnen nach solcher Erwägung ergibt – wozu Sie sich begeistert fühlen, mag es mit meinem Vorschlage ganz oder zum Theil oder gar nicht übereinstimmen. Ouverture: Ein einziger kurzer gerissener Accord *ff.* und nun ein möglichst lang ausgehaltener von <> für Clarinette oder Horn mit Fermate. Jetzt leise beginnend und sich dunkel verwickelnd, mehr harmonisch als melodisch – eine Art Chaos, das nur allmälig sich entfaltet und lichter wird. Ob hiermit die Ouverture schließe oder ein *Allegro* folge, will ich nicht bestimmen; wird das zweite erwählt, so sei dies *Allegro* nur ernst, aber sehr kräftig und brillant, bekomme jedoch einen absterbenden Schluß aus dem ersten Satze. Jetzt
411 Declamation ohne Musik bis: ›Wirken gegeben‹. Hier fällt das Orchester leise in ausgehaltenen Accorden ein, zu diesen wird mit nur ganz kurzen Zwischenspielen bei den Haupteinschnitten der Rede gesprochen bis: ›Erdenreich‹. Hier ein längeres, düsteres Zwischenspiel. Ein kürzeres, sanfteres nach: ›Gott‹; der folgende Satz bis: ›selbst gefällt‹ ohne alle Musik; der: ›Nun schweigen‹ bis ›soll ich sein‹ – Accorde mit ganz kurzen Zwischenspielen bei den Haupteinschnitten: jetzt aber ein ausgeführteres, sanft heiteres Zwischenspiel, nach welchem mit den Worten: ›Nun schließt‹ etc. sich in der Musik alles mehr zu regen und allmälich zu steigern beginnt. Dies nimmt zu im freien Instrumentalspiel nach den Worten: ›Wiederhall sie nach‹ – und bildet so die ausgeführte Vorbereitung und Einleitung zu dem großen, möglichst prachtvollen und glänzenden Chor: ›Drum Preis Dir‹ – der so lange und so effectvoll ausgeführt wird, als es dem Componisten gefällt; doch bekommen die ganz letzten Zeilen, mithin der Schluß des Ganzen eine sanftere, mildere Musik ohne Veränderung des Tempo oder der Tonart. In dieser Weise von einem so geist- und empfindungsvollen Meister, wie Sie, componirt und von einem so würdigen Declamator, wie Ihr Anschütz, gesprochen, verspreche ich mir eine große Wirkung und eben eine solche, wie sie ein jeder Kenner oder Nichtkenner ehrt und liebt. Doch – ich wiederhole es: Alles dies ist nur mein Vorschlag, und Ihnen kommt die Wahl und Entscheidung zu. – Uebrigens freut es mich, Ihnen auch hiemit etwas näher zu kommen und mein Andenken bei Ihnen aufzufrischen. Kommt das Werk zu Stande und erhalte ich es, so werde ich für eine möglichst vollendete

28 Das Gedicht – »Eine Fantasie« betitelt – enthält 66 Verse und ist in der allg. musik. Leipziger Zeitung, 8. Jahrg. Nr. 1 am 2. Oct. 1805 abgedruckt.

Aufführung in unserm Concert Sorge tragen[29]. Mit ausgezeichneter Hochachtung und Ergebenheit 412

Rochlitz.« 413

Auf dieses schmeichelhafte Schreiben dürfte Schubert ausweichend oder geradezu ablehnend geantwortet haben. Thatsache ist, daß er das Gedicht eben so wenig, wie Beethoven, in Musik setzte[30]. Der didaktische Charakter desselben, vielleicht auch die Mahnung an Haydn's Schöpfung mochten die Ursache gewesen sein, daß er sich mit dem Inhalt der an sich sinnigen Dichtung nicht befreunden konnte; wo dies aber der Fall war, ließ auch der sonst so willfährige Schubert sich nicht bewegen, seine musikalische Kraft daran zu messen[31].

29 Wie aus einem Brief von Rochlitz an den Musikalienhändler Tobias Haslinger (*de dato* 10. Sept. 1822) hervorgeht, wurde damals Beethoven ausgeforscht, ob er nicht geneigt wäre, das Gedicht »Der erste Ton« in Musik zu setzen. »Uebrigens wünschte ich sehr«, schreibt Rochlitz seinem Freunde, »daß sich der herrliche Beethoven auch einmal durch eines meiner musikalischen Gedichte (›Auswahl‹ 5. Band) zu einer Composition begeistert fühlte und zwar vielleicht durch das eben für ihn, wenn ich nicht irre, am meisten passende: ›*Der erste Ton.*‹ Ich wünschte es nicht aus Eitelkeit oder sonst in Rücksicht auf mich – als worüber ich längst hinweg bin, sondern weil er da Raum und Stoff für seine reiche Fantasie und große Kunst der Ausmalung fände, Raum und Stoff in Ueberfluß.« – Beethoven ging aber auf diese Idee nicht ein. Denn am 28. Dec. 1822 schrieb Rochlitz darüber an Haslinger: »Beethoven hat, wie ich wirklich erst auf seine Erinnerung bemerke, nicht Unrecht, wenn er sagt, die musikalische Bearbeitung des ›*ersten Tons*‹ möchte an Haydn's ›Schöpfung‹ erinnern.« Zwar ließe sich diesem ausweichen, wenn man eine ganz andere Behandlung erwählte, nämlich, daß man das Gedicht als Declamationsstück mit Zwischenmusik der Instrumente (melodramatisch) behandelte: aber so ist es schon früher einmal, obgleich nicht gut, in Musik gesetzt worden, und da wird es unser Künstler nicht nochmals so machen wollen, obgleich jene Composition fast gar nicht bekannt worden ist, und an! der ganzen Erde Niemand weniger als Er diese Collision zu scheuen hätte. Sollte er dennoch in diese Idee eingehen wollen, so dürfte der äußere Zuschnitt am vortheilhaftesten also zu machen sein: – Folgt nun ebenfalls eine Skizzirung der musikalisch-declamatorischen Behandlung. – »Da es nur *drei* Instrumental-Zwischensätze gibt – fährt Rochlitz weiter fort – könnten diese schon ziemlich ausgeführte Stücke werden, und alles Malen des Einzelnen, mithin die entfernteste Erinnerung an die ›Schöpfung‹ würde vermieden.«

30 »*Der glorreiche Augenblick*«, Cantate von Weißenbach, von Beethoven in Musik gesetzt, wurde 1814 anläßlich der Congreßfestlichkeiten mit dem unterlegten Text von Rochlitz: »*Preis der Tonkunst*« in Wien aufgeführt. (Schindler, Beethovens Biografie II. B. S. 152, wo auch erwähnt wird, daß Rochlitz dasselbe Gedicht im Jahre 1822 Beethoven zur Composition vorgelegt habe.)

31 So trug Schubert, wie mir Frhr. v. *Schönstein* mittheilte, die »*Nächtliche Heerschau*« von Zedlitz, welche ihm dieser mit dem Wunsch übergeben hatte, daß er sie in Musik setze, viele Wochen mit sich herum, gab sie aber endlich dem Dichter mit der Erklärung zurück, daß er der Sache nicht gewachsen sei, und nicht den Muth habe, sich an die Arbeit zu machen, da er fühle, daß er nicht im Stand sein werde, eine gute Musik zu

Das eben vorübergezogene Jahr 1827 darf in Schubert's Leben (gleich dem Jahr 1825) den äußerlich und innerlich glücklichsten Episoden beigezählt
414 werden. Getragen von dem Hochgefühl künstlerischen Schaffens, fortan noch höheren Zielen zustrebend, wie seine größeren Werke aus dieser Periode bezeugen, erlebte er – zum letzten Mal – die Freude, sich dem Genuß der schönen Natur und dem Reiz einer heiteren, ihm freundlichst entgegenkommenden Gesellschaft auf das unbefangenste hingeben zu dürfen. Sein anspruchloses gemüthliches Naturell fand aber gerade darin jene volle Befriedigung, welcher er in einigen Briefstellen – nach seiner Weise mit wenigen Worten – tiefgefühlten Ausdruck verleiht.

Schon binnen Jahresfrist nach diesem kurzen, aber wohlthuenden Zwischenspiel war seine irdische Mission erfüllt und deckte den kaum in das Mannesalter Eingetretenen die kühle Erde.

XVI.

(1828.)

Gekräftigt und zu neuer Arbeit gestählt war Schubert aus der Steiermark heimgekehrt. Schon trug er sich mit dem Gedanken an einen abermaligen Ausflug dahin[1] oder nach Oberösterreich, um liebe Freunde da und dort zu besuchen und durch Bewegung und Luftveränderung seine in Folge häufiger Kopfleiden etwas gestörte Gesundheit wieder herzustellen. War diese Indisposition in den letzten Jahren auch hartnäckiger hervorgetreten, so lag doch nicht das kleinste Anzeichen einer Katastrofe vor, wie diese nach wenigen
416 Monaten plötzlich über ihn hereinbrechen sollte.

Seine Productionskraft entfaltete sich in dieser letzten Periode, wenn nicht reicher, so gewiß intensiver, qualitativ gesteigert; denn abgesehen von dem Lied, in welchem er schon das Höchste geleistet hatte, aber dennoch in der

dem Gedichte zu componiren. – Auch Felix Mendelssohn wurde (von Frau v. Pereira in Wien) zugemuthet, dasselbe Gedicht zu componiren, was er aber mit der Bemerkung ablehnte, daß ein beschreibendes Gedicht nicht wohl in Musik zu setzen sei. (Briefe F. Mendelssohns I. Theil.) Die »Nächtliche Heerschau« fand bekanntlich später an Herrn *Emil Titl* ihren musikalischen Erlöser.

1 So schrieb Jenger am 28. Jänner an Frau Marie v. Pachler; »Irene Kiesewetter ist von ihrer schweren Krankheit genesen und gedenkt mit ihrer Mutter einen Ausflug nach Graz zu unternehmen. Wenn dies geschieht, so werden *Schwammerl* und ich als Reisemarschalls mitgenommen und somit dürften wir Sie alle in wenig Monaten sehen.« – Tiefe Reise unterblieb in Folge des Todes einer Verwandten der Kiesewetters. Aber schon am 26. April schrieb Jenger wieder nach Graz: »Das Bändchen Lieder von Freund Schubert, welches er Ihnen dedicirt, ist bereits dem Stich übergeben worden; bis Schubert und ich zu Ihnen kommen, was ohne Zweifel Ende *August* geschehen wird, werden wir Ihnen einige Exemplare mitbringen.«

»Winterreise« abermals auf neue Bahnen hindrängte, entstanden in anderen Musikgattungen, namentlich in der Instrumentalmusik, innerhalb der kurzen, ihm noch vergönnten Frist seine schönsten, reifsten Werke. Durch die Vollendung der *C*-Sinfonie war es ihm beschieden, Zeugniß davon abzulegen, was er in der großen Instrumentalmusik zu leisten im Stande sei, und ebenso überragen mehrere Clavierwerke und Compositionen für Kammermusik alles vordem von ihm darin Geschaffene. Die Thatsache einer nach allen Seiten hin noch fortschreitenden Entwicklung wird demnach kaum in Abrede zu stellen sein.

Gleich aus dem Anfang dieses Jahres (18. Jänner) liegt ein Schreiben Schubert's an Anselm Hüttenbrenner in Graz vor, welches von der Anhänglichkeit Franzens an seine Familie schöne Kunde gibt, und – ein seltener Fall – der Aufführung einer seiner Compositionen, wenigstens mit einigen Worten, Erwähnung thut.

Der Brief lautet[2]:

»Theuerster Freund! Du wirst Dich wundern, daß ich einmal schreibe. Ich auch, aber wenn ich schon schreibe, so habe ich ein Interesse dabei. Höre also. Bei euch in Grätz ist eine Zeichnungslehrerstelle an der Normal-Hauptschule erledigt, und der Concurs ausgeschrieben. Mein Bruder Karl, 417
den Du vielleicht auch kennst, wünscht diese Stelle zu erhalten. Er ist sehr geschickt, sowohl als Landschaftsmaler, als auch als Zeichner. Wenn Du nun etwas in dieser Sache thun könntest, so würdest Du mich unendlich verbinden. Mein Bruder ist verheirathet und hat Familie, und es wäre ihm sehr willkommen, eine sichere Anstellung zu erlangen. Ich hoffe, daß es Dir sehr gut geht, sowie Deiner lieben Familie und Deinen Brüdern. Grüße mir alles auf's Herzlichste. Neulich ist von mir ein Trio[3] für Pianoforte, Violine und Violoncello bei Schuppanzigh aufgeführt worden und hat sehr gefallen. Es wurde von Bocklet, Schuppanzigh und Linke vortrefflich exequirt. Hast Du nichts Neues gemacht[4]? Apropos. Warum erscheinen die zwei Lieder

2 Eine Abschrift des Briefes besitzt Herr Josef Hüttenbrenner in Wien.

3 Das Trio in *Es*.

4 Einige Compositionen Anselm Hüttenbrenner's hatten auch Schubert's Beifall, namentlich »Der Abend«, ein Vocalquartett. Ueber eine Claviersonate schrieb Rochlitz am 9. Jänner 1825 an T. Haslinger in Wien: »Jene Sonate des steirischen Musikvereins war allerdings von Anselm Hüttenbrenner. Es freut mich von Ihnen, über diesen trefflichen Künstler Gutes zu hören« u.s.w.

nicht[5]? Was ist das, sapperment hinein! Ich wiederhole meine obige Bitte[6], und denke nur, was Du meinem Bruder thust, thust Du mir. In Erwartung einer angenehmen Nachricht verbleibe ich Dein treuer Freund bis in den Tod.

418 Franz Schubert.«

Schubert'sche Compositionen, namentlich Gesangstücke, waren seit dem Erscheinen des »Erlkönig« in verschiedenen Concerten mit Beifall zur Aufführung gekommen, wobei der Componist gelegentlich am Clavier mitwirkte[7]. Zu seinem eigenen Vortheil hatte der bescheidene, in dieser Beziehung wohl auch etwas schwerfällige Schubert noch keine Produktion gegeben, obschon der Vorrath neuer und bedeutender Werke hingereicht hätte, mehrere Concertabende damit auszufüllen. Auf vielseitiges Zureden und da die Verleger wegen des in kurzen Zeiträumen massenhaften Erscheinens seiner Lieder mit ihren Anboten zurückhielten, ließ er sich endlich herbei, in dem Saal des Musikvereins ein Privat-Concert zu veranstalten. Dasselbe fand statt am 26. März 1828, und es wurden darin nur Schubert'sche Compositionen
419 zur Aufführung gebracht[8]. Der Saal war überfüllt und der Erfolg ein so glänzender, daß die Wiederholung dieses gelungenen Versuches zu gelegener Zeit beabsichtigt wurde. Es sollte aber dieses Concert sein erstes und zugleich sein letztes sein; die späteren beiden Schubert-Concerte hatten nur mehr *den* Zweck, durch ihren Ertrag die Kosten für sein Grabdenkmal zu decken.

5 »Im Wald« und »Auf der Bruck«, die bei Kienreich in Graz erscheinen sollten. Zehn Tage später schrieb Jenger an Frau Pachler: »Anselm Hüttenbrenner ist ein liederliches Tuch, daß er bei Kienreich die beiden Lieder von Schubert nicht betreibt, damit sie endlich einmal im Stich erscheinen.«

6 Auch an *Dr.* Pachler wendete sich Schubert in derselben Angelegenheit.

7 So z.B. in dem Concert des Frl. Salomon (1827), in dem Concert J. Lewy's (des Jüngeren) 20. April 1828, in welchem er das Lied: »Am Strom« begleitete (s. »Sammler« Nr. 47, 1828).

8 Das Programm, im »Sammler« angekündigt, war folgendes: 1. Erster Satz eines neuen Streichquartetts, vorgetragen von den Herren *Böhm, Holz, Weiß und Linke.* 2. *a)* »Der Kreuzzug«, von *Leitner*; *b)* »Die Sterne«, von demselben: *c)* »Der Wanderer an den Mond«, von *Seidl*; *d)* Fragment aus dem Aeschylus; sämmtliche Gesänge mit Begleitung des Pianoforte, vorgetragen von Hrn. *Vogl,* k.k. pensionierten Hofopernsänger. 3. »Ständchen«, von *Grillparzer*, Sopran Solo und Chor, vorgetragen von Dlle. Josefine *Fröhlich* und den Schülerinnen des Conservatoriums. 4. Neues Trio für das Pianoforte, Violine und Violoncello, vorgetragen von den HH. Carl *Maria* von *Bocklet, Böhm* und *Linke.* 5. »Auf dem Strome«, von Rellstab, Gesang mit Begleitung des Horns und Pianoforte, vorgetragen von den Herren *Tietze* und *Lewy* dem Jüngern. 6. »Die Allmacht«, von Ladislaus *Pyrker*, Gesang mit Begleitung des Pianoforte, vorgetragen von Hrn. Vogl. 7. »Schlachtgesang«, von *Klopstock*, Doppelchor für Männerstimmen. Der Eintrittspreis betrug 3 fl. W.W.

Es ist bereits erwähnt worden, daß Schubert in seinen letzten drei Lebensjahren Versuche machte, mit ausländischen Verlegern wegen des Verlages seiner Werke Unterhandlungen anzuknüpfen, wozu ihn der Gedanke bestimmte, daß dadurch seinen Compositionen eine größere Verbreitung gesichert und die auswärtigen Verleger sich vielleicht auch zu angemessenen Honoraren herbeilassen würden, auf welche bei den einheimischen Musikalienhändlern nicht mehr zu rechnen war. Eine Reihe von Briefen, die ihm im Laufe des Jahres 1828 aus verschiedenen Gegenden Deutschlands zukamen, und die Anknüpfung oder Erweiterung von Geschäftsverbindungen bezüglich des Verlages seiner musikalischen Arbeiten zum Zweck hatten, bezeugt, daß seine Hoffnungen nur in geringem Maß sich erfüllten, und das Resultat seiner Bestrebungen sich eigentlich nur auf den Verlag des *Es-Trio* (durch Probst in Leipzig) beschränkte. Erfreulicher war die Anerkennung, die um diese Zeit seinem künstlerischen Verdienst von hochgeachteten Freunden und Kennern der Tonkunst zu Theil wurde und ihm eine nicht zu unterschätzende moralische Genugthuung gewähren mußte. Was seine Unterhandlungen mit Musikverlegern in Deutschland betrifft, so liegt hier 420
abermals ein vom 9. Februar datirtes Schreiben Probst's aus Leipzig folgenden Inhaltes vor:[9]

»Es hat mir ernstlich leid gethan, daß Verschiedenheit unserer Ansichten vor meiner Reise nach Wien Ihre schätzbare Annäherung zur Herausgabe Ihrer Compositionen in meinem Verlage ohne Erfolg ließ. Als ich indeß das Vergnügen Ihrer persönlichen Bekanntschaft voriges Jahr genoß, erwähnte ich zugleich, daß es mir sehr angenehm sein würde, neuere Geisteswerke von Ihnen zu erhalten, was Sie mir auch zu erfüllen versprachen. Seitdem habe ich Ihre neuen Lieder, z.B. ›Zügenglöcklein‹, ›Auf dem Wasser‹, und mehrere andere kennen gelernt, und daraus immer mehr gesehen, wie vortheilhaft und immer klarer, seelenvoller Sie Ihre Fantasien wiedergeben. Ich habe mich ferner ergötzt an mehreren 4/*m* Werken, z.B. die vier Polonaisen *op.* 75, die Variat. über das Müllerlied *op.* 82, und bin dadurch immer mehr überzeugt, daß es gelingen werde, Ihren Namen tüchtig im übrigen Deutschland und dem Norden auszubreiten, wozu ich bei solchen Talenten gerne die Hand biete.

Haben Sie daher die Güte, mir, wenn Sie etwas Gelungenes vollendet, Lieder, Gesänge, Romanzen, die ohne ihrer Eigenthümlichkeit etwas zu vergeben, *doch nicht zu schwer aufzufassen sind*, solche einzusenden, auch einige Piecen *à* 4 *m*. in demselben Genre für mich zu bestimmen. Sie dürfen die Manuscripte nur Herrn Lähne bei Artaria und Comp. geben, der sie prompt an mich fördert. Ueber das Honorar sind wir schnell einig, sobald 421

9 Der Brief ist adressirt an Herrn Franz Schubert, Tonkünstler und Compositeur.

Sie mich nach einem billigen Maßstab behandeln, und werden Sie mich stets in dieser Hinsicht honnett finden, sobald nur die Werke so sind, daß ich selbst Freude darüber haben kann. Die Preise der Wiener Verleger könnten hierbei am leichtesten zur Richtschnur dienen. Herr Lähne würde dann seiner Zeit die Auszahlung an Sie pünktlich besorgen.

Uebrigens muß ich bitten, die Werke, welche Sie für mich bestimmen, nur selbst ernstlich zu prüfen, solche aber nicht erst dortigen Verlegern mitzutheilen, und solche Geschäfts-Angelegenheiten zwischen uns auch *unter uns* nur zu lassen. Daß Sie es nicht bereuen sollen, wenn Sie mir Ihr freundschaftliches Vertrauen schenken, und durch sorgfältige Wahl gelungener Compositionen mir Gelegenheit geben, für Ihren Ruf thätig zu wirken, dafür gebe ich Ihnen mein heiliges Wort. Und so empfehle ich mich mit der aufrichtigsten Hochachtung als

Ihr ergebener

H.A. Probst.«

Von demselben Tag datirt kam ihm das folgende Schreiben von »Schott's Söhne« aus Mainz zu:

»Euer Wohlgeboren

sind uns bereits durch Ihre vortrefflich gearbeitete Compositionen seit mehreren Jahren bekannt, und wir hegten auch schon früher den Wunsch, von Ihren Arbeiten für unsern Verlag zu acquiriren, wenn wir nicht mit den Werken (*op.* 121–128 und 131) des seligen Beethoven, worunter manche
422 sehr starke *opus*, zu lange Beschäftigung für unsere Arbeiten gehabt hätten.

Wir sind nun so frei, Sie um einige Werke für unsern Verlag zu ersuchen. Clavierwerke oder Gesänge für eine oder mehrere Stimmen mit oder ohne Pianobegleitung werden uns stets willkommen sein. Das Honorar belieben Sie zu bestimmen, was wir Ihnen in Wien bei Hrn. Franck u. *Comp.* werden auszahlen lassen.

Bemerken müssen wir Ihnen, daß wir auch ein Etablissement in Paris besitzen, wo wir auch jedesmal Ihre Compositionen bekannt machen.

Wenn Sie mehreres vorräthig haben und wollten uns davon ein Verzeichniß senden, so wird uns dieses auch sehr angenehm sein. Mit Hochachtung zeichnen

B. Schott's Söhne.«

Auf dieses folgte am 29. Februar über Schubert's Antwort darauf das nachstehende Schreiben:

»Euer Wohlgeboren!

haben zu unserer größten Freude unsere am 8. Februar[10] an Sie gerichteten Zeilen sogleich beantwortet. Wir ersehen daraus, was Sie an Manuscripten gegenwärtig noch in Vorrath haben, und würden uns auch sogleich für sämmtliche Werke von Ihnen verständigen, wenn wir nicht früher eingegangene Verbindlichkeiten ebenfalls erfüllen müßten. Ihre Werke sind für einen Verleger alle so anziehend, daß die Wahl schwer ist.

Senden Sie uns gefälligst folgende von Ihnen verzeichnete Werke:

1. Trio für Pianoforte, Violin und Violoncell, 423
2. vier Impromtu's für Pianoforte,
3. Fantasie für Pianoforte *à* 4 *mains.*
4. Fantasie für Piano und Violin,
5. Vierstimmige Chöre für Männerstimmen,
6. fünfstimmiger Gesang für Männerstimmen,
7. Schlachtgesang für Doppelchor,
8. Hochzeitsbraten, komisches Terzett.

Wir werden diese Werke nach und nach und sobald als möglich herausgeben und dann wieder nach neueren Werken bei Ihnen anfragen.

Sie werden uns das möglichst billige Honorar bestimmen, und erlauben, daß wir das Honorar jedes Werkes sogleich nach der Herausgabe Ihnen in Wien anweisen dürfen. Bestimmen Sie auch gefälligst, wie viel Exemplare Sie zum Vertheilen an Ihre Freunde zu haben wünschen.

Wollen sie das Paquet zum Beischluß an Herrn Andreas Landschütz, Clavier-Instrumentenmacher (Mariahilf Nr. 16 bei der rothen Breze) abgeben; da derselbe in kurzer Zeit zwei Flügel an uns absendet, so wird das Porto erspart. Doch handeln Sie darin nach eigenem Gefallen wegen der Sendung.

Auch dürfen Sie jedes Paquet an Herrn Ferdinand Cammeretto, Instrumentenmacher (Laimgrube Nr. 68 beim weißen Ochsen) zum Beischluß abgeben, welcher auch gewöhnlich jeden Monat eine Sendung von Piano's an uns macht und ein sehr accurader Mann ist.

Indem wir Ihrer Sendung entgegensehen, zeichnen wir mit ausgezeichneter Hochachtung[11]

B. Schott's Söhne.« 424

10 Soll wohl heißen 9. Februar.

11 Der Brief ist adressirt: »An Herrn Fr. Schubert, Tuchlauben, blauer Igel.«

In Wien ersuchte damals eine Gesellschaft von Freunden der Schubert'schen Muse den Redacteur der Modenzeitung *Schikh*[12] um die Aufnahme einer Huldigungs-Adresse an den Tondichter in das besagte Blatt, welche aber dieser, als zur Oeffentlichkeit nicht geeignet, ablehnte, und den Original-Aufsatz mit folgendem, vom 3. April datirtem und »an den berühmten Tonsetzer« Franz Schubert gerichtetem Geleitschreiben übersendete.

»Werthester Freund!

Von einer Gesellschaft großer Verehrer Ihrer schönen ruhmwürdigen Compositionen ist mir die Beilage zur Einrückung in die Wiener Zeitschrift zugesendet worden.

So gerne ich auch mich, sowohl in der Bewunderung Ihrer herrlichen Talente, als in dem Wunsch, der in diesem Anruf ausgesprochen ist, mit der Gesellschaft aus vollem Herzen vereinige, so scheint der Aufsatz doch nicht für die Oeffentlichkeit geeignet, und ich zweifle nicht daran, daß Sie
425 davon ebenso sehr, als ich selbst überzeugt sein werden[13].

Um nun so viel, wie möglich ist, den Zweck der mir unbekannten Gesellschaft zu befördern, mache ich mir das Vergnügen, Ihnen den betreffenden Aufsatz zuzusenden, in der Hoffnung, es bei der Gesellschaft von Musikfreunden verantworten zu können, daß ich, bei der Unmöglichkeit, die erste Bestimmung des Aufsatzes zu erfüllen, hiemit die gegenwärtige Verfügung treffe, und bitte Sie, die Versicherung meiner herzlichsten Freundschaft und Achtung zu genehmigen, mit welcher ich bin Ihr

bereitester Freund Schikh.«

Den Sommer dieses Jahres gedachte Franz, wie bereits erwähnt, wieder in seinem geliebten Oberösterreich zuzubringen, dann aber auch den zweiten Besuch in Graz abzustatten. Diese seine Absicht war Herrn *Traweger* in Gmunden, bei welchem Franz im Jahre 1825 frohe Tage zugebracht hatte, zu Ohren gekommen, und erfreut über den bevorstehenden Besuch, richtete er unter dem 19. Mai an Schubert folgendes charakteristisches Einladungsschreiben:

12 *Schikh*, der Herausgeber der Wochenschrift »Für Kunst, Literatur und Mode«, in welcher besonders die von Stubenrauch gelieferten Modebilder Gefallen fanden, war kein Genosse von der Feder, sondern ein Kaufmann, der Modeartikel feilbot, deren Ertrag ihm die Artikel bestreiten half, die in seiner Zeitschrift eben nicht der Wiener Mode entsprachen. Er war damals (1828) ein wohlgenährter und rüstiger Sechziger mit einer Karfunkelnase im glühenden Antlitz. (Chezy: Erinnerungen II. Bd. S. 34)

13 Darin hatte Schikh vollkommen Recht.

»Lieber Freund Schubert!

Zierer[14] sagte mir, Sie wünschten wieder in Gmunden zu sein, und er sollte mich fragen, was ich für Zimmer und Kostgeld verlange, und dieses sollte ich Ihnen schreiben. Sie setzen mich wahrlich in Verlegenheit; kennte ich Sie nicht, Ihre offene ungeheuchelte Denkungsweise, und müßte ich 426
nicht fürchten, daß Sie mir am Ende nicht kämen, ich würde nichts verlangen. Damit Ihnen aber der Gedanke, als ob Sie Jemand zur Last fielen, aus dem Kopf kommt, und Sie ungehindert bleiben können, so lange Sie wollen, so hören Sie: für Ihr Zimmer, das Sie kennen, dann für Frühstück, Mittag und Abendessen zahlen Sie mir für den Tag 50 kr. Schein, was Sie trinken wollen, zahlen Sie besonders. Ich muß schließen, sonst versäume ich die Post. Schreiben Sie mir sogleich, ob Sie mit meinem Antrag zufrieden.

Ihr aufrichtiger Freund
Ferdinand Traweger.«

Der Besuch in Gmunden ist nicht erfolgt, wie denn Schubert seit dem Jahre 1825 überhaupt nicht mehr nach Oberösterreich gekommen ist.

In hohem Grad erfreulich mußte ihm der nachstehende Brief sein, welchen *Mosewius*[15] in Breslau unter dem 8. Juni an ihn schrieb, und durch einen Musikgenossen ihm übergeben ließ. Der Inhalt desselben zeigt, welch wachsender Theilnahme sich Schuberts Muse um diese Zeit auch im Ausland schon erfreute. Das Schreiben lautet: 427

»Sehr werther Herr und Freund!

Ich nehme mir die Freiheit, Ihnen diese Zeilen durch meinen Landsmann, Herrn Musiklehrer Kühn, überreichen zu lassen, und denselben, der sich einige Zeit in Wien aufzuhalten und sein Compositionstalent dort auszubilden gedenkt, aufs angelegentlichste zu empfehlen. Herzlich freut es mich, daß ich durch Haslinger von Ihrem Wohlbefinden unterrichtet bin, und daß es

14 *Zierer* war mit Schubert persönlich bekannt und hatte kurz vor seiner Abreise nach Italien von diesem den Wunsch äußern gehört, wieder nach Gmunden zu gehen. – In Neapel erhielt er die Nachricht von Schubert's erfolgtem Tod.

15 *Mosewius* (Johann Theodor), geb. 1788 in Königsberg, gest. 1861 in Breslau. In früherer Zeit ein ausgezeichneter Sänger und Schauspieler, verließ er 1825 die Bühne und gründete in Breslau eine Singakademie. Im Jahre 1827 erhielt er daselbst die zweite Musiklehrerstelle an der Universität und die Direction des königl. akademischen Instituts für Kirchenmusik, 1829 die Musikdirectorsstelle an der Universität. Er galt für einen in Wissenschaft und Kunst hochgebildeten Mann. Von seinen Compositionen sind einige Cantaten und Gelegenheitsgesänge bekannt geworden.

Ihnen überhaupt nach Verdienst, d.h. gut geht. Von Ihrem fortgesetzten Fleiß zeugen Ihre vielen Compositionen, deren Werth auch in unserem früher einseitigen Norden immer mehr ehrende Anerkennung findet. Es wird Ihnen wenig daran liegen, daß auch ich zu Ihren großen Verehren gehöre, und daß namentlich Ihre ›Müllerlieder‹ mir das Verständniß Ihrer Eigenthümlichkeit eröffnet haben. Ich bin auf alle Erzeugnisse Ihrer Muse dauernd begierig und habe mich an Ihrer ›Winterreise‹ wahrhaft erbaut. Sie werden schon wissen, daß ich meinen früheren Stand quittirt habe; ich bin als Musikdirector und akademischer Musiklehrer bei der hiesigen Universität angestellt, und da das hohe Ministerium mir zugleich die Leitung des königlichen Institutes für Kirchenmusik anvertraut hat, so befinde ich mich in meinem Wirkungskreise sehr wohl. Vielleicht wird es mir vergönnt, Sie baldigst wiederzusehen, und Ihnen mündlich die Versicherung wiederholen zu können, daß ich hochachtungsvoll und in wahrer Ergebenheit bin und bleibe Ihr

Sie schätzender Freund

428 Mosewius.«

Zwei Schreiben geschäftlicher Art sind die folgenden Brüggemann's aus Halberstadt. Das Ansinnen an Schubert, kleine und leicht faßliche Compositionen zu liefern, findet sich in dem einen wiederholt betont; es scheint aber nicht, daß Schubert von dem Anerbieten überhaupt Gebrauch gemacht habe.

Das erste Schreiben lautet:

»Hochgeehrter Herr!

Es erscheint bei mir seit einigen Monaten eine Sammlung von Clavier-Compositionen, welche in monatlichen Heften herausgegeben wird, und zur Hälfte Original, zur Hälfte arrangirte Sachen enthält. Ich bin so frei, bei Euer Wohlgeboren ergebenst anzufragen, ob sie geneigt sind, obiges Unternehmen durch Beiträge für das Pianoforte ohne Begleitung zu unterstützen. Die aufzunehmenden Original-Compositionen müssen nicht zu schwer, können aber auch ganz leicht sein; ihre Form bleibt ganz den geehrten Mitarbeitern überlassen, ihre Ausdehnung dürfte nicht zwei Bogen überschreiten, da ein Heft nur aus 3 Bogen besteht. Kleinere Sachen, als kleine Rondos, Tänze u. dgl. sind ebenfalls ganz zur Aufnahme geeignet. Die Redaction hat der M.D. *Mühling*[16] in Magdeburg übernommen, dessen Namen

16 *Mühling* (August), geb. 1781 in Raguhne, wurde 1823 Orchester- und Concertdirector in Magdeburg und Organist an der Ulrichskirche daselbst. Er war fast in allen Musikgattungen, die Oper ausgenommen, thätig.

Ihnen dafür bürgt, daß nichts aufgenommen wird, welches Ihren werthvollen Beiträgen unwürdig zur Seite stände. 429

Wenn Euer Wohlgeboren geneigt sind, den obigen Wunsch zu erfüllen, so bitte ich ergebenst um baldige geneigte Nachricht und Bestimmung des Honorars, dessen Zahlung stets prompt erfolgen soll. Hätten Sie vielleicht schon etwas vorräthig, das sich zu obigem Zwecke eignete, so bitte ich es, Ihrer geehrten Antwort beizufügen.

Noch muß ich bemerken, daß die Tendenz des Unternehmens es wünschenswerth macht, daß die Beiträge leicht faßliche gefällige Musik enthalten.

Halberstadt, 21. Juni 1828.

Hochachtungsvoll

Euer Wohlgeboren ergebener Diener

Brüggemann.«

Auf diese Einladung hat übrigens Schubert zustimmend geantwortet; denn unter dem 10. August 1828 erhielt er von *Brüggemann* die folgenden Zeilen[17]:

»Verehrter Herr!

Es ist mir sehr angenehm, daß Euer Wohlgeboren geneigt sind, Compositionen für Mühling's Museum zu liefern, und ich erwarte Ihre gefälligen Zusendungen. Um jedem Mißverstand zu beseitigen, bemerke ich noch: daß die längsten Beiträge nicht über 2 Bogen enthalten müßten, und daß ich darin nur Sachen ohne Begleitung für 2 Hände aufnehmen kann. Das Honorar wollen Sie gütigst bei jeder Sendung bestimmen, es soll Ihnen prompt durch Herrn Buchhändler Jasper dort ausbezahlt werden. Manuscripte senden 430
Sie gefälligst zur Fahrpost. Da ich künftig auch größere Compositionen verlege, so wird es mir sehr angenehm sein, wenn Sie mir auch davon Anerbietungen machen wollten.

Mit der größten Hochachtung

Euer Wohlgeboren ergebenster Diener

Brüggemann.«

Die für den Sommer projectirte Reise nach Graz wurde vorläufig bis zum Beginn des Herbstes vertagt. Jenger erhielt keinen Urlaub und Schubert

17 Das Originalschreiben besitzt *Dr.* Schneider in Wien. Der Brief ist an Franz Schubert, Tuchlauben, blauer Igel, zweiter Stock, adressirt.

hatte kein Geld. Ersterer meldete dies der Frau Marie Pachler in nachstehenden Zeilen, datirt vom 4. Juli 1828.

»Die Abwesenheit zweier Beamten aus meiner Kanzlei zum Gebrauch des Badner-Bades, dann die nicht ganz brillanten Finanz-Umstände des Freundes Schubert, welcher sich Ihnen und dem Freunde Dr. Carl recht vielmals empfehlen läßt, sind die Hindernisse, warum wir Beide nicht dermal von ihrer gütigen Einladung, nach Graz zu kommen, Gebrauch machen können. Schubert hat ohnehin projectirt gehabt, einen Theil des Sommers in Gmunden und der Umgebung, wohin er schon mehrere Einladungen erhielt, zuzubringen, woran ihn bis jetzt die obbesagten Finanz-Verlegenheiten abgehalten haben.

Er ist dermalen noch hier, arbeitet fleißig an einer neuen Messe[18], und erwartet nur noch – wo es immer herkommen mag – das nöthige Geld, um
431 sodann nach Oberösterreich zu fliegen.

Bei diesen Umständen dürfte also unser Ausflug wie im vorigen Jahre zu Anfang des Monates September an die Tour kommen. Was unser Domicil anbetrifft, ob wir nämlich bei Ihnen im Hallerschlössel oder in Ihrem Hause in der Stadt wohnen sollen, so würden wir Wiener jedenfalls das Erstere vorziehen. Gott gebe nur, daß wir an dem einen oder anderen Orte uns niederlassen dürfen. Das übrige gibt sich dann von selbst. Sollte ich aber dieses Jahr wirklich nicht abkommen können, so werde ich wenigstens den Freund Schubert Ihnen zusenden, der sich, wie er mir heute sagte, schon wieder freut, in Ihrer Nähe einige Wochen verleben zu können.«

Auch auf diesen Ausflug hat Schubert verzichten müssen und während er in der gesunden Luft der Steiermark und im Kreise der ihm so ergebenen Familie Pachler wahrscheinlich eine Linderung der physischen und moralischen Leiden gefunden hätte, ließ ihn eine verhängnißvolle Wahl seine Wohnung in einem neugebauten Hause nehmen, dessen naßkalte Atmosphäre den Keim zu seiner Todeskrankheit gelegt haben mag.

Von seinen fertigen Compositionen beschäftigte ihn besonders das *Es*-Trio, dessen Herausgabe er mit einem an ihm ungewohnten Eifer betreibt, ein Beweis, daß ihm das Werk am Herzen lag.

Er scheint dasselbe B. Schott's Söhnen in Mainz und Probst in Leipzig fast zu derselben Zeit zum Verlag angeboten zu haben, denn er erhielt von
432 Ersterem unter dem 28. April 1828 folgendes Schreiben:[19]

18 Dürfte die große Messe in *Es* gewesen sein.

19 Der Brief ist adressirt an Se. Wohlg. Herrn Franz Schubert unter den Tuchlauben beim blauen Igel 2. Stock. Das Original desselben besitzt Herr *Dr.* Schneider in Wien. – Die Trio sind nicht näher bezeichnet. Gewiß ist, daß er jenes in *Es* Probst in Leipzig anbot, der es auch verlegte, vielleicht aber auch zu gleicher Zeit Schott in Mainz, oder auch letzterem das B-Trio.

»Euer Wohlgeboren verehrte Zuschrift vom 10. April macht uns mit dem Honorar Ihrer Manuscripte bekannt. Wir ersehen daraus, daß Sie dieselben sehr bald im Stich zu haben wünschten, und in diesem Falle erbitten wir uns vor der Hand nur die Impromptus und den fünfstimmigen Männergesang; für das Honorar werden wir Ihnen mit 60 fl. Münz erkennen. Das Trio ist wahrscheinlich groß, und da wir mehrere Trio seit Kurzem verlegt haben, so müssen wir ohne Nachtheil für unsern Verlag diese Gattung von Composition etwas später hinaus wieder verlegen und dieses könnte Ihnen doch nicht von Ihrem Interesse sein. Sobald wir die von Ihnen beschriebenen Werke im Druck beendigt haben werden, so werden wir auch so frei sein, wieder etwas anderes von Ihnen zu begehren. Wir grüßen Sie mit Achtung

B. Schott's Söhne.«

Mittlerweile hatte sich Schubert ebenfalls am 10. April an H.A. Probst in Leipzig in derselben Angelegenheit gewendet, von welchem er am 15. April 1828 folgende Antwort erhielt:[20]

»Ein heftiger Fieberanfall nöthigt mich, Ihr geehrtes vom 10. d. M. durch Freundeshand beantworten zu lassen. 433

Ich acceptire auf Ihr Wort das mir gütigst angebotene Trio für das Honorar von 20 fl. 60 kr., welche Sie beiliegend in 20 fl.

25 kr. Zins-Coupons Nr. 85548,
25 kr. Zins-Coupons Nr. 122.305
10 kr. Staats-Zettelbank

erhalten; jedoch hoffe ich noch, daß Sie demnächst meine Bitte erfüllen werden, mir ehestens einige auserwählte Kleinigkeiten für Gesang oder *à 4 m.* zu senden, da ein Trio meist nur *ein Ehren-Artikel und selten etwas dabei zu verdienen ist.* Das Manuscript belieben Sie an Herrn Robert Lähne in der Handlung des Herrn Artaria & Comp. dort versiegelt zu übergeben, und Sie können in Zukunft diesen Weg der Beförderung an mich allemal wählen, damit Ihnen kein unnöthiges Porto verursacht werde.

Auf keinen Fall ist wohl unter dem Eingangs erwähnten Trio die Fantasie verstanden, welche am 5. Februar im Kärnthnerthortheater im Concert des Herrn Slawick vorgetragen worden; denn diese hat man in der ›Leipziger

20 Das Original, an den Tonkünstler und Compositeur Fr. Sch. (Tuchlauben etc.) adressirt, ist im Besitz des Herrn *Dr.* Schneider in Wien.

musikalischen Zeitung‹ Nr. 14, Seite 223 nicht günstig beurtheilt[21]. An dem großen Beifall, welchen Ihr Concert[22] erhalten hat, nahm ich das herzlichste Interesse und wünsche Ihnen ferner jede verdiente Anerkennung in vollem Maße.

Ich erwarte nun Ihr Trio und empfehle mich Ihnen indeß

mit Hochachtung freundschaftlich

434 H.A. Probst.«

Endlich wurde das Trio-Manuscript nach Leipzig gesendet.

Unter dem 18. Juli schreibt Probst abermals an Schubert:

»Erst heute habe ich Ihr werthes vom 10. Mai nebst dem Trio erhalten und es darf Sie, werther Freund, nicht befremden, wenn demnach dieses Werk etwas später herausgegeben wird, als Sie vielleicht erwarteten. Es ist indeß sogleich in Arbeit genommen worden, und kann binnen sechs Wochen circa fertig sein. Bis dahin ersuche ich Sie noch, mir

1. den Titel nebst etwaiger Dedication, und ferner
2. die *opus*-Nummer gefälligst anzugeben, weil ich in dieser Hinsicht gerne mit möglichster Genauigkeit Ihren Wünschen gemäß verfahren möchte. Alle Ihre übrigen Vorschriften wegen dieses Werkes sollen aufs beste befolgt werden.

Sobald es vollendet ist, sende ich Ihnen durch Beischluß die bedungenen sechs Exemplare. Meine Meinung über dasselbe werde ich Ihnen später mitzutheilen die Ehre haben. Unterdeß beharre mit achtungsvoller Ergebenheit

H.A. Probst.«

Diese Anfrage beantwortete Schubert am 1. August durch das folgende, ebenso kurze als resolute Schreiben:[23]

»Euer Wohlgeboren!

Das Opus des Trio ist 100. Ich ersuche, daß die Auflage fehlerlos ist und sehe derselben mit Sehnsucht entgegen. Dedicirt wird dieses Werk Niemanden, außer jenen, die Gefallen daran finden. Dieß die einträglichste Dedication.

21 Es heißt daselbst, Schubert habe sich bei dieser Composition vollständig »vergaloppirt.« Die Fantasie ist jene op. 159.

22 Es war dies das bereits erwähnte, von Schubert am 26. März veranstaltete Concert.

23 Eine Abschrift davon besitzt v. Spaun.

Mit aller Achtung

Franz Schubert.« 435

Mittlerweile tauchte die große Grazer Reise wieder auf, da es den Anschein hatte, als sollten die finanziellen Schwierigkeiten behoben werden.

Am 6. September schreibt Jenger an die freundliche Wirthin in Graz:

»Freund Schubert und ich sind am 1. d. M. in neue Quartiere übersiedelt[24] und dieß ist die Ursache, warum die Antwort auf Ihr letztes gütiges Schreiben vom 28. v. M. nicht in den bezeichneten 8 Tagen in Grätz eingetroffen ist. Ich fand Schubert nicht im alten und auch niemal in seinem neuen Quartier auf der Wieden. Gestern Abends habe ich ihn endlich im Burgtheater gesprochen, und nun kann ich Ihnen, liebe gnädige Frau sagen, daß Freund Schwammerl in kurzer Zeit eine Verbesserung seiner Finanzen erwartet und mit Zuversicht darauf rechnet, und sobald dieß geschehen, er auch unverzüglich Ihrer gütigen Einladung folgen, und mit einer neuen Operette bei Ihnen in Grätz anlangen wird. Jedenfalls erhalten Sie acht Tage vor seinem Eintreffen in Grätz entweder von ihm oder mir bestimmte Nachrichten. Er wünschte freilich, daß ich die Reise mit ihm machen könnte, doch kann ich nicht abkommen. Bleibt Schubert bis Ende Oktober bei Ihnen, so wäre es dennoch möglich, daß ich wenigstens auf acht Tage nach Grätz komme, um alle meine Lieben wieder zu sehen und Freund Schwammerl abzuholen.

Ich sehe nun alle Tage in meinem vorjährigen Tagebuch nach und freue mich in der Erinnerung an jene herrlichen Tage. Am 10., 11. und 12. werde 436
ich an die herrliche Parthie nach Wildbach denken.«

Die Hoffnung, aus der Klemme herauszukommen, ging aber nicht in Erfüllung. Der Winterreise *zweiter Theil* war fertig geworden, ohne daß dieses bedeutende Werk Schuberts finanzieller Ebbe abgeholfen hätte. Der Ausflug nach Graz wurde daher definitiv aufgegeben.

Am 25. September erhielt Jenger von Schubert folgenden Absagebrief:

»Den zweiten Theil der Winterreise habe ich bereits Haslinger übergeben. Mit der Reise nach Grätz ist's für heuer nichts, da Geld und Witterung gänzlich ungünstig sind. Die Einladung zu Dr. Menz[25] nehme ich mit Vergnügen an, da ich Bar. Schönstein immer sehr gerne singen höre. Du kannst mich Samstags Nachmittag im Kaffeehause beim Bogner, Singerstraße, zwischen 4 und 5 Uhr treffen. Dein Freund

24 Schubert zog am 1. Sept. zu seinem Bruder Ferdinand auf die Wieden Nr. 694.

25 *Dr.* Menz war, wie man mir mittheilte, Eigenthümer des Hauses auf dem Kohlmarkt, in welchem sich jetzt die Haslinger'sche Musikhandlung befindet. Jenger wohnte daselbst durch längere Zeit.

Schubert.«

»Meine Adresse ist: Neue Wieden. Firmians-Gasse Nr. 694, 2. Stock rechts.«

Bezüglich des Trio in *Es*, dessen Erscheinen Schubert mit Ungeduld entgegensah, langte unter dem 6. October aus Leipzig noch folgendes letzte Schreiben an:

»In Antwort Ihrer werthen Zuschriften vom 1. August und 2. dieses bitte ich um Entschuldigung, daß Ihr Trio *opus* 100 noch nicht in Ihren Händen
437 ist. Meine Reise nach Frankreich und Holland hat wohl ein wenig den Aufschub veranlaßt, auch ist das Werk ziemlich stark. Es ist indeß bereits im Stich vollendet, sowie auch so sorgfältig wie möglich corrigirt und geht fix und fertig mit nächster Sendung durch Diabelli & Comp. an Sie ab. Von Ihren neuen Compositionen würden mir die Lieder am meisten conveniren und ich bitte um deren Zusendung. Was Sie ferner leicht faßliches *à* 4 *m.* componiren, so etwa wie Ihre Variationen über das Müllerlied aus Marie[26], bitte ich ebenfalls mitzutheilen. Sollte sich das Himmel'sche[27] Thema ›An Alexis‹ nicht zu ähnlichem dankbar verarbeiten lassen? Mit wahrer Achtung

ergebenst

H.A. Probst.«

War es Schubert nicht mehr beschieden, die Berge der Steiermark oder Oberösterreichs zu sehen, so mußte er auch seiner schon vorgeschrittenen Kränklichkeit wegen auf einen unter günstigen Auspicien ihm vorgeschlagenen Ausflug nach der Hauptstadt Ungarns verzichten.

438 *Franz Lachner*[28], mit Schubert wohl befreundet, und damals als Kapellmeister am Kärntnerthor-Theater angestellt, erhielt nämlich im Juni 1828 von *Anton Schindler*, dessen Schwester Sängerin in Pest war, eine Einladung, dahin zu kommen, um seinen Erstlingsversuch auf dramatischem Felde, die Oper: »Die *Bürgschaft*«, auf dem dortigen Theater zur Aufführung zu bringen.

26 Die im Stich erschienenen vierhändigen Variationen über das Thema aus der Oper »Marie« von Herold.

27 *Himmel* (Friedrich Heinrich), geb. 1765 zu Treuenbritzen in Brandenburg, gest. 1814 in Berlin, ein Schüler Naumanns, war Kammercomponist des Königs Friedrich Wilhelm II., schrieb mehrere Opern für Italien, die er in Venedig und Neapel zur Aufführung brachte, ebenso für Stockholm, Petersburg und Berlin. Im Ganzen existiren über 80 Werke dieses Tonsetzers, die meisten für Gesang. (Cantaten, Psalmen, Messen u.s.w.)

28 Ich verdanke diese Mittheilung der Güte des Herrn Hofkapellmeisters Franz Lachner in München.

Gegen Ende September reiste Lachner in dieser Absicht nach Pest, nachdem er sich zuvor noch bei *Schubert* verabschiedet und von diesem die Zusage erhalten hatte, daß er, wenn möglich, der Aufführung der Oper ebenfalls beiwohnen werde. Als nun diese bevorstand, suchte Schindler, der seinen Mann kannte, sich der Anwesenheit Schuberts durch folgende wohlgemeinte Zeilen (datirt vom 11. October), einigermaßen zu versichern.

»Mein guter, lieber Freund Schubert!

Unser Freund Lachner ist mit dem Arrangement seiner Oper gar zu sehr beschäftigt, daher ich es übernehme, Sie nicht nur in seinem Namen zu dem wichtigen Tage, an dem dieses große Werk zur Aufführung kommen wird, welches den 25. oder 27. d. M. bestimmt ist, einzuladen, sondern ich und meine Schwester fügen noch unsere Einladung hinzu, und wünschen Sie hier in unserer Mitte nun als herzlich wohlmeinender Freund empfangen und verehren zu können. Wir haben alle unter einem Dache und an einem Tische recht gut Platz und freuen uns, daß Sie den für Sie bestimmten Platz *ohne Widerrede* annehmen und recht bald schon occupiren werden. Richten Sie sich's daher ein, daß Sie längstens am 22. d. mit dem Eilwagen abreisen und geben Sie uns nur 2 Tage früher schriftliche Nachricht, ob Sie sicher 439
am 24. d. Morgens hier zu erwarten sind. Dieß wäre das Eine, das Andere folgt.

Sintemahl und alldieweil Ihr Name hier einen guten Klang hat, so haben wir folgende Speculation mit Ihnen vor, nämlich: Daß Sie sich entschließen mögen, hier ein Privat-Konzert zu geben, wo größtentheils nur Ihre Gesangsstücke vorgetragen werden sollen, man verspricht sich einen guten Erfolg, und da man schon weiß, daß ihre Timidität und Comodität bei einem solchen Unternehmen nicht viel selbst Hand anlegt, so mache ich Ihnen kund und zu wissen, daß Sie hier Leute finden werden, die Ihnen auf das willfährigste unter die Achseln greifen werden, so schwer Sie sind. Jedoch müssen Sie auch etwas dazu beitragen, *et quidem* daß Sie sich in Wien 5–6 Briefe aus adeligen Häusern an wieder solche hier geben lassen. Lachner meint auch z.B. aus dem Graf Esterhazischen Hause und ich meine auch; z.B. sagen Sie ein Wort unserem biedern Freunde Pinterics, der Ihnen gewiß einige von seinem Fürsten besorgen wird. Vorzüglich aber verschaffen Sie sich einen guten Brief an die Gräfin Tölöky, Vorsteherin des adeligen Frauenvereines, die die größte Beschützerin der Kunst hier ist. Lassen Sie sich das nicht schwer fallen, denn es ist dabei keine Mühe und kein Curmachen verbunden, sondern Sie geben die Briefe hier ab, wenn wir es für nothwendig finden, und damit *basta!* Einige 100 fl. auf diese Art in die Tasche bekommen, ist nicht zu verwerfen, und nebst diesem können noch andere Vortheile dabei herausschauen. Also frisch! nicht lange judicirt und keine Mäuse gemacht!

unterstützt werden Sie auf's beste und nach Kräften. Es ist hier ein junger
440 Dilettant, der Ihre Lieder mit sehr schöner Tenorstimme gut, recht gut singt, der ist dabei, die Herrn vom Theater detto, meine Schwester detto, also darf Er sich mit seinem dicken Ranzen nur hinsetzen und was vorgetragen werden soll, begleiten. Auch mehrstimmige Gesänge können ihre gute Wirkung nicht verfehlen. Mehrere sind davon hier bekannt. Neues schreiben Sie nicht, nicht nothwendig!

Und somit Gott befohlen! Wir erwarten alle, daß Sie hübsch g'scheid handeln und sich nicht widerspenstig zeigen werden. Also auf baldiges Wiedersehen in dem Lande der Schnurbärte! Dieß von Ihrem

aufrichtigen Freunde
Anton Schindler.«

Lachner schrieb am Ende des Briefes noch ein Paar Zeilen, in welchen er seinem Freunde kundgibt, daß er ihn längstens bis zum 20. October in Pest erwarte.

Schubert antwortete nicht, und erschien auch nicht bei der Aufführung in Pest. Nachdem diese vorüber war, reiste Lachner (es mag dies in den ersten Tagen des November gewesen sein) nach Wien zurück und besuchte sofort den Freund, der bereits seit drei Wochen krank darniederlag. Er brachte mit ihm ein Paar Stunden im Gespräche zu und diese Stunden waren auch die letzten ihres Zusammenseins. Lachner erhielt nämlich gerade um diese Zeit von dem damaligen Theater-Director Graf Gallenberg den Auftrag, eine Reise durch Deutschland zu machen, um für die Wiener Oper Sänger zu gewinnen. In Darmstadt traf ihn (durch einen Brief »ihres beiderseitigen Freundes« *Treitschke*) die Nachricht von Schubert's Tod.

Noch folgt ein Brief geschäftlicher Art, von Schott in Mainz, der Zeitfolge
441 nach unter den mir vorliegenden der *letzte*; er ist datirt vom 30. October, mithin nicht volle drei Wochen vor Schuberts Tod an diesen gerichtet.

Das Schreiben lautet:

»Die sehr werthen Zuschriften vom 28. Mai und 2. October haben wir richtig erhalten. Die Antwort auf das erste Schreiben verzögerte sich so sehr, weil wir auch von hier die *impromptus* mit Gelegenheit nach Paris sandten, wie solche auch hieher kamen.

Wir erhalten solche von dort zurück, mit dem Bedeuten, daß diese Werke als Kleinigkeiten zu schwer sind und in Frankreich keinen Eingang finden würden und bitten Sie deßhalb recht sehr um Entschuldigung.

Das Quintett[29] werden wir bald verlegen, doch müssen wir bemerken, daß dieses kleine *opus* um das angesetzte Honorar zu theuer ist; im ganzen gibt es auf der Klavierstimme nur 6 gedruckte Seiten, und wir vermuthen, es beruht auf einem Irrthum, daß wir dafür 60 fl. C.M. bezahlen sollten.

Wir offeriren Ihnen fl. 30 dafür, und werden auf Ihre Antwort den Betrag sogleich entrichten, oder Sie dürfen auch auf uns entnehmen.

Das Clavierwerk *op.* 101[30] wäre uns gewiß nicht zu theuer, allein die Unbrauchbarkeit für Frankreich war uns recht verdrüßlich. Wenn Sie gelegentlich etwas minder schweres und doch brillantes auch in einer leichteren Tonart componiren, dieses belieben Sie uns ohne weiteres zuzusenden.

Wir zeichnen mit Achtung und Freundschaft

B. Schott's Söhne.« 442

»*P.S.* Um allen Aufenthalt zu vermeiden, legen wir eine Anweisung von fl. 30 auf Heilmann's Erbe, nebst *avis*-Brief bei. Gehen Sie unseren Vorschlag nicht ein, so senden Sie uns die Anweisung zurück. Die 4*Impromptus* schließen wir der ersten Sendung an Herrn Haslinger bei.

Die Obigen.«

Schuberts Thätigkeit in diesem seinem letzten Lebensjahre gestaltete sich zu einer, in Hinblick auf Zahl und Bedeutung der von ihm geschaffenen Werke, ganz erstaunlichen. Es schien, als wollte er, von einer Ahnung seines nahen Ende bewegt, noch seine ganze Kraft zusammenraffen, um auch von jenen Zweigen der musikalischen Kunst den Lorbeer sich zu holen, wo ihm dieser noch vorenthalten wurde. Die große Simfonie in *C*, die *Es*-Messe, das herrliche Streichquintett in *C*, die Cantate »Mirjams Siegesgesang«, in welchem Schubert's Eigenthümlichkeit sich mit Händelscher Größe verbindet, die achtstimmige »Hymne an den heiligen Geist,« die letzten drei Claviersonaten, welche er *Hummel* widmen wollte[31], durchweg hervorragende Werke, entstanden in rascher Aufeinanderfolge. Ihnen reihen sich an: Eine *Kirchenarie* für Tenorsolo mit Chor, ein *Tantum ergo*, die Cantate »*Glaube, Hoff-*

29 *op.* 114.

30 Im thematischen Catalog ist *op.* 101 ein Gesangsstück.

31 Sie wurden später von den Verlegern Robert Schumann dedicirt.

443 *nung und Liebe*«[32], der 92. *Psalm*[33], (fünfstimmig auf hebräische Textworte), vierhändige Clavierstücke, unter diesen das bekannte*Grand Rondeau* (*op.* 107), ein angenehmes, leicht faßliches Musikstück, das er (im Juni) auf Wunsch des Herrn *Artaria* componirte, endlich mehrere Lieder, darunter: »Am *Strom*«[34], »Der *Hirt auf dem Felsen*«[35] und *ein Theil* des sogenannten
444 »*Schwanengesanges*«.

Die Sinfonie in *C* übergab Schubert nach ihrer Vollendung[36] dem Comité des Wiener Musikvereines zur Aufführung. Die Stimmen wurden in der That herausgeschrieben und vertheilt, und es sollte mit dem Einstudieren des Werkes sofort begonnen werden. Bald jedoch wurde es, als zu lang und zu schwierig, bei Seite gelegt und Schubert empfahl nun seine sechste Sinfonie (ebenfalls in *C*) zur Annahme und Aufführung. Der Componist, der bei Ueberreichung der großen Sinfonie sich gegen einen Freund äußerte: »er

32 Die *Cantate*, von Friedrich *Reil* gedichtet, componirte Schubert zur Weihe der neuen Glocke in der Kirche der allerh. Dreifälligkeit in der Alservorstadt (2. Sept. 1828) als Chor für Männerstimmen, der am Schluß in einen gemischten Chor übergeht, mit Begleitung von Blasinstrumenten (Oboen, Clarinett, Fagott, Hörner und Posaunen). Das Gedicht besteht aus sechs Zeilen, die Composition aus einem Vorspiel von fünf Takten, an welches sich in langsam feierlichem Zeitmaß (*B-Dur* $^6/_8$) der Männerchor anschließt. Das Ganze, in einfach melodischem Kirchenstyl gehalten, umfaßt 26 Takte. Die Cantate war zu beziehen in der Pfarre der Minoriten, bei dem Richter in der Alservorstadt (Alois Hauser), bei Carl Gaber am Breitenfeld und in der Stadt bei Tranquillo Mollo. Der Erlös wurde einem wohlthätigen Zweck gewidmet.

33 Der *Psalm*, von Wirth in's Deutsche übersetzt und die Uebersetzung der Musik angepaßt, ist für zwei Baritone, Sopran, Alt und Baß geschrieben und noch unveröffentlicht. Abschriften davon besitzen Freiherr v. *Spaun* und Frau *Dr. Lumpe* in Wien. Das Original besitzt der Cantor der israelitischen Gemeinde in Wien, Herr Julius Sulzer; der Psalm findet sich gedruckt in Sulzer's »Schir Zion«.

34 »Am Strom«, von Rellstab, mit Clavier und obligatem Horn (auch Cello-Begleitung) ist für den Waldhornisten J. *Lewy* (derzeit in Dresden ansässig) geschrieben, welcher es in seinem Concert (20. April 1828) im Verein mit Schubert am Clavier und einem »vorzüglichen Gesangsdilettanten« im kleinen Redoutensaal vortrug. (»Sammler«, J. 1828 Nr. 47 S. 188.)

35 Den »Hirt auf dem Felsen« schrieb Schubert (nach einer Mittheilung Spaun's) auf Wunsch der Opernsängerin Anna *Milder* für dieselbe kurz vor seinem Tod. Die obligate Clarinettbegleitung scheint ebenfalls für einen Künstler berechnet gewesen zu sein. Dieses Gesangsstück erfuhr bald nach seinem Erscheinen eine sehr verschiedene Beurtheilung. Von den Einen (s. Wiener musikalischer Anzeiger 1830) in den Himmel erhoben, wurde es von Andern (allg. mus. Ztg. 1850) als sentimentaler, aufgewärmter, phrasenvoller Gesang in den Staub gezogen und wieder von Anderen der opernmäßige Schluß getadelt. – Das unläugbar Zwitterhafte der Composition hat seinen Grund darin, daß sie für eine dramatische Sängerin berechnet war, die etwas Lied und etwas Bravourarie haben wollte. Von diesem Gesichtspunkt aus wird man diesem auf Bestellung componirten theilweise immerhin reizenden Musikstück gerecht werden.

36 Das Original, im Besitz des Wiener Musikvereins, trägt das Datum: März 1828.

wolle nun nichts mehr von Liedern hören, er sitze jetzt ganz in der Oper und Sinfonie,« hatte sich auf die Vorführung seines neuen Werkes nicht wenig gefreut und die Substituirung der »sechsten« war ihm nur ein schwacher Trost für die Vereitlung seines Wunsches. Aber auch diese kleine Genugthuung sollte ihm nicht zu Theil werden, da die Sinfonie erst nach seinem Tode zur Aufführung gelangte[37]. 445

Der »*Schwanengesang*« enthält Lieder von Rellstab, Heine und G. Seidls »Taubenpost«.

Ueber die Genesis der sieben Lieder von Rellstab geben dessen Memoiren[38] näheren Aufschluß.

Rellstab war im April 1825 nach Wien gekommen, von dem heißen Wunsche erfüllt, Beethoven zu sehen und ihn zu bewegen, daß er einen seiner Operntexte (deren er an ein Dutzend vorräthig hatte) componire. Da er aber durch Freunde, welche Beethoven näher kannten, belehrt worden war, daß diesem vieles Lesen nicht zusage, nahm er nebst Abschriften dieser Operntexte auch jene kleinen lyrischen Gedichte, die er für die besten hielt, jedes derselben sauber auf einem besonderen Blatt geschrieben, mit sich zu dem Meister, der damals in der Krugerstraße Nr. 767 im 4. Stock wohnte. Die Gedichte, bemerkt Rellstab, bewegten sich in verschiedenen Stimmungen, und es mochte sich da wohl ereignen, daß einmal eines derselben mit Beethoven's Stimmung zusammenfiel und ihn anregte, die vorüberfliegende Bewegung seiner Brust in ewige Töne zu hauchen[39]. Diese Blätter erhielt Rellstab 446

37 Sie wurde am 14. Dec. 1828 in dem 2. Gesellschaftsconcerte im großen Redoutensaal zum ersten Mal gegeben und am 12. März 1829 im landständischen Saal »mit ungleich besserer Wirkung« wiederholt. (Allg. mus. Z.B. 31, S. 75 u. 294.)

38 »Aus meinem Leben«. Berlin 1861. B. II. S. 245.

39 Damit im Zusammenhang steht vielleicht auch das hier folgende Schreiben Rellstab's, welches mir im Original, aber ohne Datum und Name des Adressaten, vorliegt:
»Inneliegend, hochverehrtester Herr, übersende ich Ihnen einige Lieder, die ich für sie copiren lassen; es werden bald noch mehrere in anderem Geschmack folgen. Tiefe haben vielleicht das Neue, daß sie einen Zusammenhang unter sich bilden, der auf Glück. Vereinigung, Trennung, Tod und Hoffnung auf das Jenseits ahnen läßt, ohne bestimmte Vorfälle anzugeben.
Möchten diese Gedichte Ihnen so viel Liebe abgewinnen, daß Sie sich zur Composition entschließen, und auf diese Art die Verbindung mit einer Handlung eröffneten, die es sich zum Grundsatz gemacht hat, so viel als irgend möglich ist, nur der wahren höchsten Kunst förderlich zu sein und die Begeisterung des Componisten als das erste Gesetz betrachtet, nach dem er schreiben soll.
Tag und Nacht denke ich an eine Oper für Sie, und ich zweifle nicht, daß ich einen Stoff finden werde, der *allen* Ansprüchen des Componisten, des Dichters und des vielköpfigen Publikums genügen möge. Mit tiefster Verehrung

M.L. *Rellstab.*«

Der musikalische Schriftsteller Herr Alexander W. *Thayer* hatt es für unzweifelhaft, daß das Schreiben an *Beethoven* gerichtet sei.

nach Beethoven's Tod durch Anton Schindler aus des Meisters Nachlaß zurückgestellt. Einige waren mit Bleistiftzeichen versehen; es waren dies dieselben, die Beethoven am besten gefielen, *und die er damals an Schubert zur Composition abgab*[40], da er selbst sich zu unwohl fühlte. Schubert setzte auch jene Gedichte in Musik, bevor sie noch im Druck erschienen waren.

Die Composition der *Heine*schen Lieder soll, nach einer Mittheilung des Freiherrn von *Schönstein*, einer *früheren* Periode angehören, und sie sind daher von den Verlegern mit Unrecht in die, unter dem Namen *Schwanen*gesang von ihnen veröffentlichte Sammlung aufgenommen worden.

Als nämlich Schubert unter den Tuchlauben bei Herrn Schober wohnte – aber noch mehrere Jahre vor seinem Tode – besuchte ihn eines Tages Herr von *Schönstein* und fand daselbst Heines Buch der Lieder, das ihn so sehr
447 interessirte, daß er Schubert ersuchte, es ihm zu überlassen, was dieser mit den Worten that: »*er benöthige dasselbe ohnehin nicht mehr.*« Diese Bemerkung, dann der Umstand, daß sämmtliche Blätter, auf welchen sich die componirten Gedichte befanden, eingebogen waren, und die bekannte Thatsache, daß Schubert viele seiner Tondichtungen (oft mit Unrecht) der Veröffentlichung nicht werth hielt und bei Seite legte, machen es sehr wahrscheinlich, daß die sechs Lieder schon damals entstanden waren[41]. Als Schuberts *letztes Lied*, also in der That als *Schwanengesang*, gilt »*Die Taubenpost*« von G. Seidl, componirt im October, wenige Wochen vor seinem Tode.

Dieser war bereits im September mit leisem Schritt mahnend an ihn herangetreten, um kurze Zeit darauf, nachdem, wie einst bei Mozart, einige ruhigere Tage der Hoffnung auf volle Genesung Raum gegeben hatten, sich mit festem Griff seine Beute zu holen.

Ueber Schuberts letzte Tage geben folgende Mittheilungen seines Bruders Ferdinand und Herrn von Schober's näheren Aufschluß.

Franz zog zu Anfang September von des Letzteren Wohnung fort, und für einige Zeit zu seinem Bruder Ferdinand, der aus der Vorstadt St. Ulrich in eine neuentstandene Gasse der Vorstadt Wieden und leider auch in ein
448 neugebautes Haus übersiedelt war. Er that dieß auf Anrathen des Hofarztes Dr. von *Rinna*, um von dort aus mit weniger Beschwerde und Zeitverlust, als dieß von dem Innern der Stadt aus möglich gewesen wäre, Bewegung im Freien vorzunehmen und dadurch eine Linderung seiner in Blutwallungen

40 Demnach wären die Gedichte nicht erst *nach* Beethoven's Tod – wie Schindler behauptet – an Schubert übergeben worden.

41 Aber doch nicht vor dem Jahr 1824, da Heine's Buch der Lieder erst um diese Zeit bekannt wurde. Der »Schwanengesang« erschien am 4. Mai 1829 bei Haslinger und wurde am 23. Mai 1829 in der Wiener Zeitung folgendermaßen angekündigt: »Den zahlreichen Verehrern von Schubert's klassischer Muse werden unter obigem Titel die letzten Blüten seiner edlen Kraft geboten. Es sind jene Tondichtungen, die *er im August* 1828 (?) kurz vor seinem Hinscheiden geschrieben.«

und Schwindel bestehenden Leiden herbeizuführen. Die ihm bei Schober eingeräumte Wohnung blieb ihm auch für die Zukunft daselbst vorbehalten[42].

Er kränkelte und medicinirte bereits um diese Zeit. Die Unpäßlichkeit nahm indeß wieder etwas ab. Anfangs October machte er mit Ferdinand und zwei Freunden eine kleine Lustpartie nach Unter-Waltersdorf, und von da einen Ausflug nach Eisenstadt, wo er Josef Haydn's Grabmal aufsuchte und bei demselben ziemlich lange verweilte. Er war während dieser drei Reisetage höchst mäßig in Speise und Trank, dabei aber sehr heiter und hatte manch' munteren Einfall.

Als er aber nach Wien zurückgekehrt war, nahm das Unwohlsein wieder zu. Da er nun am letzten October Abends im Gasthause einen Fisch speisen wollte[43], warf er, nachdem er das erste Stückchen gegessen, plötzlich Messer 449
und Gabel auf den Teller und gab vor, es ekle ihn gewaltig vor dieser Speise, und es sei ihm gerade, als hätte er Gift genommen. Von diesem Augenblicke an hat Franz fast nichts mehr gegessen und getrunken, und bloß Arzneien eingenommen. Auch suchte er durch Bewegung in freier Luft sich zu helfen, und machte daher noch einige Spaziergänge. Am 3. November ging er früh Morgens von der Neu-Wieden nach Hernals, wo das von Ferdinand componirte lateinische Requiem aufgeführt wurde. – Es war dieß die letzte Musik, die er hörte. Nach dem Gottesdienste machte er wieder Bewegung, drei Stunden lang. Beim Nachhausegehen klagte er sehr über Mattigkeit.

Doch scheint er sich bald wieder erholt und an eine ernstere Krankheit überhaupt nicht gedacht zu haben; denn am 4. November sprach er, zugleich mit dem noch am Leben befindlichen Klaviermeister *Lanz* in Wien, bei dem Hoforganisten *Sechter*[44] vor, um sich mit diesem über vorzunehmende Studien im Fugensatz zu besprechen. Sie kamen da überein, das Marpurg'sche[45]

42 Als Schober im Herbst 1825 aus Preußen nach Wien zurückkehrte, wohnte Schubert, wie schon er wähnt worden, im Fruhwirth'schen Haus nächst der Carlskirche Nr. 100 als Partei eines Oelverschleißers und blieb daselbst noch in's folgende Jahr hinein. Im Jahre 1827 logirte er in einem Basteihause nächst dem Karolinenthor. Dann vereinigte er sich wieder mit Schober und wohnte bei diesem anfänglich in der oberen Backerstraße, später in Währing und zuletzt beim blauen Igel, Tuchlauben Nr. 557, wo für ihn zwei Stuben und eine Kammer, letztere zur Aufbewahrung der Musikalien, eingerichtet waren.

43 Es war dieß in dem schon erwähnten Gasthaus zum rothen Kreuz (am Himmelpfortgrund), wo sich Franz mit seinem Bruder Ferdinand und mehreren Freunden öfters einzufinden pflegte.

44 Der Gewährsmann dieses von vielen angezweifelten Intermezzo's.

45 *Marpurg* (Friedrich Wilhelm), geb. 1718 zu Seehausen in der Altmark, gest. 1795 als Lottodirector in Berlin, einer der hervorragendsten Musiktheoretiker. – Wie mir *Dr.* Hauer brieflich mittheilte, wollte sich Schubert in den letzten Lebensjahren auch mit *Händel* näher befreunden. »Wie oft« – lautet die betreffende Stelle in *Dr.* Hauer's Mittheilung – sagte er: »Lieber Hauer, kommen Sie doch zu mir, wir wollen mitsammen den Händel studiren.« – In dem Monatsbericht des Wiener Musikvereins (J. 1829)

450 Lehrbuch, soweit dieses ihren Zwecken diente, mitsammen durchzugehen und setzten die Zeit und Zahl der Stunden fest, die Schubert darauf zu verwenden beabsichtigte. Zur Ausführung ist – nach Sechter – das Vorhaben nicht gekommen, da Schubert's zunehmendes Unwohlsein ihn bald aus Krankenlager fesselte. Die Lebensgeschichte unseres Tondichters ist freilich dadurch um eines der wunderlichsten Schauspiele – Herr *Sechter* und Franz *Schubert* in gemeinschaftliche musikalische Arbeit vertieft – betrogen worden.

Am 11. November war Franz durch zunehmende Schwäche gezwungen, sich auf das Krankenbett zu legen. Er fühlte, wie er selbst sagte, keine Schmerzen, aber Schlaflosigkeit und Abspannung marterten denn sonst so kräftigen Mann.

Anfangs behandelte ihn Dr. *Rinna* und Schubert schrieb darüber noch einen Brief (den letzten) an Schober, welchem der Arzt persönlich befreundet war. Leider erkrankte dieser und der Stabsarzt Dr. *Vehring* übernahm an
451 seiner Stelle die Behandlung des Kranken, von dessen Befinden er Schober täglich in Kenntniß setzte.

Während der Krankheit, die nur neun Tage dauerte, war Franz im Arzneinehmen sehr genau und hatte deßhalb eine Sackuhr an dem Sessel neben dem Bett hängen. In den ersten Tagen versuchte er es, ein Paar Stunden außerhalb des Bettes zuzubringen, um die Druckbogen des zweiten Theiles der Winterreise zu corrigiren. Am 16. hielten die Aerzte ein Consilium; es schien ihnen, daß der Uebergang der Krankheit in ein Nervenfieber bevorstehe, doch war die Hoffnung der Genesung nicht ausgeschlossen. Mehrere seiner Freunde (Spaun, Bauernfeld[46], Lachner[47], J. Hüttenbrenner) besuchten

und in Seifried's Hauskalender (1838) wird übrigens bemerkt, daß Schubert in den letzten Monaten seines Lebens bei Sechter strenge Studien gemacht habe, eine Angabe, die nach Sechter's Zeugniß unrichtig ist. Andere behaupten: Schubert wollte schon im Jahr 1824 bei Sechter Studien machen, wovon ihm aber abgerathen wurde. J. Mayrhofer (»Erinnerungen an Franz Schubert«, in dem Archiv für Geschichte u.s.w. abgedruckt) bemerkt über diesen Punkt: »Ohne tiefere Kenntniß des Satzes und Generalbasses (*sic*) ist er eigentlich *Naturalist* geblieben. *Wenige Monate vor seinem Tod hat er bei Sechter Unterricht zu nehmen angefangen*; daher scheint der berühmte Salieri jene strenge Schule mit ihm nicht durchgemacht zu haben, wenn er auch Schubert's frühere Versuche durchsah, belobte und verbesserte.« – A. Schindler meint: »Hätte Schubert mit Salieri die erforderlichen Studien gemacht, so wäre Sechter's Unterricht im Kontrapunkt überflüssig gewesen. Salieri gab ihm blos *über die Behandlung der Stimmen Anweisung*.« (Aus *Alois Fuchs'* Notizenbuch.)

46 *Bauernfeld* erwähnt in seiner »Skizze«, Schubert habe ihm auf dem Krankenlager den lebhaften Wunsch nach einem neuen Operntext zu erkennen gegeben.

47 *Franz Lachner* theilte mir Folgendes mit: »Schubert war, als ich ihn vor meiner Abreise zum letzten Mal besuchte, bei vollem Bewußtsein und ich unterhielt mich mit dem anspruchslosesten und bescheidensten Künstler, mit meinem wärmsten und theilnehmendsten Freund mehrere Stunden. Er theilte mir noch verschiedene Pläne für die Zukunft mit und freute sich vor Allem auf seine Genesung, um seine Oper: ›Der Graf

ihn, andere hielt die Furcht vor Ansteckung zurück. Am Abend des 17. wurde das Deliriren, welches ihn bisher nur zeitweise und in geringem Grad befallen hatte, heftiger und anhaltender.

Am Vorabende seines Hinscheidens rief er seinen Bruder mit den Worten: »Ferdinand! Halte Dein Ohr zu meinem Munde« an das Bett hin, und sagte 452
dann ganz geheimnißvoll: »Du, was geschieht denn mit mir?!« – Dieser antwortete: »Lieber Franz! Man ist sehr dafür besorgt, Dich wieder herzustellen, und der Arzt versichert auch, Du werdest bald wieder gesund werden, nur mußt Du Dich fleißig im Bette halten!« – Den ganzen Tag hindurch wollte er heraus, und immer war er der Meinung, als wäre er in einem fremden Zimmer. Ein Paar Stunden später erschien der Arzt, der ihm auf ähnliche Art zuredete. Schubert aber sah diesem starr in's Auge, griff mit matter Hand an die Wand, und sagte langsam und mit Ernst: »Hier, hier ist mein Ende[48]«.

Noch an demselben Tag, wahrscheinlich in den Morgenstunden, hatte der Vater an seinen Sohn Ferdinand folgende Zeilen gerichtet[49]:

»Lieber Sohn Ferdinand!

Die Tage der Betrübniß und des Schmerzes lasten schwer auf uns. Die gefahrvolle Krankheit unseres geliebten Franz wirkt peinlich auf unsere Gemüther. Nichts bleibt uns in diesen traurigen Tagen übrig, als bei dem lieben Gott Trost zu suchen, und jedes Leiden, das uns nach Gottes weiser Fügung trifft, mit standhafter Ergebung in seinen heiligen Willen zu ertragen, und der Ausgang wird uns von der Weisheit und Güte Gottes überzeugen und beruhigen.

Darum fasse Muth und inniges Vertrauen auf Gott; er wird Dich stärken, damit Du nicht unterliegest, und Dir durch seinen Segen eine frohe Zukunft 453
gewähren. Sorge soviel als möglich, daß unser guter Franz unverzüglich mit den heiligen Sacramenten der Sterbenden versehen werde, und ich lebe der tröstlichen Hoffnung, Gott wird ihn stärken und erhalten. Dein betrübter aber von dem Vertrauen auf Gott gestärkter Vater

Franz.«

Den am Nachmittag desselben Tages eingetretenen Todesfall theilte der Vater durch folgende Traueranzeige mit:

von Gleichen‹, wozu ihm Bauernfeld den Text gemacht hatte, zu vollenden. Ein großer Theil der Oper war schon von ihm entworfen.«

48 Ferdinand Schubert, bei welchem sich Franz in Aftermiethe befand, wohnte auf der Wieden, Lumpertgasse Nr. 694.

49 Das Schreiben ist in meinem Besitz.

»Gestern Mittwoch Nachmittag um drei Uhr entschlummerte zu einem besseren Leben mein innigstgeliebter Sohn Franz Schubert, Tonkünstler und Compositeur, nach einer kurzen Krankheit und Empfang der heiligen Sterbesacramente im 32. Jahre seines Lebens. Zugleich haben ich und meine Familie[50] unsern verehrlichen Freunden und Bekannten hiemit anzuzeigen, daß der Leichnam des Verblichenen Freitag den 21. d. M. Nachmittag um $^{1}/_{2}$3 Uhr von dem Hause 694 alt, 714 neu, auf der neuen Wieden in der
454 neugebauten Gasse[51] nächst dem sogenannten Bischofstadel in die Pfarrkirche zum heiligen Josef in Margarethen getragen und daselbst eingesegnet werden wird.

Wien, am 20. November 1828.

Franz Schubert,

Schullehrer in der Rossau.«

In das zu jener Zeit übliche Gewand eines Einsiedlers gekleidet, den Lorbeerkranz um die Schläfen gewunden, das Antlitz unentstellt, mehr einem Schlafenden als Verstorbenen gleichend, lag Franz auf der Bahre, die sich schon im Verlauf des ersten Tages mit den Kränzen der dahin Wallenden reicher und reicher zu schmücken begann.

Das Leichenbegängniß fand an dem bezeichneten Tag zur festgesetzten Stunde statt. Ungeachtet des schlechten Wetters fand sich außer den Freunden und Verehrern des Verblichenen noch eine ziemlich große Anzahl theilnehmender Menschen ein, die dem Sänger das letzte Geleite geben wollten. Der Sarg wurde vom Sterbehause weg von jungen Männern (Beamten und Studierenden) getragen. Franz von Schober war von Schubert's Verwandten als nächster Leidtragender ausersehen worden, und hatte auf die Melodie des Schubert'schen *Pax vobiscum*, die im Anhang befindlichen Strofen gedichtet. In der kleinen Pfarrkirche executirte ein Sängerchor unter Leitung des Domcapellmeisters *Gänsbacher* eine von diesem componirte Trauermotette und das oben erwähnte *Pax vobiscum* mit Begleitung von Blasinstrumenten.

50 Laut Sperrrelation überlebten ihn acht Geschwister: Ferdinand, damals Professor zu St. Anna; Ignaz, Schulgehülfe am Himmelpfortgrund; Carl, Maler am Himmelpfortgrund; Theresia (verehelichte Schneider), Professorsgattin im k.k. Waisenhause; Maria, Josefa. Andreas und Anton (damals 14, beziehungsweise 13, 5 und 3 Jahre alt).

51 Später hieß die Gasse *Lumpertgasse* (nach dem Namen eines ehemaligen Bürgermeisters von Wien), derzeit heißt sie Kettenbrückengasse. Das Haus, in welchem Schubert gestorben, trägt die Nr. 6 und gehört der Frau *Therese Gauglitz.*

Nach der Einsegnung wurde der Leichnam auf den Ortsfriedhof in *Währing*[52] geführt, und daselbst nach abermaliger Einsegnung im eigenen Grabe bestattet. 455

Die Uebertragung der sterblichen Ueberreste Schubert's auf diesen freundlichen, einem Garten zu vergleichenden Kirchhof war von der Familie noch in letzter Stunde und unter dem frischen Eindruck einer von Franz in bewußtlosem Zustand gemachten bedeutsamen Aeußerung beschlossen worden, wie aus den folgenden von Ferdinand an den Vater gerichteten Zeilen[53] zu entnehmen ist:

»Liebwerthester Herr Vater!

Sehr viele äußern den Wunsch, daß der Leichnam unseres guten Franz im Währinger Gottesacker begraben werde. Unter diesen vielen bin besonders auch ich, weil ich durch Franzen selbst dazu veranlaßt zu sein glaube. Denn am Abende vor seinem Tode noch sagte er bei halber Besinnung zu mir: ›Ich beschwöre Dich, mich in mein Zimmer zu schaffen, nicht da in diesem Winkel unter der Erde zu lassen; verdiene ich denn keinen Platz über der Erde?‹ Ich antwortete ihm: ›Lieber Franz, sei ruhig, glaube doch Deinem Bruder Ferdinand, dem Du immer geglaubt hast, und der Dich so sehr liebt. Du bist in dem Zimmer, in dem Du bisher immer warst, und liegst in Deinem Bette!‹ – Und Franz sagte: ›Nein, ist nicht wahr, hier liegt *Beethoven* nicht.‹ – Sollte dieß nicht ein Fingerzeig seines innersten Wunsches sein, an der Seite Beethoven's, den er so sehr verehrte, zu ruhen?! –

Ich habe deßhalb mit dem *Rieder*[54] gesprochen, und mich erkundigt, welche Kosten diese Leichenübertragung verursache, und da kommen unge- 456
fähr 70 fl. C.M. heraus. – Viel! sehr viel! – Aber für Franzen doch gewiß sehr wenig! – Ich meinerseits könnte für diesen Fall einstweilen 40 fl. entbehren, denn ich habe gestern 50 eingenommen. – Uebrigens glaube ich sicher erwarten zu dürfen, daß alle die Auslagen für seine Krankheit und für seine Beerdigung etc. *durch sein Hinterlaß selbst* bald getilgt werden würden.[55] 457

52 Mit Rücksicht auf die Pfarre war Franz in dem *Matzleinsdorfer* Gottesacker zu beerdigen.

53 Das Schreiben ist in meinem Besitz.

54 *Johann* Rieder, ein Bruder des *Wilhelm* R. – Schullehrer und Gemeindebeamte in Währing.

55 Aus den im Archive des k.k. Wiener Landesgerichtes befindlichen, von dem bestandenen magistratischen Civilgerichte dahin abgegebenen Franz Schubert'schen Verlassenschaftsacten ergeben sich folgende authentische Daten: Franz Schubert wird bei der Rubrik: »Condition« als Tonkünstler und Compositeur bezeichnet. Er starb, 32 Jahre alt, ledigen Standes, im Hause Nr. 694 in der Wiener Vorstadt Wieden in Aftermiethe bei seinem

Sind Sie daher, lieber Herr Vater, meiner Gesinnung, so wäre mir wieder ein großer Stein vom Herzen gewälzt. Jedoch müßten Sie sich *sogleich* entschließen, und es mir durch den Ueberbringer dieses mittheilen lassen, damit ich das Eintreffen des Todtenwagens veranstalten könnte. Auch müßten Sie dafür besorgt sein, daß hierüber noch heute Vormittags dem Herrn Pfarrer in Währing die Anzeige gemacht werde. Ihr

trauernder Sohn

Ferdinand.«

»21. November 1828 Früh 6 Uhr.«

458 *P.S.* »Die Frauen werden doch nicht in schwarzer Trauer erscheinen? Der Conductansager glaubt, daß er keine Flöre anzuschaffen habe, weil es bei

Bruder Ferdinand Schubert, damals Lehrer an der k.k. Normalhauptschule bei St. Anna. Als Sterbetag wird der 19. November 1828 angeführt. Ein Testament oder eine andere letztwillige Verfügung war nicht vorhanden. Als nächste Anverwandte sind in der amtlichen Sperrsrelation (Todfallsaufnahme-Protokoll) angeführt: »Der leibliche Vater des Erblassers, Franz Schubert, Schullehrer in der Rossau Nr. 147, dann acht leibliche Geschwister des Erblassers: 1. Ferdinand, Professor zu St. Anna, wohnhaft im Sterbeorte; 2. Ignaz, Schulgehilfe am Himmelpfortgrunde (einer Wiener Vorstadt); 3. Carl, Maler, ebendort; 4. Theresia, verehelichte Schneider, Professorsgattin im k.k. Waisenhause, aus erster Ehe von der Mutter Elisabeth Schubert; ferner aus der zweiten Ehe von der Mutter Anna: 5. Maria Schubert, 14 Jahre alt; 6. Josefa, 13 Jahre alt; 7. Andreas, 5 Jahre alt; 8. Anton Schubert, 3 Jahre alt; die letzteren vier bei dem Vater, Herrn Franz Schubert, wohnhaft«. Das Verlassensschafts-Vermögen bestand nach den gerichtlichen Erhebungen in folgenden, gerichtlich geschätzten Effecten: 3 tuchene Fracks, 3 Gehröcke, 10 Beinkleider, 9 Gilets, zusammen im Werthe von 37 fl.; 1 Hut, 5 Paar Schuhe, 2 Paar Stiefeln, bewerthet auf 2 fl.; 4 Hemden, 9 Hals- und Sachtücheln, 13 Paar Fußsocken, 1 Leintuch, 2 Bettzüchen, im Gesammtwerthe von 8 fl.; 1 Matratze, 1 Polster, 1 Decke, im Gesammtwerthe von 6 fl.; einige alte Musikalien, geschätzt auf *zehn* Gulden. Außer diesen Effecten im Gesammtschätzungswerthe von 63 fl. war vom Erblasser *nichts* vorhanden. Die Sperrsrelation fügt bei, daß der Vater des Erblassers an bestrittenen Krankheits- und Leichenkosten 269 fl. 19 kr. C.M. zu fordern habe. Laut der von dem Pfarrer Johann Hayek gefertigten Original-Quittung ddv. Währing 22. Nov. 1828, sind an ihn »für die nach der zweiten Classe gehaltene Leiche des Herrn Franz Schubert, die Auslagen an die Kirche, Pfarre und das Armeninstitut, für den Todtengräber, die Träger, Meßner, Ministranten und Ausläuter, den Ansager und Vorbeter, für die mitgehenden Institutsarmen, die Schulkinder sammt dem aufsichttragenden Schulgehilfen, an den Schullehrer für das Miserere, das Todtenlied und das Libera, für die Assistenz, dann für das Wachs zur Beleuchtung des Hochaltars und das sonstige Leichenwachs«, im Ganzen 44 fl. 45 kr. C.M. bezahlt worden. Die von dem Conduct-Ansager Balthasar Ausim unterfertigte Original-Quittung constatirt, daß Franz Schubert am 22. Nov. 1828 in der Pfarre St. Josef in Margarethen (Wiener Vorstadt) »begraben« (*recte* eingesegnet) worden ist und hiefür bezahlt wurden: 84 fl. 35 kr. Die Final-Erledigung des Verlassenschaftsactes nach Schubert trägt die amtliche Unterschrift: *Brotkorb m.p.*

Ledigen nicht gebräuchlich sei, und weil die Träger rothe Mäntel und Blumen haben[56]! –«

Der Vater ging auf den Vorschlag ein und so wurde denn Schuberts Wunsch, der, wenn auch im Fiebertraum ausgesprochen, doch sein wahres glühendes Verlangen, im Tod neben Beethoven zu ruhen, offenbarte, nach Thunlichkeit erfüllt; denn nur drei Gräber[57] trennen seine Gruft von jener seines erhabenen Vorbildes.

Die Trauer um den so plötzlich Dahingeschiedenen war ebenso aufrichtig als allgemein. Mehrere seiner Freunde und Bekannten drückten ihren Schmerz durch Gedichte oder musikalische Compositionen[58] aus. In den damals gelesensten öffentlichen Blättern erschienen Nekrologe und Nachrufe[59] 459
und in Linz, wo Schubert's Name besonders populär war, fand am 25. Dec. 1828 in dem Salon des landständischen Sprachlehrers Abbate Luigi Tomazolli, eines thätigen Musikförderes, eine musikalisch-deklamatorische Todtenfeier statt.

In Wien vereinigten sich bald nach Schubert's Tod Freunde und Verehrer des Verblichenen, ihrer Trauer um ihn durch die Aufführung eines Requiems in der Kirche Ausdruck zu geben und sein Andenken durch die Errichtung eines Grabmonumentes zu ehren.

In dieser Angelegenheit richtete *Jenger* an Josef Hüttenbrenner am 26. Nov. 1828 das folgende Schreiben[60]:

56 Diese Zeilen sind durchstrichen.

57 Es sind die Gräber zweier O'Donnell's und die Grabstätte Schlechta-Hardtmuth. Schubert's Grab trägt die Nr. 223, jenes Beethoven's Nr. 290.

58 So schrieb *A. Hüttenbrenner* ein Clavierstück (*Grave* in *F-Moll*) als »Nachruf«, Abbé *Stadler* eine Fuge (in *C-Moll*) für Orgel oder Clavier auf die in Schubert's Namen vorkommenden musikalischen Buchstaben, und der Hoforganist Simon *Sechter* ebenfalls eine Fuge (in *C-Moll*) für Pforte oder Orgel: »Dem Andenken des zu früh verblichenen Franz Schubert gewidmet.« Die eben erwähnten Musikstücke sind auch im Stich erschienen.

59 Ein Nachruf von Freiherrnv. *Zedlitz*, abgedruckt in der Wiener Zeitschrift vom 25. Nov. 1828, der mit den Worten schließt: »Als Mensch war Schubert von allen, die ihn näher kannten, geliebt und geschätzt, sein Privatleben war, wie es bei jedem Künstlergemüth immer ist, durchaus ehrenvoll und würdig«. – Ein zweiter Nachruf von *Blahetka* erschien in der Wiener Theater-Zeitung am 27. Dec. 1828. – Von Gedichten sind zuerwähnen: »Am Vortag von Franz Schubert's Begräbniß«, von G. Seidl; »An Schubert's Sarg«, von Franz v. Schober; »An Schubert's Grab«, von A. Schumacher; »Trauerweide«, von Peter Bleich; »dem Andenken Schubert's«, von Khier; »Nachgefühl«, von J. Mayrhofer; ein Gedicht von dem Freiherrn v. Schlechta, ein anderes von Duller u.s.w.

60 Auch an Pachler's schrieb Jenger, daß er das Requiem Hüttenbrenner's wolle aufführen lassen. Seine mit *Dr.* Pachler geführte Correspondenz aus dieser Zeit, die sich auch auf Schubert's in Graz zurückgelassene Compositionen und die letzten Lebenstage desselben bezog, ist leider nach *Dr.* Pachler's Tod auf dessen Wunsch verbrannt worden.

»Lieber Freund!

Gestern habe ich mit Herrn Schober wegen eines Requiems für Schubert gesprochen; er ist mit Allem einverstanden; nur lassen seine Verhältnisse
460 nicht zu, sich irgend an die Spitze einer Unternehmung zu stellen, und er meint, daß man wegen des Requiems und wegen der Kosten für ein Monument jedenfalls mit dem Vater oder Bruder Ferdinand Rücksprache pflegen sollte, um ihre Meinung zu hören. Thue es also und gib mir bald Auskunft darüber. Schober meint, es wäre gut, wenn das Requiem so wenig als möglich kostet, damit mehr Geld für's Monument und das angekaufte eigene Grab übrig bleibe.

Rede also auch mit dem Dechant und mit *Piringer*[61], damit man erfährt, was das Requiem ungefähr kosten werde. Der ganze Unkostenbetrag würde sodann von den eingehenden Subscriptionsgeldern abgezogen werden, doch nur so wenig als möglich.

Schober sagt, er glaube, es werde auch bei St. Josef ein Requiem abgehalten. Wenn dieses der Fall wäre, so dürfte eines in der Augustiner-Kirche unnöthig sein; mir wäre es aber doch lieb, wenn eines dort stattfände.

Unterdessen werde ich durch Schober dafür sorgen, daß Subscriptionsbögen lithografirt und in den besten Musikalienhandlungen, so wie unter die Freunde des Verstorbenen vertheilt werden.

Wenn der Aufsatz in die Zeitung[62] fertig ist, so lasse

Deinem Freund
461 *Jenger.*«

Am 16. Dec. überreichte Josef *Hüttenbrenner* das Gesuch um die Erlaubniß zur Requiemfeier bei der Landesregierung, von welcher ihm zwei Tage darauf der zustimmende Bescheid zukam.

Am 23. December wurde von den Freunden und Verehrern des heimgegangenen Meisters in der Augustiner Hofkirche zur Todtenfeier das doppelchorige Requiem von Anselm Hüttenbrenner (Director des steiermärkischen Musikvereins) unter Mitwirkung vieler Kunstfreunde aufgeführt, nachdem der Kirchenmusik-Verein zu St. Ulrich bereits am 27. November mit dem Mozart'schen Requiem vorangegangen war.

61 Piringer war der Fortsetzer und Leiter der von Franz Xaver *Gebauer* in Wien begründeten *Concerts spirituels*, welche damals im landständischen Saale abgehalten wurden.

62 Der Aufruf erschien am 20. Dec. 1828 in der Theater-Zeitung. Subscriptionsbogen lagen auf in der Kanzlei der Gesellschaft der Musikfreunde in Wien und in allen Kunst- und Musikalienhandlungen daselbst und in der Provinz. Der Termin zu den Einzeichnungen war bis Ende Jänner 1829 gestellt worden.

Wie bereits angedeutet, war unter den Musikfreunden auch der Wunsch laut geworden, die Grabstätte des Dahingeschiedenen durch ein Monument oder einen Grabstein auszuzeichnen. Da die Geldmittel dazu aus seinem Nachlasse nicht zu bestreiten gewesen wären, so veranstaltete Frl. Anna Fröhlich am 30. Jänner 1829 im Musikvereins-Saale ein Concert, dessen halber Ertrag zur Errichtung des Grabdenkmals bestimmt war[63]. 462

Das Concert wurde des günstigen Erfolges wegen wiederholt und der Ertrag beider, in Verbindung mit den Beiträgen einiger Freunde reichte hin, um die Kosten des Requiems und Denkmales zu bestreiten[64].

Die Form des Denkmales zu bestimmen, überließ das Comité Schubert's Freunde: Franz v. *Schober*. Dieser entwarf die Zeichnung dazu unter Beirath des Architekten *Förster*, und vollendete auch die von *Arnold* begonnene Büste, deren Guß in Blansko stattfand. Den Grabstein verfertigte der Steinmetzmeister *Wasserburger*, die Büste ist die Arbeit des akademischen Bildhauers *Franz Dialler*. Die Grabschrift verfaßte Franz Grillparzer. Sie lautet:

Der Tod begrub hier einen reichen Besitz,
Aber noch schönere Hoffnungen.
Hier liegt Franz Schubert,
geboren am 31. Jänner 1797,
gestorben am 19. November 1828,
31 Jahre alt[65]. 463

63 Das Programm des Concertes bestand aus folgenden Stücken: »Mirjams Siegesgesang«, das Solo vorgetragen von Tieze; Variationen für die Flöte von Gabrielsky, vorgetragen von Bogner; »Taubenpost« und »Aufenthalt«, gesungen von Vogl; Trio in *Es*, gespielt von Bocklet, Böhm und Linke; »die Allmacht« von Pyrker, gesungen von Schoberlechner; »Am Strom« mit Cello-Begleitung, vorgetragen von Tieze und Linke, und erstes Finale aus Don Juan, die Soli gesungen von den Fr. Kierstein, Jekel und Sack und den Herren Tieze, Lugano, Schoberlechner, Nejebse.

64 Die Gesammtkosten getrugen 360 fl. 46 kr. C. M.; Grillparzer, Jenger und Frl. Fröhlich besorgten die Geldangelegenheit.

65 Die Worte der zweiten Zeile dieser Grabschrift haben früher schon, und insbesondere auch in neuerer Zeit heftigen Widerspruch gefunden. Am Schluß der Besprechung einer Schubert'schen Claviercomposition sagt A. Schumann: »Mit ruhigem Antlitz konnte er der letzten Minute entgegentreten. Und wenn auf seinem Leichenstein die Worte stehen: daß unter ihm ein schöner Besitz, aber noch schönere Hoffnungen begraben lägen, so wollen wir dankbar nur des ersten gedenken.« (Gesammelte Schriften von R. Schumann, B. II. S. 240). Diese Worte hat Schumann im J. 1838 geschrieben; die Grabschrift war 1829 verfaßt worden. Heut zu Tage, wo der größte Theil der musikalischen Schätze Schubert's erschlossen ist, klingt Grillparzer's Grabschrift, welche schon vor 26 Jahren Anstoß erregte, nur noch befremdender, und es ist zu erwarten, daß über der künftigen Ruhestätte Schubert's nichts weiter als sein Name zu lesen sein wird, der, so wie Beethoven's Name auf dem Grab dieses Meisters, Alles besagt. Damals freilich, als Grillparzer jene Worte niederschrieb, war nicht einmal Schubert's Liedernachlaß in das große Publikum gedrungen, und der Dichter lieh mit jenen Worten

Die Gesichtszüge Schubert's sind durch weitverbreitete Porträts allenthalben bekannt geworden. Von diesen gelten als besonders gelungen:

Ein Kupferstich von *Passini*, nach Wilhelm Rieder's Zeichnung[66]. Eine
464 Litografie von *Clarot*[67] in Wien, ebenfalls nach Rieder's Zeichnung, welche überhaupt den verschiedenen Porträts zu Grunde gelegt wurde.

Ein gemaltes *Miniaturbild* im Besitz des Herrn Hofrathes Frhrn. Josef v. Spaun in Wien. Eine *Zeichnung* (vom 10. Juni 1821), vorgefunden in der Mappe des im Jahre 1862 gestorbenen Professors Leopold Kupelwieser – von diesem entworfen[68].

XVII.

(Zur Charakteristik.)

Die äußere Erscheinung unseres Tondichters war nichts weniger als anziehend. Sein rundes, dickes, etwas aufgedunsenes Gesicht, die niedere Stirn, die aufgeworfenen Lippen, buschigen Augenbrauen, die stumpfe Nase und das gekräuselte Haar, gaben seinem Kopf ein mohrenartiges Aussehen, womit auch die, auf dem Währinger-Friedhof befindliche Büste übereinstimmt[1].

eben nur dem Gedanken Ausdruck, welchen bei der Nachricht von des jungen Tondichters Tod Tausende als einen sehr nahe gelegenen ungescheut aussprachen. Ja Schumann selbst hat den verpönten Gedanken gedacht, wenn er also fortfährt: »Nachzugrübeln, *was er noch erreichen können*, führt zu nichts«. Man mag übrigens hinsichtlich der Grabschrift was immer für einer Ansicht sein, *die* Thatsache bleibt unbestritten, daß Schubert's musikalische Entwickelung eine mit den Jahren fortschreitende war, und seine bedeutendsten Schöpfungen (außerhalb des Liedes) durchweg der letzten Lebensperiode angehören, ja daß er selbst im Lied (Winterreise) auf neue Bahnen hindrängte. Er selbst erklärte wenige Monate vor seinem Tod, daß er nun »ganz in der Oper und Sinfonie sitze«; auf dem Krankenlager beschäftigte er sich mit Plänen zu größeren Werken, und an ein Versiegen seiner Kraft war damals nicht zu denken. Aber – »nachzugrübeln, was er noch erreichen können«, führt zu nichts, und wenn *der* Künstler, welcher sich durch seine Schöpfungen die Unsterblichkeit errungen, seine irdische Mission als erfüllt ansehen darf, so ist dieß bei Schubert zweifelsohne der Fall gewesen, und in diesem Sinn läßt sich in Schumann's Schlußworte einstimmen: »Er hat genug gethan, und gepriesen sei, wer, wie er, gestrebt und vollendet.«

66 War verkäuflich bei Josef Czerny in Wien am Graben Nr. 134 *à* 1 fl. 12 kr. C.M.

67 Bei Artaria u. Comp. in Wien *à* 36 kr. C.M.

68 Eigenthum der Familie Kupelwieser. Fotografische Abdrücke davon in Commission des Kunst- und Industrie-Comptoirs G. Jägermaier u. Comp. in Wien. – Von der Büste waren Gypsabgüsse *à* 12 st. C.M. bei Haslinger zu beziehen.

1 Als nach der am 13. October 1863 vorgenommenen Ausgrabung der irdischen Reste von Beethoven und Schubert des Letzteren wohlerhaltener Schädel der Reinigung und Waschung unterzogen wurde, vermochten die dabei anwesenden Aerzte und der die Waschung vollziehende Spitalsdiener sich des Erstaunens über die zarte, fast weibliche Organisation desselben nicht zu erwehren. Kennzeichen musikalischen Sinnes fanden

Seine Statur war unter Mittelgröße, Rücken und Schultern gerundet, die Arme und Hände fleischig, die Finger kurz. Der Ausdruck seines Gesichtes 466
konnte weder als geistreich noch als freundlich gelten, und nur dann, wenn ihn Musik oder Gespräche aufregten, besonders aber, wenn es sich um Beethoven handelte, fing sein Auge zu blitzen an, und belebten sich die Züge.

So unscheinbar, fast abstoßend sein Aeußeres[2], so schön und reich ausgestattet war sein Inneres. Alle diejenigen, welche Schubert näher gekannt haben, stimmen darin überein, daß er ein vortreffliches Gemüth hatte, daß er ein guter Sohn war, seinen Geschwistern in Liebe und Anhänglichkeit zugethan, den Freunden ein wahrer Freund, wohlwollend, frei von Haß und Mißgunst, hochherzig, begeistert für die Schönheiten der Natur und die ihm heilige Kunst.

In seinem Wesen sprach sich eine gewisse Behaglichkeit aus, und ein gutmüthiger Witz, der diesem Wohlbehagen entsprang, so wie sein Trieb nach Geselligkeit waren die Ursache, daß sich Menschen von heiterer Gemüthsart und leichtem Sinne gerne ihm anschlossen[3].

Franz Schubert hat nicht, wie Händel und Mozart vor ihm, und andere Meister der Tonkunst nach ihm, große Reisen gemacht, vor gekrönten Häuptern sich und seine Werke producirt und dadurch erweiterte Weltanschauung und Menschenkenntniß gewonnen. 467

Er war auch nicht, wie sein Zeitgenosse Beethoven, in alter und neuer Literatur und in Staatsactionen bewandert, und ebenso wenig erfreute er sich jener modern-universellen Bildung, wie sie beispielsweise Mendelssohn und Schumann eigen war; seine Erziehung im väterlichen Hause ging nicht über das gewöhnliche Maß der nöthigsten Vorkenntnisse hinaus, und die Zeit, die er im Convict zubrachte, wurde erwiesenermaßen mehr dem Componiren, als dem Studium der Classiker, der Geschichte, Geografie u.s.w. gewidmet.

Dennoch würde man irre gehen, wollte man behaupten, daß es ihm an jeglicher Bildung gefehlt, und daß er das viele Schöne, was wir von ihm be-

sich weder bei Schubert noch bei Beethoven an jener Stelle vor, wo man diese sonst zu suchen gewohnt war. – Die Veröffentlichung des Resultates der an beiden Schädeln vorgenommenen Messungen steht noch zu gewärtigen. (S. actenmäßige Darstellung der Ausgrabung und Wiederbeisetzung der irdischen Reste von Beethoven und Schubert. Wien bei Gerold 1863).

2 »Das vollkommenste Wiederspiel zu Mayrhofer« – bemerkt W. Chezy in den »Erinnerungen« – gab der kleine breite Musikus, von außen zwar ein Talgklumpen, aber mit dergestalt glitzernden Augen, daß sich das innere Feuer dem ersten Blick verrieth.

3 Die hier folgende Charakteristik beruht auf mündlichen und schriftlichen Mittheilungen von: *Spaun, Schober, L. Sonnleithner, Kupelwieser, Bauernfeld, A. Schindler, Mayrhofer, Stadler* und Frl. *Anna Fröhlich*

sitzen, gleichsam im Traum, und ohne sich darüber Rechenschaft zu geben, aus Tageslicht gefördert habe.

Die wenigen vorhandenen Briefe, namentlich jene aus seiner späteren Lebenszeit, liefern den Beweis, daß der Verfasser derselben Kopf und Herz am rechten Fleck hatte.

Ein schlichter gerader Sinn, ein gesunder Verstand, frei von aller Ziererei und falschen Sentimentalität, spricht aus diesen, für Schubert's Charakteristik werthvollen Behelfen, und fehlte ihm auch, was man höhere Bildung zu nennen pflegt, so darf doch nicht übersehen werden, daß sein Drang zu schaffen ihn schon in früher Jugendzeit mit den herrlichsten Blüthen deutscher und fremdländischer Dichtkunst bekannt machte, und daß Männer, wie Franz v. *Schober, Mayrhofer, Vogl u.a.m.* in geistiger Beziehung nicht ohne nachhaltigen Einfluß auf ihn gewesen sein konnten.

»Es ist wahr,« sagt A. Schindler[4], »in Schubert's Leben gab es nicht Berg
468 nicht Thal, nur gebahnte Fläche, in der er sich in stets gleichmäßigem Rhythmus bewegte. Auch sein Gemüthszustand glich einer spiegelglatten Fläche und war durch äußerliche Dinge nur schwer zu irritiren; er befand sich im schönsten Einklange mit dem Grundwesen seiner Charakter-Eigenschaften. Man darf gestehen, daß seine Tage dahinflossen, wie es dem arm Gebornen und arm Gebliebenen in bürgerlicher Sfäre geziemt. Bis ins zehnte[5] Jahr im väterlichen Hause, von da bis ins siebenzehnte Sängerknabe im kaiserlichen Convict und auf den Schulbänken des Gymnasiums sitzend, alsdann drei Jahre Schulgehilfe bei seinem Vater im Lichtenthal, letztlich Clavierspieler – und zwar ein musterhafter – und Componist nach alleinigem Gefallen, dabei frei und unabhängig, weil sein Verleger schon 15 Gulden für ein Heft Lieder, 15 Gulden für ein Klavierwerk honorirt hat. Für den Abgang sogenannter nobler Passionen und Bedürfnisse – nach Art anderer Musiker – hatte die Dürftigkeit frühzeitig gesorgt. Familiensorgen und Kümmernisse aller Art, in nicht gesicherten ehelichen Verhältnissen ihre Quelle findend, lähmten dem Genius die Schwingen nicht; denn er stand allein in seinem Zauberkreise, von Familien-Prosa nicht angefochten. Das Lehramt in Musik hatte er in den letzten 8 Jahren gleichfalls aufgegeben[6], somit auch die Quelle großen Mühsals und großen Undanks verstopft. Reisen hat er nicht gemacht, man müßte denn einige kleine Ausflüge nach Ober-
469 österreich als solche ansehen.

Ein Grund der Verborgenheit, in welcher Schubert's Talent während seines Lebens im allgemeinen verblieb, lag in einem gewissen Starrsinn, einer ob-

4 Niederrheinische Musikzeitung, Jahrg. 1857.

5 Soll heißen: *ins zwölfte.*

6 Schubert hatte schon *vor* 1820 jedes Lehramt aufgegeben, ausgenommen jenes bei Esterhazy.

stinaten Unbeugsamkeit, die ihn, unbeschadet seines ausgesprochenen Unabhängigkeitssinnes, für gute und praktische Rathschläge von Seite wohlmeinender Freunde geradezu taub machten.

Diesem Charakterwesen von Eigen- und Starrsinn, das auch oft genug in Fällen des gesellschaftlichen Verkehrs sich äußerte, ist aber keineswegs ein Uebermaß künstlerischen Selbstgefühls oder gar Ueberschätzung zu unterstellen. Schubert's bei allen Gelegenheiten bewiesene Pietät für die Classiker, sein rastloses Streben, liefern Beweise genug gegen solche Unterstellung. Eifersüchtiges Interesse, Ruhmsucht, die nicht wenig Künstler zur Thätigkeit anspornen, waren für Schubert unbekannte Begriffe; seine so viel nur möglich behauptete Verborgenheit, sein Wandel überhaupt, zeugen für die Reinheit seiner Gesinnung zur Genüge. Er war allerdings empfindlich gegen jeden noch so vorsichtig überzuckerten Tadel, dagegen aber ging er in der Gleichgültigkeit gegen Lobesäußerungen doch noch weiter; nicht eine Miene verzog er, wenn ihm über dies oder jenes seiner Werke Beifall ausgedrückt wurde, er blieb vollkommen gleichgiltig gegenüber jeglichem Lobe«[7]. 470

Ihm waren Falschheit und Neid durchaus fremd – so charakterisirt ihn J. Mayrhofer[8] – in seinem Wesen mischten sich Zartheit und Derbheit, Genußliebe mit Treuherzigkeit, Geselligkeit mit Melancholie. Bescheiden, offen, kindlich, besaß er Gönner und Freunde, die seinen Schicksalen und Productionen herzlichen Antheil widmeten und auf jenen allgemeinen hinwiesen, welcher dem länger Lebenden gewiß geworden wäre, und dem in der Blüthe Hingeschiedenen noch gewisser nachgetragen werden wird.

Ueberblickt man die erstaunliche Menge auch nur der, der Oeffentlichkeit übergebenen Werke Schuberts, so trägt man die Ueberzeugung davon, daß der Schöpfer derselben, den der Tod in seinem 32. Lebensjahre überraschte, mit eben so großer Leichtigkeit als rastloser Thätigkeit geschaffen haben müsse, zumal in seinen Compositionen mit den Notenzeichen nicht gekargt wird.

In der That war Schubert ungemein fruchtbar und fleißig und man kann von ihm wohl sagen, daß er das ihm anvertraute Pfund treu und redlich verwerthet hat.

In der Regel begann Franz sein Tagewerk in den Morgenstunden, auf dem Bett sitzend und schreibend[9], und führte es ununterbrochen bis zur

7 Wird auf das *rechte* Maß zurückzuführen sein. – Schindler's Angaben über Schubert sind immer mit einiger Vorsicht hinzunehmen, da »der Vertraute« Beethoven's sich mitunter in Uebertreibungen gefällt und zu Schubert in keinem nahen Verhältnisse gestanden hat.

8 »Erinnerungen an F. Schubert.«

9 Spaun erzählt, daß Schubert zuweilen bei ihm übernachtet, wo er dann auch während des Schlafes die Brillen auf der Nase behalten habe; des Morgens sei er, oft noch in tiefer Negligè, an's Clavier gegangen, um zu fantasieren.

Essenszeit fort; da ging denn sein ganzes Wesen in Musik auf; oft fühlte er sich von seinen Schöpfungen selbst ergriffen und Augenzeugen versichern, 471 daß sie da an seinem leuchtenden Auge und der veränderten Sprache entnehmen konnten, wie mächtig es in seinem Inneren arbeite. Allerdings kann Schubert nur in dem Sinne thätig genannt werden, daß er, rastlos aus sich herausschaffend, die Fülle seiner Gedanken auf dem Papier festzuhalten suchte. Zu dem, was man im gewöhnlichen Leben Arbeit nennt, und namentlich zu aller mechanischen Arbeit, hatte er keine Luft, und dieß, in Verbindung mit seiner nicht allzu geregelten Lebensweise, die ihn verhinderte, mit der gewünschten Pünktlichkeit bei Probestunden zu erscheinen, war wohl auch der Grund, daß er gewisse, die Verfügung über seine Zeit beschränkende Anerbietungen consequent ablehnte.

Der übrige Theil des Tages wurde dann eben so regelmäßig dem geselligen Vergnügen, in schöner Jahreszeit Ausflügen auf das Land, in Begleitung von Freunden und Bekannten geweiht. Da geschah es mitunter, daß, wenn er sich mit diesen wohl zusammenfühlte und ihm die Trennung von der schönen Natur und dem Rebensafte schwer fiel, eine für den Abend angenommene Einladung ohne weiteres Bedenken in den Wind geschlagen wurde, was dann zu Verdrießlichkeiten führte, die ihm übrigens nicht lange zu schaffen gaben. Gewiß aber bedurfte es auch nach abgeschlossener Arbeit nur der kleinsten Anregung, um seinen nie ruhenden Geist wach zu rufen, wie dieß mit dem »Ständchen« der Fall gewesen.

»Wenn,« sagt Robert Schumann, »Fruchtbarkeit ein Hauptmerkmal des Genies ist, so ist Schubert eines der größten. Er hätte nach und nach wohl 472 die ganze deutsche Literatur in Musik gesetzt, und wenn *Telemann*[10] verlangt, ein ordentlicher Componist müsse den Thorzettel componiren können, so hätte er an Schubert seinen Mann gefunden. Wo er hinfühlte, quoll Musik hervor; Aeschylus, Klopstock, so spröde zur Composition, gaben nach unter seinen Händen, wie er den leichten Weisen W. Müllers u. A. ihre tiefsten Saiten abgewonnen.«

Wer ihm einen Vorwurf zu musikalischer Bearbeitung übergab, durfte überzeugt sein, daß, wenn ihm dieser zusagte, die Composition auch in kürzester Frist fertig sein würde. So wurde das bekannte Lied »Der Wanderer« in unglaublich kurzer Zeit componirt; dasselbe war der Fall mit dem »Zwerg« und »Erlkönig«, welch' letzteren er, nachdem er die Ballade zu wiederholten Malen durchgelesen, gleich darauf so eilig in Musik setzte, als es eben möglich war, die Notenzeichen hinzuwühlen.

10 *Telemann* (Georg Filipp), geb. 1681 in Magdeburg, gest. 1767, einer der productivsten Componisten der Welt.

Ganz besonders aber zeugt die folgende Thatsache ebenso sehr für die blitzartige Schnelligkeit seiner Auffassung, als auch für die Gefälligkeit, womit er den Wünschen Anderer nachzukommen suchte.

Fräulein Anna Fröhlich, Gesangslehrerin am Conservatorium, auf deren Anregung Schubert einige schöne Frauenchöre componirt hatte, beabsichtigte, ihrer Schülerin Louise Gosmar (später verehelichte von Sonnleithner), welche im Jahr 1827 mit ihren Eltern die Sommerzeit in Unterdöbling (bei Wien) zubrachte, zu deren Geburtstag (11. August) ein Ständchen im Garten des Landhauses darzubringen. 473

Grillparzer hatte zu diesem Zwecke ein Gedicht: »Zögernd leise in des Dunkels nächt'ger Stille« verfaßt, und sie gab dieses dem ihr befreundeten Tondichter mit der Bitte, es für ihre Schwester Josefine (Mezzosopran) und einen Frauenchor in Musik zu setzen. Schubert nahm das Gedicht in die Hand, zog sich in eine Fensternische zurück, schob, wie dieß seine Art war, wenn er in der Nähe sehen wollte, die Brille gegen die Stirn hinauf, las die Verse ein paarmal aufmerksam durch und sagte dann lächelnd: »Ich hab's schon, es ist schon fertig und es wird recht gut werden.« Nach einem oder zwei Tagen brachte er die reizende Composition. In Folge eines Mißverständnisses war das Stück für Alt-Solo und Männerchor componirt; als nun Fräulein Fröhlich ihn auf diesen Irrthum aufmerksam machte, nahm er das Manuscript wieder mit sich, und brachte es am nächsten Tage in der Weise umgearbeitet, wie es gewünscht worden war. Die Wirkung der Nachtmusik bei heller Mondbeleuchtung im Freien war zauberisch. Viele Bewohner Döblings umstanden horchend den Garten. Schubert war (wie gewöhnlich) bei der Aufführung nicht gegenwärtig.

Ein anderes Mal schrieb er, im Bette liegend, in aller Eile ein Gelegenheits-Terzett[11] für Umlauff, welches dieser bei ihm bestellt und auf das er ganz vergessen hatte, weil ihm das Gedicht *abhanden gekommen war.* Solcher Fälle musikalischer Schlagfertigkeit wären noch manche zu verzeichnen.

Der Jubel seiner Freunde und der allmälig sich steigernde Beifall des großen Publikums, welcher Andere berauscht und zur Selbstüberschätzung getrieben hätte, brachte ihn nicht außer Fassung, und die ehrende Anerkennung, die ihm von vielen, durch Rang, Geist und eigene Künstlerschaft 474
ausgezeichneten Personen zu Theil wurde, ließ ihn ein strenges Maß von Selbstgefühl nicht überschreiten. Unter den musikalischen Künstlern, welche an Franz regen Antheil nahmen, finden wir C.M. Weber, Hummel und den Sänger Lablache, welch' letzterem Schubert drei italienische Gesänge dedicirte. Mit Theodor Körner, der sich in den Jahren 1811–1813 in Wien aufhielt, war er gerade um jene Zeit, als es ihn trieb, sich ausschließlich der Kunst

11 Dieses Terzett ist wahrscheinlich verbrannt.

zu weihen, bekannt geworden, und dieser ermangelte nicht, ihn in seinem Entschlusse zu bestärken[12].

Schubert wurde häufig in musikalische Kreise[13] gezogen, und da geschah es denn zuweilen, daß, während der ausübende Künstler mit Lobsprüchen überhäuft wurde, Niemand des kleinen Mannes gedachte, der, am Clavier sitzend, die selbstgeschaffenen Lieder mit seelenvollem Spiel begleitete, über welche Vernachlässigung übrigens der anspruchslose Künstler um so leichter hinwegsetzte, als ja der Beifall, womit seine Composition aufgenommen wurde, zuletzt auch ihm galt.

In derlei Kreisen, besonders in eleganteren, die er nur betrat, um aus Gefälligkeit seine Lieder zu begleiten, war er schüchtern und wortkarg. Während er am Clavier saß, machte er das ernsthafteste Gesicht, und war die Sache zu Ende, so pflegte er sich in ein Nebenzimmer zurückzuziehen.
475 Unbekümmert um Lob und Beifall, wich er den Complimenten aus, und fühlte sich befriedigt wenn ihm seine Freunde ihre Zustimmung bezeugten[14].

Anders war es, wenn er sich durch keine Fesseln der Convenienz beengt sah; da löste sich seine Zunge zu heiterer Gesprächigkeit, es fehlte ihm dabei nicht an Witz und launigen Einfällen[15], und wenn er auch hie und da selbst stiller blieb, so nahm er doch Theil an der Luft der Andern. Den Ausdruck *lauter* Fröhlichkeit kannte er nicht; sein Lachen bestand nur in einem etwas heiseren gepreßten Kichern.

Obwohl er selbst nicht tanzte, besuchte er doch zuweilen die Hausbälle vertrauterer Familienkreise, stets bereit, sich zum Clavier zu setzen, wo er dann stundenlang reizende Tanzmusik improvisirte. Jene Stücke, die ihm gefielen, wiederholte er, um sie im Gedächtnisse zu behalten, und sofort aufzuschreiben.

12 Nach einer Mittheilung Spaun's.

13 In einer dieser musikalischen Gesellschaften supplirte einmal Lablache den zweiten Baß im »Gondelfahrer«; Hummel fantasirte in einer *Sojrée* bei Frau v. Lascny zu Schubert's Freude über das Lied: »Der blinde Knabe«, nachdem es Vogl eben gesungen hatte.

14 Als in dem Hause der Fürstin Kinsky vor einer Gesellschaft mehrere seiner Lieder gesungen worden waren, ohne daß sich Jemand um ihn bekümmert hätte, und die Hausfrau endlich selbst zu ihm hintrat, um ihm einige schöne Worte zu sagen und gleichsam das Benehmen der Gäste zu entschuldigen, antwortete er der Fürstin, sie möge sich nicht bemühen, er sei das schon gewohnt und fühle sich so weniger genirt.

15 Solch launiger und treffender Einfälle dürfte namentlich M. Schwind viele zu erzählen wissen. Schubert's Parodiren des »Erlkönig«, welchen er durch die Zähne eines Kammes sang, die Geschichte mit den zerrissenen Socken u.a.m. sind echt Schubert'sche drollige Einfälle.

Hand in Hand mit seiner Bescheidenheit ging auch die Achtung, die er für die musikalischen Leistungen Anderer, selbst im Liedersache, das er doch wie Keiner vor und nach ihm beherrscht hat, hegte. 476

In jungen Jahren hatte er sich besonders an Zumsteg's Lieder gehalten, von welchen ihm »Kolmal«, »Maria Stuart«, »die Erwartung« und »der stille Toggenburg« lebhaftes Interesse einflößten; an Kreutzer's »Wanderliedern« fand er so großes Gefallen, daß er einigen Schmeichlern, die ihm zuliebe daran mäkeln wollten, erklärte, sie gefielen ihm sehr und er wünschte sie componirt zu haben[16].

Es ist eine bekannte Thatsache, daß Schubert ein aufrichtiger Verehrer des Weines war; ja es gibt Leute, welche ihn zum Trunkenbold zu stempeln suchen, wahrscheinlich einiger harmloser Excesse wegen, deren er sich allerdings schuldig gemacht hat[17].

Franz liebte guten Wein. Da er ungeachtet der Vorstellungen um seine Gesundheit besorgter Freunde nicht zu bewegen war, die Kraft des Getränkes durch Vermengung mit Wasser zu mildern, und da er nicht viel des Weines vertrug, so geschah es wohl, daß er, besonders im Gasthause in fröhlicher Gesellschaft, oder wenn in Privathäusern »gute Sorten« gereicht wurden, mitunter über das Ziel hinausschoß, und dann entweder aufbrausend und heftig wurde, oder, wenn ihn der Wein schon betäubt hatte, in ein bedenkliches Stillleben versank, wo dann kein Wort mehr aus ihm herauszukriegen 477
war[18].

16 Aus Josef von Spaun's Aufzeichnungen.

17 Bekanntlich mußte auch Beethoven den Vorwurf über sich ergehen lassen, ein Trinker zu sein und zwar in Folge einiger Ausnahmsfälle von der ihm sonst so eigenen Mäßigung, die (im Jahre 1826) durch fremde Veranlassung herbeigeführt wurden. (A. Schindler, Biografie Beethoven's, II. Th. S. 297.)

18 *Wilhelm Chezy*, der durch Ernst von Feuchtersleben in jene Tafelrunde eingeführt worden war, welche sich in dem Bogner'schen Kaffeehause zu versammeln pflegte und deren Mitglied auch Schubert war, spricht sich in den »Erinnerungen aus meinem Leben« (Bd. II. S. 292) darüber in folgender Weise aus: »Leider hatte sich Schubert mit seinen lebensdurstigen Neigungen zu jenen Abwegen verirrt, die gewöhnlich keine Rückkehr mehr gestatten, wenigstens keine gesunde; die Bekehrung ist nicht allemal gleichbedeutend mit Umkehr, besonders wenn einer nach dem Beispiele des bekannten alten Teufels sich zum Einsiedler macht. Doch auch zu solcher Bekehrung konnte Schubert nicht gelangen, da er schon in seinem dreiunddreißigsten Jahre starb. Er setzte einen gewissen … soll ich sagen: Stolz? in die Unfälle, welche ihm auf wilden Wegen zugestoßen waren. Jedenfalls that er sich etwas darauf zugute. Die reizenden Müllerlieder hatte er unter ganz anderen Schmerzen gesetzt, als jene waren, die er im Munde des armen Mühlknappen mit der verschmähten Liebe durch seine Noten unsterblich machte. Auch dem Weine war er zugethan wie nur je ein Jünger der holdseligsten Kunst. Doch wenn das Blut der Rebe in ihm glühte, tobte er nicht etwa, sondern liebte es, in einen Winkel zurückgezogen, sich behaglich stiller Wuth zu überlassen, ein lächelnder Tyrann, der, wenn es anging, irgend etwas ohne Lärm verwüstete, z.B. Gläser, Teller, Tassen, wobei er zu schmunzeln und die Augen ganz klein zusammen-

Wenn viel und guter Wein auf dem Tische stand, mußte man auf Franzen ein wachsames Auge haben; so bezeugen ausnahmslos alle jene Personen, welche aus dieser Schwäche Schubert's kein Hehl machen, und Gelegenheit hatten, ihn bei solchen Anlässen zu beobachten. Man ist auch vielfach geneigt, den häufigen Genuß von Wein als die Ursache der Kopfleiden und Blutwallungen zu bezeichnen, welchen er in den letzten Jahren seines Lebens unterworfen war, und selbst die Krankheit, der er so schnell erlegen, wenigstens zum Theil seiner Neigung zu geistigen Getränken zuzuschreiben.

Auf diese Thatsachen reducirt sich Schuberts »Trunkboldenthum«; der schlagendste Beweis aber dafür, daß er sich in der Regel in geordnet nüchternem Zustande befunden, liegt in der Massenhaftigkeit der von ihm ohne Zweifel in vollster Geisteskraft producirten Werke, welche ein Mensch, der die ihm so karg zugemessene Lebenszeit nicht gehörig ausnützt, nimmermehr zu Stande bringen würde.

Uebrigens wird auch Schubert, gleich vielen anderen bedeutenden Naturen, jenes so oft versagte Recht in Anspruch nehmen dürfen, bei seiner sittlichen Werthschätzung mit keinem anderen Maß gemessen zu werden, als gewöhnliche Menschenkinder, deren Fehler und Schwächen oft gar nicht beachtet oder wenigstens mit Schonung beurtheilt werden, während dieselben Mängel an hervorragenden Menschen als wesentliche Charakterzüge angenommen, und dasjenige, was menschliche Schwäche war, nur zu gerne als Laster hin-
479 gestellt wird[19].

Dem weiblichen Geschlechte gegenüber war Franz nichts weniger als unempfindlich. Die sinnlichen Neigungen traten übrigens bei ihm keineswegs in *dem* Grad äußerlich hervor, als dieß sonst bei Menschen von so lebhafter Fantasie der Fall zu sein pflegt. Ueber das sentimentale Verliebtsein der Freunde machte er sich gerne lustig; er selbst aber blieb nicht frei von erotischen Regungen. Einer Herzensneigung wurde bereits gedacht, an anderen dürfte es nicht gefehlt haben; sie waren aber alle vorübergehender Natur, und weit entfernt, ein dauerndes Verhältniß zu begründen. Uebrigens hat Schubert (wie mir v. Schober mittheilte) gerade über derlei Beziehungen selbst seinen vertrautesten Freunden gegenüber große Zurückhaltung beobachtet.

zukneifen pflegte.« – Wenn er im Gasthause etwas »über die Taxe« getrunken hatte, pflegte er dem Kellner, sobald es zum Zahlen kam, verstohlen unter dem Tisch die Hand zu zeigen, der dann an der Zahl der vorgestreckten Finger die Zahl der vertilgten Seidel abzuzählen hatte. – Ein Freund Schubert's erwähnt auch gerne des sogenannten »*vertrunkenen Quartetts*«, eines Männerquartettes, welches, bevor es Schubert componirt hatte, auch schon »vertrunken« war. Der Wein spielte dabei unserm Franz übel mit. Er wohnte damals (1827) auf der Bastei.

19 So ist es auch Mozart ergangen. (S. Otto Jahn III. Band, S. 173 ff.)

Von den Aufführungen seiner Werke hielt er sich gewöhnlich ferne. Er war ein Freund einsamer Arbeit, sobald aber diese abgethan, verlangte es ihn nach geselligem Verkehr, und jedes Fest, jede Zerstreuung und Unterhaltung erhielt für ihn nur durch zwangloses Beieinandersein die wahre Würze. Bescheidenheit war ein Hauptzug seines Charakters; sie ging bisweilen in eine Art von Zurückhaltung und Schüchternheit über, die ihn um die vollen Früchte seines Fleißes brachte[20].

Nur wenn er den Druck der äußeren Verhältnisse zu sehr fühlte, und den schmerzlichen Gedanken, welch' verhältnißmäßig geringer Lohn seinen Leistungen zu Theil werde, nicht mehr von sich abweisen konnte, machte
er seinem Unmuth in Worten Luft, welche sich von Bitterkeit nicht frei 480
hielten, und zugleich verriethen, daß er von dem Bewußtsein seines Werthes erfüllt war.

Sein von Natur aus schüchternes Wesen und unangenehme Erfahrungen, die ihm sein schlichter gerader Sinn und seine unumwundene Wahrheitsliebe bereitet haben, hielten ihn von der geräuschvollen Welt und ihrem Treiben um so entfernter, als sein, allem Flitter abholdes Wesen für dieselbe nicht paßte, und er der Gefahr, mißverstanden zu werden, auf diesem Weg am sichersten auswich[21].

In den letzten Jahren seines kurzen Erdenwallens scheint der Ernst des Lebens in stärkerem Maße, als dieß früher der Fall war, über ihn gekommen zu sein, doch ohne daß sich sein von Natur aus heiterer Sinn in Unmuth und thatenloses Hinbrüten verwandelt hätte. Vor derlei Gemüthszuständen bewahrte ihn – wenigstens für die Dauer – seine sich gleich bleibende überschwängliche Productionskraft[22], von welcher die Werke eben dieser Periode beredtes Zeugniß ablegen. Die in Schubert erwachte Sehnsucht, sich eine gesicherte Existenz zu gründen, die Nichterfüllung der damit in Verbindung gestandenen Hoffnungen, und mehr als dieses noch, ein andauerndes Unwohlsein mögen zu jener Gemüthsverstimmung wesentlich beigetragen haben, 481
und so fanden auch die düsteren Gesänge der »*Winterreise*« in der Phantasie des Tondichters fruchtbaren Boden. Ob die Composition dieser Lieder den Druck seiner fisischen und moralischen Leiden noch vermehrt habe, wie von mancher Seite behauptet wird, möge dahin gestellt bleiben[23]; es liegt

20 Herr *Lickl* in Wien theilte mir über diesen Punkt (als Augenzeuge) ein frappantes Beispiel mit, wobei die Verleger eine nicht sehr erbauliche Rolle spielen.

21 Aus dem von Blahetka verfaßten Nekrolog in der Wiener Theater-Zeitung 1828.

22 So brachte er nach Vollendung, des ersten Theiles der »Winterreise« einige Zeit recht heiter in Graz zu und vollendete nach seiner Rückkehr den zweiten Theil derselben.

23 So sagt J. *Mayrhofer* (Erinnerungen an Franz Schubert): »Schon die Wahl der ›Winterreise‹ beweist, wie der Tonsetzer ernster geworden. Er war lange und schwer krank gewesen, er hatte niederschlagende Erfahrungen gemacht, dem Leben war die Rosenfarbe abgestreift; für ihn war der Winter eingetreten. Die Ironie des Dichters, in

vielmehr *der* Gedanke näher, daß er sich durch die künstlerische Bearbeitung jener Reihe von Gedichten, deren Gelingen ihm wahre Befriedigung gewährte, von der trüben Weltanschauung befreit habe, wie denn auch die vielen *nach* der »Winterreise« entstandenen Compositionen keinen Schluß mehr auf umdüsterte Seelenzustände gestatten.

In dem Vorausgegangenen wurde eine Charakteristik Schubert's gegeben,
482 soweit sich dieselbe aus Erscheinungen des äußeren Lebens herstellen ließ, Erscheinungen, die fast nie über das Maß des Gewöhnlichen, Alltäglichen hinausgehen, und darum auch die geschilderte Persönlichkeit in diesem Licht erscheinen lassen.

Ein erschöpfendes, ungleich bedeutenderes Bild dieser so eigenthümlichen, zart organisirten Natur würde sich dann entwerfen lassen, wenn die Geisteswerkstätte aufgedeckt, und wie dieß bei den meisten großen Künstlernaturen zutrifft, die innige Wechselbeziehung zwischen äußerem Leben und geistigem Schaffen wahrnehmbarer gewesen wäre, als es bei Schubert der Fall gewesen ist.

Es hat aber vielleicht außer ihm keinen großen Tondichter gegeben, dessen äußere Existenz von der Kunst so gänzlich losgelöst, und in keiner Beziehung zu derselben gestanden hat. Sein Erdenwallen zog so ereignißlos und unscheinbar vorüber und stand so ganz außer allem Verhältniß zu den Werken, welche dieser, wie vom Himmel gefallene Genius geschaffen hat, daß man sich zuletzt immer nur an diese wird halten müssen, um des reichen Schatzes von Geist und Gemüth gewahr zu werden, der in Schubert gelegen hat.

Im gewöhnlichen Leben (sagt Franz Schober von ihm) war nur Wenigen, und diesen in seltenen geweihten Stunden Gelegenheit geboten, sich zu überzeugen, welch' ein Seelenadel ihn auszeichnete, und sie entnahmen dieß aus Zeichen und Worten, welche sich nicht leicht wiederholen und beschreiben lassen.

Als Abschluß der »Charakteristik« möge noch ein Gedicht[24] von *Franz*
483 *Grillparzer* seine Stelle finden, in welchem er mit Schubert wohlbekannte Dichter dessen eigenartig einstlerwesen in den folgenden Zeilen zusammenfaßt:

Trostlosigkeit wurzelnd, sagte ihm zu, ich wurde schmerzlich ergriffen.« – *Spaun* theilt in seinen Aufzeichnungen mit, Schubert habe die Vollendung der »Winterreise« den Freunden mit den Worten kundgegeben: »Ihr werdet den Grund meiner düsteren Stimmung bald erfahren, ich werde euch bei Schober schauerliche Lieder vorsingen, sie haben mich selbst angegriffen.« – *Schober* erklärt sich *gegen jede derartige Ausschmückung*, und auf Schubert's eigene Productionskraft hinweisend, behauptet er, der Tondichter habe eben in seiner kleinen Bibliothek, die ihm Schober eingerichtet hatte, Müller's Lieder vorgefunden, sich von denselben angezogen gefühlt und ste, so wie viele andere Gedichte, in seiner Weise musikalisch stimmungsvoll wiedergegeben.

24 Erschien abgedruckt in der Wiener Zeitschrift Jahrg. 1841, Nr 5.

Schubert heiß ich, Schubert bin ich,
Und als solcher geb' ich mich.
Was die Besten je geleistet,
Ich erkenn' es, ich verehr' es,
Immer doch bleibt's außer mir.
Selbst der Kunst, die Kränze windet,
Blumen sammelt, wählt und bindet,
Ich kann ihr nur Blumen bieten,
Sichte sie, und – wählet ihr.
Lobt ihr mich, es soll mich freuen,
Schmäht ihr mich, ich muß es dulden;
Schubert heiß ich, Schubert bin ich,
Mag nicht hindern, kann nicht laden;
Geht ihr' gern auf meinen Pfaden,
Nun wohlan, so folget mir.

XVIII.

(Ueberschau.)

Das *deutsche Lied* feiert in Franz Schubert seinen größten, genialsten Meister. Er hat sich wohl in allen zu seiner Zeit bekannten Musikgattungen versucht, und als Einer der Ersten hervorgethan: das Eigenthümlichste und Vollendetste aber, was wir von ihm besitzen, ist das Lied. Kein Tondichter hat ihn darin erreicht, geschweige denn übertroffen, und so wird er allenthalben als Fürst im Liederreich begrüßt und hochgehalten.

Die Anfänge des Liedes, dieser so recht dem Innersten der Menschenbrust entsprießenden Pflanze, reichen bis in die erste Zeit der Ausbreitung des Christenthums zurück, durch welches der Reichthum der Innerlichkeit zuerst erschlossen, und damit auch die Sangeslust geweckt und gefördert wurde. Jahrhunderte aber zogen vorüber, bis es die mannigfachen Phasen seiner Fortbildung durchlaufen hatte, und – erst in unseren Tagen – jenen künstlerischen Höhepunkt erreichte, auf welchem wir nunmehr dasselbe als eine in sich abgeschlossene bedeutungsvolle Kunstgattung erblicken, und von dem aus sein eigenartiges Wesen die ganze Tonwelt belebend und befruchtend durchdringt. 485

Die Entwicklungsgeschichte des deutschen Liedes weist darauf hin, daß dasselbe erst dann die feste Grundlage für seine Weiterbildung gewann, als es sich aus den Banden des syllabisch recitirenden alten Kirchenliedes und der Sprachmelodie der Minne- und Meistersinger[1] losgerungen und dem energisch vordringenden Volksgeist anvertraut hatte, unter dessen belebendem Hauch die liebliche Knospe des Liedes, das *Volkslied*, emporkeimte.

Das Volk sang eben seine eigenen Lieder. Diese gingen von Mund zu Mund und Niemand aus der Menge dachte daran, die Lieblingsweisen in Notenzeichen festzuhalten. Musikalische Meister, als sie der unverwüstlichen Macht dieses weltlichen, wesentlich melodischen Schatzes gewahr wurden, bemächtigten sich seiner, und schufen durch contrapunktische Bearbeitung das Volkslied zum *Kunstlied* um, an welchem im Gegenhalt zu der instinktmäßig sich aussprechenden Volksweise sofort die glattere Form, mitunter
486 auch ein tieferes Erfassen des Inhaltes zu Tage trat, doch ohne daß das Lied ein individuelles Gepräge erhalten hätte[2].

Dieses subjective Moment gelangte, einen entscheidenden Wendepunkt in dem Fortschreiten des Liedes bezeichnend, erst dann zur Geltung, als im Gefolge der Oper, der Cantate, des Oratoriums und Concertes die Instrumentalmusik ein gewisses Maß von Selbstständigkeit gewonnen hatte, und die damit in Verbindung stehende *Arie* allmälig wieder auf das (von den Meistern mittlerweile vernachlässigte) Lied zurückführte, welchem nun auch die reicheren Mittel der dramatischen und der Instrumentalmusik zu seinen
487 Zwecken ungeschmälert zu Statten kamen[3].

1 Der *Minnesang* blühte um 1100–1500. Der berühmte Wettstreit auf der Wartburg fand im Jahre 1207 statt. Einer der letzten Minnesänger: *Oswald von Wolkenstein*, starb 1445. – Die Blütezeit der *Meistersinger* fällt in die Jahre 1300–1600. Der Meistersinger *Hans Sachs* starb 1576. Sein völliges Ende fand der Meistersang erst im Jahre 1839, wo die letzten vier Mitglieder der Ulmer Singschule ihr Innungszeichen ablegten. Der Meistersänger hohe Schul' war (nach Wagenseil) vornehmlich in Nürnberg, ihr Sammelplatz in Mainz. – S.A. *Reißmann*: »Das deutsche Lied in seiner historischen Entwicklung«, Kassel 1861. – A.W. *Ambros*: »Geschichte der Musik«, II. Bd. S. 258 u. ff.

2 »Eine große Zahl deutscher, körniger, aber schon weit seiner belebter wärmerer herzlicher Volkslieder, welche in der Zeit zwischen 1480 und 1550 eben beliebt waren, ist in den tüchtigen kunstreichen Bearbeitungen derselben durch die Meister der damaligen Schule deutscher Tonsetzer erhalten, zu welcher Männer zählten, wie Heinrich Finck, Lorenz Lemlin, Heinrich Isaak u.a.m. Neben solchen Meistern waren auch die Lautenisten bedacht, für ihr Publikum beliebte Volksweisen in Lautentabulatur zu bringen, und die Organisten dergleichen auf ihrem Instrumente hören zu lassen. Das Volkslied, einer Feldblume gleich, die am Morgen in stiller Lieblichkeit dasteht, und Niemand weiß zu sagen, wer sie gepflanzt hat, wurde so in den Kunstgarten der höheren Musik versetzt und entfaltete sich zu Blüten von oft wunderbarer Pracht und Fülle«. – *Ambros* Geschichte der Musik, Bd. II., S. 281 u. ff.

3 Die *Arie*, als der lyrische Ausdruck einer festgehaltenen Stimmung, ruht wohl auf derselben Basis wie das Lied, geht aber über die Liedform in dem Maß hinaus, als das darzustellende Gefühlsobject weiter und bedeutender wird und jenes des Liedes überragt. Die *deutschen* Meister (Händel, Bach, Gluck) bewirkten diese Erweiterung durch reichere harmonische Anlage, wogegen die *Italiener* in dem figurirten Gesang und dadurch zu erzielenden Theatereffect die Hauptsache erblickten. Graun, Hasse, Telemann,

Neuer und mächtiger Impuls wurde ihm (im sechzehnten Jahrhundert) durch die in Folge der Reformation veränderte Bedeutung des Kirchengesanges[4], durch die Gründung von Singchören, durch die Cultivirung des einstimmigen Liedes in Schule und Haus, durch die Verwendung der Laute als Begleitungsinstrument und namentlich auch durch die eingehende Pflege, welche das *lyrische Lied in der Poesie* fand[5], dem sich nun die Componisten mit erneuertem Eifer zuwendeten.

In dem Maße aber, als die Musik überhaupt ihre Herrschaft über die Nation immer mehr ausbreitete, begann das ursprüngliche Volkslied abzublühen. Die fortschreitende musikalische Bildung drängte den Volksgesang
immer entschiedener in die festgefügten Formen des kunstgemäßen Gesanges 488
und es entfaltet sich als neue Blüthe das *völksthümliche Lied*, die Mitte haltend zwischen dem eigentlichen Volksgesang, von welchem es die leichtere Faßbarkeit des Inhaltes, und dem Kunstlied, von dem es die ausgebildetere Form entlehnt.

Hatte schon das alte Volkslied durch seine Naivetät und den unversiegbaren Reichthum des Volksgemüthes, aus dem es schöpfte, eine Fülle mannigfacher Gestaltungen hervorgezaubert, so schwoll diese selbstverständlich noch üppiger unter der Hand jener Künstler, die es verstanden, volksthümliche Gesänge in des Wortes höherem Sinn zu schaffen. Ist es doch eben dieses volksthümliche Element in seiner edelsten Bedeutung, welches, künstlerisch durchgebildet, so vielen Werken der größten musikalischen Meister, und namentlich auch der Schubert'schen Muse, ihre allgemein durchgreifende Wirkung gesichert hat und deren Lebensfähigkeit auch für
die Zukunft gewährleistet[6]. 489

Benda. Doles und Quanz neigten der italienischen Weise zu; an die deutsche hielten sich Marpurg und die Schüler Seb. *Bach's*, diese durchweg der norddeutschen Schule angehörig, deren Spuren auch in die Jetztzeit noch hereinragen. – S. *Reißmann*: »Das deutsche Lied«.

4 Hier kommt insbesondere der *Choral* in Betracht, der auf Grund der protestantischen Lebensanschauung zu einem guten Theil aus dem Volkslied sich entwickelte, dieses aber hinwieder mannigfach umgestaltete. Der reichere Rhythmus des Volksliedes mußte diesem nicht selten abgestreift werden, damit es evangelisches Kirchenlied wurde.

5 So entstand zu Anfang des 17. Jahrhunderts der *Palmenorden*, um 1643 die *Zesen'sche deutschgesinnte Gesellschaft* in Hamburg und 1656 der *Schwanenorden* an der Elbe – Vereine, die es sich zur Aufgabe machten, der deutschen Poesie den Weg zu schönster Entfaltung zu bahnen. In dem »Palmenorden« ragten als Dichter die Schlesier: Martin Opitz und Christian Hofmann, sodann Flemming, Gryphius und Kaspar von Lohenstein hervor.

6 So beruht die Größe und Unvergänglichkeit der *Händel*'schen Oratorien ganz hauptsächlich noch auf dem volksthümlichen Zug, der die Chöre durchweht; wie mächtig der Volksgesang in die Instrumental- und Gesangsmusik Haydn's und selbst S. Bach's hineinragt, bedarf keiner weiteren Ausführung; und eben dieses Volksthümliche ist

Die Pflege des Kunstliedes hatte bis in das achtzehnte Jahrhundert hinein überwiegend der deutsche Norden auf sich genommen, wo seit geraumer Zeit eine ungezählte Schaar von Componisten[7] sich für die Fortbildung desselben thätig erwies, während in dem größeren Theil von Süddeutschland, und insbesondere auch in Wien, das im Gesang dem Virtuosenthum (italienischer Gesang) huldigte, die Bedeutung des Liedes eine kaum nennenswerthe war. Im Norden übte die italienische Oper noch keinen übermächtigen Einfluß aus. Dort war es vielmehr das *Singspiel*, welches fördernd und umgestaltend auf das Lied einwirkte. In der zweiten Hälfte des vorigen Jahrhunderts entstanden aber auch in Norddeutschland die bescheidenen Anfänge der deutschen lyrischen Poesie, vertreten durch die Liederdichter Weiße[8], Gleim, Hagedorn, Jakobi u.a.m., denen sich Adam *Hiller* als Liedercomponist und Vorläufer noch anderer Componisten beigesellte[9]. Als dann *Herder* den Sinn für das Volkslied neu geweckt hatte, und mit Goethe's lyrischen Ge-
490 dichten ein neuer Liederfrühling aufgegangen war, begann auch für das gesungene Lied die neue Periode, in welcher Melodie und Begleitung, inniger dem Wort sich anschließend, die geheimen Züge des menschlichen Herzens prägnanter, als es bisher geschehen, zum Ausdruck brachten.

Im Norden Deutschlands schlossen *Klein*[10], *Berger*[11], *Reichhardt*[12] und *Zelter*[13] (die beiden Letzteren beinahe ausschließlich der Goethe'schen Poesie huldigend) die ihnen vorhergegangene Reihe von Liedercomponisten zu einer

es, welches den künstlerisch so vollendeten Dramen Mozart's, Weber's u.s.w. unverwüstliche Jugendfrische und Anziehungskraft verleiht. – In der Geschichte der europäisch-abendländischen Musik – bemerkt Ambros – (Geschichte der Musik II. Bd. S. 276) ist das *Volkslied* von höchster Wichtigkeit; es bildet neben dem Gregorianischen Gesang die zweite Hauptmacht. Es war der unerschöpfliche Hort, aus dem die größten Meister des Tonsatzes die Melodien entnahmen, welche sie nicht blos weltlich zu kunstvollen mehrstimmigen Liedern umbildeten, sondern auf welche sie selbst geistliche Tonstücke der größten ernstesten Art aufbauten.

7 S. Reißmann: »Das deutsche Lied«, S. 96 u. ff.

8 *Weiße* wollte durch seine Opern die Deutschen zum geselligen Gesang anhalten, und in der That wirkte die Operette auf die Ausbildung des Liedes zurück. – S. Otto Jahn: Mozart, Bd. III. S. 342 ff.

9 Neefe, Reichhardt und Gluck componirten auch Klopstock'sche Oden, doch ohne damit durchgreifenden Einfluß zu gewinnen. Auch Schubert versuchte sich an den Oden und zwar mit größerem Erfolg.

10 *Klein* (Bernhard), geb. 1794 zu Köln, gest. 1832 als Musikdirector an der Universität in Berlin.

11 *Berger* (Ludwig), geb. 1777 in Berlin, gest. daselbst 1839.

12 *Reichardt* (Friedrich), geb. 1751 zu Königsberg, wurde Hofkapellmeister in Berlin, später in Kassel, und starb 1814 in Giebichstein.

13 *Zelter* (*Carl* Friedrich), geb. in Berlin 1758, gest. daselbst 1832, wenige Monate nach Goethe.

Zeit ab, als Franz Schubert's Gestirn schon im Aufgehen begriffen war; im Süden waren *Haydn, Mozart* und *Beethoven* auch im Lied seine unmittelbaren Vorläufer. Die obengenannten, der Berliner Schule angehörenden Liedercomponisten bestrebten sich wenigstens in einigen ihrer Gesänge, die Innigkeit des Volksliedes mit der Poesie des Volksausdruckes zu verbinden, und überhaupt die musikalischen Darstellungsmittel für das neuentstandene lyrische Gedicht (insbesondere das Goethe'sche) bestimmter zu bezeichnen. Was die Tonheroen *Haydn, Mozart und Beethoven* im Lied geschaffen, steht zwar in keinem Verhältniß zu ihren Schöpfungen auf dem Gebiet der Oper und der Instrumentalmusik; aber der Genius ließ sich auch hier sein Recht 491
nicht rauben, und so finden sich denn auch unter ihren *Gesangscompositionen* mehrere Meisterstücke vor, welche an melodischer und harmonischer Schönheit alles vordem in dieser Art Geschaffene überragen.

Die Lieder Mozart's sind entweder in der ganz einfachen Weise des volksthümlichen Gesanges gehalten, oder sie sind, wo ein ideellerer Inhalt vorliegt, *scenisch erweitert*[14]. Die einzelnen Züge des Gedichtes erscheinen da in einer gewissen Selbstständigkeit musikalisch wiedergegeben, und es tritt eine Liedform zu Tage, in welcher der poetische Inhalt rückhaltloser zum Ausdruck gelangt, als dies bei der zusammengefaßten Art des streng lyrischen Liedes der Fall ist.

Gleichwie Mozart, dem Zug seiner künstlerischen, zum Drama hindrängenden Individualität folgend, das Lied scenisch erweiterte, war es dem *Beethoven*'schen Genius beschieden, dasselbe auf instrumentalem Wege – 492
durch reichere und bedeutendere harmonische Grundlage in der Begleitung[15] – weiter auszubilden und in eine höhere Sfäre zu heben. Die Begleitung des Gesanges gewinnt bei ihm hie und da eine Reichhaltigkeit, die schon auf das folgende Stadium hinweist, in welches das Lied mit Schubert eintreten sollte.

14 Unter den *einundvierzig* bekannt gewordenen Mozart'schen Liedern (aus welchen übrigens einige Arietten und mehrstimmige Gesänge auszuscheiden sind) ragen: »Das Veilchen«, »Abendempfindung«, »Trennung«, »An Chloe« und »Unglückliche Liebe« durch schönen Ausdruck und Formvollendung über die anderen hervor. Die beiden erst genannten sind scenisch erweitert. Das Lied: »An Chloe« nähert sich der Art einer italienischen Canzonette; »Unglückliche Liebe« ist dramatisch leidenschaftlich gehalten. Alle übrigen Lieder sind, wenn auch nicht ohne Reiz, so doch musikalisch unbedeutend. Die Gedichte von Weiße, Hagedorn, Jakobi, Blumauer, Hermes, Hölty, Günther, Kanitz und Claudius boten keinen Anlaß zu größeren Compositionen, die lyrische Poesie Goethe's aber, aus welcher die späteren Liedersänger so reichlich geschöpft haben, scheint Mozart nicht bekannt gewesen zu sein. Was er daraus gemacht haben würde, zeigt das einzige, von ihm in Musik gesetzte, Goethe'sche Lied: »Das Veilchen«.

15 In den »Schottischen« und »Irischen Liedern« sind nebst dem Clavier auch Streichinstrumente verwendet.

Beethoven hat übrigens (gleich Josef Haydn) die schönsten Lieder in den Adagio's seiner Instrumentalmusik gesungen; diese sind tiefer gedacht und empfunden, als seine mit Textworten versehenen Gesänge; dessen nicht zu gedenken, daß letztere zum großen Theil noch nach Mozart'schem Vorbild geschaffen, für Beethoven's Größe in keiner Weise als Maßstab dienen können[16].

Nachdem die wieder erblühte lyrische Dichtung zu festerem Anschluß an des Dichters Wort und dadurch zu intensiverer Verwendung der musikalischen Ausdrucksmittel hingedrängt hatte, nachdem der Vater der Instrumen-
493 talmusik, Josef Haydn, Lieder in volksthümlich instrumentalem Sinn geschrieben, Mozart und Beethoven, jeder in seiner Art, das Lied zu künstlerischer Bedeutung erhoben, und so viele andere große und kleine Meister an seiner Fortbildung den regsten Antheil genommen hatten, ohne daß es Einem derselben gelungen wäre, alle Bedingungen zur Vollendung des Ideales in sich zu vereinen; ward einem Sohn des deutschen Südens, dem armgebornen Schullehrerskinde in der klang- und sangreichen Stadt am Donaustrande, einer Künstlernatur, deren Organismus in seiner Art so reich und tief angelegt war, als jener Mozart's oder Beethoven's, die wunderbare Gabe verliehen, das Innige des Volksliedes mit der Prägnanz des Wortausdruckes und dem ganzen Zauber des Vocalen und Instrumentalen zu verschmelzen, und durch das Zurückgehen auf die knapp gegliederte und künstlich in einander gefügte Liedform jenes musikalische Kunstwerk zu schaffen, in dessen engebegrenztem Rahmen eine Welt sich wiederspiegelt und in wunderbar vielgestaltiger Abwechslung die zartesten und leidenschaftlichsten Regungen des menschlichen Herzens zu vollem und wahrem Ausdruck gelangen.

Dieser Meister, dessen auf unerschöpflicher Erfindungsgabe und reichster Fantasie beruhende Eigenthümlichkeit im Lied schlechterdings *kein Vorbild kennt, ist Franz Schubert*, und mit ihm erreichte die seit Jahrhunderten gehegte Planze ihre erste und höchste Blüthezeit.

Bei Nennung seines Namens steht das deutsche Lied mit seiner ganzen unwiderstehlichen Kraft vor unserer Seele. Er ist der Schöpfer des, *auf den Urstamm des Volksthümlichen gepfropften Liedes*, und eben dieses *volksthüm-*
494 *liche Element* in Verbindung mit der vollendeten künstlerischen Durchbildung

16 Unter den achtundvierzig veröffentlichten Liedern und Arietten Beethoven's behaupten die geistlichen Lieder (*op*. 32), die Cantate (*op*. 48) »Adelaide«, »Sehnsucht«, »Wonne der Wehmuth«, »Mit einem gemalten Band«, »Das glückliche Land«, »Der Wachtelschlag«, »Neue Liebe neues Leben« und der herrliche *Liederkreis*: »An die ferne Geliebte« eine hervorragende Stelle. Beethoven war mit der Goetheschen Lyrik wohl vertraut, er componierte zehn Gedichte von Goethe, darunter »Sehnsucht« vier Mal. Der »*Liederkreis*« ist eine musikalische Form, welche Schubert in den »Müllerliedern« und der »Winterreise« noch weiter ausbildete. Die Lieder Klärchen's aus »Egmont« sind, namentlich das »Freudvoll und leidvoll« *scenisch* erweiterte.

ist es, was demselben eine so große Wirkung sichert, und – wie ein begeisterter Verehrer der Schubert'schen Muse sich ausdrückt, – bei voller Befriedigung des geistigen Bedürfnisses und veredelten Geschmackes, immerdar an jene Urempfindung anklingt, die uns das ganze Leben hindurch an ein großes Ganzes, an eine lebendige Gemeinschaft verwandter Elemente bindet. »Das Schubert'sche Lied wirkt mit dem Zauber, den nur geniale Schöpfungen ausüben; er hat Tonweisen in seiner Fantasie gefunden, die der Menschenseele ihre tiefsten Geheimnisse offenbaren, und ebenso neu und überraschend in ihrer Erscheinung, als vertraut und heimisch in ihrem innersten Wesen die Offenbarung des Wahren im Schönen siegreich vertreten. Bei den Klängen seiner Lieder erwacht die Sehnsucht nach einer schöneren Heimat, dem Ideal, in unserer Brust, und Schmerz und Trauer lösen sich in jene süße Wehmuth auf, die der Aufblick zum Himmel und das Gefühl der Befähigung gibt, sich in seine lichten Räume empor zu schwingen. Er lauschte der menschlichen Stimme, die als Werkzeug der Tonkunst mehr als jedes andere eine ungeahnte Fülle des Ausdruckes und der Schönheit entfaltet, mit wunderbarem Instinct ihren subjectiven Zauber, ihr gleichsam persönliches Seelengeheimniß ab, und verstand es andererseits, durch das Relief einer bedeutenden instrumentalen Begleitung den Gesang zu beleben und charakteristisch bedeutsam zu gestalten.«

Im Gegensatz zu den vereinzelten Liedercompositionen anderer Meister bilden Schubert's Lieder durch ihre ungewöhnlich große Zahl und ihren geistigen Zusammenhang, der *die ganze Schaffensperiode* des Meisters 495
durchzieht und ausfüllt, in ihrer Gesammtheit eine neue umfassende Schöpfung, eine volle Welt dessen, was die Menschenbrust an Freud' und Leid, an Hoffen und Sehnen, an Liebe und Haß, Trotz und Ergebung und den mannigfaltigen Gefühlen, wie diese im Leben zum Durchbruch kommen, in sich schließt und ausströmt.

Die bis jetzt bekannt gewordenen Lieder Schubert's erreichen die Zahl von beiläufig *sechshundert*[17]. Viele deutsche und auch mehrere fremde Dichter lieferten dazu ein größeres oder kleineres Contingent von Gedichten, und ragt unter den Ersteren *Goethe* als derjenige hervor, dessen lyrische Gedichte in dem Schubert'schen Liederkranz nach jeder Seite hin die erste Stelle für sich beanspruchen dürfen[18]. Der größte deutsche Dichter wurde auch der Schöpfer des modernen gesungenen Liedes. So wie vor ihm Beethoven, nach ihm Mendelssohn und Schumann, wendete sich auch Schubert

17 So viele Lieder enthält (in Abschrift) die Witteczek'sche Sammlung.

18 In frühesten Zeit (1811–1815) wählte Schubert hauptsächlich die zahmen sentimentalen Poesien von Hölty, Mathisson, Kosegarten Salis u.s.w., wie diese eben damals beliebt waren und dem Schulgehilfen in die Hände fielen. Später wirkten Mayrhofer, Vogl und Schober auf seine Wahl von Gedichten ein.

in der zweiten Periode seines Schaffens mit Vorliebe der Goethe'schen Lyrik zu[19]. Quillt doch das Lied Goethe's so unmittelbar aus dem reichen, tiefbewegten Innern des Dichters hervor, daß der Musiker schon eine bezaubernde
496 Sprachmelodie vorfindet, die er sofort mit Tönen umkleidet. Die formelle Abrundung des Goethe'schen Gedichtes zügelte auch Schubert's überschäumende Fantasie, und so sind denn seine Compositionen dieser Gedichte ihrer Mehrzahl nach dem Vollendetsten anzureihen, was er im Lied geschaffen hat[20]. Weniger günstig mußte sich Schubert's Verhältniß zu dem anderen deutschen Dichterfürsten *Friedrich von Schiller* gestalten. Der ideale Geistesflug dieses Meisters, der reflektirende Zug, welcher viele seiner Poesieen durchweht, läßt diese nicht in dem Maße für die musikalische Behandlung geeignet sein, als es die lyrischen Weisen Goethe's sind, die, wie er selbst sagt, »ungesucht und ungerufen sich bei ihm einstellten, und durch die Wirklichkeit angeregt, in dieser ihren Grund und Boden haben.« Ohne Zweifel war auch Schubert, in dessen Hände die Schiller'schen Gedichte frühzeitig gelangten, von jenem schwärmerischen Enthusiasmus erfüllt, mit welchem namentlich jugendliche Gemüther die Balladen und die leidenschaft-
497 lichen Poesieen aus des Dichters Sturmperiode zu verschlingen pflegen, und so entstanden schon in den Jahren 1813–1815 die umfangreichen Compositionen: »Die Bürgschaft«, »der Taucher« und »Ritter Toggenburg«, sowie mehrere Lieder, die zwar mit den später auf Goethe'sche Worte entstandenen den Vergleich nicht aushalten, immerhin aber von der außerordentlichen Begabung des jungen Tondichters glänzendes Zeugniß geben. Es tritt eben hier die Wahrnehmung zu Tage, daß Schubert schon in früher Zeit einzelne Lieder geschaffen hat, die vermöge ihrer Vollendung der reifsten Periode seines künstlerischen Wirkens angehören könnten[21].

19 Er hat an 60 Goethe'sche Gedichte in Musik gesetzt.

20 Dahin gehören: Die Gesänge aus »Wilhelm Meister« und jene aus »Westöstlicher Divan«; »Ganymed«, »Schwager Kronos«, »Rastlose Liebe«, »Erlkönig«, »Willkommen und Abschied«, »Grenzen der Menschheit«, »Gretchen am Spinnrad«, »Der Musensohn«, »Erster Verlust«, »Wanderers Nachtlied«, »Geheimes«. – In dem »Nachtlied« (*op.* 4) ist auf kleinem Rahmen ein verhältnißmäßig großer Reichthum von Rhythmen entwickelt und das Metrum findet fast in jeder Strofe eine andere Darstellung. In einigen Liedern wie: »Der Fischer«, »Heidenröslein«, »Nähe der Geliebten«, »Jägers Abendlied« ist die einfachste Liedconstruction fest gehalten, und es ist hauptsächlich die *Melodie*, die den Zauber der Worte zu einheitlichem Zug zusammenfaßt; dagegen tritt bei anderen die Clavierbegleitung in bedeutender und charakteristischer Weise hervor (wie z.B. »Gretchen am Spinnrad«). Wunderbar duftig sind die Suleika-Lieder.

21 So gehört das schöne tiefempfundene Lied: »Thekla eine Geisterstimme« dem Jahre 1813, »des Mädchens Klage« (eines der echt lyrischen und darum auch sangbarsten Schiller'schen Gedichte) dem Jahre 1815 an. Auch die Lieder: »Emma«, »Hectors Abschied«, »der Kampf«, »die Erwartung«, »Laura am Clavier«, »Entzückung an Laura« u.s.w. stammen aus dieser früheren Periode. – Sch. hat im Ganzen zwanzig und einige Gedichte von Schiller in Musik gesetzt, von welchen nebst den oben zuerst genannten

Eine eigenthümliche musikalische Behandlung erheischten die *antikisirenden* Gedichte *Mayrhofer's*, wie: »Memnon«, »Antigone und Oedip«, »Ifigenie«, »Aus Heliopolis«, »Filoktet«, »Orest auf Tauris«, »Der entsühnte Orest«, »Freiwilliges Versinken«, »Lied des Wanderers an die Dioskuren« u.s.w. Schubert's hohe Begabung, für jedweden ihm dargebotenen poetischen Vorwurf den rechten Ton anzuschlagen und den innersten Kern der Sache zu treffen, tritt gerade bei diesen mehr in heroischem Styl gehaltenen, als lyrischempfundenen Gedichten mit schlagender Wirkung hervor[22]. Die 498
obengenannten Lieder zählten zu jenen, mit welchen *Vogl's* dramatische Vortragsweise die größten Effecte erzielte. Diesen Gesängen reihen sich (in der Zahl von achtzehn) die in Tönen verklärten Lieder *Franz von Schober's* an, durchweg in der Blüthezeit des Componisten entstanden, von welchen »Jägers Liebeslied«, »Pilgerweise«, »Viola«, »Schatzgräbers Begehr«, »Todtenmusik« und das »*pax vobiscum*« aus den geistlichen Liedern zu den schönsten und verbreitetsten gehören[23].

Specielle Beachtung verdienen jene Gesänge, welche der Tondichter entweder gleich ursprünglich als einen Kranz sich aneinander reihender Lieder, wie ihn eben der Dichter gewunden hat, darstellte, oder die, wenn auch nicht unmittelbar ineinander verschlungen, durch die darin herrschende einheitliche Stimmung zu einem Ganzen verwebt und verbunden erscheinen. Es sind dieß die *Müllerlieder*, die *Gesänge Ossians*, jene aus W. *Scott's* »*Fräulein am See*«, die *geistlichen Lieder, die Winterreise* und – zum Theil – 499
der »*Schwanengesang*«[24]. Die zuerst genannten umfassen den unter dem

zwei Liedern noch: »Gruppe aus dem Tartarus« und »Dythirambe« als musikalisch werthvoll hervorzuheben sind.

22 Auch Goethe's antikisirende Gedichte: »An Schwager Kronos«, »Ganymed« und »Grenzen der Menschheit« sind musikalisch bedeutend wiedergegeben. – Von »*Memnon*« pflegte Mayrhofer zu sagen, daß dieser erst durch Schubert's Töne sich ihm vollends aufgeklärt habe. – Unter den übrigen Liedern (auf Mayrhofer'sche Dichtungen) ragen »Der zürnenden Diana« und »Nachtstück« durch großartige und tiefsinnige Auffassung hervor. – Die Zahl der von Schubert in Musik gesetzten Gedichte von Mayrhofer beträgt ungefähr dreißig, darunter der »Gondelfahrer«, welchen Schubert auch als Vocalquartett componirte.

23 Auch das wirksame komische Terzett: »Der Hochzeitsbraten« und das schöne Männerquintett »Mondenschein« sind auf Schober'sche Gedichte componirt.

24 Als im Publicum der Wunsch laut wurde, Schubert möchte doch auch einige *heitere* Lieder componiren, setzte er Castelli's »Echo« und sogenannte »Refrainlieder« (*op.* 95) von G. Seidl in Musik, denen noch andere folgen sollten. Schubert fühlte sich aber für diese Art wenig geeignet, und seine »komischen« Lieder gehören auch zu den minder gelungenen. Eine Composition humoristischer Art ist auch die Nr. 3 aus den, dem Sänger Lablache gewidmeten drei italienischen Canzonen (*op.* 83). – Die von Schubert auf italienische Textworte componirten Gesänge tragen durchweg mehr den Charakter der Arie als des Liedes an sich. Dieß ist namentlich der Fall bei dem »*Traditor deluso*« (Nr. 2 des *op.* 83), der mit einem Recitativ beginnend, dem Verzweiflungsgefühl des getäuschten Verräthers bedeutsamen musikalischen Ausdruck verleiht. Die Form erin-

Titel: »Die *schöne Müllerin*« bekannten Ciklus von Gesängen nach Gedichten
500 von Wilhelm Müller[25]. Der Liederkranz enthält unter der Aufschrift: »Die schöne Müllerin, im Winter zu lesen« fünfundzwanzig Gedichte, von welchen Schubert zwanzig componirt hat[26]. Müller's Lyrik ist von naivem Charakter, wahr im Gefühl und poetisch in der Anschauung; kein Wunder, daß sich Schubert von dem Duft der Lieder angezogen fühlte. Beethoven hat in dem schön empfundenen Liederkreis: »An die entfernte Geliebte« innerlich verbundene Gedichte auch äußerlich miteinander verknüpft, und so mit dieser Gattung thatsächlich den Anfang gemacht. Von Schubert's Müllerliedern ist jedes für sich abgeschlossen; der Meister war darauf bedacht, mit lyrischer Beschaulichkeit in jedem einzelnen die Stimmung vollständig zu erschöpfen, gleichwohl bildet jedes derselben den Theil eines Ganzen und gewinnt dadurch seine wahre Bedeutung. Mit inniger Theilnahme folgen wir dem Müller durch Freud und Leid, Hoffnung und Entsagung, und stimmen am Schluß tiefbewegt in »Des Baches Wiegenlied« mit ein. Der im besten Sinn des Wortes volksthümliche Charakter dieser Gesänge hat sie schon seit geraumer Zeit zu einem unschätzbaren Gemeingut aller am Lied sich erfreuenden Menschen gemacht.

Der Reichthum der Formen vom einfachen Strofenlied bis zum durchcom-
501 ponirten, rhythmisch und deklamatorisch bedeutsamen[27], die seine, der jeweiligen Situation und Stimmung entsprechende Charakteristik in der Be-

nert, sowie auch jene der italienischen Sopran-Arie (s. Seite 130) an Mozart'sche Concertarien.

25 Wilhelm *Müller*, geb. in Dessau am 7. October 1795, Sohn eines bemittelten Handwerkers, studirte im Jahre 1812 in Berlin Philologie und Geschichte, schlug im Jahre 1813 die Schlachten des Befreiungskrieges im preußischen Heere mit, und kehrte 1814 nach Berlin zu seinen Studien zurück. Im Jahre 1817 reiste er nach Italien, 1819 wurde er an die neuorganisirte Gelehrtenschule in Dessau berufen und später zugleich Bibliothekar an der dortigen herzoglichen Bibliothek. Im Jahre 1827 eben von einer Erholungsreise zurückgekehrt, starb er wenige Tage darauf zu Dessau am 1. October 1827, also gerade um jene Zeit, als Schubert den zweiten Theil seiner »Winterreise« in Musik setzte. Müller galt als einer der edelsten Menschen, als Gelehrter von umfassenden Kenntnissen und als einer der bedeutendsten lyrischen Dichter. Er schrieb: »Rom und Römerinnen« (1820), »Gedichte aus den hinterlassenen Papieren eines Waldhornisten« (1821–1824) und »Lyrische Spaziergänge« (1827). Eine Sammlung seiner vermischten Schriften hat Gustav Schwab im Jahre 1830 in 5 Bänden herausgegeben.

26 Nicht componirt sind außer dem Prolog und Epilog noch die Lieder: »Das Mühlenleben«, »Erster Schmerz«, »Letzter Scherz« und »Blümlein Vergißmeinnicht«.

27 So sind die Lieder: »Das Wandern« (Nr. 1), »Gute Ruh« (Nr. 20) strofisch und im Volkston gehalten; »Der Feierabend« (Nr. 5) und »Der Neugierige« (Nr. 6) enthalten Recitativstellen; in »Ungeduld« ist es das rhythmische Spiel, welches demselben großen Reiz verleiht; in andern Liedern, wie »Morgengruß«, »Die liebe« und »Die böse Farbe«, – die bei aller Einfachheit interessante harmonische Behandlung.

gleitung[28] und eine Fülle harmonisch schöner Einzelzüge verleiht dieser Reihe innerlich verwandter Lieder auch einen hohen musikalischen Werth. Die vollendet künstlerische Verarbeitung reizend erfundener, wie aus dem Volksgemüth tönender Weisen ist hier in genialster Weise vollzogen.

Ganz anderer Art als diese, sind die in Schubert's Nachlaß vorgefundenen »*Gesänge Ossians*«. Einige derselben, wie: »Loda's Gespenst«, »Shilrik und Vinvela«, »Das Mädchen von Inistore« und »Kolmas Klage« gehören schon dem Jahre 1815 – also einer Zeit an, in welcher Schubert, vielleicht durch
Zumsteeg's[29] Balladen, die er wohl kannte, angeregt, sich mit Vorliebe in 502
dieser Gesangsform versuchte. Die Ossian'schen Gesänge nähern sich eben auch – mit wenigen Ausnahmen – durch ihre epische Breite und die rhapsodisch-musikalische Behandlung des Gedichtes entschieden mehr der Ballade und »Rhapsodie« als dem lyrisch empfundenen Liede.

Was Schubert im Gebiet der eigentlichen *Ballade* und der ihr verwandten
»*Romanze*«[30] geschaffen hat, ist seiner Zeit schon angedeutet worden. Durch 503
den großen Reichthum an Darstellungsmitteln, der ihm zu Gebote stand,

28 Das Begleitungsmotiv, dem Rauschen des Wassers abgelauscht, erscheint in sinniger Umgestaltung und vorwiegend in der tieferen Clavierlage sich bewegend, die so trefflich zur Stimmung paßt, in mehreren Müllerliedern (wie in Nr. 1–4, Nr. 11–19) bald zart und ruhig, dann wieder, wenn es die Situation erheischt, tonreicher und lebendig-energischer.

29 *Johann Rudolf Zumsteeg*, geb. 1760 im ehemaligen Ritter-Canton Odenwald, erhielt seine musikalische Ausbildung in der herzoglich Würtembergischen Hofkapelle. Er trat frühzeitig als schaffender Künstler auf, wozu er hauptsächlich durch *Schiller* aufgemuntert wurde, der ihm gerne die Composition seiner Lieder übertrug. Zumsteeg schrieb viele Lieder, Balladen, Cantaten, Opern und Singspiele, auch Instrumentalsätze. Im J. 1792 wurde er herzogl. Kapellmeister und Operndirector und starb am 27. Jänner 1802. Er war ein Mann von vielem Wissen, sein musikalisches Talent aber mehr ein geistvoll combinirendes, als selbstschöpferisches. So haben denn auch seine Compositionen derzeit nur mehr historisches Interesse und selbst in der Ballade, die eigentlich seinen Ruf begründete, ist er von Schubert, Schumann, und Carl Loewe weit überflügelt worden.

30 Von der Ballade sagt Goethe: »Der Ballade kommt eine mysteriöse Behandlung zu, durch welche das Gemüth und die Fantasie des Lesers in diejenige ahnungsvolle Stimmung versetzt wird, wie sie sich der Welt des Wunderbaren und den gewaltigen Naturkräften gegenüber im schwächeren Menschen nothwendig entfalten muß.« – Die eigentliche Ballade – bemerkt *Reißmann* dazu – hat nach einer gewissen Geschlossenheit der Form zu ringen – wie diese auch in den mustergiltigen Balladen zu Tage tritt – und unterscheidet sich dadurch von der in freieren Formen sich bewegenden *Rhapsodie* und der dem lyrischen Gedicht zunächst stehenden *Romanze*. Die Abgrenzung dieser eben erwähnten episch-lyrischen Dichtungsformen wurde übrigens bei deren musikalischer Behandlung gewöhnlich außer Acht gelassen, und reine Balladen als Rhapsodien oder, wie beispielsweise Goethe's »Fischer« und »Sah ein Knab' ein Röslein steh'n« als Romanzen dargestellt. – In Schubert's Opern spielt *die eigentliche Romanze* eine hervorragende Rolle.

durch die dem Genius verliehene Gabe, aus dem Innersten des Dichters heraus zu schöpfen und die einzelnen Momente der Dichtung sein und charakteristisch auszugestalten, war er immerhin berufen, auch in dieser Gesangsweise einen bedeutsamen Schritt über Zumsteeg und die – ihm wahrscheinlich ganz unbekannten – Berliner Componisten Reichardt und Zelter hinaus zu thun, und so manches Gedicht für alle Zeiten in Tönen wiederzudichten. Dagegen bleibt aber auch *die* Thatsache unbestritten, daß er es, trotz eines »Erlkönig« und anderer Balladen in dieser eigenthümlichen Gattung nicht zu jener idealen Vollendung, wie in dem lyrischen Liede gebracht hat. Wenn Schubert in der meisterhaften Zeichnung der in den großen Balladen enthaltenen einzelnen Bilder, und in der ergreifenden Wahrheit, mit welcher er die lyrischen Momente behandelt, noch immer unerreicht dasteht, so ist doch im großen Ganzen die Palme auf diesem Gebiet *Carl Loewe* zu reichen, der, schöpferisch auftretend, in seinen besten Balladen diese Gesangsgattung auf ihren Höhenpunkt hinstellte, indem er durch enges Zusammenfassen eines volksthümlichen Gesanges für die episch sich entwickelnde Erzählung jenen Grundton gewinnt, der, je nach der Situation melodisch, harmonisch und rhythmisch modificirt, das Bedeutsame der einzeln heraustretenden Partieen bestimmt und die ganze Ballade stimmungs-
504 voll durchzieht[31].

Von den Gesängen Ossians sind die zwei großen Tondichtungen »*Loda's Gespenst*«[32] und »*die Nacht*« in freier Form (rapsodisch) behandelt, während »*Das Mädchen von Inistore*« und »*Ossians Lied nach dem Falle Nathos*« sich mehr der gewöhnlichen Liedform nähern, letzteres übrigens und in noch höherem Grad »*Kolma's Klage*« und »*Kronaar*« in großartigem Styl gehalten sind. Musikalisch bedeutend sind sie alle, und der Zug des Dämonisch-Geisterhaften, der durch die Gesänge des Dichters geht, und die über ödem Heideland und zackigem Fels liegende Nebelnacht mit fantastischen Luftgebilden bevölkert, gelangt in der charakteristischen Weise, in welcher Schubert's musikalischer Genius sich in die Situation versenkt, zu vollem tiefem Ausdruck.

Verstand es Schubert, in den eben erwähnten Tongebilden die Zuhörer schon durch den Klang der ersten Accorde in eine ihnen fremde Welt zu versetzen und fantastisch anzuregen, so tummelte er in den, auf Walter Scott's Gedichte componirten Liedern[33] das beflügelte Rößlein in dem Lande

31 s. Reißmann: »Das deutsche Lied«. S. 245 ff.

32 Der Schlußgesang in »Loda's Gespenst«: »Heil Morvens König« u.s.w. ist, einer verbürgten Mittheilung zufolge, nicht Schubert's Composition, sondern wurde von einem erfahrenen Musikdilettanten »zum Zweck der Abrundung« dem Tonstücke hinzugefügt.

33 Außer den Gesängen aus W. Scott's »Fräulein vom See« sind dahin auch zu zählen: »Richard Löwenherz« (aus Ivanhoe), »Lied der Anna Lyle« (aus Montrose) und »Gesang der Norna« (aus »Pirat«).

der Romantik gar geschickt herum, und so weht dann wieder durch die »geistlichen Lieder« – die übrigens unter sich nicht gleich bedeutend sind[34] – 505
der weihevolle Odem religiöser Betrachtung.

Der zweite Lieder-Cyklus, der sich seiner äußeren Gestalt und Anlage nach jenem der Müllerlieder zur Seite stellt, ist der, unter dem Namen »*Winterreise*« bekannte Liederkreis von Wilhelm Müller.

Die in den drei Liederkränzen[35]: *Reiselieder* genannt, herrschende Stimmung ist, wenn sie auch alle das ruhelose Umherschweifen in der Welt und das Sehnen nach einem geliebten Gegenstande zu ihrem gemeinsamen Inhalte haben, eine wesentlich verschiedene; denn während in der »Große Wanderschaft« und den weiter dazu gehörigen Liedern, sowie auch in den »Wanderlieder« sich eine, nur selten und da nur flüchtig von einem Wehmuthshauche getrübte Heiterkeit ausspricht, schildert die *Winterreise* ein in Folge getäuschter Liebe blutendes Herz, das mit seiner eigenen Qual zu scherzen sich unterfängt, und über die wieder durchbrechende Zärtlichkeit sich in spottender Ironie gefällt[36]. Ein Hauch tiefer Schwermuth und Trost- 506
losigkeit zieht durch diese düsteren Gesänge, der Stern des Lebens scheint erbleicht, und ein kalter, trauriger Winter starrt uns entgegen. Die Lieder der »Winterreise«, in Schubert's letzten Lebensjahren entstanden, stellen sich den »Müllerliedern« ebenbürtig zur Seite; ja es läßt sich von ihnen sagen, daß sie an Zusammenfassung des lyrischen Ausdruckes zu voller Schlagfertigkeit, und an einfacher und einheitlicher Gliederung die meisten seiner Lieder übertreffen, und daß in der Führung der Melodie und in der Clavierbegleitung Eigenthümlichkeiten zu Tage treten, die selbst im Schubert'schen Liede einen Wendepunkt bezeichnen, und gleichsam den Schatten jener

34 Die schönsten darunter: »*Pax vobiscum*«, »Vom Mitleiden Mariä« und »Fest Allerseelen« wurden von Herrn *Herbeck* für gemischten Chor arrangirt und erschienen in dieser Form im Stich.

35 Sie enthalten: *Reiselieder* I. »Große Wanderschaft« eines rheinischen Handwerksburschen mit den Ueberschriften: 1. Auszug, 2. Auf der Landstraße, 3. Einsamkeit, 4. Brüderschaft, 5. Abendweihe, 6. Morgen, 7. Frühlingsgruß, 8. Entschuldigung, 9. Hier und dort, ferner: Des Postillons Morgenlied, bei der Bergschenke, der Prager Musikant, Ein anderer, Die Prager Musikantenbraut, Seefahrers Abschied, und: Schiff und Vogel; – *Reiselieder* II. »Die Winterreise«, und *Reiselieder* III. »Wanderlieder«, bestehend aus den Gedichten: Der ewige Jude, Der Mondsüchtige, Der Apfelbaum, Die Bäume, Heimkehr, und: Der Wanderer in Welschland.

36 So ist gleich der erste Gesang: »Gute Nacht« voll Bitterkeit; in der »Wetterfahne« verhöhnt sich der wandernde Bursche, daß er das Spiel derselben auf seines Liebchens Haus nicht früher schon bemerkt habe u.s.w. Die Kritik hatte zur Zeit des Erscheinens der »Winterreise« unter anderm auch das Formgebrechen auszusetzen, daß im »Wegweiser« und »Wirthshaus« der Gesang mit dem letzten Achtel des fünften Taktes anfange, da doch die ungerade Taktzahl im Periodenbau aus der Musik verbannt sei – ein Vorwurf, der heut zu Tage sich sehr sonderbar ausnimmt.

Phase vorauswerfen, in welche das Lied *nach* Schubert einerseits durch eine gewisse Selbstständigkeit der Melodie und andererseits durch das entschiedener sich geltend machende Uebergewicht der Clavierbegleitung über den Gesang eingetreten ist[37].

Noch ist des »*Schwanengesang*« zu erwähnen, einer Reihe von vierzehn, äußerlich mit einander verbundenen Gesängen, zu welchen Heine, Rellstab und Gabriel Seidl die Worte liehen.

507 *Heine's* erstes Auftreten als deutscher Dichter fällt in Schubert's letzte Lebensjahre, und so war es diesem nur noch beschieden, mit wenigen Liedern die neue Aera einzuweihen, die auch für die musikalische Darstellung mit Heine beginnen sollte, und von den zwei bedeutendsten Liedercomponisten nach Schubert – *Mendelssohn* und *Schumann* – namentlich aber von Letzterem, in erschöpfender Weise weitergeführt wurde[38].

Daß die stimmungsvolle, in kleinem Rahmen zusammengefaßte Lyrik des Heine'schen Gedichtes der künstlerischen Individualität Schubert's zusagte, darf mit Grund angenommen werden, und wie treu der Componist dem Dichter nachbildet, und das in den Worten bisweilen mehr Angedeutete als
508 Ausgeführte auch musikalisch in ein gewisses verschwimmendes Dämmerlicht hüllt, bezeugen die Lieder: »Ihr Bild«, »Die Stadt« und der von unvollständigen, in unklarer Tiefe sich bewegenden Accorden begleitete »Doppelgänger«. Auch hier ist es wieder ganz vorzugsweise die charakteristische Clavierbegleitung, welche dem Musikstück die rechte Stimmung verleiht und die Bedeutung des Gesanges erhöht. Der Lieder Rellstab's und G. Seidl's »Taubenpost« wurde schon früher gedacht. Sowohl die heiteren darunter, als auch jene düsteren Tongebilde, in welchen Schubert so tiefergreifende Saiten anzuschlagen verstand, wie solche weder vor noch nach ihm erklungen sind, zählen

37 Dieß gilt namentlich von dem Lied R. *Schumann's*, des genialsten Nachfolgers Schubert's.

38 Die von Schubert componirten Lieder *Heine's* sind: »Der Atlas«, »Ihr Bild«, »Die Stadt«, »Am Meer«, »Der Doppelgänger« und »Das Fischermädchen«. In ihnen gelangt nur die Liebesandacht und das tragische Moment zu schönem ergreifenden Ausdruck. Schumann dagegen, durch seinen Bildungsgang befähigt, erfaßte den ganzen Heine und kehrte auch die skeptisch-ironische Seite der Heine'schen Lyrik mit vollendeter Meisterschaft heraus, was dem unter der Herrschaft eigenen überströmenden Empfindens stehenden Schubert ebensowenig gelungen wäre, als es der abgeschlossenen, einseitig ausgeprägten Individualität Mendelssohn's gegeben war, über eine formal schöne und abgerundete Gestaltung des Heine'schen Liedes hinaus zu gelangen. Eine Vergleichung der Composition des Liedes: »Ihr Bild« und »Allmächtig im Traume«, durch Schubert, Schumann und Mendelssohn, zeigt die verschiedene Auffassungsweise ein und desselben Gedichtes seitens dieser Meister. – »Das Fischermädchen« hat bekanntlich *Meyerbeer* in einer, von dem Schubert'schen Lied ganz verschiedenen, leidenschaftlich gehaltenen Art componirt. Es ist dieß wohl das gelungenste Lied, das Meyerbeer geschrieben.

zu seinen glücklichsten Inspirationen, und so hält sich der »Schwanengesang«, was Anmuth der Melodie und Reichthum der Erfindung anbelangt, auf gleicher Höhe mit den erwähnten Liederkreisen.

In Mitte dieser hier aufgeführten Liedergruppen liegt ein reicher Schatz von Gesängen verschiedenster Art, voll schöner Melodien, voll dramatischen Lebens, hervorragend durch Originalität der musikalischen Auffassung und mit jener schlagfertigen Bestimmtheit hingezaubert, die eben das Schubert'sche Lied charakterisirt und ihm seine tiefe Wirkung auf den Zuhörer sichert.

Die Zahl der durch den Stich veröffentlichten Lieder Schubert's beträgt derzeit beiläufig *dreihundert und sechzig*. Er hat aber, wie erwähnt – in der That nahezu *an sechshundert* Lieder geschrieben, die theils als Manuscript, theils in Abschrift erhalten sind.

Unter den veröffentlichten Liedern befinden sich welche, (allerdings wenige), deren Nichterscheinen von den Freunden der Schubert'schen Muse leicht verschmerzt werden konnte. Anderseits steht wieder die Thatsache
fest, daß so manches Kleinod, würdig an's Tageslicht gezogen zu werden, 509
noch im Verborgenen ruht[39], und es wird demnach die dankenswerthe Aufgabe der Besitzer unveröffentlichter Lieder sein, nach sorgfältig getroffener Auswahl die besten darunter dem großen Publikum zugänglich zu machen[40].

Nach Schubert haben zwei Meister ersten Ranges sich dem Lied mit Vorliebe zugewendet, und auch auf diesem Gebiete, welches man schon für abgeschlossen hielt, neue Bahnen aufgethan.

Das Lied *Mendelssohn's* und jenes Schubert's stellt sich – gleich den anderen Werken dieser beiden Meister – in Form und Inhalt so grundverschieden 510
dar, daß zu einem Vergleich derselben sich schlechterdings kein Anhaltspunkt

39 So wären beispielsweise die im Jahre 1815 componirten, noch als Manuscript erliegenden Balladen, dann »Hagar's Klage«, »Der Jüngling und der Tod«, »Ihr Grab«, »Die Sterbende«, »Täglich zu singen«, »Daphne am Bach«, »Vollendung«, »Mein Frieden«, »Ammenlied«, »Es träumen die Wolken«, die »Italienische Canzone«, »Das Wallfahrtslied« (Lunz), *anderer Lieder nicht zu gedenken*, werth veröffentlicht zu werden. – Hier möge auch die Bemerkung Platz finden, daß im Verlauf dieser *chronologisch* fortschreitenden Darstellung aller jener Compositionen keine Erwähnung geschehen konnte, deren *Entstehungszeit* nicht sichergestellt ist. Zu den aus diesem Grund übergangenen zählt unter andern auch »*Die Schlacht*« von Schiller, ein in größeren Dimensionen angelegtes, unvollendet gebliebenes Gesangsstück mit Clavierbegleitung, bestehend aus einem marschartigen Vorspiel, Recitativen und Chor, welch' letzterer bei den Worten: »Was blitzt da« und »Auch du Franz, Gott befohlen *Victoria*« einfällt. Die Singstimme ist nicht vollständig ausgeschrieben; der Marsch ist kein anderer, als Schuberts »*Marches heroïques*« ohne Trio (*op.* 27). Die Composition besitzt (in Abschrift von Ferd. Schubert's Hand) Frhr. Josef v. Spaun in Wien.

40 In neuester Zeit hat die Verlagshandlung Spina die »Altschottische Ballade« und mehrere andere Lieder im Stich herausgegeben.

bietet. Das schön gestaltete, edel empfundene, von volksthümlichen Anklängen durchzogene Lied Mendelssohn's trägt allenthalben den rein lyrischen Charakter an sich und bewegt sich in gewissen Formen, deren wesentliche Züge häufig wiederkehren. Die Schubert'sche Weise dagegen verläßt, wenn es die Situation erheischt, den lyrischen Grundtypus und eignet sich epische und dramatische Elemente an; an Reichthum melodischer Erfindung aber, an Mannigfaltigkeit der Form und des Ausdruckes ragt sie über das Mendelssohn'sche Lied in dem Maße hinaus, als überhaupt Schubert's reich und tief angelegte Individualität die zwar ungewöhnlich durchbildete und harmonisch geklärte, aber auch einseitig ausgeprägte und auf ein bescheideneres Materiale angewiesene Künstlernatur Mendelssohn's entschieden überragt[41].

Anders verhält es sich mit *Robert Schumann*, der, von der Composition für das Clavier sich plötzlich dem Lied zuwendend, in ununterbrochener Folge eine große Anzahl von Gesängen zu Tage förderte und sich unbedingt als den genialsten, reichstbegabten Nachfolger Schubert's manifestirte. Er
511 schlug in der That neue, noch nicht vernommene Töne an, und verstand es, mit diesen allen Phasen des Gemüthslebens vom einfach Naiven, vom Heiter-Humoristischen und Sanftbewegten bis zum Dämonisch-Wilden, tief Pathetischen und dunkel Aufgewühlten geistvollen Ausdruck zu geben. Deklamation, Rhythmus und harmonischer Reichthum in der Begleitung treten in seinen Liedern in prägnanter Weise hervor. Während aber bei Schubert der Schwerpunkt immerdar in der Melodie liegt, sucht Schumann sein weniger reiches Erfindungsvermögen durch das Streben nach charakteristischem Ausdruck auszugleichen. Greift man die Elemente, durch welche Schumann als schaffender Künstler nach dieser Richtung hin aufgetreten ist, einzeln heraus, so läßt sich von einem Fortschreiten des Liedes über Schubert hinaus sprechen; keineswegs aber dann, wenn man die Totalität und das innerste Wesen des Liedes in's Auge faßt. Eine Steigerung in dieser Musikgattung ist seit Schubert ebenso wenig eingetreten, als in der Sinfonie seit Beethoven. Denn Keiner hat es wie Schubert verstanden, die Stimmungen, das Weben und Walten in einem Gedicht in so herzergreifenden, reichpulsirenden Melodien zu verkörpern, bei Keinem ist die Uebereinstimmung von Wort und Weise so ungezwungen, blühend und doch wieder so zwingend, als bei ihm. Sein Lied schwebt dem Adler gleich hoch in den Lüften, und in dieser Freiheit von allem Erdendruck, in der Leichtigkeit und krystallhellen Klarheit

41 Dagegen sind die vierstimmigen Lieder: »Lieder im Freien zu singen« eine eigenthümliche und herrliche Blüte des liebenswürdigen feinfühlenden Künstlergeistes Mendelssohn's, dessen, an Händel und Bach herangebildeter Chortechnik und im Kleinen so feinsinnig ordnender Hand sich hier ein reiches Feld fruchtbarer Thätigkeit eröffnete. In diesen Chorliedern gelangte er zu einer Mannigfaltigkeit des Ausdruckes, wie sonst in keiner andern Musikgattung.

seiner Gebilde liegt – auch dem Schumann'schen Lied gegenüber – seine unbesiegbare Kraft[42]. 512

Das einstimmige Lied verlassend, wenden wir uns den *mehrstimmigen* Gesängen Schubert's zu.

Er hat deren eine große Anzahl geschaffen, für Frauenstimmen, für Männer- und gemischten Chor, theils rein vocaler Art, theils mit Instrumental-, namentlich Clavierbegleitung[43]. War es ihm nicht beschieden, auf diesem Gebiet so epochemachend wie im einstimmigen Lied zu wirken, so lag der Grund davon nicht etwa in der Beschränkheit seines Könnens, sondern nur in äußeren Verhältnissen; – denn es ist ihm auch *hier* gelungen einige Meisterwerke hinzuzaubern, die unbedingt dem Schönsten beizuzählen sind, was an mehrstimmigem Gesang bis jetzt geschaffen wurde.

Gleichwie Franz schon in früher Zeit Lieder, Streichquartette, Clavierstücke u.s.w. componirte, schrieb er auch in jungen Jahren mehrstimmige Gesänge, die übrigens – mit Schubert'schem Maß gemessen – nicht bedeutend sind, und deren Zahl im Vergleich zu seinen anderen Compositionen eine verschwindend kleine ist. In späterer Zeit (1821) hatte er wohl mehrere Freunde und Bekannte[44] um sich, für die er gelegentlich ein Terzett[45] oder 513
Quartett flüchtig zu Papier brachte; von einem nach heutigen Begriffen

42 s. Debrois van Bruyk's: »Robert Schumann« in den »Stimmen der Zeit« 1857.

43 *Die Guitarre* war zu Schubert's Zeit als selbstständiges und noch mehr als Begleitungsinstrument beliebt. Er schrieb auch einige mehrstimmige Gesänge mit Guitarrebegleitung; die Vocalquartette*op.* 11 haben nebst dem Clavier auch ein Guitarre-Accompagnement; der »Gesang der Geister« und »Sieg der Deutschen« ist von Streichinstrumenten begleitet; dem »Nachtgesang im Wald« ist Hornbegleitung beigegeben.

44 Diese Schubertsänger waren: Tieze, Barth, Umlauff, Götz, Nejebse, Weinkopf, Frühwald, Heitzinger, Rauscher, Ruprecht, Seipelt und Johann Nestroy.

45 Unter den Terzetten figurirt auch das bekannte: »*Die Advokaten*«, Text von *Rustenfeld* (der Name *Engelhart*, der auf einem geschriebenen Exemplar angegeben war, ist durchstrichen und an seiner Statt *Rustenfeld* gesetzt) für zwei Tenore und eine Baßstimme mit Clavierbegleitung. Der Styl, in welchem »Die Advokaten« componirt sind, läßt kaum auf Schubert als Verfasser rathen und in der That rührt letzteres Terzett nicht von ihm, sondern von einem gewissen *Fischer* her (vielleicht *Anton* Fischer, der, 1782 zu Augsburg geboren, längere Zeit in Wien lebte und an ein Dutzend Opern, darunter »Raoul der Blaubart« schrieb) und wurde von Schubert nur überarbeitet und mit reicherer Clavierbegleitung ausgestattet, – wohl das einzige Beispiel einer von ihm unternommenen Verbesserung einer fremden Arbeit. Die Fischer'sche Composition erschien bei Eder in Wien im Stich; der noch am Leben befindliche kais. Rath *Wenzel Nejebse* (einer von den Quartettsängern aus der Schubertperiode 1821–1823 und mein Gewährsmann in dieser Sache) wirkte in den Dreißiger-Jahren bei dem Advokaten *Dr. Biela* in Brünn zum ersten Mal in dem Terzett mit und ein zweites Mal bei dem Kameralrath *Bannerth* in Wien, der den Sängern zu ihrer Ueberraschung das Eder-Fischer'sche Exemplar zeigte, während sie glaubten, eine Original-Composition von Schubert gesungen zu haben. – Auch Frhr. Josef v. *Spaun* erinnert sich der *Fischer*'schen »Advokaten« und der Umarbeitung derselben durch Schubert.

zahlreichen[46] und wohlgeschulten Chor war weder damals, noch auch in den darauffolgenden Jahren die Rede, daher es ihm im Allgemeinen an einem spontanen Zug für die Composition großer mehrstimmiger Gesänge fehlte, und in der That die meisten und bedeutendsten seiner Chorlieder nur über
514 besondere Veranlassung entstanden sind. Dennoch schuf er (um 1820) den schon früher erwähnten Männerchor: »*Gesang der Geister über den Wassern*«, eine der eigenthümlichsten, großartigsten Compositionen dieser Gattung, welche auch in neuerer Zeit zu voller Anerkennung gelangt ist. Die bald darauf entstandenen Vocalquartette: »Das Dörfchen«, »Die Nachtigall« und »Geist der Liebe« bezeichnen jene erste Periode, in welcher Schubert für Gesangsdilettanten mehrstimmige Gesänge zum Gebrauch in Concerten schrieb, wo sie, mit günstigstem Erfolg produzirt, den Ruf des damals noch wenig gekannten Meisters in weitere Kreise trugen. Seine Thätigkeit auf diesem Feld währte indessen nur kurze Zeit. Die eben erwähnten Vocalquartette, deren Styl – namentlich was die kanonartig behandelte Schlußstrofe anbelangt – dem heutigen Geschmack nicht mehr zusagen will, verloren auch damals allmälig ihre Anziehungskraft, und ein Paar Versuche nach derselben Richtung hin verfehlten ihre Wirkung, eine Thatsache, welche dem Tondichter nicht entging und ihm vorläufig die Luft benahm, noch weiters derlei Gesänge zu schreiben. Diese Abneigung ging so weit, daß der sonst so bereitwillige Schubert dem von *Dr.* Leopold von Sonnleithner an ihn gestellten Ansinnen, zu einem Musikvereins-Concert neue Vocalquartette, *jedoch in einer, von der bisher beobachteten verschiedenen Form* zu componiren, nicht nachkommen zu dürfen glaubte, und seine Ablehnung in folgendem Schreiben[47] motivirte:

»Lieber Herr von Sonnleithner!

Sie wissen selbst, wie es mit der Aufnahme der späteren Quartette stand;
515 die Leute haben es genug. Es könnte mir freilich vielleicht gelingen, eine neue Form zu erfinden, doch kann man auf so etwas nicht sicher rechnen. Da mir aber mein künftiges Schicksal doch etwas am Herzen liegt, so werden Sie, der, wie ich mir schmeichle, auch daran Theil nimmt, wohl selbst gestehen müssen, daß ich mit Sicherheit vorwärts gehen muß, und keineswegs mich der so ehrenvollen Aufforderung unterziehen kann; es müßte denn sein, daß der löbl. Gesellschaft mit der Romanze aus der Zauberharfe[48], von

46 Den »Gesang der Geister« trugen *acht* Sänger mit Instrumentalbegleitung vor.

47 Dasselbe besitzt Herr Josef Hüttenbrenner.

48 Das erwähnte Melodram, welches im Theater an der Wien im Jahre 1820 aufgeführt wurde und zu welchem Schubert die Musik componirt hatte.

Jäger vorgetragen, gedient wäre[49]; dann würde sich beruhigt fühlen Ihr ergebenster

F. Schubert.«

Er schrieb auch kein neues Quartett zu Concert-Zwecken; während aber der bescheidene Künstler meinte, es könnte ihm *vielleicht* gelingen, neue Formen zu erfinden, hatten sich diese in seiner Fantasie bereits ausgeprägt; denn die Quartette: »Widerspruch« und »Der Gondelfahrer«, das Quintett: »Mondenschein« u.s.w., welche kurz darauf entstanden, bekunden schon die neue Phase, in welche Schubert getreten, und der eine (für den Männergesang) noch glänzendere folgen sollte.

Intensiver gestaltete sich in demselben Zeitraume (1820 bis 1822) seine Thätigkeit für die Composition von *Frauenchören* und von solchen für *gemischte Stimmen*. Er schrieb die ersteren ausschließlich für einen kleinen
aber geschulten Verein von Zöglingen des Wiener Conservatoriums, der sie 516
in den sogenannten Donnerstags-Concerten im alten Musikvereinssaal zu wiederholten Malen zur Aufführung brachte.

Bei derlei Anlässen, wenn es galt, seinem Namen Ehre zu machen, wenn ein gut geleiteter Chor für das Gelingen der Aufführung einige Bürgschaft bot[50], oder etwa gar (wie dieß später der Fall war) *Grillparzer* dem von ihm hochverehrten Tondichter die Textworte übermittelte, welche dieser mit Musik umkleiden sollte[51], warf sich auch Schubert in's Zeug, und stellte durch bedeutende Tondichtungen den schlagenden Beweis her, daß er auch auf diesem Gebiet Unvergängliches zu schaffen im Stande sei.

In den letzten drei Jahren seines Erdenwallens war es ihm, gleichwie in der Instrumentalmusik, so auch in dem mehrstimmigen Lied, beschieden, seinen Leistungen darin durch einige Compositionen von echt Schubert'scher Größe und Eigenart die Krone aufzusetzen. Es sind dieß: »Nachtgesang im Wald«, »Nachthelle«, »Ständchen«, und »Der doppelchorige Schlachtgesang«, Tondichtungen verschiedensten Charakters, die beiden ersten von jenem sinnig träumerischen Hauch durchzogen, wie uns dieser aus so vielen Schöpfungen des Meisters entgegenweht, das »Ständchen« von reizender Anmuth, »Der Schlachtgesang« das Gepräge mannhafter Entschlossenheit
und Gottvertrauens an sich tragend. In den drei erstgenannten ist die Cla- 517
vierbegleitung wesentlich und Trägerin der Harmonie. Schubert's bekannte Art, einen Rhythmus, eine Begleitungsfigur vom Anfang bis zu Ende festzu-

49 Von dieser Arie wurde kein Gebrauch gemacht.

50 So entstanden der 22. Psalm, »Gott in der Natur« u.a.m., diese auf Ersuchen des Frl. Anna Fröhlich; – ferner die drei Hymnen *op.* 112 u.s.w.

51 Wie dieß bei »Ständchen« und »Mirjams Siegesgesang« der Fall war.

halten, tritt in denselben klar zu Tage und verleiht den zarten Gesängen einen ganz eigenthümlichen Zauber.

Zu den mehrstimmigen Gesängen zählen im weiteren Sinn auch die *Cantaten* und *Hymnen*. Unter den ersteren ist – abgesehen von dem verschollenen »*Prometheus*« und der »Ostercantate« (*Lazarus*) – der »*Siegesgesang Mirjams*«, Gedicht von Grillparzer, die bedeutendste.

Mirjams Preis des Höchsten nach dem Uebergange der Israeliten durch das rothe Meer, und der Jubelgesang des aus der Sclaverei befreiten Volkes über seine Rettung und den Untergang der Feinde, ein jedenfalls erhabener Stoff, scheint sowohl den Dichter als den Componisten begeistert zu haben; denn der Erstere verfaßte ein gelungenes Gedicht und der Letztere eine seiner herrlichsten Compositionen.

Die erste Strofe: »Rührt die Zimbel, schlagt die Saiten«, ist in breitem Rhythmus und in einem, wie man annehmen darf, absichtlich Händel's Weise nachgeahmten Styl gehalten, der sodann in der zweiten Strofe bei dem Bilde, daß der Herr wie ein Hirt, den Stab zur Hut, vor seinem Volke aus Egypten einhergezogen sei, den Ton sanfter Rührung und Vertrauens annimmt. Herrlich sind sodann in der dritten die Schauer des Wunderbaren während des Zuges durch das aufgethürmte Meer musikalisch ausgedrückt. Von hier ab beginnt die fantasievolle Schilderung des Nahens der Feinde, drohender Gefahr und des Untergangs Pharao's mit seinem Heere, und
518 nachdem die Ruhe des Meeres wiedergekehrt ist, wiederholt sich der Eingangschor und eine kräftige Fuge schließt das Tongemälde ab.

Von den Psalmen und Hymnen ragt die Hymne »*An den h. Geist*« (*op.* 154) (für achtstimmigen Männerchor, mit Begleitung von Blasinstrumenten) durch großen erhabenen Styl über alle andern hervor; ihr reihen sich an: »Gebet vor der Schlacht«, »Gott ist mein Hirt«, »Gott im Ungewitter«, »Gott in der Natur« und »Hymne an den Unendlichen[52].«

Schubert's Originalität, sein reiches Gestaltungsvermögen, die ihm eigene Gabe feinster Charakterisirung und der melodisch harmonische Zauber, der sich in der Verbindung der Oberstimme mit den Unterstimmen eigenthümlich klangvoll ausprägt, kennzeichnen auch die bedeutendsten seiner mehrstimmigen Gesänge, insbesondere die noch an der Neige seines Lebens entstandenen, und blühte nicht schon der Lorbeer auf seiner Stirn für das viele Schöne, das er sonst geboten, er müßte ihm für solche Meisterschaft freudig gereicht werden.

52 Die Cantaten, welche als *op.* 146, 158, 157 und 128 schon vor langer Zeit veröffentlicht wurden, sind derzeit noch so viel wie unbekannt; jene zu Ehren Vogels, Salieri's, Vater Schubert's und die »Italienische Cantate« sind noch Manuscript; die Cantate: »Glaube, Hoffnung und Liebe« (1828), existirte nur in wenigen Exemplaren. Bedeutend ist keine darunter.

Es ist eine bekannte Thatsache, daß, während dem *Liedercomponisten* Schubert schon bei seinen Lebzeiten Lob und Ehre gezollt wurde, seine *Instrumentalwerke* – mit geringen Ausnahmen – verhältnißmäßig wenig beachtet worden sind, und daß es auch nach seinem Tode noch geraumer Zeit 519
bedurfte, um den Clavierwerken, der Kammermusik und den großen Instrumental-Compositionen nach und nach bei dem Publikum Eingang zu verschaffen. Und doch kann derzeit kein Zweifel mehr darüber obwalten, daß Schubert im Gebiet der Instrumentalmusik eine fast ebenso intensive Thätigkeit wie im Lied entwickelte, wie denn mit seinen ersten Liedern auch schon die Erstlinge seiner Streichquartette der Zeit nach zusammenfallen.

Der göttliche Funke, der in ihm lebte, und den kaum dem Knabenalter Entwachsenen Melodien erfinden und ausführen hieß, die durch Schönheit und Eigenthümlichkeit eine noch unbekannte Welt erschlossen, befähigte ihn auch, sich ohne systematische Anleitung die complicirteren Formen der Instrumentalmusik selbst eigen zu machen, und schon in früher Zeit auf dem Gebiet der Kammermusik Werke zu schaffen, die bei ihrer Aufführung selbst *in unseren Tagen* noch immer anregend, ja stellenweise ergreifend wirken[53]. Ein Gleiches läßt sich auch von seinen übrigen Instrumentalcompositionen behaupten.

Franz Schubert, der Vertreter der neuen musikalischen Lyrik, wurde, gleich anderen Meistern der Tonkunst, von dem Vocalen naturgemäß zu dem Instrumentalen hingezogen, nur daß bei ihm der Einfluß des Liedes auf die Instrumentalmusik noch prägnanter hervortritt, als dieß bei andern Tondichtern der Fall ist. Die Tiefe und Innigkeit seines Gemüthes, der 520
Reichthum seiner Fantasie drängten ihn schon in seinen Vocalwerken zu einer ausgedehnten Verwendung des Instrumentalen, in welchem das geheime Weben und Walten des Geistes erschöpfender und unmittelbarer zur Darstellung gelangt, als in dem durch das Wort gebundenen, daher nicht so unbedingt und rückhaltlos sich aussprechenden Vocalen[54]. Seine lyrische Beschaulichkeit war allerdings weniger geeignet, große und weit angelegte Instrumentalformen zu schaffen und durch Gruppirung zu einem geschlossenen Ganzen dem Kunstwerk jene plastische Gestalt zu geben, die ihm andere, selbst weniger geniale Meister zu verleihen wußten. Nicht wenige der Schubert'schen Instrumentalwerke und darunter auch die größeren setzen sich vorwiegend aus einer Reihe, freilich wunderbar empfundener und aus-

53 So z.B. das Streichquartett in *B*, eine der frühesten Compositionen Schubert's (1814), welche das Hellmesberger'sche Quartett vor ein paar Jahren zum ersten Mal in Wien vortrug; ferner das *G-Moll*-Quartett aus dem Jahr 1815.

54 In diesem Sinn – meint *Reißmann* – läßt sich auch das Schubert'sche Clavierstück als Ergänzung seines Liedes bezeichnen; es gibt gleichsam von jenem Gefühlsüberschuß ab, der im Lied nicht zur Erscheinung kommen kann. Siehe Reißmann: »Das deutsche Lied«. S. 283 ff.

geführter Züge zusammen, die zwar mit allem seiner Musik eigenthümlichen Zauber anregen und ergreifen, aber jene gedrungene Form, jene zusammengefaßte Kraft vermissen lassen, welche wieder das Erbtheil anderer Meister sind. Diese aus seiner ganzen musikalischen Organisation entspringende Eigenthümlichkeit, die von Vertheidigern des »strengen Satzes« und »großen Styles« als ein Mangel gedeutet wird, hinderte ihn aber keineswegs, auch auf dem Gebiet des Instrumentalen nicht nur selbstschöpferisch aufzutreten, sondern in allen Zweigen desselben neben minder vollkommenen Werken
521 solche zu schaffen, die den Meisterarbeiten ersten Ranges unbedingt an die Seite zu stellen sind[55]. Mit den bekannten kleineren lyrischen Clavierstücken aber[56] hat er eine, wenn auch nicht neue, so doch seit langer Zeit verlassene Bahn wieder betreten und diesen Formen durch die freie originelle Behandlung, die er, einem schwelgerischen Spiel sich hingebend, ihnen angedeihen ließ, eine künstlerische Bedeutung gesichert, welche von seinen begabtesten Nachfolgern – insbesondere von Mendelssohn, Schumann und Chopin – erfaßt, den Anstoß zu einer Reihe von ähnlichen lyrischen Ergüssen gab, in welchen der Erstgenannte sich noch entschiedener als Schubert auf die Seite des Liedes stellt, wogegen Schumann's Fantasiegebilde für Clavier fast ausschließlich den Charakter rein instrumentaler Kunstwerke an sich tragen[57].

In Schubert's Instrumentalmusik nehmen die *zweihändigen Claviercompositionen* eine hervorragende Stelle ein. Einige derselben, wie die *Impromptus, Momens musicals* und die gesammte Tanzmusik sind in knapperen Formen gehalten, die Fantasieen und Sonaten dagegen stellen sich als freier behandelte, umfangreiche Tondichtungen dar. Die gesammte Claviermusik Schubert's beansprucht aber an sich einen hohen Werth und reiht sich überhaupt
522 dem Bedeutendsten an, was in dieser Musikgattung geschaffen wurde, woran die Thatsache, daß sie verhältnißmäßig wenig zu öffentlicher Aufführung gelangt, nichts zu ändern vermag[58].

Es wird allerdings keinem Unbefangenen in den Sinn kommen, unsers Meisters Tondichtungen für Clavier den gleichartigen Werken jenes Musik-

55 Dahin kommen zu zählen: Die große *C*-Sinfonie, die Streichquartette in *G-Dur* und *D-Moll*, das Streichquintett in *C*, die Sonaten *op*. 42 und 78, die drei letzten Sonaten, die beiden Trios u.s.w.

56 *Impromptus, Momens musicals*, Märsche, Tänze, Variationen u.s.w.

57 Man vergleiche Mendelssohn's »Lieder ohne Worte«, die in der That des Textes nicht bedürfen, und die vielen, in kleineren Formen sich bewegenden Clavierstücke Schumann's.

58 Bei Schubert's Lebzeiten und auch noch geraume Zeit nach seinem Tod mag das Vorurtheil gegen Schubert, den *Claviercomponisten*, und wohl auch die Schwierigkeit der Ausführung davon abgeschreckt haben, Gründe, die derzeit ihre Geltung verloren haben. So viel steht fest, daß Schubert's größere Claviercompositionen – wenigstens in Wien – beinahe gar nicht auf Concertprogrammen figuriren.

heroen gegenüberstellen zu wollen, der gerade in seinen »Sonaten« so wunderbare, aus tiefem Geistesschacht gehobene Schätze niedergelegt hat. Was Schubert in dieser Musikgattung geschaffen, läßt sich weder dem Umfang noch dem geistigen Gehalt nach den Claviercompositionen *Beethovens* als ebenbürtig an die Seite setzen; aber der Genius regt sich doch gewaltig auch in Schubert's Tongebilden, und wenn Beethoven in vielen seiner Sonaten die tiefsten Tiefen der menschlichen Seele aufwühlt, ergreifend und erschütternd wirkt und den Flug seines Geistes durch die ausgebildetste Form derart zu bannen weiß, daß er Kunstwerke im höchsten Sinn des Wortes schafft; so treten in Schubert's Claviermusik wieder Eigenthümlichkeiten zu Tage, die denselben einen ganz besonderen Reiz verleihen, und jene zündende Kraft der Anregung in sich tragen, die vielleicht keinem Tondichter in so hohem Grad eigen ist, als eben ihm[59] Der lyrische Charakter herrscht wohl
auch in diesen Tonstücken vor; das Lied drängt unwiderstehlich, und wo 523
man es am wenigsten erwartet, mitten durch, auch fehlt es nicht hie und da an bedeutungslosen Frasen und Verrückung des Ebenmaßes durch Ausspinnen zahmer Gedanken und Empfindungen; – die vielen frappant rhythmisirten Motive aber, die eben so kühnen als originellen Modulationen, das Hineinziehen und Verarbeiten volksthümlicher Elemente, die weiche, träumerische, mitunter von einem Hauch des Fantastischen angewehte Stimmung, die so manches dieser Tongebilde durchzieht, sichern denselben im großen Ganzen eine unverwüstliche Anziehungskraft[60]. Der Reichthum musikalischer
Schöpfungskraft dringt auch hier in blühender Weise hervor, und die Cla- 524
vier*technik* erscheint durch die Anwendung gebrochener Accorde, durch die Verdopplung der Stimmen und jene volle, so recht aus dem Grund tö-

59 »Schubert – sagt R. Schumann von ihm – Schubert wird immer der Liebling der Jugend bleiben; er zeigt, was sie will, ein überströmend Herz, kühne Gedanken, rasche That; erzählt ihr, was sie am meisten liebt, von romantischen Geschichten, Mädchen und Abenteuern; auch Witz und Humor mischt er bei, aber nicht so viel, daß dadurch die weichere Grundstimmung getrübt würde. Dabei beflügelt er des Spielers eigene Fantasie, wie außer Beethoven kein anderer Componist. Anklänge an diesen finden sich allenthalben, aber auch ohne ihn wäre Schubert kein anderer geworden; seine Eigenthümlichkeit würde vielleicht nur später durchgebrochen sein. Gegen Beethoven gehalten, ist Schubert ein Mädchen-Charakter, bei weitem geschwätziger, weicher und breiter; gegen jenen ein Kind, das sorglos unter Riesen spielt. Zwar bringt auch er seine Kraftstellen, bietet auch er Massen auf, doch verhält es sich immer wie Weib zum Mann, der befiehlt, wo jenes bittet und überredet; dies alles aber nur im Vergleich zu Beethoven; gegen andere ist er noch Mann genug, ja der kühnste und freigiebigste der neueren Musiker.«

60 Einen Zug der Beethoven'schen Romantik – meint R. Schumann – den man den provençalischen nennen könnte, bildete Schubert in eigenstem Geist zur Virtuosität aus. Auf diese Basis stützt sich, ob bewußt oder unbewußt, eine neue, noch nicht entwickelte Schule, von der sich erwarten läßt, daß sie eine besondere Epoche in der Kunstgeschichte bezeichnen wird. (S. gesammelten Schriften I. Band. S. 69.)

nende orchestrale Behandlung des Tasteninstrumentes in mannigfacher Art bereichert und vervollkommt.

Zu den Klavierstücken kleinerer Art zählen die *Impromptus, Momens musicals*, eine große Anzahl von Tänzen (Walzer, Deutsche, Ländler, Galoppe und Ecossaisen) und einige da und dort zerstreute (zumeist nicht bedeutende) Compositionen[61]. Unter diesen nehmen die *Impromptus* (*op.* 90 und 142 zusammen acht Stücke enthaltend) durch ihre verhältnißmäßig breitere Anlage und abgerundete Form eine hervorragende Stelle ein. Schön und bedeutend in jeder Beziehung sind die beiden *Impromptus* Nr. I aus *op.* 90 und Nr. IV aus *op.* 142 (beide in *C-Moll*), von welchen das erste, von einer elegischen Stimmung ausgehend, im weiteren Verlauf aber immer bewegter, und endlich sich zum Jubel steigernd, das letztere (*Allegro scherzando*) eine ungarische Weise – feurig durchgeführt, voll kühner Harmonien, herrlich gearbeitet – jedes für sich ein kleines Meisterstück darstellt. Auch die übrigen *Impromptus*, namentlich jenes in *As* (Nr. *II, op.* 142), enthalten eine Fülle origineller seiner Züge und tritt in ihnen die technische Behandlung des
525 Klaviers neu und bedeutend hervor. Kaum weniger anziehend als die eben erwähnten Tonstücke sind die *Momens musicals* (6 Stücke in 2 Heften, *op.* 93), von welchen besonders jene in *Cis-Moll* (Nr. IV) und in *As-Dur* (Nr. 6) durch überraschende Modulationen, durch Klangschönheiten, volle Harmonien und träumerisch elegischen Ausdruck großen Reiz gewähren. Im Ganzen genommen bilden die einen und die anderen einen Schatz liebenswürdiger Launen und Eigenthümlichkeiten des Componisten, der gerade in diesen gleichsam improvisirten Klavierstücken sich rückhaltlos dem geistvollen Spiel seiner Fantasie hingeben wollte[62].

Unter den *Tänzen* sind es insbesondere die *Polonaisen*, welche durch lebhaften Rhythmus und so manchen seinen Zug erfreuen; aber auch in den deutschen Tänzen, Ländlern, Ecossaisen u.s.w., deren Form eine knappere

61 Solche kleine Clavierstücke sind: »Zehn Variationen« (comp. 1815), ein Scherzo und Trio (1817), Alegretto (zur Erinnerung an Herrn Walcher 1827), ein Marsch mit Trio, ein schönes Adagio (wahrscheinlich der Anfang einer Sonate), dessen Original in meinem Besitz ist. Spaun und Stadler besitzen ebenfalls Bruchstücke von Claviercompositionen.

62 Daß Schubert die oben bezeichneten Clavierstücke so benannt hat, wie sie jetzt heißen, ist kaum anzunehmen. Bezüglich der beiden ersten Impromptu's *op.* 142 ist Schumann der Meinung, daß sie Schubert so nicht überschrieben habe, und daß das erste zweifellos der erste Satz einer Sonate sei, das zweite aber der zweite Satz derselben Sonate, deren Schlußsätze entweder nicht componirt wurden oder abhanden gekommen sind; das vierte, obgleich entschieden nicht dazu gehörig, wäre dann als Finale anzuschließen. Tiefer Ansicht wird von Andern widersprochen und darauf hingewiesen, daß thematische Arbeit und Durchführung, wie solche in den Sonaten vorkommen, hier durchaus fehlen.

ist, blüht es allenthalben, und der glücklichen Erfindung an reizenden Melodien ist da kein Ende[63]. 526

Was die *Fantasien* anbelangt, so stellt sich die bekannte große Fantasie in *C* (*op.* 15) als eines der bedeutendsten wenn auch nicht anziehendsten Klavierwerke dar. Der Bau des ersten und letzten Satzes erscheint zwar etwas ungeschlacht; das Musikstück ist aber reich an melodisch-harmonischen Schönheiten und genialen Einzelzügen, nur weist es als freies Fantasiespiel die Forderungen einer geschlossenen Form noch entschiedener zurück, als dieß bei andern Instrumentalwerken Schubert's der Fall ist. Anderseits ist mit Ausnahme der in der Mitte eingewobenen Liedstelle die ganze Anlage und Behandlung der Fantasie so einladend zur Orchestrirung, daß Franz Liszt, in richtiger Erkenntniß ihres simfonischen Charakters, mit jener Meisterschaft, welche ihm für derlei Bearbeitungen eigen ist, die Orchesterbegleitung dazu componirte, in welcher Form denn auch das Tonstück zu wiederholten Malen zur Aufführung gelangte.

In directem Gegensatz zu diesem steht die *Fantasie - Sonate* in *G*[64] (*op.*
78). Eine träume risch-idyllische Stimmung, die in den ersten zwei Sätzen 527
und dem Trio des Menuetto liedartig zum Ausdruck gelangt, und nur in dem letzten Satz einem neckischen Spiele weicht, durchzieht das eigenthümliche, zartgewobene Tonstück, dessen Vortrag einen ebenso technisch fertigen als feinfühlenden Künstler verlangt. Von den *Sonaten* ist jene in *A-Moll* (*op.* 42) eine der verbreitetsten und beliebtesten. Sie ist aber auch eines der vollendetsten Klavierstücke; - der erste Satz, von einer gewissen Unruhe und umheimlichen Aengstlichkeit, erzeugt durch Fermaten, Pausen, namentlich durch unisone Bässe; der zweite ein Lied, von reizenden Variationen umrankt; der dritte ein, in Beethoven' scher Weise gebildetes *Scherzo* mit schönem Trio; der letzte Satz (*Rondo*) eine rasch dahinbrausende ungarische

63 Die »Erste Walzer« begrüßte der für Schubert immer begeisterte Schumann: »Kleine Genien, die ihr nicht höher über der Erde schwebt als etwa die Höhe einer Blume ist, - zwar mag ich den Sehnsuchtswalzer, in dem sich schon hundert Mädchengefühle abgebadet, und auch die drei letzten nicht, die ich als ästhetischen Fehler im *Ganzen* ihrem Schöpfer nicht verzeihe; - aber wie sich die übrigen um jenen herumdrehen, ihn mit duftigen Fäden mehr oder weniger einspinnen und wie sich durch alle eine so schwärmerische Gedankenlosigkeit zieht, daß man es selbst wird, und beim letzten noch im ersten zu spielen glaubt - ist gar gut.« (II. Bd. S. 9 u. 10.) - Die schönsten der »Deutschen Tänze« hat Herr *Johann Herbeck* für Streich- und Blasinstrumente arrangirt, in welcher Form sie im Februar 1863 und dann wiederholt in Wien unter großem Beifall aufgeführt wurden.

64 Die Sätze sind betitelt: »Fantasie, Andante, Menuetto und Allegretto. Der Unterschied zwischen Fantasie und Sonate kommt bei Schubert's freier Behandlung dieser letzteren gar nicht in Betracht«.

Tanzweise, interessant durch rhythmische und modulatorische Kühnheit, – das Ganze, ein aus Einem Guß hervorgegangenes Meisterstück[65].

Kaum weniger anziehend als diese erscheint auch die zweite *A-Moll* Sonate (*op.* 143, von den Verlegern Mendelssohn gewidmet). Die Einleitung des ersten Satzes und der ganze letzte Satz sind in großem Styl gehalten, während in dem ernsten *Andante* wieder eine jener unheimlichen, fantastisch wirken-
528 den Figuren auftaucht. Die schon erwähnten Eigenthümlichkeiten der Schubert'schen Klaviermusik, insbesondere jene, welche den Fortschritt der Klaviertechnik bekunden, treten auch hier in prägnanter Weise hervor.

Ein Gegenstück zu diesen beiden Sonaten bildet die von Muth und trotziger Kraft erfüllte in *D-Dur* (*op.* 53, von Schubert seinem Freund Karl Maria von Bocklet zugeeignet). Sie ist die in der Ausführung schwierigste, und an rhythmischen und Klangeigenthümlichkeiten, sowie an Kontrasten reichste aller Schubert'schen Sonaten. Der zweite Satz derselben gehört wohl zu dem Bedeutendsten, was die moderne Klaviermusik geschaffen hat[66]. Minder

65 Als die Sonate *op.* 42 veröffentlicht wurde, urtheilte die Leipziger Musikzeitung (Jahrg. 1826, Nr. 9) darüber, »daß dieselbe dem Ausdruck und der Technik nach zwar in rühmlicher Einheit beharre, aber in den abgesteckten Grenzen sich so frei und eigen, so keck und mitunter so sonderbar bewege, daß das Werk auch Fantasie heißen und in dieser Hinsicht wohl nur *mit den größten und feinsten Sonaten* Beethoven's verglichen werden könne.«

66 »Wie wir denn«, sagt Schumann über die *G-Dur-*, *A-Moll-* und *D-Dur*-Sonate, »alle drei Sonaten ohne tausend Worte, geradezu nur ›herrlich‹ nennen müssen, so dünkt uns doch die Fantasie-Sonate seine vollendetste in Form und Geist. Hier ist alles organisch, athmet alles dasselbe Leben. Vom letzten Satz bleibe weg, der keine Fantasie hat, seine Räthsel zu lösen.
Ihr am verwandtesten ist die in *A-Moll*. Der erste Theil ist so still, so träumerisch; bis zu Thränen könnte es rühren; dabei so leicht und einfach aus zwei Stücken gebaut, daß man den Zauberer bewundern muß, der sie so seltsam in- und gegeneinander zu stellen weiß.
Wie anderes Leben sprudelt in der muthigen aus*D-Dur*, – Schlag auf Schlag packend und fortreißend! Und darauf ein Adagio, ganz Schubert angehörend, drangvoll, überschwänglich, daß er kaum ein Ende finden kann. Der letzte Satz paßt schwerlich in das Ganze und ist possirlich genug. Wer die Sache ernstlich nehmen wollte, würde sich sehr lächerlich machen. Florestan nennt ihn eine Satire auf den Pleyel-Zanhal'schen Schlafmützenstyl; Eusebius findet in den contrastirenden starken Stellen Grimassen, mit denen man Kinder zu erschrecken pflegt. Beides läuft auf Humor hinaus.
Wenn Schubert in seinen Liedern sich vielleicht noch origineller zeigt, als in seinen Instrumentalcompositionen, so schätzen wir diese als rein musikalisch und in sich selbständig eben so sehr. Namentlich hat er als Componist für das Klavier vor Andern, im Einzelnen selbst vor Beethoven etwas voraus (so bewunderswürdig sein dieser übrigens in seiner Taubheit mit der Fantasie hörte), – darin nämlich, daß er Claviergemäßer zu instrumentiren weiß, das heißt, daß Alles *klingt*, so recht vom Grunde, aus der Tiefe des Claviers heraus, während wir z.B. bei Beethoven zur Farbe des Tones erst vom Horn, der Hoboe u.s.w. borgen müssen. – Wollten wir über das Innere dieser seiner Schöpfungen im Allgemeinen noch etwas sagen, so wär' es dieses.

groß angelegt sind die Sonaten in *Es* (*op.* 122), in *H-Dur* (*op.* 147 von den Verlegern Thalberg gewidmet) und in *A-Dur* (*op.* 120), doch fehlt es auch in diesen nicht an bedeutenden Zügen, und ist namentlich die zuletzt genannte in hohem Grad anregend. 529

Noch erübrigen die drei großen, von den Verlegern Robert Schumann gewidmeten Sonaten, ferner das*Adagio* und *Rondo* (*op.* 145) und eine nur zum Theil vollendete Sonate in *C*.

Für die ersteren, als Schubert's »allerletzte« Compositionen veröffentlichten Sonaten konnte sich Schumann, der sogar über die Walzer (*op.* 9) seines Lieblings (mit Ausnahme des ihm verhaßten Sehnsuchtswalzers)[67] in Entzücken gerieth, nicht in dem Grad erwärmen, wie für andere Klavierwerke. 530

»Die Sonaten«, sagt Schumann, »sind als das letzte Werk[68] Schubert's bezeichnet, und merkwürdig genug. Vielleicht daß anders urtheilen würde, wem die Zeit der Entstehung fremd geblieben wäre – wie ich selbst sie vielleicht in eine frühere Periode des Künstlers gesetzt hätte, und mir immer das Trio in*Es-Dur* als Schubert's letzte Arbeit[69], als sein Unabhängigstes und Eigenthümlichstes gegolten hat. Uebermenschlich freilich wäre es, daß sich immer steigern und übertreffen sollte, wer wie Schubert, so viel und täglich so viel componirte, und so mögen auch diese Sonaten in der That die letzten Arbeiten seiner Hand sein. Ob er sie auf dem Krankenlager geschrieben, ob nicht, konnte ich nicht erfahren, aus der Musik selbst scheint man auf das erstere schließen zu dürfen. Wie dem sei, so scheinen mir diese Sonaten auffallend anders, als seine anderen, namentlich durch eine viel größere Einfalt der Erfindung, durch ein freiwilliges Resigniren auf glänzende Neuheit, wo er sich sonst so hohe Ansprüche stellt, durch Ausspinnung von gewissen allgemeinen musikalischen Gedanken, anstatt er sonst Periode auf Periode neue Fäden verknüpft. Als könne es gar kein Ende haben, nie verlegen um die Folge, immer musikalisch und gesangreich, rieselt es von Seite zu Seite weiter, hier und da durch einzelne heftigere Regungen unterbrochen, die sich aber schnell wieder beruhigen. So wirkten sie auf mich. Wohlgemuth

Er hat Töne für die feinsten Empfindungen, Gedanken, ja Begebenheiten und Lebenszustände. So tausendgestaltig sich des Menschen Dichten und Trachten bricht, so vielfach die Schubert'sche Musik. Was er anschaut mit dem Auge. berührt mit der Hand, verwandelt sich zu Musik; aus Steinen, die er hinwirft. springen, wie bei Deukalion und Pyrrha lebende Menschengestalten. Er war der ausgezeichnetste nach Beethoven, der, Todfeind aller Philisterei, Musik im höchsten Sinne des Wortes ausübte.«

67 Schumann hat übrigens, wie Wasielewski erwähnt, eben diesen Trauerwalzer mit Variationen geschmückt. Diese Composition ist noch unveröffentlicht.

68 Als *allerletzte* Compositionen wurden die Sonaten *von den Verlegern* bezeichnet, womit noch nicht constatirt ist, daß sie es auch waren.

69 Das *Es*-Trio ist im November 1827 entstanden.

531 und leicht und freundlich schließt er denn auch, als könne er Tags darauf von Neuem beginnen.«

Schumann's musikalische Individualität fühlte sich eben von dem rhapsodischen Charakter, den kühnen Springen und Modulationen, den schroffen Gegensätzen und dem unläugbaren Glanz der Neuheit in den früheren Sonaten in höherem Grad angezogen und erregt, als von der harmonischen, in schönstem Ebenmaß sich darstellenden Gliederung und ruhigeren Entwicklung, welche nach unserer Ansicht gerade diesen Sonaten den Stempel der Reise und Gediegenheit aufdrücken, und insbesondere jene in *C-Moll* und *B-Dur* als echte Kunstwerke erscheinen lassen.

Das *Fragment* (*op.* 145) besteht aus einem*Adagio* (*E-Dur* $^{3}/_{4}$) und einem in gleicher Tonart sich anschließendem *Rondo* (*Allegretto* $^{2}/_{4}$). Ersteres ist eine in ernstem Charakter gehaltene Introduction, deren Styl übrigens weit eher auf einen der älteren Meister, als auf Schubert, schließen läßt[70]; letzteres dagegen ein in kurzer Form gefaßtes anmuthiges Thema von echt Schubert'schem Gepräge. Aus zwei Theilen bestehend, die beim ersten Mal im Vortrag wiederholt werden, leitet es unmittelbar auf ein neues, in rascherem Zeitmaß sich bewegendes Motiv hinüber, welches, mit Passagen in der rechten und linken Hand reich ausgestattet, sich wie eine Umschreibung
532 des zweiten Theiles des Rondothemas darstellt; dieses kehrt am Schluß wieder, und nachdem auch das rascher bewegte Motiv beinahe in der gleichen Durchführung wie beim ersten Mal wiederholt worden ist, schließt das ganze Stück mit dem ersten Satz des Thema's ab. Das »Fragment« reicht nicht an die Höhe der Sonaten hinan und das Passagenwerk darin leidet an überflüssigem Ballast; die Introduction und das Thema aber verfehlen nicht eines guten Eindruckes, und da das letztere in graziöser Weise den Schluß bildet, so ist die Wirkung des ganzen Clavierstückes immerhin eine befriedigende.

Die Claviersonate in *C* ist als »Reliquie« in neuester Zeit bei Whistling in Leipzig erschienen. Sie trägt das Datum April 1825, gehört also Schubert's reifster Zeit an. Von den vier Sätzen ist nur der erste (*Moderato C-Dur* $^{4}/_{4}$) und das *Andante* (*C-Moll* $^{8}/_{9}$) vollständig componirt; der Menuett mit Trio (*As-Dur* $^{2}/_{4}$) und das Finale (*Rondo Allegro C-Dur* $^{2}/_{4}$) sind Bruchstücke geblieben. Die Sonate ist umfangreich und in den ersten zwei Sätzen groß angelegt, vermag aber nicht in dem Grad wie andere Schubert'sche Claviersachen zu fesseln. Uebrigens ist das über einem liedartigen Thema aufgebaute

70 Eine mir vorliegende, wie es scheint, von Ferd. Schubert verfaßte, thematische Zusammenstellung von Clavier- und Kammermusik seines Bruders Franz, führt *nur* das *Rondo Allegretto* an, und es liegt die Vermuthung nahe, daß die Einleitung von anderer Hand herrühre, um das Stück mehr abzurunden und »gangbarer« zu machen.

Andante nicht nur das beste Stück dieser Sonate, sondern überhaupt eine Schubert's vollkommen würdige Arbeit[71]. 533

Unter den *Clavierstücken zu vier Händen* nimmt die *Fantasie in F-Moll* durch Reichthum und Schönheit der Melodien, überraschende Modulationen und ein gewisses Maßhalten in Verarbeitung der Themen eine hervorragende Stelle ein. Schubert hat kein zweites Musikstück dieser Art geschrieben, welches der Fantasie als ganz ebenbürtig zur Seite zu setzen wäre.

Ihr zunächst kommen die Beethoven gewidmeten *Variationen über ein französisches Lied*[72]. Das *Andante favori mit Variationen* (*op.* 30), ein zartes sinniges Musikstück; *einige Märsche* – insbesondere die in*op.* 40 enthaltenen – und das *Duo* in *A-Moll* (richtiger *C-Dur*) *op.* 140.

Dieses letztere stellt sich seiner Anlage und Durchführung nach als eine Composition dar, welche die Eigenschaften eines orchestralen Werkes (mit Anklängen an Beethoven's Sinfonien) in auffallender Weise an sich trägt. Als ein solches erkannte es auch R. Schumann[73], und diese seine Ansicht 534

71 Eine eingehende kritische Beurtheilung des größten Theiles der *zweihändigen* Claviermusik ist in Nr. 4, 5 u. 6 der »Wiener Deutsche Musikzeitung«, III. Jahrg. 1862 enthalten. – In der »Niederrheinische M.Z.«, X. Jahrg. 1862, findet sich ebenfalls ein Aufsatz über die bei *Holle* in Wolfenbüttel erschienenen Schubert'schen Claviercompositionen.

72 Das französische Lied (mit Text) ist einem Heft geschriebener *Romanzen* entnommen, welches Schubert im J. 1818 bei der Familie Esterhazy in Zeléz vorfand. Dasselbe ist derzeit im Besitz der Gräfin Rosine Almasy in Wien

73 Schumann's Urtheil darüber (s. gesammelte Schriften, Bd. II., S. 235) fällt insoferne auf, als er dem Enthusiasmus für seinen Liebling hier (so wie auch bei Besprechung der letzten drei Sonaten) die Zügel anlegt. Seine Worte lauten: »Es gab eine Zeit, wo ich nur ungern über Schubert sprechen, nur Nächtens den Bäumen und Sternen von ihm vorerzählen mögen. Wer schwärmt nicht einmal! Entzückt von diesem neuen Geist, dessen Reichthum mir maß- und grenzenlos dünkte, taub gegen Alles, was gegen ihn zeugen könnte, sann ich nichts, als auf ihn. Mit dem vorrückenden Alter, den wachsenden Ansprüchen wird der Kreis der Lieblinge kleiner und kleiner; an uns liegt es, wie an ihnen. Wo wäre der Meister, über den man sein ganzes Leben hindurch ganz gleich dächte! Zur Würdigung Bach's gehören Erfahrungen, die die Jugend nicht haben kann; selbst Mozart's Sonnenhöhe wird von ihr zu niedrig geschätzt: zum Verständniß Beethoven's reichen blos musikalische Studien ebenfalls nicht aus, wie er uns ebenfalls in gewissen Jahren durch *ein* Werk mehr begeistert als durch das andere. So viel ist gewiß, daß sich gleiche Alter immer anziehen, daß die jugendliche Begeisterung auch am meisten von der Jugend verstanden wird, wie die Kraft des männlichen Meisters vom Mann.«
»Vor zehn Jahren also würde ich diese zuletzt erschienenen Werke ohne Weiteres den schönsten der Welt beigezählt haben, und zu den Leistungen der Gegenwart gehalten sind sie mir das auch jetzt. Als Compositionen von Schubert zähle ich sie aber nicht in die Classe, wohin ich sein Quartett in *D-Moll* für Streichinstrumente, sein Trio in *Es-Dur*, viele seiner kleinen Gesangs- und Clavierstücke rechne. Namentlich scheint mir das Duo noch unter Beethoven'schem Einfluß entstanden, wie ich es denn auch für eine auf das Clavier übertragene Sinfonie hielt, bis mich das Original-Manuscript, in dem es von seiner eigenen Hand als ›vierhändige Sonate‹ bezeichnet ist, eines Anderen überweisen wollte. ›Wollte‹, sag' ich; denn noch immer kann ich nicht von

begegnet derzeit kaum einem Widerspruch. Von den reizenden *Märschen*
535 sind einige von Franz Liszt für Orchester bearbeitet worden und in dieser Form zur Aufführung gelangt[74].

Nach dem über Schubert's Claviermusik im Allgemeinen Gesagten bedarf es kaum mehr des Hinweises, welch' werthvolle Schätze er auch in seinen vierhändigen Claviercompositionen niedergelegt hat. Um aber der Wahrheit die volle Ehre zu geben, darf die Thatsache nicht verschwiegen werden, daß er in keiner andern Musikgattung seiner Neigung zu einem gewissen Sich-
536 gehenlassen und zahmer frasenhafter Gedankenausspinnung in solchem Maße nachgegeben hat, als dieß *in einigen* der vierhändigen Clavierstücke stellenweise der Fall ist[75].

Franz Schubert's Compositionen *für Orchester* bestehen in für sich abgeschlossenen *Ouverturen,* in *Ouverturen zu seinen Opern und in Simfonien.*

Der Ouverturen[76] wurde schon bei verschiedenen Gelegenheiten gedacht.

meinem Gedanken Wer so viel schreibt wie Schubert, macht mit Titeln am Ende nicht viel Federlesens, und so überschrieb er sein Werk vielleicht Sonate, während es als Sinfonie in seinem Kopfe fertig stand; des gemeineren Grundes noch zu erwähnen, daß sich zu einer Sonate doch immer eher Herausgeber fanden, als für eine Sinfonie, in einer Zeit, wo sein Name erst bekannt zu werden anfing. Mit seinem Styl, der Art seiner Behandlung des Claviers vertraut, dieses Werk mit seinen andern Sonaten vergleichend, in denen sich der reinste Claviercharakter ausspricht, kann ich mir es nur als Orchesterstück auslegen. Man hört Saiten- und Blasinstrumente, Tutti's, einzelne Soli's, Paukenwirbel; die großbreite sinfonische Form, selbst die Anklänge an Beethoven'sche Sinfonien, wie im zweiten Satz an das Andante der zweiten von Beethoven, im letzten an den letzten der *A-Dur*-Sinfonie wie einige blassere Stellen, die mir durch das Arrangement verloren zu haben scheinen, unterstützen meine Ansicht gleichfalls. Damit möchte ich das Duo aber gegen den Vorwurf schützen, daß es als Clavierstück nicht immer richtig gedacht sei, daß dem Instrument etwas zugemuthet wird, was es nicht leisten kann, während es als eine arrangirte Sinfonie mit andern Augen zu betrachten wäre. Nehmen wir es so, und wir sind um eine Sinfonie reicher.«

Concertdirector *Joachim* hat das Duo *instrumentirt*, und in dieser Form liegt dasselbe bei Spina. Das Autograf der Sonate besitzt Frau Klara Schumann.

74 Lißt's Instrumentirung der Märsche *op.* 121 und*op.* 40 (welche bis jetzt in Wien zur Aufführung kamen) ist im Ganzen genommen eine glänzend geistreiche, mitunter aber etwas freie. Manche seine Züge treten allerdings in der orchestralen Behandlung prägnanter hervor, als dieß auf dem Clavier der Fall ist, doch sind die Märsche in ihrer ursprünglichen Gestalt interessant genug, um jeder Bearbeitung entrathen zu können.

75 So z.B. in der Sonate in *B (op.* 30), in dem *Divertissement hangrois (op.* 54), in »Lebensstürme« (*op.* 144), in dem Divertissement *op.* 63.

76 Es sind die Ouverturen »im italienischen Styl« (in*C* und *D* 1817), die er als eine Nachahmung Rossinischer Ouverturen schrieb, dann jene in *B-Dur, E-Moll* (comp. 1819) und in *C-Moll,* welche nach Schubert's Tod in den Concerten seines Bruders Ferdinand mit Beifall zur Aufführung kamen; ferner die Ouverture zu »Alfonso und Estrella« (*op.* 69), welche im Jahre 1823 dem Drama »Rosamunde« vorherging, jene zur »Zauberharfe« (als *op.* 26 und zwar unrichtig als Rosamunde-Ouverture veröffentlicht), jene zu »Teufels Lustschloß«, »Fierrabras«, »die Zwillingsbrüder«, »die Freunde

Von den *Sinfonien* ist die erste derselben in*D-Dur* (comp. 1813), wie es kaum anders sein konnte, noch unter dem Einfluß der vorausgegangenen Meister – Haydn und Mozart – deren sinfonische Werke Franz im Convict genau kennen lernte, entstanden, wogegen in den später componirten Schubert's Originalität schon entschiedener hervortritt, aber auch das Hereinstürmen des Sinfonienheros Beethoven auf ihn nicht zu verkennen ist. 537
Schubert sollte aber kurze Zeit vor seinem Tod ein großes orchestrales Werk schaffen, um auch in dieser Musikgattung sein selbstschöpferisches Talent zu bekunden, und dieses Werk ist die (siebente) Sinfonie in *C*, welche ihre eigene Geschichte hat.

In der kritischen Beleuchtung einer Sinfonie (*op.* 4)[77] von H. *Berlioz* sprach *Robert Schumann*[78] den Gedanken aus, daß nach der »Neunten« von Beethoven, dem äußerlich größten vorhandenen Instrumentalwerk, Maß und Ziel erschöpft schien, daß aber *Franz Schubert*, »der fantasiereiche Maler, dessen Pinsel gleich tief vom Mondesstrahl, wie von der Sonnenflamme getränkt war, nach den Beethoven'schen neun Musen vielleich eine zehnte geboren hätte.« – Diese zehnte Sinfonie war damals schon vorhanden, aber noch nicht gekannt. Die Partitur derselben ruhte, seitdem sie im Jahr 1828 unbenützt bei Seite gelegt worden war, still und unangetastet in der Notenkammer Ferdinand Schubert's. Als Schumann im Jahre 1838 Wien und die Gräber der zwei großen Tondichter besuchte, fiel ihm beim Nachhausegehen vom Währinger-Kirchhof ein, daß ja Franzen's Bruder, *Ferdinand* Schubert, noch lebe, auf den Ersterer große Stücke gehalten. »Bald darauf – so erzählt er[79] – suchte ich ihn auf. Er kannte mich aus meiner Verehrung für seinen Bruder, wie ich sie oft öffentlich ausgesprochen, und erzählte und zeigte mir vieles, wovon auch früher unter der Ueberschrift ›Reliquien‹ mit seiner Bewilligung in der Zeitschrift mitgetheilt wurde. Zuletzt ließ er mich auch von den Schätzen sehen, die sich noch von Franz Sch.'s Compositionen in seinen 538
Händen befinden. Der Reichthum, der hier aufgehäuft lag, machte mich freudeschauernd; wo zuerst hingreifen, wo aufhören! Unter andern wies er mir die Partituren mehrerer Simfonien, von denen viele noch gar nicht gehört worden sind, ja oft vorgenommen als zu schwierig und schwülstig zurückgelegt wurden. Man muß Wien kennen, die eigenen Concertverhältnisse, die Schwierigkeiten, die Mittel zu größeren Aufführungen zusammenzufügen, um es zu verzeihen, daß man da, wo Schubert gelebt und gewirkt, außer seinen Liedern von seinen größeren Instrumentalwerken wenig oder gar

von Salamanka«, »Fernando«. Die bedeutendsten *Opern*-Ouverturen sind die zwei zuerst genannten und jene zu »Fierrabras«.

77 *Episode de la vie d'un artiste.*

78 Gesammelte Schriften I. Band, Jahr 1835, S. 119

79 Gesammelte Schriften III. Band, S. 196 u. 197.

nichts zu hören bekommt[80]. Wer weiß wie lange auch die Sinfonie, von der wir heute sprechen, verstäubt und im Dunkel liegen geblieben wäre, hätte ich mich nicht bald mit Ferdinand Sch. verständigt, sie nach Leipzig zu schicken an die Direction der Gewandhaus-Concerte oder an den Künstler selbst, der sie leitet, dessen seinem Blicke ja kaum die schüchtern aufknospende Schönheit entgeht, geschweige denn so offenkundige, meisterhaft strahlende. So ging es in Erfüllung. Die Sinfonie kam in Leipzig an, wurde gehört, verstanden, wieder gehört und freudig, beinahe allgemein bewundert. Die thätige Verlagshandlung Breitkopf und Härtel kaufte Werk und Eigenthum an sich und so liegt sie nun fertig in den Stimmen vor uns, vielleicht auch bald in Partitur, wie wir es zu Nutz und Frommen der Welt wünschten.«

Am 22. März 1839 wurde diese neue Erscheinung am musikalischen
539 Himmel in dem letzten Gewandhaus-Concert dem mit gespannter Aufmerksamkeit lauschenden Publikum unter *Mendelssohn's* Leitung zum ersten Mal vorgeführt und mit ungewöhnlichem Beifall aufgenommen. Auch die kritischen Stimmen waren ihres Lobes voll, und während *Wilhelm Fink*[81] in seiner Besprechung der Sinfonie durch eine detaillirte Zergliederung derselben ihren hohen Werth darzuthun versuchte[82], rief der hochbeglückte, von

80 Obige Beurtheilung der *C*-Sinfonie ist geschrieben unter dem noch frischen, keineswegs vortheilhaften Eindruck, welchen Schumann bei seiner ersten Anwesenheit in Wien, im Jahre 1838, also in einer Zeit traurigster musikalischer Stagnation, von dort mit sich genommen hat.

81 *Fink* (Gottfried Wilhelm), geb. 1783 zu Sulza an der Ilm, gest. 1846, war in mehreren wissenschaftlichen Zweigen, und insbesondere als Musikrecensent und Redacteur der allg. musik. Zeitung in Leipzig literarisch thätig. Seine detaillirte Kritik der *C*-Sinfonie von 2. Sept. ist enthalten im Band 42, Nr. 36, S. 737 der allg. musik. Zeitung. – Weitere Beurtheilungen erschienen im Band 10, J. 1839, Nr. 34, S. 138 der »Neue Zeitschr. f. M.« und in der allg. musik. Zeitung J. 1839, Nr. 51, S. 1034, diese letzteren nach der wiederholten Aufführung im Dec. 1839. – Schubert's Sinfonie ist seit jener Zeit ein Liebling des Gewandhaus-Concertpublikums geworden, und kommt daselbst häufig zur Aufführung.

82 »So sind denn – heißt es in dieser ebenso gewissenhaft als nüchtern geschriebenen Recension über den ersten Satz – so sind denn die Hauptgesetze, die eine geordnete Compositionslehre deutlich zu machen hat, nämlich Figurenentwicklung und Imitationen, welche uns auch in Wahrheit von unseren besten Meistern aller Zeiten, so lange die Musik eine geordnete Kunst heißen kann, practisch und theoretisch mindestens in der Nachahmungslehre vortrefflich eingeprägt worden sind, wacker befolgt zum Gewinn des Ganzen. Daß der Gebrauch der Modulation, der in dergleichen Bearbeitungen immer galt, stärker und bunter geworden ist, als vor unsern Zeiten, kann jeder Erfahrene im Voraus, ohne sich zu täuschen, annehmen; es liegt im Geschmack der Zeit, dessen zweierlei Seiten wohl eine umsichtige Betrachtung verdienten, die aber für sich nicht als Episode stehen müßte. Hat nun dieser langgeführte erste Satz in seinem Wesen und im Geiste des Tonsetzers den herrschenden Geschmack unserer Tage völlig befriedigt, so wird anderseits kein Musikverständiger übersehen, daß die eigenthümliche Frische und die einheitvolle Abrundung des Ganzen vorzüglich in der

Schubert's Muse überschwänglich angeregte Schumann folgende enthusiastische Worte in die Welt hinaus: 540

»Sag' ich es gleich offen: wer diese Sinfonie nicht kennt, kennt noch wenig
von Schubert, und dies mag nach dem, was Schubert bereits der Kunst ge- 541
schenkt, allerdings als ein kaum glaubliches Lob angesehen werden. Es ist so oft und zum Verdruß der Componisten gesagt worden ›nach Beethoven abzustehen von sinfonistischen Plänen‹, und zum Theil auch wahr, daß außer einzelnen bedeutenderen Orchesterwerken, die aber immer mehr zur Beurtheilung des Bildungsganges ihrer Componisten von Interesse waren, einen entschiedenen Einfluß aber auf die Masse, wie auf das Fortschreiten der Gattung nicht übten, das meiste andere nur mattes Spiegelbild Beethoven' scher Weisen war, jener lahmen langweiligen Sinfonienmacher nicht zu gedenken, die Puder und Perrücke von Haydn und Mozart passabel nachzuschatten die Kraft hatten, aber ohne die dazu gehörigen Köpfe. Berlioz gehört Frankreich an und wird nur als interessanter Ausländer und Tollkopf zuweilen genannt. Wie ich geahnt und gehofft hatte, und mancher vielleicht mit

gesunden Wahl einfach klarer Themen, und in der gesetzlich und doch frei gehandhabten Tondichtungsweise aller gebildeten Zeiten, ja am meisten der vorhergegangenen, die im Fache der Entwicklung unsere Lehrer und Vorbilder sind, zu suchen ist. Es dürfte daraus wohl folgen, daß ohne gebührende Vorübungen in Figurenentfaltung und im Gesetz der Nachahmung und Stimmenverkettung auch von Begabten nichts Tüchtiges geleistet werden kann. Man sieht, daß Schubert in diesen Hauptzweigen der Composition heimisch war, folglich darin fleißig gearbeitet haben mußte, er hätte sonst nicht so gehalten zu schreiben vermocht, was keinem Einzigen vom Himmel fällt, der wohl die Anlage aber nicht die Ausbildung derselben ohne des Begabten eigene anhaltende Kraftanstrengung schenkt.« Von dem zweiten Satz urtheilt Fink: »Auch hier sind es wieder die Figurenentwicklungen und freien Nachahmungen, die den Satz im Bund mit geschickter Stimmenvertheilung überaus wirksam machen. War der erste Satz schön, so ist es der zweite nur noch in höherem Grad. Wir halten ihn für den schönsten der ganzen Sinfonie.« – Gleich Günstiges wird von dem dritten Satz gesagt, – nur »daß das Trio, anstatt sich in der bisher üblichen Weise in einem sanft dahinfließenden melodischen Satz zu bewegen, die imitatorische und verwebende Arbeit des Hauptsatzes fortsetze, welcher Umstand, sowie das lange Verweilen auf Nebennoten im Gange des Hauptsatzes die Ursache sei, daß dieser sonst trefflich gearbeitete, im neuen Scherzo-Geschmack erdachte Satz weniger innerlich feßle, als die beiden früheren Nummern.« Vom Schlußsatz endlich heißt es: »Schlicht angelegt wie alles Frühere, ist er so mannigfach und reich in gehöriger Breite und voller Instrumentation durchgeführt, daß bei aller Länge an ein Langweilen nicht zu denken ist. Tiefer ist übrigens seiner Anlage und noch mehr der Entwicklung und Verwebung nach ein Opernfinale. Mannigfache Gestalten rauschen vorüber und zuweilen wird man unwillkürlich an die Erscheinung des steinernen Gastes erinnert, der seinen Mörder an den Ort seiner Bestimmung zu schaffen gesonnen ist. Nicht wie eine Nachahmung des Mozart'schen Finale, sondern wie ein Schubert'sches, das an besagtes Moment anklingt und sich darauf in rauschende Luft überwiegenden Lebens wendet. Die ganze Haltung der Sinfonie ist merkwürdig, vielbeschäftigend, durchschlagend, so daß sie werth ist, an allen Orten, die ein gutes Orchester haben, ausgeführt zu werden.«

mir, daß Schubert, der formenfest, fantasiereich und vielseitig sich schon in
so vielen anderen Gattungen gezeigt, auch die Sinfonie von seiner Seite
packen, daß er die Stelle treffen würde, von der ihr und durch sie der Masse
beizukommen, ist nun in herrlichster Weise eingetroffen. Gewiß hat er auch
542 nicht daran gedacht, die neunte Sinfonie von Beethoven fortsetzen zu wollen,
sondern, ein fleißigster Künstler, schuf er unausgesetzt aus sich heraus, eine
Sinfonie nach der andern, und daß jetzt die Welt gleich seine siebente zu
sehen bekömmt, ohne der Entwickelung zugesehen zu haben und ihre Vor-
gängerinnen zu kennen, ist vielleicht das Einzige, was bei ihrer Veröffentlichung leid thun könnte, was auch selbst zum Mißverstehen des Werkes
Anlaß geben wird. Vielleicht daß auch von den andern bald der Riegel gezogen wird; die kleinste darunter wird noch immer ihre Franz Schubert'sche
Bedeutung haben; ja die Wiener Sinfonien-Ausschreiber hätten den Lorbeer,
der ihnen nöthig war, gar nicht so weit zu suchen brauchen, da er siebenfach
in Ferdinand Schubert's Studierstübchen in einer Vorstadt Wiens überein-
ander lag[83]. Hier war einmal ein würdiger Kranz zu verschenken. So ist's
oft; spricht man in Wien z.B. von – –, so wissen sie des Preisens ihres Franz
Schubert kein Ende; sind sie aber unter sich, so gilt ihnen weder der Eine
noch der Andere etwas besonderes. Wie dem sei, erlaben wir uns nun an
der Fülle Geistes, die aus diesem kostbaren Werke quillt. Es ist wahr, dies
Wien mit seinem Stefansthurme, seinen schönen Frauen, seinem öffentlichen
Gepränge, und wie es von der Donau mit unzähligen Bändern umgürtet,
sich in die blühende Ebene hinstreckt, die nach und nach zu immer höherem
Gebirge aufsteigt, dies Wien mit all' seinen Erinnerungen an die größten
543 deutschen Meister, muß der Fantasie des Musikers ein fruchtbares Erdreich
sein. Oft, wenn ich es von den Gebirgshöhen betrachtete, kam mir's in Sinn,
wie nach jener fernen Alpenreihe wohl manchmal Beethoven's Auge unstät
hinübergeschweift, wie Mozart träumerisch oft den Lauf der Donau, die
überall in Busch und Wald zu verschwimmen scheint, verfolgt haben mag
und Vater Haydn wohl oft den Stefansthurm sich beschaut, den Kopf
schüttelnd über so schwindlige Höhe. Die Bilder der Donau, des Stefans-
thurms und des fernen Alpengebirgs zusammengedrängt und mit einem
leisen katholischen Weihrauchduft überzogen, und man hat eines von Wien,
und steht nun vollends die reizende Landschaft lebendig vor uns, so werden
wohl auch Saiten rege, die sonst nimmer in uns angeklungen haben würden.
Bei der Sinfonie von Schubert, dem hellen, blühenden, romantischen Leben
darin, taucht mir heute die Stadt deutlicher als je wieder auf, wird es mir

83 Eine Anspielung auf die »Preissimfonieen«, die der Wiener Musikverein im J. 1836 ausgeschrieben hat, und wobei Franz Lachner in München mit der*Sinfonia appassionata* in *C-Moll* den Preis davontrug. (S. Schumann's gesammelte Schriften I. Band, S. 224.)

wieder recht klar, wie gerade in dieser Umgebung solche Werke geboren werden können. Ich will nicht versuchen, der Sinfonie eine Folie zu geben; die verschiedenen Lebensalter wählen zu verschieden in ihren Text- und Bilderunterlagen, und der 18jährige Jüngling hört oft eine Weltbegebenheit aus einer Musik heraus, wo der Mann nur ein Landesereigniß sieht, während der Musiker weder an das Eine, noch an das Andere gedacht hat, und eben nur seine beste Musik gab, die er auf dem Herzen hatte. Aber daß die Außenwelt, wie sie heute strahlt, morgen dunkelt, oft hineingreift in das Innere des Dichters und Musikers, das wolle man nur auch glauben, und daß in dieser Sinfonie mehr als bloßer schöner Gesang, mehr als bloßes Leid und Freud, wie es die Musik schon hundertfältig ausgesprochen, verborgen liegt,
ja daß sie uns in eine Region führt, wo wir vorher gewesen zu sein uns nir- 544
gends erinnern können, dies zuzugeben, höre man solche Sinfonie. Hier ist, außer meisterlicher musikalischer Technik der Composition, noch Leben in allen Fasern, Colorit bis in die feinste Abstufung, Bedeutung überall, schärfster Ausdruck des Einzelnen, und über das Ganze endlich eine Romantik ausgegossen, wie man sie schon anderswoher an Franz Schubert kennt. Und diese himmlische Länge der Sinfonie, wie ein dicker Roman in vier Bänden etwa von Jean Paul, der auch niemals endigen kann und aus den besten Gründen zwar, um auch den Leser hinterher nachschaffen zu lassen. Wie erlabt dies, dies Gefühl von Reichthum überall, während man bei Anderen immer das Ende fürchten muß und so oft betrübt wird, getäuscht zu werden. Es wäre unbegreiflich, wo auf einmal Schubert diese spielende, glänzende Meisterschaft, mit dem Orchester umzugehen, hergenommen hätte, wüßte man eben nicht, daß der Sinfonie sechs andere vorausgegangen waren, und daß er sie in reifster Manneskraft schrieb[84]. Ein außerordentliches Talent muß es immer genannt werden, daß er, der so wenig von seinen Instrumentalwerken bei seinen Lebzeiten gehört, zu solcher eigenthümlichen Behandlung der Instrumente, wie der Masse des Orchesters gelangte, die oft wie Menschenstimmen und Chor durcheinandersprechen. Diese Aehnlichkeit mit dem Stimmorgan habe ich außer in vielen Beethoven'schen, nirgends so täuschend und überraschend angetroffen; es ist das Umgekehrte der Meyerbeer'schen Behandlung der Singstimme. Die völlige Unabhängigkeit,
in der die Sinfonie zu denen Beethoven's steht, ist ein anderes Zeichen ihres 545
männlichen Ursprungs. Hier sehe man, wie richtig und weise Schubert's Genius sich offenbart. Die grotesken Formen, die kühnen Verhältnisse nachzuahmen, wie wir sie in Beethoven's spätern Werken antreffen, vermeidet er im Bewußtsein seiner bescheideneren Kräfte; er gibt uns ein Werk in anmuthvollster Form, und trotz dem in neuverschlungener Weise, nirgends zu weit vom Mittelpunkt wegführend, immer wieder zu ihm zurückkehrend.

84 Auf der Partitur steht »März 1828«; im November darauf starb Schubert.

So muß es Jedem erscheinen, der die Sinfonie sich öfters betrachtet. Im Anfange wohl wird das Glänzende, Neue der Instrumentation, die Weite und Breite der Form, der reizende Wechsel des Gefühllebens, die ganze neue Welt, in die wir versetzt werden, den und jenen verwirren, wie ja jeder erste Anblick von Ungewohntem; aber auch dann bleibt noch immer das holde Gefühl etwa wie nach einem vorübergegangenen Märchen- und Zauberspiel; man fühlt überall, der Componist war seiner Geschichte Meister und der Zusammenhang wird dir mit der Zeit wohl auch klar werden. Diesen Eindruck der Sicherheit gibt gleich die prunkhaft romantische Einleitung, obwohl hier noch alles geheimnißvoll verhüllt scheint. Gänzlich neu ist auch der Uebergang von da in das Allegro; das Tempo scheint sich gar nicht zu ändern, wir sind angelandet, wissen nicht wie. Die einzelnen Sätze zu zergliedern, bringt weder uns, noch Andern Freude; man müßte die ganze Sinfonie abschreiben, vom novellistischen Charakter, der sie durchweht, einen Begriff zu geben. Nur vom zweiten Satze, der mit so gar rührenden Stimmen zu uns spricht, mag ich nicht ohne ein Wort scheiden. In ihm findet sich auch eine Stelle, da wo ein Horn wie aus der Ferne ruft, das scheint mir aus an-
546 derer Sphäre herabgekommen zu sein. Hier lauscht auch Alles, als ob ein himmlischer Gast im Orchester herumschliche.

Die Sinfonie hat denn unter uns gewirkt, wie nach den Beethoven'schen keine noch. Künstler und Kunstfreunde vereinigten sich zu ihrem Preise, und vom Meister, der sie auf das Sorgfältigste einstudirt, daß es prächtig zu vernehmen war, hörte ich einige Worte sprechen, die ich Schubert'en hätte bringen mögen, als vielleicht höchste Freudenbotschaft für ihn. Jahre werden vielleicht hingehen, ehe sie sich in Deutschland heimisch gemacht hat; daß sie vergessen, übersehen werde, ist kein Bangen da; sie trägt den ewigen Jugendkeim in sich«[85].

In Wien sollte sie endlich am 15. December 1839 in dem zweiten Gesellschaftsconcert jenes Jahres vollständig aufgeführt werden. Allein schon in der ersten Orchesterprobe weigerten sich die bezahlten »Künstler« die zu einer guten Aufführung nöthigen Proben mitzumachen, und so geschah es, daß, ungeachtet die Aufführung der *ganzen* Sinfonie angekündigt war, nur die beiden ersten Sätze, und diese getrennt durch eine italienische Arie, gegeben wurden[86]. Nach diesem mißglückten Versuch ruhte das Werk abermals

85 Und als die Sinfonie am 29. Oct. 1840 wieder gegeben wurde, schrieb er: »So waren wir denn bis zur Sinfonie, der Krone des Abends, gelangt. Tausend Arme hoben daran. Hätte es Schubert mit seinen eigenen Augen gesehen, er müßte sich ein reicher König gedünkt haben.«

86 Die übrigen Stücke des Concertes waren: *Arie* aus »Lucia«, gesungen von Frln. *Tuczek*, und der 42. Psalm von Mendelssohn. Die Ouverture zum »Berggeist« von Lindpaintuer fiel ebenfalls aus. – *Ferd. Schubert* erwähnt einer im J. 1842 vom Conservatorium in Paris versuchten Aufführung der Sinfonie, die aber gleichfalls an der Indolenz der Musiker scheiterte. Im J. 1839 schon wollte sie Mendelssohn der filharmonischen Ge-

durch eilf Jahre, bis es am Schluß des Jahres 1850 in einem Gesellschaftsconcert (unter Herrn Josef Hellmesbergers Leitung) in Wien zum ersten Mal vollständig, doch nur mit mäßigem Beifall aufgenommen, zur Aufführung 547
gelangte[87]. In der Vaterstadt des Tondichters hat nämlich dieses, von Mendelssohn und Schumann als die bedeutendste orchestrale Schöpfung nach den Beethoven'schen anerkannte[88], und insbesondere auch seiner Form wegen hochgehaltene Werk bis zur Stunde nicht jenen Erfolg erzielen, jene Anerkennung erringen können, deren es in so hohem Grad würdig ist, wenn auch jetzt *die* Thatsache constatirt werden muß, daß es sich in Folge wiederholter Aufführungen einer liebevolleren Aufnahme zu erfreuen beginnt. Die breite Ausspinnung der Sätze (daher auch die lange Dauer der Sinfonie) und Formmängel werden ihr noch fortan zum Vorwurf gemacht, und so hat sich denn das seltsame Schauspiel begeben, daß die sinfonischen Fragmente aus früher entstandenen Sinfonien[89], namentlich das reizende, übrigens an Beethoven's Art gemahnende *Scherzo* der sechsten Sinfonie, und der letzte. Satz der zweiten in *D-Dur* ihrer concisen Form und anregenden 548
Motive wegen sich eines so lebhaft-aufrichtigen Beifalls zu erfreuen hatten, wie ein solcher der durch und durch originellen, ungleich bedeutenderen und in Schubert's reifster Zeit entstandenen »siebenten« noch nie zu Theil geworden ist. Der, in zwei Sätzen vollendeten, bis jetzt unbekannten Sinfonie in *H-Moll*, welche sich seit 1822 in Händen des Herrn Anselm Hüttenbrenner in Gratz befinden und sehr Schönes enthalten soll, wurde schon früher gedacht; deßgleichen der Skizze einer Sinfonie in *E* (1821), welche (nach Ferd. Schubert) im Jahre 1845 in den Besitz Mendelssohn's übergegangen ist[90]. 549

sellschaft in London zur Aufführung übersenden und fragte deßhalb bei Ferd. Schubert an, der aber die Antwort darauf schuldig blieb.

87 Seitdem wurde sie im J. 1857 von den Filharmonikern, im J. 1859 in einem Gesellschaftsconcert (unter Hrn. Herbecks Leitung) und im J. 1862 abermals von den Filharmonikern (unter Hrn. Dessoff's Direction) aufgeführt.

88 Es fällt auf, daß in den bisher veröffentlichten Briefen Mendelssohn's der Schubert'schen Sinfonie mit keinem Wort gedacht wird.

89 Es waren dieß die beiden ersten Sätze der »Tragischen« in *C-Moll* (comp. 1816), der dritte Satz der ersten *C-Dur*-Sinfonie (1818) und das Finale der zweiten *D-Dur*-Sinfonie (1815).

90 Welche Verwirrung in den Angaben über die Entstehungszeit, die Zahl und die stattgehabten Aufführungen der Schubert'schen Sinfonieen herrscht, davon gibt Folgendes einen schlagenden Beweis. In dem von Alois Fuchs verfaßten Autografen-Verzeichnisse findet sich eine *sechste* Sinfonie in *C*, componirt im Jahre 1816 (!), als in Händen Mendelssohn's befindlich angegeben. Ferd. Schubert erwähnt einer Sinfonie in *C* aus dem Jahr 1817, und auf dem Concert-Zettel des Wiener Musikvereins (2. Dec. 1860) war als Entstehungszeit des Scherzo der sechsten Sinfonie in *C* das Jahr 1825 bezeichnet. Alle diese Angaben sind unrichtig, da Franz Schubert auf die (in Händen des Hrn. *Dr.* Schneider in Wien befindliche) Original-Partitur das Jahr 1818 geschrieben hat, womit freilich die Möglichkeit nicht ausgeschlossen ist, daß er das Werk schon im

Wie schon im Beginn dieser Darstellung erwähnt worden, hat sich Schubert frühzeitig auf dem Gebiete der *Kammermusik* versucht. Streichquartette, die er noch im Convict oder in der nächsten Zeit nach seinem Austritt aus der Anstalt componirte, kamen im väterlichen Haus zur Aufführung, und einige derselben sind jetzt noch als Manuscript erhalten[91]. Er selbst betrachtete diese Compositionen als Uebungen, und hielt, wie dieß eine bereits angeführte Briefstelle bezeugt, jedenfalls viel weniger von ihrem Werth, als seine Verwandten und Freunde, welchen sie vorgeführt wurden. In späterer Zeit, als er sich fast ausschließlich dem Lied und der Claviermusik hingab, hat er diese Musikgattung mehrere Jahre hindurch nicht weiter cultivirt; desto energischer und erfolgreicher waren die, in die letzte Zeit seines Lebens fallenden Bestrebungen, auch auf diesem Feld Bedeutendes zu schaffen. Wenn von Schubert's Leistungen in der Kammermusik die Rede ist, werden
550 in erster Reihe die beiden Trio (in *B* und in *Es*), die Streichquartette in *D-Moll* und *G-Dur* und das Streichquintett in *C* als maßgebend hervorzuheben sein. Die beiden Trio, noch bei Lebzeiten des Componisten in Privatkreisen aufgeführt, zählen zu Schubert's bekanntesten Werken. In ihrem Entstehen nur durch eine kurze Spanne Zeit von einander geschieden, fallen sie in des Tondichters letzte Schaffensperiode[92] und erfreuen durch alle schon zu wiederholten Malen bezeichnete Eigenthümlichkeiten und Reize der Schubert'schen Muse, nur daß diesen beiden Compositionen der Stempel künstlerischer Reise und intensiverer Arbeit aufgedrückt ist. Breiter angelegt, kräftiger durchgeführt, form- und fantasiereicher erscheint im Ganzen ge-

Jahr 1817 begonnen habe, welches dann Ferd. Schubert als das Jahr der Entstehung bezeichnete. Im Jahr 1839 sendete Ferd. Schubert an Felix Mendelssohn-Bartholdy *zwei* Sinfonieen seines Bruders, darunter die große in *C*, die am 21. März 1839 in Leipzig gegeben wurde. Von dieser siebenten Sinfonie sagt Bauernfeld in seiner Skizze, sie sei im Jahre 1825 componirt worden, und Ferd. Schubert gibt das Jahr 1826 als deren Entstehungszeit an, während doch auf der Original-Partitur (im Besitz des Wiener Musikvereins) das Datum: März 1828 angegeben erscheint. Von eben dieser (angeblich im Jahr 1826 componirten) Sinfonie meinte Ferd. Schubert, daß sie Mendelssohn in den Jahren 1845 bis 1847 (!) in Leipzig zur Aufführung gebracht, und daß Franz für dieselbe von der Gesellschaft der Musikfreunde in Wien das Ehrengeschenk erhalten habe; lauter unrichtige Daten und Annahmen. Und so fand sich denn die Redaction der »Deutsche Musikzeitung« in Wien anläßlich der Vorführung der sinfonischen Fragmente zu der Frage veranlaßt, welche der beiden *C*-Sinfonieen denn eigentlich im Jahr 1828 aufgeführt worden sei?

91 Dahin zählen: ein Streichquartett in *D-* (19. November 1812), ein zweites in *B- de dato* 23. August 1814, und eines in *G-Moll* (25. März 1815), deren Autografe der Musikverein besitzt.

92 Das *Es*-Trio ist, wie aus dem in Händen der Frau Gräfin Almasy in Wien befindlichen Original zu ersehen, im November 1827 entstanden und bald darauf in Leipzig durch den Stich veröffentlicht worden. Das *B*-Trio wurde *vor* jenem in *Es* componirt, aber erst später im Stich herausgegeben.

nommen das *Es*-Trio[93], auf welches selbst der bescheidene Künstler nicht 551
ohne innere Befriedigung blickte. Namentlich sind die ersten drei Sätze schöngestaltet und bedeutend, während das mit einem unbedeutenden Motiv beginnende und breit ausgesponnene Finale zwar in seinem Verlauf viel des Schönen bietet, den gedrungenen Bau der vorhergehenden Sätze aber vermissen läßt[94].

Vortrefflich in jeder Beziehung, anregend und stellenweise ergreifend sind die beiden Streichquartette in *G-Dur* und *D-Moll*[95]; beide überragt an Breite der Anlage und Tiefe der Conception das Streichquintett in *C*, ein Juwel im Gebiet der Kammermusik, von durch und durch Schubert'schem Gepräge,
theilweise aber auch (wie im *Adagio* und in dem Trio des *Scherzo*) von 552
Beethoven' scher Größe[96]. Ihnen reihen sich an: Das *Streichquartett in A-*

93 Von dem *B*-Trio sagt Schumann, nachdem er eben eine Reihe anderer Trio's kritisch abgethan: »Ein Blick auf das Trio von *Schubert* – und das erbärmliche Menschentreiben flieht zurück und die Welt glänzt wieder frisch. Ging doch schon vor etwa zehn Jahren ein Schubert'sches Trio, wie eine zürnende Himmelserscheinung, über das damalige Musiktreiben hinweg; es war gerade sein hundertstes Werk, und kurz darauf, im November 1828, starb er. Das neuerschienene Trio scheint ein älteres. Im Styl verräth es durchaus keine frühere Periode und mag kurz vor dem bekannten in *Es-Dur* geschrieben sein. Innerlich unterscheiden sie sich aber wesentlich von einander. Der erste Satz, der dort tiefer Zorn und wiederum überschwengliche Sehnsucht, ist in unserm anmuthig, vertrauend, jungfräulich; das Adagio, das dort ein Seufzer, der sich bis zur Herzensangst steigern möchte, ist hier ein seliges Träumen, ein Auf- und Niederwallen schön menschlicher Empfindung. Die Scherzo's ähneln sich; doch gebe ich dem im früher erschienenen zweiten Trio den Vorzug. Ueber die letzten Sätze entscheid' ich nicht. Mit einem Worte, das Trio in *Es-Dur* ist mehr handelnd, männlich, dramatisch, unseres dagegen leidend, weiblich, lyrisch. Sei uns das hinterlassene Werk ein theures Vermächtniß! Die Zeit, so zahllos und Schönes sie gebiert, einen Schubert bringt sie sobald nicht wieder.«

94 Das Motiv des zweiten Satzes in dem *Es*-Trio ist, wie mir *Dr.* L. v. Sonnleithner mittheilte, eine schwedische Volksweise. Der berühmte Sänger Johann Siboni, zu jener Zeit Director des Conservatoriums in Kopenhagen, hatte nämlich seinen Schüler, den Tenorsänger Berg, jetzt Director im Conservatorium in Stockholm (erster Lehrer der Jenny Lind), als dieser in den Jahren 1827 oder 1828 nach Wien reiste, an die Fräulein Fröhlich's (früher Schülerinnen des Siboni) empfohlen, wo er öfter in kleineren Kreisen sang. Schubert hörte da schwedische Nationallieder, die ihm sehr gefielen, erbat sich eine Abschrift davon und benützte eines davon, ohne ein Hehl daraus zu machen, als Thema in dem Trio.

95 In dem *D-Moll* Quartett erscheint bekanntlich der Gesang des Todes in dem Lied: »*Der Tod und das Mädchen*« von Schubert, als Thema des Adagio, das dann in reizender Weise variirt wird.

96 Von dem Quintett in *C* (für 2 Violinen, Viola und 2 Violoncelli) gab August *Rose* zu Schnepfenthal im Verlag von C.A. Spina eine vierhändige Bearbeitung heraus. Anläßlich des Erscheinens dieses Arrangements lieh ein nichts weniger als zu falschem Enthusiasmus hinneigender musikalischer Kritiker in der »deutschen Musikzeitung« Nr. 29, II. Jahrgang, seinem Unmuth über das lange Unbekanntbleiben dieses Wertes und seiner Freude an demselben in nachfolgender Weise Ausdruck: »Herz und Gehirn

553 *Moll* (*op.* 29) und jene in *E-Dur* und *Es-Dur* (*op.* 125), von welchen das erstgenannte als das bedeutendste öfter zur Aufführung gelangt; sodann die *drei Sonatinen* für Violine und Pianoforte, das *Duo für Piano und Flöte* (*op.* 160), ein *Notturno* für Pianoforte, Violine und Cello (*op.* 148), die beiden *Duo für Pianoforte und Violine in C* und *A* (*op.* 159 und 162), das *Rondeau brillant* für Pianoforte und Violine in *H-Moll* (*op.* 70) mit einer in großem Styl gehaltenen Introduction – überhaupt das gelungendste der drei Duos – das im Jahre 1824 componirte große *Octett*, dessen (so wie auch des *op.* 160) schon früher erwähnt worden ist, endlich das melodiöse aber zahme *Clavierquintett* (*op.* 114) mit dem Lied: »Die Forelle« als Thema des zweiten Satzes.

empören sich darüber, daß ein solches Werk an die dreißig Jahre als Manuscript hat todt liegen müssen; denn ich kann auf dieses Werk nur die Worte anwenden, in welche *Schumann* ausbrach, als er desselben Meisters *C-Dur* Sinfonie kennen lernte; er meinte nämlich von ihr: wer sie nicht kenne, der kenne überhaupt noch wenig von *Schubert*. Man wird zugeben, daß dies von dem Schöpfer so zahlloser, in ewigem Verklärungsglanze strahlender Produktionen viel behaupten heißt; ich muß aber jenen kühnen Ausspruch noch entschiedener für dieses Quintett reklamiren, denn jene Sinfonie hat Mängel, die man nicht übersehen, sie hat Rivalen, die sie durch Alles, was sie Schönes und Bedeutendes bietet, nicht vergessen machen kann. Aber dieses Quintett ist ein Himmelswerk, einzig in seiner Art, berauschend bis zur Wonnetrunkenheit durch die wunderbare Schönheit, den unsäglichen Liebreiz, die es von der ersten bis zur letzten Rote ausathmet. Staunend fragt man sich: und das hat ein Mensch gemacht, das ist nicht in einer seligen Sommernacht aus den leuchtenden Gestirnen hernieder geträufelt und hat sich nur erst im Schooße der Erde zu festen Tönen krystallisirt? Ich meinerseits fühle mich weder befähigt, noch bemüßigt, über dieses Werk etwas Weiteres zu sagen: nur eines Satzes, des Adagio nämlich, der Kern von Allen, muß ich noch ganz besonders gedenken und auch dies nur, um in ganz einfachen Worten zu erklären, daß ich in der gesammten musikalischen Literatur, einige *Beethoven*'sche Adagios ausgenommen, nichts Rührenderes, Erschütternderes, den tiefsten Lebensodem Anfachendes, bis in's innerste Mark schauervoll süß Einschneidenderes kenne, als dieses Adagio. Zugleich ist es durch seinen ganz eigenthümlichen Grundton, durch seine höchst wundersame Rhythmik überhaupt ein Unicum. Ich meine namentlich die ganze Partie vom Eintritt des *F-Moll* bis zur Wiederkehr des Hauptmotivs. Eine ganze Welt liegt in diesen Tönen, nur daß mich ihr, dornenvolles Leiden verkündendes, dunkles Geheimniß mit Schauer erfüllt, denn nie, seit die Erde steht, ist unter heißen, schmerzlichen Thränen, die auch dem Hörer in's Auge treten und ihm fast die Brust zersprengen müssen, himmlischer gelächelt worden.« Ueber den letzten Satz des Quintetts – und die letzten Sätze in der Schubert'schen Instrumentalmusik machen zuweilen den Eindruck, als ob der Componist sich beeilte fertig zu werden, – bemerkt der Verfasser des Aufsatzes mit Recht: »Sollte ja unter den vier Sätzen dieses Quintetts einer um ein weniges geringer heißen, so wäre es – aber auch nur im Verhältniß zu den übrigen – der letzte. Er schlägt mit seiner muntern Tanzrhythmik fast die Fußspitzen elektrisirend, einen bis zur Lockerheit übermüthigen Ton an und eine Stelle kommt darin vor, welche in der That nahe schon an's Triviale streift; aber der Uebermuth ist doch zugleich mit so viel Liebenswürdigkeit versetzt, daß man ihm nicht gram werden kann.«

Das Duo (*op.* 159), »*Fantasie*« betitelt, und das *Notturno* sind schwierig auszuführende und doch minder anregende Compositionen dieser Gattung. Ersteres besteht aus einer Introduction (*Andante moto C-Dur* $^{6}/_{8}$), an welches sich ein knapp gehaltenes, ungarisch schillerndes Motiv (*Allegretto A-Moll* $^{2}/_{4}$) anreiht. Den zweiten Satz (*Andantino As-Dur* $^{3}/_{4}$) bildet das schöne Schubertlied: »Sei mir gegrüßt« (von Rückert) mit Variationen, nach welchen die Introduction wiederkehrt, und ein Allegrosatz (*C-Dur* $^{4}/_{4}$) das Musikstück abschließt. Die »Fantasie«, allerdings keine der bedeutenderen Compositionen unseres Tondichters, aber auch nichts weniger, als eine verwerfliche Arbeit, stand bei Schubert's Lebzeiten ihrer »Verworrenheit« wegen in so üblem Geruch, daß Publikum und Verleger vor ihr, wie vor einem musikalischen Popanz, scheuten[97]. 554 555

Einen directen Gegensatz zu den erwähnten Duos bilden die (wenig gekannten, im Jahre 1816 entstandenen) drei *Sonatinen* für Clavier und Violine[98] (*op.* 137), welche sich durch eine fast befremdende Einfachheit der Behandlung auszeichnen, aber auch das Schubert'sche Gepräge nur in geringem Maß an sich tragen. Die anziehendste unter den Sonatinen ist wohl die zweite in *A-Moll.*

Die Kenntniß der Schubert'schen Kammermusik ihrem ganzen Umfang nach ist – wie noch am Schluß dieser Darstellung gezeigt werden wird – in der Vaterstadt des Componisten eine Errungenschaft der neueren Zeit, in welcher man sich nicht mehr *damit* begnügte, die wenigen, schon lange bekannten Werke in möglichster Vollkommenheit zu produciren, sondern rühmlichst bestrebt war, auch Compositionen aus des Tondichters frühester

97 Als das Duo im Februar 1828 in einer musikalischen Akademie im Kärnthnerthortheater vorgeführt wurde, meinte ein Recensent (in der musikalischen Zeitung), Schubert habe sich darin vollkommen *vergallopirt.* – Im Sammler (Jahrg. 1828) wird der »Fantasie« in folgender, eigentlich nichts besagender Weise, gedacht: »Das Duo von F. Schubert, welches Herr *Slawik*, vom Conservatorium in Prag, in seinem Concert (20. Jänner 1828) im landständischen Saal spielte, dehnt sich zu lange über die Zeit aus, welche der Wiener den geistigen Genüssen widmen will. Der Saal wurde immer leerer, und Referent gesteht, daß auch *er* von dem Ausgang des Musikstückes nichts zu sagen weiß. – Der Musikalienverleger Probst in Leipzig verwahrte sich in seinem Brief an Schubert ausdrücklich gegen die Zusendung dieses Duo. – In neuerer Zeit spielten es namhafte Künstler, wie: Liszt, Egghardt und Hellmesberger (bei einer Schubertfeier in Weimar und in Wien), Letzterer auch in einer Abendunterhaltung des Wiener Männergesang-Vereines) und Ferd. Laub in seinem Abschiedsconcert in Wien (Jänner 1864) mit Herrn Epstein. – Das Duo in *A* stand auf dem Programm des Schubert-Monument-Concertes (März 1864), fiel aber als letzte Nummer weg.«

98 Nr. 1 in *D-Dur* $^{4}/_{4}$, Nr. 2 in *A-Moll* $^{4}/_{4}$, Nr. 3 in*G-Moll* $^{3}/_{4}$.

Schaffensperiode[99] und einige »vergraben gewesene« aus seiner Blüthezeit aus Tageslicht zu ziehen um dadurch die volle Würdigung Schubert's auch
556 nach dieser Seite hin zu ermöglichen[100].

Der *Opern* wurde bereits ausführlicher gedacht. Im Ganzen genommen sind Schubert's für das Theater geschriebene Werke noch immer »ein unbekanntes Land«; denn nur wenige davon, und diese durchaus kleinerer Art, sind zur Aufführung gekommen[101] und so lange nicht die beiden in größerem Styl gehaltenen Opern von der Bühne herab gehört worden sind, läßt sich über Schubert's Befähigung, auch auf dramatischem Feld erfolgreich zu wirken, kein bestimmt lautendes Urtheil fällen. Wie beinahe alle großen Meister, so fühlte auch er schon in jungen Jahren den Drang, sich in dramatisch-musikalischen Arbeiten zu versuchen, und in seinem sechzehnten Lebensjahre hatte er schon die Composition von »Des Teufels Lustschloß« in Angriff genommen. In seinem achtzehnten Lebensjahre hielt seine Thätigkeit auf dem Feld der Oper gleichen Schritt mit jener in der Composition von Liedern, und war nach beiden Seiten hin erstaunlich fruchtbar. Dann trat eine längere, nur hie und da durch vereinzelte Melodrame und Singspiele unterbrochene Pause ein, bis in der Blüthezeit des Tondichters die beiden großen Opern »*Alfonso und Estrella*«, »*Fierrabras*« und die Operette »Die *Verschwornen*« entstanden, mit welchen seine Leistungen nach dieser Richtung hin ihren Abschluß erhielten. Seine Luft, weiters noch Opern zu schreiben, dauerte aber ungeachtet der nicht eben erfreulichen Erfahrungen und der Hoffnungslosigkeit, dieselben auf dem Theater aufgeführt zu sehen,
557 ungeschwächt fort. Mehrere Stellen in seinem brieflichen Verkehr mit Schober, Schwind und Bauernfeld, das verbürgte Geständniß, welches er nach Ueberreichung der großen Sinfonie in *C* ablegte, »*daß er jetzt ganz in der Sinfonie und Oper sitze*«, sein Verlangen nach einem Operntext während der Zeit seiner Krankheit, endlich mehrere Textbücher und Entwürfe, mit denen er sich in der That schon beschäftigte[102], deuten in unverkennbarer

99 Dahin gehört das reizende Streichquartett in*G-Moll*, welches Schubert, wie auf der Original-Partitur zu lesen, im Jahre 1815 und zwar in fünf Tagen (25. März – 1. April) componirt hat; ferner ein Quartett aus dem Jahre 1814 u.s.f.

100 Daß Schubert auch ein *Violin-Concert* mit Orchesterbegleitung geschrieben hat, bestätigen die Aufzeichnungen Ferdinand Schubert's, der das Manuscript davon besaß.

101 Der vereinzelte, fast spurlos vorübergegangene Versuch mit »Alfonso und Estrella« ist kaum in Anschlag zu bringen.

102 Ein Operntext: »*Der Graf von Glenallan*«, welchen Schubert nach seines Bruders Ferdinand Aussage zu componiren gedachte, befindet sich in meinem Besitz; von einem anderen Textbuch: » *Die Salzbergwerke von**«, verfaßt von Johann Graf Maylath, ist eine Skizze vorhanden. Von der Oper: »Der Graf von Gleichen« (1827) hat sich nach Bauernfeld's Angabe ein »instrumentirter Entwurf« vorgefunden, von welchem ich aber bis jetzt keine Spur entdeckt habe. – »Der Graf von Gleichen« wurde übrigens im Jahre 1922 auch von Traugott Maximilian *Eberwein*, Componist in Weimar (geb.

Weise darauf hin, daß, wäre es ihm vergönnt gewesen noch länger zu leben, die musikalische Welt um einige größere Werke reicher wäre, ja daß Schubert in der Oper reformatorisch auftreten und der Gründer eines echt deutschen musikalischen Drama werden konnte. Daß er das Zeug dazu in sich hatte, wird von Vorurtheilslosen kaum bestritten werden; denn selbst zugegeben (wogegen übrigens mehrere großangelegte Musikstücke in seinen zwei »romantischen« Opern zeugen), daß er sich die breiteren, dramatisch wirksamen Formen des Opernstyles, als seiner musikalischen Organisation widerstrebend, nicht angeeignet haben würde, so bewegte er sich in dem eigentlichen 558
Singspiel mit einer Grazie, Leichtigkeit und Sicherheit in Behandlung der Singstimmen und des instrumentalen Theiles, die ihn wohl befähigten, gerade nach dieser Richtung hin Dauerndes zu schaffen[103]. Ob seine größeren Opern dem Geschmack und den Anforderungen der *Jetztzeit* Stand halten würden, ist allerdings zweifelhaft. Nicht ohne Grund bemühten sich Schubert und seine Freunde, die Darstellung derselben auf irgend einem Theater durchzusetzen, da sie wohl einsahen, daß nur auf dem Weg praktischer Erfahrung die Luft zu weiteren Arbeiten dieser Art erhöht, und die etwa vorhandenen Mängel in nachfolgenden Werken vermieden werden konnten. In späterer Zeit, als gegen die Verwälschung der Oper die naturgemäße Reaction eintrat, möchte ihm auch die Erfüllung dieses seines Wunsches gelungen sein; sein frühzeitiger Tod aber vernichtete vollends jede Hoffnung einer Aufführung seiner Opern und Operetten, und gab überhaupt manches seiner Werke, darunter namentlich auch die für das Theater geschriebenen bis auf diese Tage der Vergessenheit anheim.

Als Curiosum und zugleich als Beweis, zu welchen Ungeheuerlichkeiten sich wohlmeinende aber unberufene Rathgeber versteigen können, möge hier noch erwähnt werden, daß vor mehreren Jahren in einem Aufsatz in den »Unterhaltungen am häuslichen Herd« allen Ernstes der Vorschlag gemacht wurde, aus den acht Schubert'schen Opern, da ja von diesen keine 559
für sich zur Aufführung geeignet sei, *Eine einzige* herzustellen, und diese wunderbare Quintessenz im Theater dem Publikum vorzuführen.

1775, gest. 1831), in Musik gesetzt, und der erste Act davon in Goethe's Haus daselbst am 5. December durchprobirt (s. Ekermann's Gespräche mit Goethe, 3. Band). In neuester Zeit (1863) wurde dieselbe Oper, von *Dörstling* componirt, in Sondershausen aufgeführt.

103 Der guten Opern gibt es in neuester Zeit sehr wenige; werthlose Theatermusik aber wird in Hülle und Fülle vorgeführt. Man möchte da glauben, daß die Schubert'schen Opern es wohl verdienten, auf die Bühne gebracht zu werden. Man würde wenigstens neue und gewiß auch schöne Musik hören. Die Theaterluft ist freilich eine so eigenthümliche, daß manch' schlechtes Gewächs sich darin bei Leben erhält, während die gesündesten Pflanzen rettungslos absterben.

Auch die *Kirchenmusik* verdankt dem Genius unseres Tondichters mehrere durch Originalität und tiefes Erfassen des religiösen Inhaltes hervorragende Tonstücke. Seine erste Messe entstand bereits im Jahre 1814, die letzte im Jahre 1828, kurze Zeit vor seinem Tod. In Mitte dieser beiden Kirchenwerke liegen *fünf Messen*[104], *zwei Stabatmater*, ein *großes Magnificat*, ein *Hallelujah* und eine bedeutende Anzahl von Kirchenmusik-*Einlagen* verschiedener Art.

Der innere Werth dieser Compositionen erhebt sich freilich nicht bei allen zu gleicher Höhe; denn während die Offertorien, die Graduale u.s.w. sich als leicht hingeworfene, wenngleich in melodiöser Beziehung reich ausgestattete Tonstücke von minderer Bedeutung darstellen, beanspruchen mehrere Messen wenigstens zum Theil vermöge ihrer Schönheit in der Form und ihres echt religiösen Ausdruckes die volle Beachtung des Kunstfreundes. Schubert war eben nicht der Mann, der längere Zeit in irgend welchem Gebiet seiner Kunst verweilt hätte, ohne darin unverkennbare Spuren seines Genie's zurückzulassen.

Die, im *Ganzen genommen, bedeutendste* der (bekannt gewordenen)
560 Schubert'schen Messen ist jene in *G*[105], componirt im Jahre 1815 von dem damals achtzehnjährigen Jüngling und darum vor Allem geeignet, von der wunderbar rasch entwickelten Reise unseres Tondichters, die sich – merkwürdig genug – gerade in einem Tonwerk religiösen Charakters manifestiren sollte, glänzendes Zeugniß zu geben.

Das *Kyrie* der *G*-Messe beginnt vierstimmig mit einer jener unscheinbaren Weisen, wie sie Schubert auch anderwärts vorzuführen liebt, um sie allmählig schön und breit sich ausgestalten zu lassen. Ungeachtet der *G-Dur*-Tonart ist die in dem *Kyrie eleison* waltende Stimmung eine vorwiegend wehmüthige, und gewinnt nur flüchtig – in Folge einer Wendung von der *Tonica* zu ihrer *Dominante* – eine etwas heitere Färbung. Das erste Thema, an das bekannte Segenlied »Heilig« gemahnend, tritt in den Vordergrund und tönt in *G-Dur* aus. Nun intonirt jede der vier Gesangsstimmen selbstständig eine in der *Moll*-Tonart sich bewegende Melodie, der Klageruf des *Kyrie* steigert sich zu sehnsüchtigem Drang, bis er in chromatischer Bewegung auf dem Dominantorgelpunkt in *D* anlangt, dessen die Melodie führende Oberstimme vom Baß tactweise nachgeahmt wird. Sofort leitet das Musikstück wieder in die Haupttonart über, der bereits vorübergezogene Inhalt kehrt abermals wieder,

104 Es sind die Messen in *B* und in *G* (1815), in *C* (1816), in *As* (1822) und die »Deutsche Messe« (1827).

105 Diese Messe gehört (im Gegensatz zu der *As*- und *Es*-Messe) zu den *kleinen*. Sie ist für vier Singstimmen mit Begleitung von Violinen, Viola, Baß (Orgel) und Trompeten und Pauken *ad libitum* geschrieben. Der umfangreichste Theil (188 Tacte) ist das *Credo* – Schubert hat die Messe am 2. *März* begonnen und am 7. *März* beendet.

um in beschwichtigend ruhigen Accorden diesen ersten Theil abzuschließen. Das *Gloria* hält sich vorwiegend in conventionellem Kirchenstyl; das *Gratias* darin erfreut durch eine jener lieblichen Melodieen, wie solche Schubert's Füllhorn entströmen; das »*Qunoniam*« aber, an sich musikalisch schön, trägt. Mozart-Haydn'sches Gepräge und dieser ganze Theil, etwas flüchtig und ängstlich ausgeführt und nur hie und da die Eigenthümlichkeit des Tondichters hervorkehrend, schließt in unverkennbar gezwungener Weise 561
ab. Nun folgt das *Credo*, ein mächtiger, lang und breit gestreckter Choral, der, obschon *piano* vorzutragen, doch mit sanfter Gewalt voll und kräftig aus dem Innern tönt. Die contrapunktische Behandlung des Tonstückes, das Arbeiten der übrigen Stimmen gegen den Choral, die Chor und Orchesterbegleitung zu dem von Tact zu Tact sich steigernden Gesang, die sinnige Charakterisirung der einzelnen Theile des Glaubensbekenntnisses von sanfter Klage bis zu lautem Jubel, endlich die schöne Umkehr zu dem Hauptthema und seiner vollständigen Entwicklung in der schon dagewesenen Art, so mancher werthvollen Einzelzüge nicht zu gedenken, machen dieses Kirchenstück zu einem der bedeutendsten, die geschrieben worden sind.

Das *Sanctus* bietet keine hervorragenden Momente; dagegen stellt sich das *Benedictus*, ein inniger Lobgesang, an welchem in kanonischer Stimmführung Alle, mit Ausnahme der Altstimme, theilnehmen, als ein Tongewebe von zartem lieblichen Charakter dar, das selbst unter Schubert's schönen lyrischen Ergüssen eine hervorragende Stelle behauptet. Auf gleicher Höhe, wie das *Benedictus*, erhält sich das *Agnus Dei*, dessen an Rückungen und Vorhalten reiches Vorspiel einer andächtig elegischen Stimmung schönen Ausdruck verleiht, der durch den Wechselgesang der Solisten noch gesteigert wird. Die merkwürdige Folge der Tonarten, welche das *Agnus* durchläuft, die charakteristische Begleitung (namentlich das Seufzen der tief gehaltenen Bratschen), die homophone Weise des Klageliedes, welche sodann dem mehrstimmigen Gesang weicht, endlich das freudig erregte *Dona nobis* und der Abschluß des Ganzen durch das *Kyrie* der Messe sichern auch diesem letzten Theil ein ungeschmälert hohes Interesse. 562

Nebst der *G*-Messe sind auch jene in *B* und in *As* von nicht zu unterschätzendem musikalischen Werth. Das *Gloria* und *Agnus* in dem erstgenannten Kirchenwerk, vor Allem aber das *Credo*, und in diesem wieder das *Incarnatus* in der, *As*-Messe, erheben sich in jeder Beziehung weit über die Kirchencompositionen gewöhnlichen Schlages; das *Incarnatus* in der *As-Messe* reiht sich unbedingt dem Bedeutendsten an, was die moderne katholische Kirchenmusik aufzuweisen hat.

Schubert's letzte große Kirchencomposition ist die Messe in *Es*. Es kann kaum einem Zweifel unterliegen, daß dieses in der reifsten Schaffensperiode entstandene Kirchenwerk sich den übrigen aus eben dieser Zeit herrührenden ausgezeichneten Schöpfungen als in seiner Art ebenbürtig zur Seite stelle;

die besagte Messe ist aber bis jetzt eine in der Vaterstadt des Componisten – und auch anderwärts – beinahe ganz unbekannte Arbeit unseres Tondichters geblieben. Vielleicht ist es der nächsten Zukunft vorbehalten, derselben eine würdige Aufführung in der Kirche oder im Concertsaal zu bereiten[106].

XIX.

Der vorzugsweise im Liederfach berühmt gewordene Schubert ist dem *großen* Publicum seiner Vaterstadt zuerst von der Bühne aus bekannt geworden. Das Singspiel: »*Die Zwillingsbrüder*« und das *Melodram:* »*Die Zauberharfe*« waren es, welche den Namen Franz Schubert in weitere Kreise trugen, während der bereits um 1815 oder 1816 entstandene »*Erlkönig*« erst im Jahre 1821 öffentlich zu Gehör gebracht wurde.

Diesem epochemachenden Lied folgten in demselben und in dem darauffolgenden Jahr zunächst noch einige andere Lieder und mehrstimmige Gesänge, theils im Theater, theils im Concertsaal.

Während Schubert's Lebzeiten erschienen in Wien beiläufig *Einhundert*
564 *Lieder* im Stich[1], ferner zweiund vierhändige Clavierstücke, darunter vorzugs-

106 Die *Es*-Messe wurde bald nach Franz Sch's. Tod (im Jahre 1829) in der Ulrichskirche in Wien – ohne Zweifel sehr mangelhaft – aufgeführt. Ein Recensent in der allgem. Leipziger Musikzeitung nahm damals den übelsten Eindruck davon mit sich fort. – Das Autograf der Messe, 80 Blätter qu. 4. stark, besitzt die kön. Bibliothek in Berlin. Das Kirchenwerk enthält:*Kyrie (Andante con moto quasi Alegretto Es-Dur* $^3/_4$*), Gloria (Allegro moderato e maestoso B-Dur* $^4/_4$*), Credo (Moderato Es-Dur* $^4/_4$*), Sanctus (Adagio Es-Dur* $^4/_4$*), Benedictus (Andante As-Dur* $^4/_4$*)* und *Agnus Dei (Andante con moto C-Moll* $^3/_4$*).*

1 Die in dem *thematischen Katalog* als *op.* 1 bis einschließlich 7 bezeichneten Compositionen (Lieder) erschienen im Jahre 1821; *op.* 8–14 (Lieder, Männerquartette, Walzer und vierhändige Variationen) im Jahre 1822; *op.* 15–18 (Clavierwerke und Männerquartette) im Jahre 1823, durchweg bei Cappi und Diabelli; *op.* 20–24 (Lieder) im J. 1823 bei Sauer und Leidesdorf; *op.* 25 (Müllerlieder) im J. 1824 ebenda; *op.* 19 (Lieder) im J. 1824 bei Cappi und Diabelli; *op.* 31 (welches, sowie alle folgenden, ausschließlich Gesangsstücke enthält) 1825 bei Pennauer; *op.* 32, 36, 37 und 38, das erstere bei Diabelli, die letzteren bei Cappi und Comp. im J. 1825; *op.* 39 im J. 1826 bei Pennauer: *op.* 41 (1827) bei Diabelli;*op.* 43 (1825) bei Pennauer: *op.* 44 (1827) bei Diabelli; *op.* 52 (schottische Gesänge) 1826 bei Artaria;*op.* 56 (1826) bei Weigl; *op.* 59 (1826) bei Sauer und Leidesdorf; *op.* 60 (1826) bei Cappi und Czerny; *op.* 62 (1827) bei Diabelli; *op.* 65 (1826) bei Cappi und Czerny; *op.* 68, 71, 72, 73 (1827) bei Diabelli; *op.* 79, 80, 81 u. 83 (1827) bei Haslinger; *op.* 85 und 86 (1828) bei Diabelli; *op.* 88 (1827) bei Weigl; *op.* 89 (Winterreise, erste Abtheilung) 1828 bei Haslinger;*op.* 92 (1828) bei Leidesdorf; *op.* 93 (1828) bei Haslinger; *op.* 95 (1828) bei Weigl und *op.* 97 (1828) bei Diabelli; *op.* 105 (den Widerspruch und drei Lieder von Seidl enthaltend) erschien am 21. November 1828, Sch's. Begräbnißtag, bei Czerny. – Alle anderen Lieder, sowie *op.* 134–146 (mehrstimmige Gesänge, Clavier- und Kammermusik) wurden erst *nach* Schubert's Tod veröffentlicht. Als Musikbeilagen der »Wiener Zeitschrift« erschienen: Die Rose (Mai 1822), Auf dem Wasser zu singen, und Drang in die Ferne (1823), Der

weise Tanzmusik, endlich einige der Kirchen- und Kammermusik angehörende Werke, und wurden von der Kritik des In- und Auslandes beinahe durchweg mit lebhafter Anerkennung begrüßt[2]. 565

Nach Schubert's Tod zeigte es sich, daß ein reicher Nachlaß von Tonwerken aller Gattung vorhanden sei, in dessen Besitz sein Bruder *Ferdinand* gelangt war. Die Musikalienhandlung *Diabelli* u. Comp. brachte (um das Jahr 1830) einen großen Theil desselben käuflich an sich[3], und es erschienen 566
nun zu allgemeinem Erstaunen nach und nach in nicht weniger als *fünfzig* »Lieferungen« die, in dem thematischen Katalog als »*Nachlaß*« aufgeführten Tondichtungen, welche an Zahl und innerem Gehalt die bereits vorhandenen überbieten zu wollen schienen.

blinde Knabe und *Wanderers Nachtlied* (1827). Sauer und Leidesdorf gaben in drei Heften eine Sammlung verschiedener Compositionen unter dem Titel: *La Guirlande* heraus, in deren erstem sich ein Lied: »*Plaintes d'un Troubadour*« und »*Air russe*«, in dem zweiten das Lied: »die Erscheinung« und in dem dritten: »*Differentes Valses (par Fr. Schubert)*« vorfinden. Es ist mir aber von diesen drei »*cahiers*« nur das *zweite* zu Gesicht gekommen.

2 So in Castelli's »musikalischer Anzeiger«, in Kanne's »Musikzeitung« und in der »Leipziger allg. Musikzeitung.« – Später schenkte die »neue Zeitschrift für Musik«, und in dieser vor allen R. *Schumann* der Muse Schubert's besondere Aufmerksamkeit und begeistertes Lob, wovon bereits Proben gegeben wurden.

3 Die bezügliche Erklärung (im Besitz des Herrn *Spina* und von diesem mir gefälligst mitgetheilt) lautet: »Wir Endesgefertigten Erbeserben nach dem verstorbenen Tonsetzer Franz Schubert aus Wien bestätigen hiemit, daß die k.k. priv. Kunst- und Musikalienhandlung A. Diabelli und Comp. in Wien das Eigenthum von nachstehenden Compositionen des obbenannten Franz Schubert erlangt habe, und daß demnach die Handlung A. Diabelli und Comp. als die rechtmäßigen alleinigen Verleger dieser Werke zu betrachten sind.« Diese Werke sind folgende: – Nun folgt ein Verzeichniß, aus welchem zu ersehen, daß damals die in dem them. Katalog enthaltenen Compositionen von *opus* 1 bis einschließlich *opus* 153 von Diabelli's Verlag angekauft wurden, mit *Ausnahme* des *opus*: 33, 34, 36, 37, 38, 60, 61, 65, 70, 78, 79, 80, 81, 82, 83, 89, 90, 91, 100, 105, 107, 110, 111, 112, 114, 117, 118, 120, 125, 126, 129, 131 und 141. Es wurden ferner übernommen die ersten 40 Lieferungen des »Nachlaß« (durchweg veröffentlicht) und noch viele andere Manuscripte (von denen bis jetzt nur ein Theil herausgegeben wurde), nämlich: 51 Lieder, 14 Vocalquartette, die Canons aus dem Jahre 1813, eine Cantate für 3 Stimmen (in *C*), der Hymnus an den heil. Geist, das *Stabat mater* (in *F-Moll*), das große Halleluja und *Margnificat* in *C*, das Streichquintett in *C*, 4 Streichquartette (in *C*, *G* und 2 in *B*), ein Streichtrio (in *B*), zwei Claviersonaten in *As* und*A-Moll*, Variationen (in *F*), ein Adagio (in *Des*) und*Alegretto* (in *E*) für Clavier, die Sonate in *A-Moll* für Pianoforte und *Arpeggiore* oder Cello, die Sonate in*A* für Pianoforte und Violine, die Fantasie in *C* für Pianoforte und Violine, ein Rondo in *A* für die Violine mit Quartettbegleitung, ein Adagio und Rondo in *F* für Pianoforto mit Quartettbegleitung, ein Concertstück (in *D*) für die Violine mit Orchester, eine Ouverture in *D* für Orchester, die Ouverture zum dritten Act der »Zauberharfe«, die Ostercantate (Lazarus), ein *Tantum ergo* für 4 Singstimmen und Orchester (in *Es*) und ein Offertorium (in *B*) für Tenorsolo mit Chor und Orchester.

Bis zum Jahre 1840 waren über dreihundert Lieder durch den Stich veröffentlicht worden; gegenwärtig beträgt die Gesammtzahl derselben *dreihundert und einige sechzig*[4].

Bekanntlich wurde Schubert bis an sein Lebensende – und geraume Zeit darüber hinaus – fast nur als Liedercomponist anerkannt und geschätzt. Seine dramatisch-musikalischen Arbeiten fanden der »Complicirtheit der harmonischen Behandlung« und »anderer Uebelstände wegen« nur wenig Anwerth; von seinen Compositionen für Clavier, von der Kammer- und Kirchenmusik wurde (kleine Kreise ausgenommen) so viel wie keine Notiz genommen, und des Schicksals der großen *C*-Sinfonie ist bereits gedacht worden. So beschränkte sich denn *während seiner Lebzeiten die öffentliche* Aufführung größerer Tonwerke auf einige Ouverturen für Orchester, auf das Octett, auf das Streichquartett in *A-Moll*, das Claviertrio in *Es* und einige größere Chorgesänge. Desto öfter erklangen seine Lieder in den Concerten
567 verschiedener Künstler, wobei Schubert selbst zu wiederholten Malen am Clavier begleitete[5].

Die ersten seiner Vocal-Quartette für Männerstimmen (»Dörfchen«, »Nachtigall« u.s.w.) fanden beim Publicum großen Anklang. Die denselben unmittelbar folgenden übten nicht mehr die gewünschte Wirkung aus; lebhafterer Anerkennung dagegen erfreuten sich die Chorlieder für Frauen- und gemischte Stimmen. Eine der Ouverturen im italienischen Styl wurde im Jahre 1818, jene in *E-Moll* im Jahre 1821 im vierten Gesellschaftsconcert aufgeführt.

Wenige Jahre *nach* Schubert's Tod wurden Bruchstücke aus seinen Opern, Orchesterstücke und andere noch unbekannte Compositionen zuerst *in Wien* zur Aufführung gebracht. Dieß geschah hauptsächlich in jenen Privatconcerten, welche *Ferdinand Schubert* und die Directoren des Kirchenmusik-Vereines in der Alservorstadt: *Kirchlehner* und *Michael Leitermayer*[6] zum

4 Der gedruckte *thematische* Katalog enthält 358 einstimmige Gesänge; in neuester Zeit sind ein Paar Lieder dazugekommen.

5 Das Octett wurde, wie schon erwähnt, in den Jahren 1824 und 1827, das *A-Moll* Quartett im J. 1824 und das *Es-Trio* im J. 1828 in Schuppanzigh's Abonnements-Soiréen, das letztere auch in Schubert's Concert aufgeführt. – Das Vocalquartett: »Das Dörfchen«, wurde 1821 im ersten Gesellschaftsconcert gesungen, »Ständchen« »Nachthelle«, der 23. Psalm und »Nachtgesang im Walde« gelangten in den Jahren 1826 und 1827 in den Zöglingsconcerten, der »Nachtgesang« in einem Concert des Herrn Lewy im Kärnthnerthortheater zur ersten Aufführung.

6 *Leitermayer*, 1799 in Wien geboren, ein Jugendgenosse Schuberts, bekleidete seit 1834 das Singmeisteramt am Josefstädter Theater in Wien.

Besten des Schullehrer-Witwen- und Waisen-Pensions-Institutes, oder zu 568
anderen wohlthätigen Zwecken in Wien veranstalteten[7].

Was die *Kammermusik* anbelangt, so waren es hauptsächlich die beiden Claviertrio und das *D-Moll*-Streichquartett, welche sich noch *bei Schubert's Lebzeiten* in Wien und später auch in Deutschland, zunächst in Berlin und
Leipzig, einer guten Aufnahme erfreuten[8]. 569

Mit dem Inslebentreten der *Hellmesberger*'schen Quartett-Productionen in Wien (im Jahre 1849) begann auch für Schubert's Muse in dieser Gattung eine neue bedeutsame Aera, indem außer den wenigen bereits bekannten Werken mehrere noch gar nicht aufgeführte, oder der jetzigen Generation unbekannte Compositionen an das Tageslicht gefördert wurden und seither abwechselnd die Programme dieser Concerte zieren. Den Reigen derselben eröffnete am 11. November 1849 das *D-Moll*-Quartett, dessen glänzender Erfolg die Vorführung zunächst des Streichquintetts in *C* und dann noch
anderer Werke veranlaßte[9]. 570

7 So wurde bei dieser Gelegenheit im Jahre 1830 die Ouverture in *C* und in *B*, die (schon erwähnte) Cantate von Hocheisel, das Finale aus »Fierrabras«, die Hymne an den heiligen Geist und das Halleluja zum *ersten Male* öffentlich aufgeführt. Im Jahr 1833 gelangten wieder die Ouverture in *B*, und am 7. Mai 1835 im Josefstädter Theater die Ouverture in *C*, ein Quartett mit Chor, ein Duett und das Finale aus »Fierrabras« und im September desselben Jahres in einer Akademie im Apollosaal vier größere mehrstimmige Stücke aus derselben Oper zur Aufführung, die aber, aus dem Zusammenhang gerissen, nur geringen Erfolg hatten. Auch die Ouverture in *E-Moll* wurde damals gegeben. Im April 1836 führte Ferdinand Schubert im Musikvereinssaale die Ouverture in *D*, den Marsch und Chor aus »Fierrabras« und im darauf folgenden Jahr in einem Concert seiner Zöglinge den *letzten* Satz der großen *C*-Sinfonie – *diesen zum ersten Mal* – dem Publicum vor, endlich im Jahr 1841 in seiner Akademie das (im Jahr 1816 componirte) *Stabat mater*, in welchem Frl. Tuczek und die Herren Staudigl und Lutz die *Soli* sangen. – Die Ouverture zu »Fierrabras« brachte Schuppanzigh schon im Jänner 1829 in einem Privatconcert im Musikvereinssaal zu Gehör. Der Chor »Gott im Ungewitter« von einem Mitgliede der Gesellschaft instrumentirt, wurde im November 1829 in einem Gesellschaftsconcert, »Mirjams Siegesgesang« in dem Grabdenkmals-Concert (30. Jän. 1829) *zum ersten Mal gegeben.*

8 Das *D-Moll* Quartett wurde im April 1833 in den *Möser*'schen Versammlungen in Berlin, und dann vom Jahre 1836–1844 regelmäßig in den Quartett-Unterhaltungen des Violonisten *Zimmermann* daselbst aufgeführt. Die Kritik fand es Anfangs zu düster und schroff gehalten, gestand aber später wenigstens zu, daß es geistreich gemacht, wenn auch etwas gesucht sei. Im Jahre 1838 fand es bei seiner ersten Aufführung in Dresden großen Beifall. – Ferdinand David begnügte sich damals, in einem Concerte nur das Liedthema mit den Variationen vorzutragen.

9 Von Schubert'scher Kammermusik gelangte in Josef *Hellmesberger's* Quartetten das Streichquartett in *D-Moll* in den Jahren 1849, 1850, 1858 und 1863 zur Aufführung; das Quintett in *C* im Jahre 1850, 1852 und 1860 (auch in dem Beethoven-Schubert-Concerte 20. Februar 1863), das Quartett in *G* (*op.* 161) im Jahr 1850, 1860 und 1863, jenes in *A-Moll* im Jahre 1851, das Octett im Dec. 1861, ein Streichquartett (aus dem Jahre 1814) im Jahre 1862 und eines in *G-Moll* (1815) im Jahr 1863, das Streichquintett abermals im Schubert-Monumentfonds-Concert im März 1864, der beiden Trio nicht

Das Trio in *Es* befand sich schon vom Jahr 1836 an fortan auf dem Repertoir der, von dem Violinisten *Zimmermann*, dem Clavierspieler Deker, und den Gebrüdern *Stahlknecht und Steiffensand* bis in das Jahr 1846 in *Berlin* veranstalteten Quartett-Soiréen. Auch dort wurde bei dieser Gelegenheit die Klage laut, daß die große*C-Dur*-Sinfonie nur Einmal gegeben und dann bei Seite gelegt worden sei, und überhaupt Schubert's Instrumental-Compositionen zu wenig beachtet würden. Auch das Clavierquintett (in *A*) und das *B*-Trio wurde damals (1837) zuerst in *Berlin* bekannt. In Petersburg spielte Hr. *Lewy* aus Wien im Jahre 1847 das letztere in einer *Matinée musicale* des Violinspielers Vieuxtemps. In neuester Zeit, in der Saison 1861–1862, wurde in den Concerten der russischen Musikgesellschaft unter Anton Rubinstein's Leitung die *C-Dur*-Sinfonie – diese wahrscheinlich zum ersten Mal – und das *D-Moll*-Quartett ausgeführt. Die übrigen im Stich erschienenen Kammermusikstücke sind bisher gar nicht oder höchst selten zu *öffentlicher* Aufführung gelangt[10].
571

Den Liedern wurde, soweit es das *Ausland* betrifft, hauptsächlich in den *Leipziger Gewandhaus-Concerten* lebhafte Theilnahme geschenkt[11]. Hier waren es mitunter ausgezeichnete Künstler, welche dieselben vortrugen. Wenig beachtet blieben, außerhalb Wien, lange Zeit hindurch Schubert's *mehrstimmige Gesänge.* Selbst in des Componisten Vaterstadt wurden sie eigentlich nur während Schubert's Lebzeiten öfter zu Gehör gebracht, da er sie zum großen Theil für Schülerinnen des Conservatoriums und zu bestimmten Anlässen componirt hatte. Bald nach seinem Tod trat eine mehrjährige Pause ein, welche erst im Jahre 1836 und 1838 eine kleine Unterbrechung erfuhr[12]. In neuerer Zeit aber hat der Wiener *Männergesangverein* bald nach seinem Entstehen (1844) auf die Schubert'schen Chorlieder zurückgegriffen

zu gedenken, welche sich häufig auf den Programmen vorfinden. Die beiden im Jahre 1861 ausgefallenen Sätze des *Octetts* (*Menuetto und Andante*) erscheinen in der Quartettsaison 1864/65 in dasselbe aufgenommen.

10 Das Duo für Clavier und Flöte (*op.* 160) und die Fantasie für Pianoforte und Violine (*op.* 159) wurden, das erstere in einer Privat-Abonnements-Soirée im Jahr 1862 in Wien, die Fantasie aber im Jahr 1851 anläßlich der Schubertfeier im Salon Spina, dann im Jahr 1862 in einer Festliedertafel des Wiener Männergesangvereins (von den Herren Dachs und Hellmesberger) und in Ferd. Laub's Abschiedsconcert in Wien (Jänner 1864) vorgetragen. Franz Lißt spielte (im J. 1860 oder 1861) bei einer von ihm in Weimar veranstalteten Schubertfeier den Clavierpart der letzteren.

11 In Stuttgart lenkte der Dichter *Lenau* bei seinem ersten Besuch daselbst zuerst die Aufmerksamkeit auf den Schubert'schen Liederschatz. (So theilte mir Herr L.A. Frankl mit.)

12 Im Jahr 1830 (in dem vierten Gesellschafts-Concert am 28. März) gelangte der von F. Lachner mit Instrumentalbegleitung versehene »Siegesgesang Mirjams« zur Aufführung; im J. 1836 (ebenfalls in einem Gesellschaftsconcert, 28. Februar) die »Hymne« u. 1838 das »Ständchen.«

und die bedeutendsten derselben in rascher Aufeinanderfolge in seinen Concerten zur Aufführung gebracht. Diese Bestrebungen, dem vaterländischen Genius gerecht zu werden, erreichten im Jahr 1858 durch den Vortrag des »Gesang der Geister über den Wassern« und einiger Opern-Bruchstücke ihren Höhepunkt.

Von den später in Wien entstandenen Gesangvereinen hat der *Singverein*
verschiedene Chöre, Cantaten, Theile aus Opern und Melodramen, und die 572
Singakademie (im Jahre 1837 oder 1838) mehrere Gesangstücke aus dem (im Jahre 1816 componirten) *Stabat mater* zur Aufführung gebracht[13]. Außerhalb Wien's haben sich zur Stunde noch wenige der Schubert'schen Chorlieder eingebürgert[14].

Auch die Schubert'sche *Kirchenmusik* ist kaum über die Gränzen seiner Heimat hinausgedrungen. Während er noch am Leben war, wurden die Messen in *B* und *As* und einige kleinere Kirchenstücke, erstere aber nur ein- oder zweimal in der Kirche zu Gehör gebracht. Die große Messe in *Es* wurde bald nach seinem Tod (am 15. November 1829) in der Kirche zu Maria Trost in Wien in sehr ungenügender Weise ausgeführt. In neuerer Zeit kommen hie und da die Messen in *F, G* und *B* und verschiedene Einlagen auf den Wiener Kirchenchören zur Aufführung[15]. 573

Was von seinen *Opern, Singspielen und Melodramen* überhaupt zu scenischer Darstellung gelangte, ist, mit Ausnahme der Operette »Die Verschwornen« (»Der häusliche Krieg«) und der Oper: »Alfonso und Estrella« *ausschließlich in Wien* aufgeführt worden.

13 In der Operette »Die Verschwornen« und im »Lazarus« wirkte ebenfalls ein Theil des Singvereines mit.

14 Im Jahr 1841 wurde im Cäcilienverein in Prag der Hirtenchor aus »Rosamunde«, und im Jahr 1848 der 23. Psalm in Leipzig in neuerer Zeit der »Gesang der Geister« in München aufgeführt. Der bekannte Chor: »Widerspruch« gelangte im Februar 1863 in dem Pauliner Verein in Leipzig, wie es scheint, zum ersten Mal, zur Aufführung, und ebenda anläßlich der Schubertfeier der »Nachtgesang im Wald« und der Chor der Mauren und Ritter aus »Fierrabras«. Die achtstimmige Hymne scheint in *Braunschweig* erst im Jahre 1863 bekannt geworden zu sein.

15 Die *B* Messe wurde in neuerer Zeit (1861 und 1862) in der Dominikaner- und Altlerchenfelder-Kirche aufgeführt. Am Charfreitag 1863 wurde nach einer Pause von 22 Jahren das *Stabat mater* (1816) in der Altlerchenfelderkirche in Wien zu Gehör gebracht. In Leipzig wurde zu Ende 1862 oder Anfangs 1863 die Messe in *As* (zum Theil) aufgeführt, und im Jahre 1863 dieselbe in der Karoluskirche in Wien. – Eine arge Mystification erlaubte sich der unlängst in Wien verstorbene Componist *Robert Führer* mit der *G*-Messe. Er veröffentlichte dieselbe *als seine Composition* in Prag, wo er Capellmeister in der St. Veitskirche war, und dedicirte sie der Erzherzogin Marie Caroline, Aebtissin des adel. Damenstiftes am Hradschin. – Die Messe erschien daselbst im Stich bei Marco Berra.

Von den *sinfonischen Werken* machte die große Sinfonie in *C*, nachdem sie im Jahr 1839 in Leipzig die Feuerprobe glänzend bestanden hatte, bald die Runde durch ganz Deutschland. Von den übrigen Sinfonien wurden die sechste und Bruchstücke der *C-Moll-* und *D-Dur*-Sinfonie (1816 und 1815) in den Jahren 1828, 1829 und 1860, und zwar *ausschließlich in Wien* zu Gehör gebracht. – Von den mehr gefälligen als musikalisch bedeutsamen Ouverturen kam in neuerer Zeit in Wien keine mehr zur Aufführung[16].

Außerhalb Oesterreich's und Deutschland's wurde Schubert in seiner Eigenschaft als Liedercomponist zuerst in *Frankreich* und zwar um das Jahr
574 1829 bekannt. Früher ging einmal die Rede, daß er einen Ruf nach Paris erhalten sollte, um für die Akademie eine Oper zu schreiben[17]. Seine Lieder wurden in den Salons mit Vorliebe gesungen, die Texte derselben übersetzt und in eleganter Ausstattung herausgegeben. Zu dieser Verbreitung trug viel der Sänger *Wartel* bei, der mit ihrem Vortrag großen Erfolg erzielte. Die Musikverleger *Bellange* und *Richhault* in Paris gaben bis zum Jahre 1840 gegen hundert Lieder heraus, deßgleichen Walzer, Märsche, Sonaten, Duos, Trios und Quartette, Ouverturen, Variationen, die *momens musicals* und vier Hefte Kirchenmusik.

In einer musikalischen Correspondenz aus jener Zeit findet sich über die Aufnahme der Schubert'schen Muse in Frankreich folgende Stelle: »Franz Schubert's Lieder sind in Paris außerordentlich beliebt; in keinem der bedeutenderen Concerte darf sein Name auf dem Programm fehlen. Eine Sammlung seiner Gesänge mit französischer Uebersetzung von *Emil Dechamps* erschien um jene Zeit; da die Franzosen den Unterschied zwischen ihren *chansons* und dem deutschen Lied wohl herausfühlten, so nehmen sie das Wort *Lied* als eine neue Begriffsbestimmung in ihre Sprache auf, wobei einige sich der Ausdrucksweise *le lied, les liedes*, andere *Les lieder*, oder *les lieders* bedienen. Obige Sammlung erschien als *Collection de lieder de François*
575 *Schubert* und enthielt die damals in Paris beliebtesten[18].

In einem anderen Aufsatz: Erinnerungen aus Paris 1817–1841 überschrieben, heißt es: Größeren Gewinn, als von dem modernen Bühnenstyl hatten die Liebhaber mit der Zeit durch die Einführung von Franz Schubert's Liedern. Der Einfluß war überraschend, da die Franzosen so lange Jahre auf

16 Im J. 1844 wurde in Leipzig die Ouverture zu »Fierrabras« aufgeführt, welche »ungeachtet der frappirenden Akkordfolgen, Ausweichungen und Harmonien«, – wie es in den dortigen Kritiken hieß – »durch den erhabenen versöhnenden Geist, der über das Ganze ausgegossen ist, lebhaft interessirte, und den Wunsch nach Aufführung der ganzen Oper rege machte.«

17 So erwähnt *Dr.* L. v. Sonnleithner in einem Aufsatze über Schubert.

18 *La jeune religieuse, Marghérite, le roi des Aulnes, la rose, la serenade, la poste, Ave Maria, la cloche des agonissants, la jeune fille e la mort, Rosemonde, les plaintes de la jeune fille, Adieu, les astres, la jeune mére, la berceuse*, und *eloge des larmes*.

ganz entgegengesetztem Weg verharrt hatten. Er war überaus glücklich. Die Tiefe, die Gediegenheit, die vorherrschende Schwermuth, dieses alles, dieses Etwas der Schubert'schen Lieder, was nur gefühlt, nie beschrieben werden kann, ward von den Franzosen begriffen, und merkwürdiger Weise hie und da hinreißend vorgetragen. Nie werde ich z.B. den Eindruck vergessen, als ich Nourrit den Erlkönig singen hörte[19]. Der Geschmack für deutschen Liedergesang, wie überhaupt die Bekanntschaft mit diesem Styl war allein 576
Folge der großen Wirkung, welche Schubert's Lieder ausübten. Berlioz und in neuester Zeit Felicien David zeigten der Welt ihre Hinneigung zum Romantischen, aber große Absicht bringt nicht sogleich ein großes Resultat. Die französischen Nachahmungen Schubert's glückten noch weniger als die deutschen.«

In Italien beschränkt sich die Kenntniß von Schubert's Werken auch derzeit noch auf ein Paar Dutzend Lieder, die in Mailand und Neapel im Stich erschienen sind. Es sind dieß meist solche, welche der dortigen Gesangsweise am besten zusagen[20]. 577

19 Auch »die junge Nonne« sang er im J. 1835 in einer Akademie des Conservatoriums als »*scene*« mit Orchesterbegleitung. Im »Journal des Debats« erschien darüber folgende Recension: »*La religieuse, scene avec orchestre de Schubert, chontée par A. Nourrit. – Une jeune nonne, seule dans sa cellule, ecoute avec terreur le mugissement de la mer, qui battu par les vents, vient se briser avec un sourd murmure au pied de la tour, ou veille la recluse. Agitée par une passion secréte, son coeur enferme un orage plus effrayant encore. Elle prie, la foudre repond. Son agitation e ses terreurs redoublent, quand l'hymne de ses compagnes reunies pour prier dans la chapelle du couvent monte jusqu'a elle, sa voix s'unit a des chants religieux, e le calme du ciel rentre dans son âme. Tel est le sujet du petit poéme, che le compositeur avoit a developper. Il en fait un chef d'oevre. Ces tremoli continuels des violons, cette phrase sinistre de basses, qui repond a chacune des interjections de la nonne, ces bouffées de cuivre, qui semblent vouloir ecraser la voix, sans y parvenir, e surtout l'admirable expression de la partie de chant, tout cela est d'un dramatique achevé. Ah pauvre Schubert! mourir a vingt cinq (!) ans, avec un pareil avenir musical! Ce jeune compositeur, que Vienne a vu s'eteindre avant le temps, a laissé deux (!) volumes de morceaux a un ou plusieurs voix, qui sont a nos honteuses romances françaises, come l'ouverture de Coriolan est a celle du rossignol; quelques operas, qui nous sont inconnus, e plusieurs quatuors, e septuors (!) pour instruments a corde, ou l'elevation du style le dispute a l'originalité de la forme. L'Europe artiste apprecierà dans quelques années toute la richesse de l'heritage, che Sch. lui a ligué; on ne se bornerà pas sans doute a la Religieuse, on peut aujourdhui executer tout le reste, e rendre ainsi justice a l'auteur – puisque il est mort. Nourrit a chanté avec âme et intelligence cette admirable page d'un des plus grands musiciens poétes d'Allemagne. Il est honorable pour lui, d'avoir su comprendre tout ce, que les chants de Schubert contiennent de sensibilitè et de veritablé inspiration: il est du reste certain, che Schubert ne contient rien, de ce, que certaines gens appellent de la melodie – fort heuresement.*«

20 In Ricordi's Musik-Katalog finden sich nur 25 Schubert'sche Lieder mit italienischem und französischem Text aufgeführt, darunter: Normanns Gesang, Gretchen, Gruppe aus dem Tartarus, der blinde Knabe, Schäfers Klagelied, im Grünen, an Silvia, der Wanderer, der Abendstern, der Fischer, der Alpenjäger, die Forelle, Fischerweise, Nähe der Geliebten und *Erlkönig*, dieser auch mit deutschem Text. – Die dem Vernehmen

Auch in England und in Nordamerika ist der Name Schubert wohl bekannt. Mehreren seiner Lieder ist der ursprüngliche englische Text beigegeben, und dadurch ihre Verbreitung in jenen Ländern befördert worden. Die »Ungeduld« erschien auch mit spanischem Text, und *Lenz* fand die »Winterreise« auf einem Clavier in Cadix liegen. Immerhin ist aber die Verbreitung Schubert'scher Compositionen und überhaupt die volle Würdigung dieses Tondichters außerhalb Oesterreich und Deutschland bis jetzt eine sehr beschränkte geblieben[21].

In Norddeutschland herrschten Reichardt und Zelter mit ihren Strofenliedern, und erst geraume Zeit nach seinem Tode drang Schubert auch dort siegreich durch, ja unter den Instrumental-Compositionen gelangte die *C-Dur*-Sinfonie zuerst in den Leipziger Gewandhaus-Concerten zur Aufführung und Anerkennung. In Wien dauerte die Vorliebe für seine Lieder ungeschwächt fort, bis in Folge eingetretener musikalischer Erschlaffung, vielleicht auch der Schwierigkeit der Begleitung, plötzlich Liedercomponisten zweiten
578 und dritten Ranges mit ihren entschieden schwachen Erzeugnissen die Oberhand gewannen. Die Reaction blieb aber nicht aus, und der in neuerer Zeit dem Bessern zugewendete Geschmack führte von selbst wieder auf Schubert's unvergängliche Werke zurück.

An Transcriptionen und allerlei anderen Bearbeitungen und Verarbeitungen namentlich der Lieder hat es weder in Wien noch im Ausland gefehlt[22].

nach in Italien gegen das jetzige Musiktreiben erwachte Reaction wird auch der Muse Schubert's allmählich neue Kreise erschließen.

21 Ja selbst in großen deutschen Hauptstädten kommen in dieser Beziehung sonderbare Dinge vor. So hieß es noch zu Ende 1862 in der »Augsburger allg. Zeitung«: »Am 20. November gab Mortier de la Fontaine in München als Schubertfeier eine musikalische Soirée, in welcher noch *ungehörte* Compositionen Sch.'s: Ein Trauermarsch (*op.* 40), das Divertissement (*op.* 54), Rondo (*op.* 70) für Piano und das Octett (*op.* 166) zur Aufführung kamen«.

22 So erschienen bei Diabelli 15 Lieder, von Czerny für Clavier übertragen, und sollte diese Sammlung fortgesetzt werden. Diabelli selbst arrangirte an ein Dutzend Lieder für Clavier zu zwei und vier Händen; Eduard *Wolf* machte aus mehreren Liedern Fantasien für Pianoforte; Franz Lißt transcribirte 26 Lieder aus der »Winterreise« und dem »Schwanengesang«, sowie mehrere aus dem Nachlaß, und die *melodies hongroises* aus *op.* 54; Josef Lickl bearbeitete eine große Zahl derselben für Clavier und Fisharmonika. Den »*Erlkönig*« gab A. Hüttenbrenner in Walzerform wieder, Ferd. Schubert bearbeitete ihn als Cantate, und *Genast* in Weimar führte die Ballade orchestrirt auf. In neuester Zeit erschienen Schubert'sche Lieder, für Clavier gesetzt, von *Christian Müllern* u.s.f. In Frankreich erschienen: 15 Lieder, transcribirt von *Stefan Heller* (besprochen in der »*Revue musicale*«), ferner Lieder als *Etudes d'expression* von Urban in Paris, arrangirt für Violine (und von Lee für Cello) und Fisharmonika (worüber sich Schumann lustig machte); 1839 erschien eine*Collection de chansons de Sch. traduite de Emile Deschamps*, sieben Lieder enthaltend (besprochen von H. Berlioz im »Journal des Debats«, Juni 1839) u.s.w.

Sie sind mitunter von sehr zweifelhaftem Werth, beanspruchen aber das Verdienst, zur Verbreitung der Schubert'schen Melodieen wesentlich beigetragen zu haben.

Im Jahre 1849 erschien bei Diabelli eine *neue Auflage* der Schubert'schen Liedercompositionen mit deutschem und französischem Text; in neuerer Zeit bei Louis Holle in Wolfenbüttel eine billige Gesammtausgabe der Schubert'schen Werke; bei Spina in Wien eine transponirte (Stockhausen) 579
Ausgabe der »Müllerlieder« mit deutschem und französischem Text (letzterer von *Belanger*); in neuester Zeit hat der Hofkapellmeister *Randhartinger* in einer ebenda veranstalteten Ausgabe die ursprüngliche Leseart dieser Lieder auf Grundlage der ersten (Original-) Ausgabe wieder herzustellen unternommen. Auch ist die Rede davon, daß von Herrn Spina eine Gesammtausgabe der Schubert'schen Compositionen vorbereitet werde, ein Unternehmen, welches, wenn mit Gewissenhaftigkeit ausgeführt, sich allgemeiner Zustimmung erfreuen dürfte.

Die *schönsten* Gesänge Schubert's sind seit geraumer Zeit veröffentlicht und geistiges Eigenthum der musikalischen Welt geworden. Dasselbe läßt sich auch – doch erst seit kurzer Zeit – von seinen Instrumental-Compositionen sagen; in weit geringerem Maße aber von seinen übrigen Werken.

Das im Anhang befindliche Verzeichniß spricht beredter, als dieß Worte thun würden, für die erstaunliche Fruchtbarkeit des Meisters und dürfte die Behauptung rechtfertigen, daß Schubert in seiner Totalität auch derzeit nur von Wenigen gekannt und gewürdigt ist. Da gibt es Gesänge aller Art, Cantaten, Ouverturen, Orchester-, Opern- und Kirchenmusik, von denen bisher auch nicht Eine Note zu Gehör gebracht wurde. Seit vierzig und mehr Jahren liegen sie unbenützt, da und dort in ängstlicher Verwahrung, als hätte sie der Tondichter nur für sich und nicht auch für Mit- und Nachwelt auf das Papier hingezaubert.

Nicht genug aber, daß es dem lebenden Schubert nur mit einem kleinen Theil dessen, was er mit bienenartiger Emsigkeit producirte, gegönnt war vor das Publikum zu treten, so hat auch nach seinem Tod und selbst in 580
neuerer Zeit über den von ihm hinterlassenen Werken eine Art von Verhängniß gewaltet. Das Gebahren derjenigen, welche als die Ersten in deren Besitz gelangt waren, hat sich nichts weniger als sorgfältig und pietätvoll erwiesen. Einige bedeutende Compositionen, oder Theile größerer Werke sind aus dem Nachlaß spurlos verschwunden, werthvolle Manuscripte und *unica* sind für immer verloren gegangen, ja, der ganzen Sammlung des musikalischen Nachlasses drohte zu wiederholtenmalen die Gefahr in alle Winde zerstreut, vernichtet, oder einer fremden (möglicher Weise auch jenseits des Oceans befindlichen) Bibliothek zum Figuriren in einem Bücherkasten einverleibt

581 zu werden[23]. Nach den leidigen Erfahrungen, welche in dieser Beziehung gemacht wurden, war die Sorge vor neuem Unheil eine nur zu gerechtfertigte.

Die vor dem Verderben schützende Veröffentlichung und Verbreitung der vielen noch als Manuscript erliegenden kleineren und größeren Compositionen, aus welchen sich ein Bild seiner musikalischen Entwicklung und Gesammtleistungen entwerfen ließe, scheint aber aus mancherlei Gründen einer noch fernen Zukunft vorbehalten zu sein.

Anderseits liegt die erfreuliche Thatsache vor Aller Augen, daß man sich – und zwar vor Allem in der Vaterstadt des Tondichters – der Schubert'schen Muse derzeit mit erneuertem Interesse und freierem Blick zugewendet hat. Es ist das Gefühl zum Durchbruch gekommen, als habe die jetzige Generation ein von den Zeitgenossen Schubert's theils bewußt, theils unbewußt verübtes Unrecht gut zu machen; eine Sühne, die um so williger vollzogen werden darf, als jede Opfergabe von dem Entsühnten mit reichlichem Dank wiedervergolten wird.

Zu Seiten des Künstlerpfades, welchen Franz Schubert gewandelt, war eben noch manche im Verborgenen duftende Blume zu pflücken; – vielleicht blühen deren noch hie und da zerstreut, auf welche in dieser Darstellung hingedeutet ist.

XX.

Der Ehrenbezeigungen, welcher unser Tondichter während seiner irdischen Laufbahn theilhaftig geworden, wurde im Verlauf dieser Darstellung bereits gedacht. Abgesehen von Ernennungen zum Ehrenmitglied von Musikverei-

23 Der abhanden gekommenen Werke ist im Verlauf dieser Darstellung bereits gedacht worden. – Am 3. April 1835 erschien in der neuen »Leipziger Musikzeitung« die Anzeige, daß Ferdinand Schubert, theils um der Welt die Werke seines Bruders nicht vorzuenthalten, theils um das geistige Erbe desselben nach dem Wunsch des Verstorbenen zu seinem eigenen Besten zu verwenden, Bühnen-Directionen und Musikern gegen billiges Honorar die folgenden Stücke *zur Aufführung* überlassen wolle. 1. *Opern*: Des Teufels Lustschloß (voll. 1814), Fernando (1815), die beiden Freunde von Salamanca (1815), der vierjährige Posten (1815), die beiden Freunde von Salamanca (1815), der vierjährige Posten (1815), die Bürgschaft (1816), die Zwillingsbrüder (1819–1820), die Zauberharfe (1820), der häusliche Krieg (1823), Fierrabras, von Schober (soll *Kupelwieser* heißen); 2. *Sinfonien*: Zwei in *D*- (1813 und 1815), zwei in *B*- (1815 und 1816), eine in *C-Moll* (1816), eine in *C-Dur* (1818); 3. *Messen*: in *F* für vier Singstimmen und großes Orchester (1814), in *G* für vier Singstimmen und kleines Orchester (1815), in *B* (1815) für mittleres und in *As* für großes (1822). Wer davon wünscht, hieß es in der Anzeige, beliebe sich an Herrn Ferdinand Schubert, Lehrer in der k.k. Normal-Hauptschule zu St. Anna in Wien zu wenden. – Das Anerbieten scheint resultatlos geblieben zu sein. – Von den hier aufgeführten Werken ist der größere Theil, im Manuscript erhalten, im Besitz des Herrn *Dr.* Schneider in Wien. – Um das Jahr 1844 scheint Ferdinand Schubert einige Autografe verkauft zu haben.

nen, von seiner Wahl in den Repräsentantenkörper des Musikvereins in Wien, von schmeichelhaften Anerkennungsschreiben über seine musikalische Befähigung und von ein Paar Dankschreiben[1] für die Dedication von Liedern, hat sich Franz keiner hervorragenden Auszeichnung zu erfreuen gehabt[2]. Er trug übrigens auch kein Verlangen darnach, und hätte sich dafür gerne mit einem bescheidenen, aber »sicher laufenden« Jahreseinkommen abgefunden.

Geraume Zeit nach seinem Tode wurde das Andenken an ihn durch Akademieen gefeiert, so beispielsweise im J. 1835 durch eine von Ernst von Feuchtersleben veranstaltete, in welcher ein Gedicht Franz von Schober's
declamirt wurde. 583

Größere Ehren wurden dem Heimgegangenen von jener Zeit an zu Theil, als man es nicht mehr bei schönen Worten bewenden ließ, sondern sich daran machte, das Gedächtniß an den Tondichter in seinen Werken zu erneuern und den Kreis der bereits bekannt gewordenen stetig zu erweitern.

Der eben erst im Aufblühen begriffene *Wiener Männergesangverein* war es zuerst, welcher unter dem tiefen Eindruck, den die aus dem Dunkel hervorgezogenen Chorlieder auf ihn gemacht hatten, seinen Gefühlen für den Meister durch eine im Jahre 1847 in dem Versammlungsort seiner Mitglieder abgehaltene Feier begeisterte Worte lieh und am 19. November 1850 das Andenken an Schubert's Tod ebenfalls in feierlicher Weise beging[3].

Im Jahre 1851 wurde am 28. Februar in dem von Herrn Spina errichteten Schubert-Salon (auf der Seilerstätte in dem Hause Nr. 807) eine Schubert-Feier abgehalten, welche ein Prolog von Bauernfeld, gesprochen von Dawison, eröffnete.

Eine gleiche Feier hatte ebendaselbst am 25. Nov. 1853 zum 25jährigen Gedächtniß an den 19. November 1828 (Schubert's Sterbetag) statt, wobei das Gedicht: »Ein Musenkind« von Steinhauser als Declamationsstück figu-
rirte[4]. 584

1 Zu den Dankschreiben zählt auch eine Dankadresse mehrerer Frauen in Lemberg an Sch. für die Zusendung eines Frauenchores.

2 In neuester Zeit wiederfuhr Schubert auch die Ehre, als solcher auf die Bühne gebracht zu werden. Die Unverwüstlichkeit der von Herrn Suppé benützten Schubert'schen Melodien sicherte dem Stück des Herrn *Hans Max* im Carltheater in Wien einige mit Beifall aufgenommene Vorstellungen.

3 Die Feier im Jahre 1847 veranstaltete der damalige Chormeister Gustav Barth und die VereinsmitgliederDr. Flögel und Weiß. Barth hielt die Festrede.

4 Das Programm der zuersterwähnten Schubertfeier bestand aus folgenden Musikstücken: Streichquartett in *D-Moll*, gespielt von Josef Hellmesberger, Durst, Heißler und Schlesinger; Lob der Thränen, gesungen von Ander; Fantasie zu vier Händen, gespielt von Pacher und Egghardt; der zürnende Barde, und Augenlied, gesungen von Staudigl; Fantasie (*op.* 159), gespielt von Josef Hellmesberger und Egghardt; Vocal-Quartett (des Tages Weihe) gesungen von den Frls. Schmidl und Bury und den Herren Schmidbauer

Anläßlich eines Umbaues, welcher mit dem Geburtshause Schubert's vorgenommen werden sollte, machte der Redacteur Anton *Langer* in dem Augustheft 1858 seiner Volkszeitung darauf aufmerksam, daß es wohl an der Zeit sein dürfte, die Geburtsstätte des berühmten Landsmannes durch Errichtung einer Gedenktafel auszuzeichnen und auf diese Weise Einheimischen und Fremden erkennbar zu machen.

Es wurde die Sammlung von Geldbeiträgen in Anregung gebracht und der Wiener Männergesangverein eingeladen, ebenfalls sein Schärflein beizutragen. Dieser aber erklärte, die Sache selbst in die Hand nehmen zu wollen; die bereits von anderer Seite eingelaufenen Beträge wurden zurückgestellt und der Steinmetzmeister Wasserburger in Wien mit der Anfertigung der Gedenktafel betraut. Am 7. October 1858 um 4 Uhr Nachmittags fand die feierliche Enthüllung derselben in Gegenwart des Gesangvereines und mehrerer hierzu geladener Gäste, unter denen sich sämmtliche Familienangehörige des Tondichters befanden, nach vorausgegangener Festrede und
585 Absingung mehrerer Chöre und des Quartetts: »Lob der Einsamkeit« statt; der musikalische Theil der Feier erhielt an demselben Tage Abends in einer Festliedertafel, deren Programm ausschließlich aus Schubert'schen Compositionen bestand, begeisterten Ausdruck.

In neuerer und neuester Zeit (im Jänner und März 1861 und im März 1863) wurde das Andenken an den Meister durch die Aufführung der Operette »Die *Verschwornen*« und der Ostercantate »*Lazarus*« (in drei Concerten) auf das wirksamste wiederbelebt[5].

Endlich hat vor kurzem abermals der Wiener *Männergesangverein* die Initiative zu einem Unternehmen ergriffen, welches, wenn glücklich ausgeführt, alle bisherigen Kundgebungen überragen und gewissermassen den Schlußstein derselben bilden wird. Die besagte Körperschaft sprach nämlich in ihrer Versammlung (am 6. Juni 1862) den einmüthigen Wunsch aus, das Andenken an den vaterländischen Tondichter in monumentaler Weise bewahrt und verherrlicht zu sehen. Die Einleitungen zur Herbeischaffung der dazu nöthigen Mittel wurden sogleich getroffen und es liegen bereits Resultate vor und sind deren noch zu gewärtigen, welche der Hoffnung Raum geben, daß in nicht ferner Zeit an schöner Stelle in freier Natur das Standbild Franz Schubert's sich erheben werde als stolzer Schmuck seiner Vaterstadt

und Staudigl; jenes der zuletzt erwähnten Feier aus folgen den Schubert'schen Compositionen: Quartett in *A-Moll* (von den oben erwähnten Herren gespielt); auf der Donau, der Schiffer, der Doppelgänger, der Wanderer und Gruppe aus dem Tartarus, von Staudigl gesungen; Variationen über ein Originalthema, gespielt von den Herren Dachs und Fischhof; *Impromptu* (*op.* 142), gespielt von Dachs, und dem Vocal-Quartett: die Nachtigall, gesungen von Kloß, Muk, Legat und Petzelberger. In beiden Concerten begleitete Herr Randhartinger am Clavier.

5 Auch in Weimar und in Bremen fand im Jahre 1861 eine Schubertfeier statt.

und als ein Wahrzeichen der Dankbarkeit und Verehrung aller derjenigen, welche zur Errichtung desselben mit Rath und That mitgeholfen haben[6]. 586

Was aber auch von begeisterten Verehrern für Schubert's Ruhm unternommen sein mag, er selbst hat diesen – *aere perennius* – in seinen Werken fest und unerschütterlich begründet.

Losgelöst von jenen formalen Banden, die früher oder später bei wechselndem Geschmack so manche Tonwerke selbst der größten Meister veralten machen, Kinder einer freien blühenden Fantasie und unerschöpflichen Erfindung, voll von wahrer tiefer Empfindung, zählen Schubert's Tondichtungen ihrer Mehrzahl nach zu jenen Erscheinungen auf musikalischem Gebiete, welche, abgesehen von ihrem künstlerischen Werth an sich, in Folge jener Eigenthümlichkeit noch viele kommende Zeiten in jugendlicher Frische überdauern werden. Und dieß sei nicht blos von seinen Liedern gesagt, sondern auch von einem großen Theil seiner Compositionen anderer Gattung, deren freier Flug und fesselloser Schwung sie vor frühzeitigem Alter schützen und ihnen in dieser Beziehung das glückliche Los der Meisterwerke Beethovens angedeihen lassen wird.

Was an Schubert's Tondichtungen hauptsächlich fesselt und erquickt, ist ihre Ursprünglichkeit. Eine überschwengliche Fülle von Erfindung quillt aus allem hervor, was er geschaffen: allenthalben glüht und blüht es! Er stellt in seinen Producten keine Räthsel hin, und läßt über sein Denken und Fühlen 587
keine Deutelei aufkommen, er macht seine Kunst nicht zum ostensiblen Tummelplatz der Conflicte seines inneren und äußeren Lebens, und wenn es einen, in des Wortes höchster Bedeutung *naiven* Tonsetzer je gegeben hat, so war dieß Franz Schubert. Alles reflektirte Wesen war dem in ihm waltenden Schaffensdrang so fremd, daß vielleicht nur darin der Grund zu finden ist, weßhalb er so mancher seiner Schöpfungen jene zusammengefaßte Kraft und gefeilte Schönheit nicht angedeihen ließ, die wir an anderen Meistern bewundern, und die er unbeschadet seiner Eigenthümlichkeit auch den seinen hätte verleihen können. Hierbei kann es sich gleichwohl nur um unnöthige Längen und Breiten oder ungerechtfertigte Wiederholungen handeln, welche sich hie und da in seinen Instrumentalwerken vorfinden und einen abschwächenden Eindruck hervorbringen, wogegen die Lieder,

6 Im September 1864 betrug der Schubert-Monumentfond 18, 600 fl. in Werthpapieren und 1170 fl. 33 kr. in Barem. Schon das erste »Festconcert«, welches in Wien im August 1862 stattfand, warf einen reichlichen Ertrag ab. Mittlerweile sind Einladungen an sämmtliche deutsche Gesangvereine ergangen, nach Kräften beizutragen, und sind von einigen derselben bereits Spenden eingesendet worden. Am 19. October 1864 erschien in den öffentlichen Blättern Wiens ein Aufruf des Wiener Männergesangvereines, in welchem alle Verehrer Schubert's zu Beiträgen für den Schubert-Monumentfond eingeladen werden. – Auch der etwas verwahrlosten Grabstätte Schubert's (und Beethovens) hat man nicht vergessen.

durch den Text mehr eingeschränkt, sich beinahe durchgehends von diesem Vorwurf frei erhalten.

Daß er an seinen Werken nur in den allerseltensten Fällen noch gefeilt hat[7], ist eine verbürgte Thatsache und die Handschriften selbst bezeugen es in unwiderlegbarer Weise. Die kurze Spanne Lebenszeit, von der er gleichsam eine Ahnung haben mochte, gestattete ihm nicht, bei seinen Schöpfungen
588 lange zu verweilen, wenn er den Geheißen seines Genius nach immer neuen Thaten gerecht werden, und innerhalb der achtzehn Jahre alles, was in ihm von Musik leibte und lebte, los werden wollte. Sein künstlerisches Vermögen war so staunenswerth, daß er sich zu erschöpfen nicht bange zu sein brauchte, wenn er, anstatt auf eine fertig gewordene Arbeit glättend und verbessernd zurückzukommen, es vorzog, dieser eine neue folgen zu lassen.

So war denn Franz Schubert auch in dieser Beziehung eine der eigenthümlichsten Erscheinungen, die je Musikschaffend gewirkt hat, und wenn diejenigen, die seine Productionskraft auf einen Zustand von Hellseherei zurückführen wollten, einer dunkeln und irrigen Anschauung folgen, so bleibt der Umstand immerhin charakteristisch, daß eben Männer[8], welche um Schubert viel beschäftigt waren, und hie und da die Gelegenheit wahrnahmen, ihn beim Schaffen zu belauschen, es versuchten, sich den ihnen unbegreiflichen inneren Proceß, der sich in dem Tondichter vollzog, geradezu auf übernatürlichem Weg zu erklären.

Mehr als dreißig Jahre sind entschwunden seit dem Tag, an welchem der Tondichter sein kurzes Erdenwallen beendet hat. Einem Meteor gleich zog seine Erscheinung an dem musikalischen Himmel vorüber; aber so flüchtig auch dieses Dahinschweben war, so dauernde Wirkungen hat es zurückgelassen. Ja, es gab eine Zeit der Verflachung und Charakterlosigkeit in der Musik, in welcher vor Allem *sein lied*beschwingter Genius die dem Erlöschen zuneigende Flamme heiliger Kunst zu neuem Leben anfachte, und das ent-
589 zündete Feuer fortan lodernd erhielt.

Im großen Ganzen läßt sich von Franz Schubert sagen: Was er in Tönen ausgesprochen, ist voll von wahrer, tiefer Empfindung, voll Gluth und dramatischen Lebens. Er hat durch seine Vielseitigkeit und Originalität die musikalische Anschauung wesentlich gefördert und erweitert, und auch ihm war es, als einer echt schöpferischen Natur, beschieden, dasjenige, was aus

7 Damit hängt auch die unläugbare Thatsache zusammen, daß in manchen seiner Instrumentalwerke die *Schlußsätze* sich nicht auf gleicher Höhe mit den vorausgegangenen behaupten. Beispiele davon liefern einige Clavier-Sonaten, das Streichquintett in*C*, der Schlußchor in der Operette »die Verschwornen«, der sich wie ein »Kehrtaus« beim Tanz ausnimmt u.s.w.

8 Vogl und Schönstein, selbst Schober.

seinem Geist neugeboren war, dem kommenden Geschlecht als den fruchtbringenden Keim neuen Lebens darzubringen.

Verzeichniß der Werke Schubert's

Verzeichniß der im Stich erschienenen Lieder Schubert's nach der in dem thematischen Catalog beobachteten Reihenfolge.

»*Erlkönig*«, Ballade von Goethe, comp. 1815 oder 1816, als *op.* 1 bei Cappi und Diabelli in Wien im J. 1821 im Stich erschienen, und von dem Componisten dem Grafen Moriz von Dietrichstein gewidmet. Das Autograf davon besaß Herr Hofkapellmeister Randhartinger in Wien, der es an Frau Clara Schumann abgetreten hat. Eine Abschrift von Schubert's Hand befand sich, nach Angabe des Herrn F. Flatz, im Besitz des Herrn Landsberg[A1] in Rom. Derselbe besaß auch die ursprüngliche Bearbeitung des »*Erlkönig*«, welche dem im Stich herausgegebenen gegenüber einige Abweichungen aufweist. Die Triolenbegleitung der rechten Hand ist dort durchaus in Achteln durchgeführt, der Schluß ist um einen Tact kürzer und an mehreren Stellen sind von Sch. ganze Tacte eingeschoben. – Dieses Autograf besitzt die königl. Bibliothek in Berlin.

»*Gretchen am Spinnrade*« aus Goethe's Faust. *Op.* 2, ebenfalls 1821 von Diabelli veröffentlicht und von Schubert dem Reichsgrafen Moriz von Frieß gewidmet. Autograf in der k. Bibliothek in Berlin. Die 16 ersten Tacte darin sind unvollständig.

»*Schäfers Klagelied*«, »*Jägers Abendlied*« (1816), »*Heidenröslein*« (1815), »*Meeresstille*« (1815), Gedichte von Goethe, als *op.* 3 dem Vicedirector der k.k. Hoftheater, Hofrath Ignaz von Mosel, gewidmet und 1821 veröffentlicht. Die Autografe in der k. Bibliothek in Berlin, ein zweites Autograf der »Meeresstille« bei Gustav Petter in Wien. Die Lieder erschienen bei Cappi
591 und Diabelli.

»*Der Wanderer*« von Georg Philipp Schmidt von Lübeck, componirt 1816. Das Original[A2], auf welchem Schubert irrthümlicher Weise Zacharias Werner als den Verfasser des Gedichtes bezeichnete, bei Dr. Carl von Enderes in Wien. In der Clavierbegleitung ist eine kleine Abweichung vor der im Stich erschienenen ersichtlich. »*Wanderers Nachtlied*« von Goethe (I), »Der du

A1 Der vor einigen Jahren in Rom gestorbene bekannte Musikfreund *Landsberg* befand sich im Besitz einer nicht unerheblichen Anzahl von Schubert-Autografen, die er um das Jahr 1844 von Ferdinand Schubert käuflich an sich gebracht hatte. Nach seinem Tode wurde die ganze Sammlung der musikal. Abtheilung der k. Bibliothek in Berlin einverleibt. Der Custos derselben, Herr *Espagne*, hatte die Freundlichkeit, mir ein mit schätzbaren Detailangaben ausgestattetes Verzeichniß jener Manuscripte zu übermitteln.

A2 Die mit * bezeichneten Autografe habe ich selbst eingesehen.

von dem Himmel bist«, Autograf in der köngl. Bibliothek in Berlin. »*Morgenlied*« von Werner. Im Jahre 1821 als*op.* 4 von Cappi und Diabelli herausgegeben und im Jahre 1822 von dem Componisten dem Patriarchen Ladislaus Pyrker gewidmet.

»*Rastlose Liebe*«, »*Nähe des Geliebten*« (27 Febr. 1815), »*Erster Verlust*« (5. Juli 1815), »*Der Fischer*«, Ballade » *König in Thule*«, Ballade (1816), Gedichte von Goethe, als *op.* 5 im Jahre 1821 bei Cappi und Diabelli im Stich erschienen und von dem Componisten dem k.k. Hofkapellmeister Anton Salieri dedicirt. Autografe in der königl. Bibliothek in Berlin »Erster Verlust« auch bei Gustav Petter.

»*Memnon*« von Mayrhofer, comp. März 1817. Autograf (8 Seiten) bei G. Petter. – »*Antigone und Oedip*« von Mayrhofer, comp. März 1817. – »*Am Grabe Anselmos*« von Claudius. Erschienen 1821 als op. 6 bei Cappi und Diabelli in Stich, und sind von dem Componisten dem Regisseur und Mitglied des Hofoperntheaters Johann Vogl zugeeignet.

»*Die abgeblühte Linde*«, »*Der Flug der Zeit*« von Graf von Szechenyi. – »*Der Tod und das Mädchen*« von Claudius. Als *op.* 7 von Schubert dem Grafen Ludwig Szechenyi von *Sarvári-Felsö Videk* gewidmet, und 1821 bei Cappi und Diabelli im Stich. erschienen.

»*Der Jüngling auf dem Hügel*« von Heinrich Hüttenbrenner, comp. im Nov. 1820. – »*Sehnsucht*« (1824), »*Erlafsee*« (Sept. 1817), »*Am Strome*« (März 1817) vom Mayrhofer. Erschienen, von dem Componisten dem Grafen Karl Esterhazy-Galantha gewidmet, als *op.* 8 im Jahre 1822 bei Cappi und Diabelli in Stich.

»*Drei Gesänge des Harfner*« aus Goethe's »Wilhelm Meister«, (Sept. 1816), dem damaligen Bischof von St. Pölten, Hofrath von Dankesreither, von dem Tondichter zugeeignet. Als *op.* 12 im Jahre 1822 bei Cappi und Diabelli.

»*Der Schäfer und der Reiter*« von *de la Motte Fouqué* (1817), – »*Lob der Thränen*« von Schlegel (1821), »*Der Alpenjäger*« von Mayrhofer (Jänner 1817). Dem k.k. Bankal-Assessor Josef von Spaun gewidmet. Als *op.* 13 im Jahre 1822 bei Cappi und Diabelli. 592

»*Suleika*« (1), »*Geheimes*« von Goethe, comp. im März 1821. Seinem Freunde Franz von Schober dedicirt; als *op.* 14 im Jahre 1822 bei Cappi und Diabelli.

»*An Schwager Kronos*« (März 1827), »*Ganymed*« (März 1817), »An *Mignon*« (27. Febr. 1815) von Goethe. Erschienen als *op.* 19 im Jahre 1824 bei Cappi und Diabelli und sind dem Geheimrath von Goethe in Weimar dedicirt, an welchen sie 1819 übersendet worden waren. Autograf von »An Mignon« in der königl. Bibliothek in Berlin.

»*Sei mir gegrüßt*« von Rückert 1821. (Erscheint auch als Thema des zweiten Satzes der »Fantasie« für Pianoforte und Violine, *op.* 159.) »*Frühlingsglaube*« von Uhland. Autograf der ersten Bearbeitung (1820) in der königl. Bibliothek in Berlin. Die zweite Bearbeitung datirt vom Nov. 1822. – »*Hänflings Liebeswerbung*« von Kind (April 1817). Erschienen als *op.* 220 im Jahre 1823 bei Sauer und Leidesdorf in Wien, und sind von Schubert der Frau Justine Bruchmann zugeeignet.

»*Auf der Donau*«, »*Der Schiffer*«, »*Wie Ulfru fischt*« von Mayrhofer (Jänner 1817). Drei Baßlieder, dem Dichter gewidmet, *op.* 21, im Jahre 1823 bei Sauer und Leidesdorf.

»*Der Zwerg*« (richtiger »Untreue«), ein Fragment (1823), »*Wehmuth*«, von Matthäus von Collin. Erschienen als *op.* 22 im Jahre 1823 bei Sauer und Leidesdorf und sind dem Dichter gewidmet.

»*Die Liebe hat gelogen*« von Graf von Platen. – »*Selige Welt*«, »*Schwanengesang*« von Senn. Autografe je 2 Seiten in der königl. Bibliothek in Bertin. – »*Schatzgräbers Begehr*« von Schober (1822). Erschienen als *op.* 23 im Jahre 1823 bei Sauer und Leidesdorf.

»*Gruppe aus dem Tartarus*« von Schiller (1817), im Jahre 1821 von Preisinger zum ersten Male öffentlich in Wien gesungen. »*Schlummerlied*« von Mayrhofer 1817. Als *op.* 24 bei Sauer und Leidesdorf im Jahre 1823 veröffentlicht.

Zwanzig Gesänge aus dem Liederciklus: »*Die schöne Müllerin*« von Wilhelm Müller (comp. 1823), in fünf Heften enthaltend: 1. Das Wandern, 2. Wohin, 3. Halt, 4. Danksagung an den Bach, 5. Am Feierabend, 6. Der Neugierige, 7. Ungeduld, 8. Morgengruß, 9. Der Müller und der Bach, 20. Des Baches Wiegenlied. – Autograf unbekannt. Das Manuscript des Liedes Nr. 15 besitzt nach einer Mittheilung Herrn Derffel's die Frau Gräfin *Wimpffen* in Wien. – Die Lieder sind als *op.* 25 im Jahre 1824 bei Sauer und Leidesdorf erschienen, und von dem Tondichter dem Freiherrn von Schönstein zugeeignet. In
593 neuester Zeit erschien bei Spina eine von Herrn B. *Randhartinger* nach der Originalausgabe revidirte Auflage dieses Liederkreises.

»*Suleika's Gesang*« (II) von Goethe, 1821, erschien als *op.* 31 im Jahre 1825 bei Pennauer in Wien, und ist von Schubert der königl. preußischen Hofopernsängerin Anna Milder-Hauptmann gewidmet, welche das Lied 1825 in einem Concerte in Berlin vortrug.

»*Die Forelle*« von Schubart (1818), erschien als *op.* 32 im Jahre 1825 bei Diabelli. Entstand in Anselm Hüttenbrenners Wohnung im Neubad in Wien um Mitternacht.

»*Die zürnende* (richtiger *Der zürnenden) Diana*« von Mayrhofer, (comp. Dec. 1823), »*Nachtstück*«, von Mayrhofer (October 1819). Herausgegeben als *op.* 36 bei Cappi und Comp. im Jahre 1825, und der Frau Katharina Lacsny, geb. Buchwieser, von Schubert zugeeignet.

»*Der Pilgrim*«, »*Der Alpenjäger*« von Schiller (1817). Als *op.* 37 im Jahre 1825 bei Cappi und Comp. erschienen und von dem Tondichter dem Maler Ludwig Schnorr von Karolsfeld dedicirt.

»*Der Liedler*«, Ballade von *Kenner* (1815), als *op.* 38 bei Cappi und Comp. im Jahre 1825 veröffentlicht, und dem Tichter gewidmet. Moriz Schwind fertigte eine Zeichnung dazu.

»*Die Sehnsucht*« von Schiller. Wiederholte Bearbeitung aus dem Jahre 1821; am 8. Febr. 1821 zum ersten Male von Goetz öffentlich in Wien gesungen. Erschien als *op.* 39 im Jahr 1826 bei Pennauer. – Die erste Bearbeitung (15. April, am Ende 17. April 1813), acht Seiten Fol., Autograf in der königl. Bibliothek in Berlin, weicht von der späteren ab. Nur der Schluß: »Frisch hinein«, ist – aber auch dieser mit Abänderungen – beibehalten.

»*Der Einsame*« von Lappe, nach einer Mittheilung mehrerer Freunde Schuberts von diesem im Jahre 1825 im Spitale componirt. Erschien als *op.* 41 im Jahre 1827 bei Diabelli.

»*Die junge Nonne*« von Craigher. – » *Nacht und Träume*« von Schiller, erschienen als *op.* 43 im Jahre 1825 bei Pennauer.

»*An die untergehende Soune*« von Kosegarten; erschien als *op.* 44 im Jahre 1827 bei Diabelli.

»*Fünf einstimmige Gesänge*« aus W. Scott's »Fräulein am See«: Ellens Gesang (I und II), Normanns Gesang, Hymne an die Jungfrau, und Lied des gefangenen Jägers, comp. 1825. Erschienen als*op.* 53 im Jahre 1826 bei Artaria, und sind der Gräfin Sofie Weißenwolf, geb. Gräfin von Breuner, gewidmet.

»*Willkommen und Abschied*« von Goethe (comp. 1822), Autogr. $4^1/_2$ Seiten in der königl. Bibliothek in Berlin. – »*An die Leyer*«, »*Im Haine*« von Bruchmann. Veröffentlicht als*op.* 56 im Jahre 1826 bei Weigl, und Herrn Karl Pinterics zugeeignet.

»*Der Schmetterling*«, »*Die Berge*« von Fr. Schlegel. – »An den *Mond*« von
594 Hölty. *op.* 57. Autograf besaß Landsberg.

»*Hektors Abschied*« (1815), »Emma« (April 1814). »*Des Mädchens Klage*« (März 1816), von Schiller, *op.* 58.

»*Du liebst mich nicht*« von Graf Platen. »*Daß sie hier gewesen*«, »*Du bist die Ruh*« (1823), »*Lachen und Weinen*« von Rückert. Erschienen als *op.* 59 im Jahre 1826 bei Sauer und Leidesdorf.

»*Greisengesang*« von Rückert. »*Dithirambe*« von Schiller. Erschienen als *op.* 60 im Jahr 1826 bei Cappi und Czerny.

Drei Lieder der Mignon aus Goethe's Wilhelm Meister: 1. »*Nur wer die Sehnsucht kennt*« (1815 und 1816) dreimal als Lied componirt und einmal als Duett für Sopran und Tenor (*op.* 62), ferner als Quintett (unveröff.). Autograf[A3] des letzteren bei Albert Stadler in Wien. 2. »*Heiß mich nicht reden.*« »*So laß mich scheinen.*« Als *op.* 62 im Jahre 1827 bei Diabelli herausgegeben und der Fürstin Mathilde zu Schwarzenberg zugeeignet.

»*Lied eines Schiffers an die Dioskuren*« (richtiger »Schiffers Nachtlied«) von Mayrhofer (1816). »*Der Wanderer*« von A.W. Schlegel (Febr. 1819). *Aus Heliopolis* (richtiger »Heliopolis«) von Mayrhofer. Als *op.* 65 im Jahre 1826 bei Cappi und Czerny im Stich erschienen.

»*Der Wachtelschlag*« von Metastasio (1822), als *op.* 68 im Jahre 1827 bei Diabelli.

»*Drang in die Ferne*« von Leitner (1823), als *op.* 71 im Jahre 1827 bei Diabelli. Erschien auch als Musik-Beilage der »Wiener Zeitschrift.«

A3 Auch Beethoven componirte das Lied mehrere Male.

»*Auf dem Wasser zu singen*« von Stollberg (1823), als *op.* 72 im Jahre 1827 bei Diabelli. Erschien auch als Musik-Beilage der »Wiener Zeitschrift«.

»*Die Rose*« von Fr. Schlegel (1822), als *op.* 73 im Jahre 1827 bei Diabelli. Erschien auch als Musik-Beilage der »Wiener Zeitschrift.«

»*Das Heimweh*« von L. Pyrker, im August 1825 in Gastein componirt und von dem Componisten dem Dichter gewidmet, erschien als *op.* 79 im Jahre 1827 bei Haslinger. Das Autograf besitzt die königl. Bibliothek in Berlin. Der Schluß (etwa die letzten 60 Tacte) weicht von dem im Stich erschienenen Liede ab; der gedruckte Schluß befindet sich als Autograf und zwar als Nr. 4 der: »Vier deutsche Gedichte«, ebenfalls in der königl. Bibliothek in Berlin.

»*Die Allmacht*« von L. Pyrker (ebenfalls *op.* 79), ist zweimal bearbeitet.
Das Autograf eines unvollendeten Männerquartettes (auf dieses Gedicht) 595
bei dem k.k. Vice-Hofkapellmeister Johann Herbeck in Wien.

»*Der Wanderer an den Mond*« von G. Seidl (1826). Autogr. 4 Seiten in der königl. Bibliothek in Berlin. »*Das Zügenglöcklein*« (1826), »*Im Freien*« (1826), von G. Seidl, Autograf $4^1/_2$ Seiten in der königl. Bibliothek in Berlin. Erschienen als *op.* 80 im Jahre 1827 bei Haslinger und sind Herrn Josef Witteczek gewidmet.

»*Alinde*«, »*An die Laute*«, »*Zur guten Nacht*« (mit Chor) von Friedrich Rochlitz, als *op.* 81 im Jahre 1837 bei Haslinger veröffentlicht und von den Verlegern dem Dichter gewidmet.

»*Drei italienische Gesänge*« (für eine Baßstimme) von Metastasio. 1. *L'incanto degli occhj*. 5. *Il Tradito deluso*. 3. *Il modo di prendere moglie*, comp. 1827, als *op.* 83 im Jahre 1827 bei Haslinger erschienen und von Schubert dem Sänger Ludwig Lablache gewidmet.

»*Lied der Anna Lyle*« (1827), »*Gesang der Norna*« (1826), aus W. Scott's Montrose, als *op.* 85 im Jahre 1828 bei Diabelli.

»*Romanze des Richard Löwenherz*«, aus Walter Scott's »Ivanhoe« (comp. 1826), als *op.* 86 im Jahre 1828 bei Diabelli.

»*Der Unglückliche*« von Caroline Pichler (1821). – »*Die Hoffnung*« von Schiller, I und II (comp. 1815), erster Entwurf bei Landsberg. »*Der Jüngling am Bache*« von Schiller, drei Bearbeitungen (1815), *op.* 87.

»*Abendlied an die Entfernte*« von A.W. Schlegel (1825). – »*Thella*« von Schiller (I, 1813, II, 1817). Autograf der ersten Bearbeitung in der königl. Bibliothek in Berlin; Autograf desselben Liedes aus 1817 (in *Cis-Moll*) bei Herrn Concertmeister Joachim. – »*Um Mitternacht*« von C. Schulze (1826). – »*An die Musik*« ganz abweichende Bearbeitung von »Thekla« ist nicht im Stich erschienen.

»*Die Winterreise*« von Wilhelm Müller (comp. 1826 und 1827), einen Cyklus von 24 Liedern enthaltend: 1. Gute Nacht. 2. Die Wetterfahne. 3. Gefrorne Thränen. 4. Erstarrung. 5. Der Lindenbaum 6. Wasserfluth. 7. Auf dem Flusse. 8. Rückblick. 9. Irrlicht. 10. Rast. 11. Frühlingstraum. 12. Einsamkeit. 13. Die Post. 14. Der greise Kopf. 15. Die Krähe. 16. Letzte Hoffnung. 17. Im Dorfe. 18. Der stürmische Morgen. 19. Die Täuschung. 20. Der Wegweiser. 21. Das Wirthshaus. 23. Muth. 23. Die Nebensonnen. 24. Der Leiermann. – Als *op.* 89 im Jahre 1828 bei Haslinger im Stich erschienen.

»*Der Musensohn*« (Dec. 1822). Autograf 5 Seiten, in der königl. Bibliothek in Berlin. »*Auf dem See*« (1817), zweite Bearbeitung. »*Geistesgruß*« von Goethe (1816), zweimal componirt. Als *op.* 92 im Jahre 1828 bei Leidesdorf
596 erschienen und von Schubert der Frau Josefine Frank gewidmet. – Die erste Bearbeitung von »Geistesgruß« weicht ab von der in *op.* 92 enthaltenen. Autograf der ersten Bearbeitung in der königl. Bibliothek in Berlin.

»*Im Walde*«, »*Auf der Bruck*« von E. Schulze, componirt 1825. Erschienen zuerst im Jahre 1828 im Verlage von Kienreich in Graz, dann im Jahre 1828 bei Haslinger als *op.* 93.

»*Die Unterscheidung*«, »*Bei Dir*«, »*Die Männer sind mechant*«, »*Irdisches Glück*«, Refrainlieder von G. Seidl, welchen noch andere folgen sollten. Sie sind dem Dichter gewidmet und erschienen als *op.* 95 im Jahre 1828 bei Weigl.

»*Die Sterne*« von Leitner (Jänner 1828). – »*Jägers Liebeslied*«von Schober (Febr. 1827). – »*Wanderers Nachtlied*« von Goethe (II). – »*Fischerweise*« von Schechta (März 1826), als *op.* 96 von Schubert der Fürstin Caroline Kinsky, geb. Freiin von Kerpen, gewidmet, von welcher Schubert folgendes vom 7. Juli 1828 datirte (in meinem Besitz befindliche) Schreiben erhielt: »Empfangen Sie nochmals, lieber Herr Schubert, meinen Tank für den Antheil, den Sie an dem Gelingen meines Concertes hatten, als auch für die Zueignung der letzterhaltenen Lieder, welche ich mich freue, den nächsten Winter zu bewundern, wenn Ihre und Baron Schönstein's Gefälligkeit mir diesen Genuß verschaffen wollen. Empfangen Sie die Inlage als einen schwachen Beweis meiner Erkenntlichkeit und Sie werden sehr verbinden Ihre ergebene Charlotte Fürstin Kinsky.«

»*Glaube, Hoffnung und Liebe*« von Kuffner, *op.* 97, im Jahre 1828 bei Diabelli.

»*An die Nachtigall*« (Nov. 1816), »*Wiegenlied*« (Nov. 1816) von Claudius. – »*Ifigenia*« von Mayrhofer (Juli 1817), *op.* 88.

»*Der blinde Knabe*« von Craigher (comp. 1825), *op.* 101, erschien auch als Musik-Beilage der »Wiener Zeitschrift.«

»*Wiegenlied*«, »*Am Fenster*« (1826), »*Sehnsucht*« (1826) von G. Seidl, *op.* 105. Diese drei Lieder und das Männerquartett »Widerspruch« erschienen am 21. November 1828, Schubert's Begräbnißtag, bei Czerny im Stich[A4].

»*Heimliches Lieben*« (1827), »*Das Weinen*« »*Vor meiner Wiege*«, die letzteren zwei Gedichte von Leitner, comp. 1827. – »*An Silvia*« aus Shakespeare's: »Die beiden Veroneser« (1826), als *op.* 106 der Frau Maria Pachler in Graz gewidmet.

»*Ueber Wildemann*« (im Harzgebirg) von E. Schulze 1827. – »*Todesmusik*« von Schober (1822), – »*Erinnerung*« (richtiger »Erscheinung«) von Kosegarten. (April 1814), *op.* 108. 597

»*Am Bach im Frühling*« (1816), »*Genügsamkeit*«, »*An eine Quelle*« (1816), von Claudius, *op.* 109.

»*Der Kampf*« (Freigeisterei der Leidenschaft) von Schiller (1815), einige Strofen davon componirt,*op.* 110.

»*An die Freude*« von Schiller (1815). – »*Lebensmelodien*« von Schlegel (März 1816). »*Die vier Weltalter*« von Schiller (1816), *op.* III.

»*Das Lied im Grünen*« von Reil (Juni 1827), – »*Wonne der Wehmuth*« von Goethe (Febr. 1815). Autograf in der königl. Bibliothek in Berlin. – »*Sprache der Liebe*« von Fr. Schlegel (April 1816).

A4 Alle nun folgenden Lieder, sowie *op.* 134–146 (mehrstimmige Gesänge Clavier und Kammermusik) sind erst nach Schudert's Tod veröffentlicht worden.

»*Die Erwartung*« von Schiller (37. Febr. 1815), *op.* 116, »seinem Freunde« Josef Hüttenbrenner gewidmet.

»*Der Sänger*«, Ballade von Goethe (Febr. 1816), *op.* 117.

»*Geist der Liebe*« von Kosegarten. – »*Der Abend*« von Hölty. – »*Tischlied*« von Goethe. – »*Lob des Tokayers*« von Baumberg, comp. 1815. – »An die *Sonne*« von Th. Körner. – »*Die Spinnerin*«, Ballade von Goethe, Autograf in der königl. Bibliothek in Berlin, comp. 1815, *op.* 118.

»*Auf dem Strom*« von Rellstab, mit Clavier- und obligater Horn- oder Cellobegleitung, die Hornstimme für Herrn Eduard Lewy, Mitglied des Hofoperntheaters in Wien (im Jahre 1838), geschrieben.

»*Viola*« von Schober (März 1823), *op.* 123.

»*Zwei Scenen*« aus dem Schauspiel »*Lacrimas*« von V. *Schütz*, herausgegeben von A.W. Schlegel (comp. 1835), *op.* 124.

»*Ballade*« von Kenner (1814), *op.* 126.

»*Der Hirt auf dem Felsen*« von Wilhelmine Chezy, mit Clavier- und obligater Clarinetbegleitung, comp. im Jahr 1828 für die Opernsängerin Anna Milder-Hauptmann, *op.* 129.

»*Das Echo*« von Castelli, *op.* 130. Auch diesem sollte noch eine Reihe heiterer Lieder folgen.

»*Der Mondabend*« von Erwin. – »*Trinklied*« mit Chor von Herder (1813). – »*Klagelied*« von Rochlitz (1812), *op.* 131.

Vierzehn Lieder, von den Verlegern (Haslinger und Comp.) »*Schwanengesang*« betitelt. 1. Liebesbotschaft. 2. Kriegers Ahnung. 3. Frühlingssehnsucht. 4. Ständchen. 5. Aufenthalt. 6. In der Ferne. 7. Abschied von Rellstab. 8. Der Atlas. 9. Ihr Bild. 10. Das Fischermädchen. 11. Die Stadt. 12. Am Meere. 13. Der Doppelgänger von Heine (angeblich im August 1828 comp.). 14. Die Taubenpost von Seidl, angeblich Schubert's letztes Lied (Oct. 1828).

In neuester Zeit erschienen bei Spina unter der Aufschrift »*Liederkranz*«, Sammlung von Liedern aus Schubert's Nachlaß, als *op.* 165: »*Die Liebende*
598 *schreibt*« von Goethe (Oct. 1819). – »*Die Sternennächte*« von Mayrhofer (Oct. 1819). Autograf besaß Landsberg, – »*Das Bild*« (1815). – »*Die Täu-*

schung« von Kosegarten (1815), – »*Altschottische Ballade*« von Herder, 1827 im Dr. Pachler'schen Hause in Graz componirt und daselbst bei Kienreich im Stich erschienen.

Lieder aus dem »Nachlaß«.

»*Gesänge Ossians*« in fünf Heften (Lief. 1–5). 1. Die Nacht (Febr. 1817). 2. Cronaan, Colmas Klage (22. Juni 1815), Autograf bei Gustav Petter in Wien. 3. Lodas Gespenst (Febr. 1815). 4. Shilrik und Vinvela. Ossians Lied nach dem Fall Nathos. Das Mädchen von Juistore (Sept. 1815). 5. Der Tod Oskars (febr. 1816).

»*Elisium*« von Schiller (15. April 1813), Lief. 6 Autograf bei J. Hüttenbrenner. »*Des Sängers Habe*« von Franz v. Schlechta (1825), Lief. 7. – »*Hyppolit's Lied*« von Johanna Schoppenhauer aus »Gabriele« (Juli 1826), Lief. 7. »*Abendröthe*« von Schlegel (März 1820), Lief 7. – »*Morgenständchen*« von Shakspeare aus »Cimbelin« (comp. im Juli 1826) in Währing), Lief. 7. – »*Die Bürgschaft*«, Ballade von Schiller (Aug. 1815), Lief. 8. – »*Der zürnende Barde*« von Franz Bruchmann *junior* (Februar 1823), zwei Bearbeitungen, Lieferung 9, Autograf bei Petter.

»*Am See*« von Bruchmann (März 1817), L. 9. – »*Abendbilder*« von Claudius (Februar 1819), L. 9. – »*Acht geistliche Lieder*«: 1. Dem Unendlichen, Ode von Klopstock (15. Juli 1815), Autograf in der k. Bibliothek in Berlin[A5]. 2. Die Gestirne von Klopfstock (1816), Autograf bei Petter. 3. Das Marienbild von Schreiber (August 1818). 4. Vom Mitleiden Mariä von Schlegel (Dec. 1818). 5. Litanei auf das Fest aller Seelen von Jakobi (1816). 6. *Pax vobiscum* von Schober (April 1817), Autograf bei Bermann in Wien. 7. Gebet während der Schlacht von Körner. 8. Himmelsfunken von Silbert (Februar 1819), L. 10.

»*Orest auf Tauris*« (richtiger »Der landende Orest«) (1820); »*Der entsühnte Orest*« (1820); »*Philoktet*« (März 1817); »*Freiwilliges Versinken*« (1820); von Mayrhofer, L. 11.

»Der *Taucher*«, Ballade von Schiller (angef. September 1813, beendet August 1814), Lief. 12. – »*An mein Herz*« (December 1825), »*Der liebliche*

A5 Die k. Bibliothek in Berlin besitzt als Autograf: »Vier deutsche Gedichte für eine Singstimme mit Begleitung des Pianoforte von F. Schubert«, und zwar: die obige Ode, »An den Mond« von Goethe, (Lief. 47). »Hoffnung« von Goethe und die letzten 60 Tacte des Liedes »Heimweh« (op. 79), dieses zwei Seiten stark, in *A-Moll*.

Stern« (December 1835) von Ernst Schulze, Lief. 13. bearbeitet), Lief. 14. –
599 »*Fragment aus dem Aeschilus*« von Mayrhofer (Juni 1816), Lief. 14, Autograf bei Petter. – »*Widerschein*« Mai 1828); »*Liebeslauschen*« September 1820); »*Todtengräberweise*« von Frh. v. Schlechta (1826), Lief. 15.

»*Waldesnacht*« von Schlegel (December 1826), Autograf befand sich bei Witteczek.

»*Lebensmuth*« von Schulze (1826), Lief. 17. – »*Der Vater mit dem Kind*« von Bauernfeld (Jänner 1817), Autograf bei Petter, Lief. 17. – »*An den Tod*« von Schubart, Lief. 17. – »*Verklärung*« von Pope (4. Mai 1813), Lief. 17.

»*Pilgerweise*« von Schober (April 1823), Lief. 18. »*An den Mond in einer Herbstnacht*« (April 1818), Lief. 18. – »*Fahrt zum Hades*« von Mayrhofer (Jänner 1817), Autograf bei Jünger, Lieferung 18.

»*Orfeus*« von Jakobi (1816), Lief. 19. – »*Ritter Toggenburg*«, Ballade von Schiller (13. März 1816), Lief. 19.

»*Im Abendroth*« von Lappe, Lief. 20. – »*Scene im Dom*«, aus Goethes Faust, mit Chor und Orgelbegleitung. Zwei Bearbeitungen vom 12. December 1813 und vom J. 1814, Lieferung 20. – »*Mignons Gesang*« von Goethe, Lief. 20. – »*Der Blumenbrief*« von Schreiber (August 1818), Autograf bei Gaby, Lief. 21. – »*Vergißmeinnicht*« von Schober (Mai 1823), Lief. 21.

»*Der Sieg*« (März 1814); »*Atys*«; »*Beim Wind*« (Octob. 1819), Autograf in der königl. Bibliothek in Berlin; »*Abendstern*« (März 1824), von Mayrhofer, Lief. 22.

»*Schwestergruß*« von Franz Bruchmann, componirt im November 1822 nach dem Tod des Fräuleins Bruchmann, Lief. 23. – »*Liedesend*«, Ballade von Mayrhofer (Septemb. 1816), Autograf bei Ritter v. Frank, Lief. 23.

»*Schiffers Scheidelied*« von Schober (Februar 1827) Lief. 24. – »*Todtengräbers Heimweh*« von Kraigher (April 1828), L. 24.

»*Fülle der Liebe*« von Friedrich Schlegel (1825), Autograf, fünf Seiten, in der k. Bibliothek in Berlin. – »*Im Frühling*« von E. Schulze (1826). – »*Trost in Thränen*« von Goethe (1815, erschien auch ohne *op.* Z. bei Kistner in Leipzig), Lief. 25.

»*Der Winterabend*« von Leitner (Jänner 1828), Lief. 26. – »*Der Wallensteiner Lanzknecht beim Trunk*«, Lief. 27; »*Der Kreuzzug*«, Lief. 27; »*Fischers Liebesglück*«, Lief. 27; Schubert componirte die ersten drei Gedichte von Leitner über Anregung der Frau Pachler in Graz.

»*Hermann und Thusnelda*« (1815); »*Selma und Selmar*« (September 1815); »*Das Rosenband*« (1815); »*Edone*« (1814); »*Die frühen Gräber*« von Klopstock, Lief. 28. 600

»*Stimme der Liebe*« (April 1816); »*Die Mutter Erde*«(August 1815) von Stollberg. – »*Gretchens Bitte*«, aus »Faust« von Goethe, Fragment (Mai 1817). – »*Abschied in das Stammbuch eines Freundes*« von Franz Schubert (24. August 1817), Autograf bei Landsberg, Lief. 29.

»*Tiefes Leid*« von Schulze (27. Jänner 1817). – »*Clärchens Lied*« von Goethe (3. Juni 1815). – »*Grablied für die Mutter*«, Lief. 30; »*Die Betende*«; »*Der Geistertanz*« (14. Oktober 1814); »*An Laura, als sie Klopstock's Auferstehungsliedsang*« (7. October 1814) von Mathisson, Lieferung 31.

»*Der Einsame*« (richtiger »*Einsamkeit*«) von Mayrhofer (1822), Lieferung 32.

»*Der Schiffer*« von Fr. Schlegel, Lief. 33. – »*Die gefangenen Sänger*« von A.W. Schlegel, compon. Jänner 1821, Autograf bei Petter, Lief. 33.

»*Auflösung*« von Mayrhofer (März 1824). – »*Blondel zu Marien*« von Grillparzer, Lief. 34.

»*Die erste Liebe*« von Fellinger (1825). – »*Lied eines Kriegers*« (31. December 1824), Autograf bei Petter, Lief. 35.

»*Der Jüngling an der Quelle*«; »*Lambertine*« von Mayrhofer (12. October 1815). – »*Ihr Grab*«, Lief. 36.

»*Heliopolis*« (eigentlich »*Im Hochgebirg*«, und in der neuen Auflage: »*An Franz*«) von Mayrhofer, Lief. 37. Autograf vier Seiten in der k. Bibliothek in Berlin. – »*Sehnsucht* von Goethe«, Lief. 37.

»*Die Einsiedelei*« von Salis (3. Mai 1817), zweite Bearbeitung bei G. Petter, Lief. 38. – »*Lebenslied*« von Mathison. – »*Versunken*« von Goethe (Februar 1820), Lief. 38. »*Als ich sie erröthen sah*« von Ehrlich (10. Februar 1815). –

»*Das war ich*« von Körner (26. März 1815). – »*In's stille Land*« von Salis, Lieferung 39.

»*Das Mädchen*« von Kenner (1819), Lief. 40. – »*Bertha's Lied in der Nacht*« von Grillparzer (Februar 1819), Autograf bei Gaby, Lief. 40. – »An die *Freunde*« (An Kenner) von Mayrhofer (nicht von Kenner, wie es im them. Katalog heißt), März 1819, L. 40.

»*Die Götter Griechenlands*« von Schiller (Fragment). – »*Das Finden*« von Kosegarten (25. Juni 1815). »*Cora an die Sonne*« von Baumberg (22. August 1815). – »*Grablied*« von Kenner. – »*Adelaide*« von Mathisson, 1815, Lief. 42

»*Trost*« von Mayrhofer (1819), Autograf bei Petter, 10 Seiten. – »*Zum Punsch*« von Mayrhofer (1816). – »*Die Nacht*« von Utz. Lief. 44.

»*Frohsinn*« (Jänner 1817). Fragment – Autograf bei Petter. – »*Trinklied*«
601 mit Chor von Herder (29. August 1813). – »*Der Morgenkuß*« von Baumberg (28. August 1815), Lieferung 45. – »*Epistel*« an Josef Spaun von Collin (Jänner 1822), Autograf bei Frh. Josef v. Spaun, Lief. 46.

»*Prometheus*« (1819), Autograf bei Petter; »*Wer kauft Liebesgötter*«; »*Der Rattenfänger*« (1815); »Nachtgesang« (1815); »*An den Mond*« (I. u. II. 1815) (Füllest wieder u.s.w.), Autograf dieses letztgenannten, drei Seiten, in der k. Bibliothek in Berlin, unter den »Vier deutsche Gedichte« von Goethe, Lief. 47.

»*Die Sterne*« von Schlegel (1820). – »Erntelied« von Hölty (August 1816). – »*Klage*« von Hölty (I u. II, Jänner und Mai 1816). – »*Trinklied aus Antonius und Cleopatra*« von Shakespeare (im Juli 1826 in Währing componirt). – »Mignon« von Goethe, zweite Bearbeitung, Autograf bei Petter. – »*Der Goldschmiedgesell*«; »*Tischlerlied*« von Goethe, 1815, Lief. 48.

»*Auf der Riesenkoppe*« von Körner. – »*Auf einem Kirchhof*« von Klopstock (2. Februar 1815), Lief. 49.

»*An die Apfelbäume, wo ich Julien erblickte*« von Hölty (22. Mai 1815), Lief. 50. – »*Der Leidende*« von Hölty (Mai 1816), Lief. 50. – »*Augenlied*« von Mayrhofer, Lief. 50.

Verzeichniß der noch nicht veröffentlichten, zum größten Theil in der Witteczek'schen Sammlung in Abschrift enthaltenen

»*Hagar's Klage*«, angeblich Schubert's erstes Lied, componirt am 30. März 1811 im Convict. – »*Der Vatermörder*«, ebenfalls 1811 im Convict componirt. – »*Das Lied vom Reisen*« (Fragment, nur 10 Tacte). – »*Täglich zu singen*«, 10 Tacte lang, fromm gehalten, an Mendelssohn's Art erinnernd. – »*Maria*«: Ich sehe dich in tausend Bildern | Maria lieblich ausgedrückt u.s.f. (unbedeutend). – »*Der Entfernten*«: Wohl denk' ich allenthalben | O du Entfernte dein u.s.f. (auch als Männerquartett componirt). – »*Ammenlied*« von Marianne Luby (December 1814): Am hohen Thurm | Da weht ein kalter Sturm (im Balladenton; melodiös, nicht bedeutend). – »*Die entfernte Geliebte*«. – »*Es träumen die Wolken*«, ein liebliches und umfangreiches Lied nach Art der Müllerlieder. – »Drei Hymnen« von Novalis (1819): 1. Wenige wissen das Geheimniß der Liebe u.s.f. 2. Wenn ich ihn nur habe u.s.f. 3. Wenn alle untreu werden, eigenthümliche aber nicht anregende Gesänge. – »*Nachthymne*« von Novalis (1820) – »Die Sterbende« von Kosegarten (1816), ein schönes Lied. – »*Daphne am Bach*« (1816). – »*Die Erde*«, »*Vollendung*«, Autor nicht genannt.

»*Klage der Ceres*« von Schiller. – »*Minnelied*« von Hölty (Mai 1816). – »*Amalie*« von Schiller (1815), Autograf bei G. Petter. – »*Liane*« von Mayrhofer (1815). – »*Bundeslied*« von Goethe (August 1815). – »*Der Gott und die Bajadere*« von Goethe, Fragment (1815). – »*An Chloe*« von Jakobi (1816). – 602
»*Gruß an den Mai*« von Erwin (1815). – »*Scolie*« von Deinhartstein (1815). »*Die Sternenwelten*« von Fellinger (1815). – »*Die Macht der Liebe*« von Kalchberg (1815). – »*Die Erscheinung*« von Kosegarten (1814). »*Die Täuschung*« (Juli), »*Das Sehnen*« (August), »*Die Sterne*«, »*Nachtgesang*«, »*An Rosa*« (I und II), »*Idens Nachtgesang*«, Autograf bei Petter, »*Von Ida*«, »*Schwanengesang*«, »*Louisens Antwort*« von Kosegarten, comp. im Jahre 1815, durchweg kleine unbedeutende Lieder. – »*Lied eines Kindes*«, Fragment (November 1917), »*Trost*« (1817).

»*Vier Canzonen*« von *Vincenzo Monti* (1820): 1. *Non t'accostar all'urna*; 2. *Guarda la bianca luna;* 3. *Da quel sembiante appresi*; 4. *Mio bene ricordati*; für Fil. von Ronuer (nachmals verehlichte Spaun) comp., Autograf bei Josef Frh. v. Spaun.

»*Sehnsucht*« von Schiller, erste Bearbeitung (1813). – »*An Cidli*«, Autograf bei *Dr.* Schneider, »*Vaterlandslied*« von Klopfstock 1815. – »*Das gestörte Glück*« von Körner (1815), Autograf bei Herrn Bauernschmidt in Ried. – »Der *Gondelfahrer*« von Mayerhofer (ist auch als Männerquartett gesetzt). – »*Morgenlied*« (1815). – »*Abendlied*« von Claudius (1816), Autograf bei

Landsberg. – *La pastorella*, Ariette (Jänner 1817), Autograf $1^{1}/_{2}$ Seiten in der k. Bibliothek in Berlin. Am Ende der Ariette finden sich die Anfangstacte von neun Walzern. – »*Vedi quanto adoro*«, Arie im italienischen Styl. – »*Das Mädchen aus der Fremde*« von Schiller (I und II). – »*Die Schlacht*« von Schiller, mit Chor (Entwurf). – »*An den Mond*« (Entwurf einer Clavierbegleitung). »*Auf den Sieg der Deutschen*«, Lied mit Chor und Begleitung von Streichinstrumenten (1814). – »*Jagdlied*« von Zach. Werner (1817). – »*Rundgesang*« mit Chor von Zettler (1815). – »*Schwertlied*« von Körner, mit Chor (1815). – »*Der Hirt*« von Mayrhofer (1816), Autograf bei Dr. Karl Enderes in Wien. – »*Geheimniß*« von Schiller (I und II), 1815 und 1816, Autograf bei Frau Gräfin Almasy. – »*Der Knabe in der Wiege*« von Ottenwalt. – »*Mahomet's Gesang*« von Goethe, Fragment (1821). Autograf bei G. Petter. – »*Julius von Theone*« von Mathisson (1816). – »*An die Nachtigall*« (1815); »Der *Liebende*« (1815), Autograf bei Petter; »*Seufzer*« (1815) von Hölty. – »*Lied*« von Schiller: »Es ist so angenehm, so süß.« (Improvisation in einem Singspiel.) – »*Die Schatten*« (1813); »*Andenken*« (1814); »*Geisternähe*« (1814) von Mathisson. – »*Todtengräberlied*« von Hölty (1813). – »*An den Frühling*« von Schiller (I und II 1815). – »*Erinnerungen*«, »*Der Abend*«, »*Lied der Liebe*«, »*Lied aus der Ferne*«, »*Trost*« (An Elisen) von Mathisson, comp. 1814. – »*Die Mondnacht*«, »*Abends unter der Linde*« von Kosegarten (1815). – »*Der Traum*«, »*Die Laube*« von Holty (1815). – »An die *Natur*« von Stollberg (1816). – *Abschied von der Harfe* (1816), »Die *Wehmuth*«, »*An*
603 *die Harmonieen*« (1816) von Salis. – »*Stimme der Liebe*« von Mathisson (I und II) 1816, Autograf bei Johannes Bernhard. – »*Naturgenuß*« von Mathisson (1816) auch als Männerquartett comp. – »*An den Schlaf*« (Juni 1816), »Die *Liebesgötter*« von Utz. – »*Die frühe Liebe*«, »*Blumenlied*«, »*Seligkeit*« (Mai 1816), »*Erntelied*« (August 1816) von Hölty. – »*Thekla*« von Schiller (erste Bearbeitung 22. August 1813), Autograf, drei Seiten, in der k. Bibliothek in Berlin. – Ganz verschieden von dem später entstandenen Lied. – »*Amphiaraos*« von Körner (1815), Autograf * bei Spina, »*Emma und Adelwold*«, »*Minona*«, Ballade von Bertrand (1815), Autograf * bei Spina. – »*Die Nonne*«, Ballade von Hölty (1815), Autograf * bei Spina. – »*Scolie*« von Mathisson (1815), Autograf bei G. Petter. – »*Abschied*« (Lunz), Wallfahrtslied von Mayrhofer (1816). – *Aus* »*Diego Manazares*« von Freih. v. Schlechta (1816). – »An die *Geliebte*« von Stollberg (15. October 1815). – »*Brüder, schrecklich brennt die Thräne*«, für Sopran oder Tenor mit Instrumentalbegleitung (1817), Autograf * bei *Dr.* Heinrich v. Kreißle in Wien. – »*Hochzeitslied*« von Jakobi (August 1816). – »*Blanka*« (Das Mädchen) von Schlegel (Dec. 1818). – »*Wiegenlied*« von Körner (15. October 1815). – »*Phydite*«, »*Abendlied*«, »*Zufriedenheit*« von Claudius (November 1816). – »*Auf dem See*« von Goethe (I). »*Sehnsucht der Liebe*« von Körner (Juli 1815). »*Bei dem Grab meines Vaters*« von Claudius (November 1816). – »*Klage*« von Hölty (Jänner

1816). – »*Gott im Frühling*« von Utz (Juni 1816). – »*Die Liebe*« von G. Leon (Jänner 1817). – »*Das Heimweh*« von Hell (Juli 1816). – »*In der Mitternacht*«, »*Die Perle*«, »*Trauer der Liebe*« von Jakobi (August 1816). – »*Liebesrausch*« von Körner (8. April 1815). – »*Der Zufriedene*« (23. October 1815). – »*Leiden der Trennung*« von Collin nach*Metastasio* (1815), Autograf bei G. Petter. »*Vergebliche Liebe*« von Bernhardt (6. April 1815). – »*Der Sänger am Felsen*« von Caroline Pichler (September 1816). – »*Entzückung*« von Mathisson (April 1816). – »*Ferne von der großen Stadt*« von Caroline Pichler (September 1816). – »*Huldigung*«, »*Alles um Liebe*« von Kosegarten (26. Juli 1815). – »*Der Weiberfreund*« (25. August 1815). – »*Lila an die Morgenröthe*« (25. August 1815). – »*Fröhlichkeit*« (1815). – »*Abendständchen an Lina*« (33. August 1815). – »*An sie*« von Klopstock (14. September 1815). – »*Lieb Minna*«, Romanze von Albert Stadler (1815). »*Liebeständelei*« von Körner (26. Mai 1815), Autograf bei Petter. – »*Zum Punsch*« von Mayrhofer (October 1816). – »*Freude der Kinderjahre*« (Juli 1816). – »*Grablied auf einen Soldaten*« (Juli 1816). – »*Die erste Liebe*« von Fellinger (12. April 1815). – »*Fischlerlied*« von Salis (Mai 1817), Autograf bei Petter. – »*Sängers Morgenlied*« von Körner (1815). – »*Laura's Abschied*«, Autograf 2 Seiten unvollständig mit der Aufschrift: Entblatt eines *Duetto Fuga del Sign. Fux Viol. primo secondo*, in der 604
k. Bibliothek in Berlin. – »*Der Blumen Schmerz*« von Graf von Mayplath (1821), Autograf bei Alois Fuchs. – »*Der Flüchtling*« von Schiller(März 1816). – »*Rückweg*« von Mayrhofer. – »*Laura am Clavier*« von Schiller (März 1816). – »*Der Jüngling und der Tod*« von Anton Spaun (März 1817). – »*Der Fürstin Abendlied*« von Mayrhofer (November 1816), Autograf 4 Seiten in der k. Bibliothek in Berlin. »*Sehnsucht*« von Goethe (III), April 1813, Autograf war bei Landsberg. – »*Die Sterne*« von Fellinger (6. April 1815). – »*An die Sonne*« (1815). »*Todtenkranz für ein Kind*« von Mathisson (25. August 1815). – »*Die Gebüsche*« von Schlegel (Jänner 1819). – »Am See« von Myrhofer (7. December 1814), jenes Lied, welches Schubert's und Mayrhofer's Bekanntschaft vermittelte. – »*Rosa von Montanvert*«, Romanze von Mathisson (1815). – »*Die Vögel*«, »*Der Knabe*«, » Der *Fluß*« von Schlegel, comp. 1820. – »*Am Fluß*« von Goethe (zwei Bearbeitungen 1815 und 1822), Autograf $1^1/_2$ Seiten in der k. Bibliothek in Berlin. (Autograf bei Gahy.) – »*An den Mond*« von Goethe. – »*Hoffnung*« von Goethe, »Schaffe das Tagwerk« u.s.f. Autograf $1^1/_2$ Seiten in der k. Bibliothek in Berlin.

Drei Sonette von Petrarca (übersetzt von Schlegel). 1. »Nunmehr der Himmel, Erde schweigt« u.s.w. – 2. »Allein, nachdenklich, wie gelähmt vom Kampfe« u.s.f. 3. »Apollo lebet noch dein hold Verlangen« u.s.f.

»*Nach einem Gewitter*« von Mayrhofer (Mai 1817). – »*Nachtviolen*« von Mayrhofer (April 1822). – »*Alte Liebe rostet nie*« von Mayrhofer (Sept.

1816). – »*Die verfehlte Stunde*« von Schlegel (April 1816). – »*Wer ist wohl groß?*« Lied mit Chor und Orchesterbegleitung (1813). – »*Gott im Frühling*« von Uz (Juni 1816)* Autograf bei J. Brahms. »*Mein Finden*« von C. Heine. – »*Italienische Arie*« (comp. 1813 für Salieri), Autogr.* bei A Stadler. – »*Ihr Grab*« von Richard Roos. Im Besitz von J. Hüttenbrenner. – *Romanze*: »Ein Fräulein klagt« (Sept. 1814), Autograf war bei Landsberg. »*Melodram*«. Die Worte bilden den Schluß des von Frh. Adolf v. Pratobevera im Jahr 1825 verfaßten dramatischen Gedichtes: »Der Falke«; *Fragment aus dem Mohrenkönig*, Autograf bet Petter. – »*Die Schiffende*« von Hölty. – *An die Entfernte*: »So hab' ich wirklich dich verloren«, von Goethe. Autograf $2^1/_2$ Seiten in der königl. Bibliothek in Berlin. – *Romanze*: »Ein Fräulein klagt im finstern Thurm«, 29. Sep. 1814. Autograf 5 Seiten in der königl. Bibliothek in Berlin. Die Handschrift ist auf der ersten Seite sehr sorgfältig und zierlich, später wird sie flüssiger, wie gewöhnlich. Am Ende des Liedes steht »Mathisson«, dann folgt noch einmal das Datum und Schubert's Unterschrift. – *Die Sternennächte*: »Von mondenhellen Nächten« (Oct. 1819), Autog. unvollständig, 1 Seite 28 Tacte in der königl. Bibliothek in Berlin. – *Fragment* eines Liedes: »O laßt euch froh begrüßen, Kinder der vergnügten Au« u.s.w. Autograf*
605 bei J. Brahms. – *Das Abendroth*: »Du heilig glühend Abendroth« von Schreiber (1818 in Zelécz componirt), Autograf* bei Frau Gräfin von Almasy in Wien.

Mehrstimmige Gesänge nach der Reihenfolge des thematischen Cataloges aufgeführt.

»*Das Dörfchen*« von Bürger. – »Die *Nachtigall*« von Unger. – »*Geist der Liebe*« von Mathisson. (Autograf beim Wiener Musik-Verein). Diese drei Männerquartette (für 2 Tenore und 2 Bässe) mit Clavierbegleitung erschienen im Jahr 1822 als *op.* 11 bei Cappi und Diabelli, und sind von Schubert dem Hofkapellensänger Josef Barth gewidmet. In den Jahren 1819–1828 kamen sie zuerst in Concerten zur öffentlichen Aufführung.

»*Frühlingslied*« von Schober, – »*Naturgenuß*« von Mathisson (comp. Mai 1816), Männerquartette mit Clavierbegleitung, *op.* 16 im Jahr 1823 bei Cappi und Diabelli.

»*Frühlingswonne*«, »*Liebe*«, »*Zum Rundetanz*«, »*Die Nacht*«, von Mathisson, Vocalquartette für Männerstimmen, erschienen 1823 als *op.* 17 bei Cappi und Diabelli.

»*Der Gondelfahrer*« von Mayrhofer, Männerquartett mit Clavierbegleitung (comp. 1824),*op.* 28.

»*Bootgesang*« aus W. Scott's »Fräulein am See«, für zwei Tenore und zwei Bässe mit Clavierbegleitung (comp. 1825), *op*. 52, bei Artaria. Der Gräfin Weißenwolf gewidmet.

»*Coronach*« (Todtengesang) aus »Fräulein am See«, für 2 Soprane und 1 Alt, mit Pianofortebegleitung (comp. 1825), *op*. 52, bei Artaria. Der Gräfin Weißenwolf gewidmet.

»*Duett des Harfners und der Mignon*« aus Goethe's »Wilhelm Meister«, für Tenor und Sopran mit Clavierbegleitung, *op*. 62. Erschien 1827 bei Diabelli. Das Gedicht hat Schubert mehrere Male als einstimmiges Lied componirt.

»*Wehmuth*« von Dr. Heinrich Hüttenbrenner, – »*Ewige Liebe*« von Schulze, – »*Flucht*« von Lappe, Männerquartette, *op*. 64.

»*Die Advocaten*« von Rustenfeld, komisches Terzett für zwei Tenore und einen Baß mit Clavierbegleitung von Fischer, in der Begleitung und in den Singstimmen von Schubert überarbeitet, *op*. 74. Das Fischer'sche Original war bei Eder in Wien im Stich erschienen.

»*Mondenschein*« von Franz Schober, Quintett für 2 Tenore und 3 Bässe mit Clavierbegleitung,*op*. 102.

»*Der Hochzeitsbraten*« von Schober, komisches Terzett für Sopran, Tenor und Baß mit Clavierbegleitung (comp. 1827), *op*. 104, Autograf* bei Spina.

»*Widerspruch*« aus G. Seidl's »Jägerlieder«, Männerquartett mit Clavierbe- 606
gleitung. Erschien am 21. November 1828, Schubert's Begräbnißtag, bei Czerny.

»*Gott im Ungewitter*«, »*Gott der Weltschöpfer*« von Uz. – »*Hymne an den Unendlichen*« von Schiller (1815), Quartette für gemischte Stimmen mit Clavierbegleitung,*op*. 112.

»*Gott in der Natur*« von Gleim, für Frauenchor mit Clavierbegleitung, comp. August 1822,*op*. 133, Autograf* bei Frl. Anna Fröhlich in Wien.

»*Nachthelle*« von G. Seidl, für Tenorsolo und Männerchor, mit Clavierbegleitung (1826), zum ersten Male aufgeführt am 25. Jänner 1827 im Musikvereinssaal, *op*. 134.

»*Ständchen*« von Grillparzer, ursprünglich comp. für Altsolo der ersten Bearbeitung bei Frl. Anna Fröhlich; die zweite Bearbeitung soll sich bei Spaun befinden. Das Ständchen, componirt 1827, wurde am 11. August 1827 zuerst in Döbling im Freien gesungen, *op.* 135.

»*Schlachtgesang*« von Klopstock. Doppelchor für Männerstimmen, ursprünglich rein vocal (auch mit Pianoforte- oder Philharmonicabegleitung*ad libitum), op.* 151.

»*Trinklied*« aus dem 14. Jahrhundert aus Rittgräff's »Historische Antiquitäten«. Männerchor (mit Pianofortebegleitung *ad libitum), op.* 155.

»*Nachtmusik*« von Sekendorf, für vierstimmigen Männerchor (mit Pianofortebegleitung *ad libitum*) *op.* 156.

»*Licht und Liebe*«, Nachtgesang von Math. von Collin, für Sopran und Tenor (Lief. 41).

»*Im Gegenwärtigen Vergangenes*« von Goethe, für vier Männerstimmen mit Clavierbegleitung (Lief. 43).

»*Das Leben*« von Wannovius, dreistimmig mit Clavierbegleitung (Lief. 45).

»*Nachtgesang im Wald*« von G. Seidl, für vierstimmigen Männerchor, mit Clavier- oder Hornbegleitung, comp. 1827, aufgeführt zum ersten Mal in Ed. Lewy's Concert im Operntheater in Wien 1827.

»*Gesang der Geister über den Wassern*« von Goethe, für achtstimmigen Männerchor mit Begleitung von Streichinstrumenten (Violen, Celli und Contrabässe), comp. 1820, am 7. März 1821 zum ersten Mal öffentlich im Operntheater aufgeführt; im Jahr 1858 vom Wiener-Männergesangsverein zu erneuerter Aufführung gebracht. Von dem Verleger Spina als *op.* 167 Herrn Dr. Leopold von Sonnleithner in Wien gewidmet. Ein Autograf der Partitur, 7 Blätter (unvollständig), besitzt die königl. Bibliothek in Berlin.
607 Die Instrumentation ist nur auf den ersten 2 Seiten ausgeführt, von Seite 9 an, alles mehr oder weniger Skizze. Auch in den Vocalstimmen ist hie und da eine Instrumentalfigur angedeutet. – Ein anderes Autograf bei Spina.

»*Lob der Einsamkeit*« von Salis, Männerquartett, bei Spina in Stich erschienen.

»*Mond und Grab*« von Seidl (Sept. 1826), Autograf 1 Seiten, in der königl. Bibliothek in Berlin. – »*Liebe und Wein*« von Haug, Männerquartette, in der Sammlung »Minnesänger« bei Haslinger in Wien im Stich erschienen. Das letztere wurde im Jahre 1862 in einem Männergesangvereins-Concert in Wien zu Gehör gebracht.

Unveröffentlichte mehrstimmige Gesänge.

»*Lied im Freien*«. – »*An den Frühling*«. – »*Fischerlied*«, Autograf bei Petter. – »*Das Grab*« von Salis, Autograf bei Petter. – »*Räuberlied*« aus Schubert's Oper: »Die Bürgschaft«, Autograf bei *Dr.* Schneider in Wien. Männerquartette ohne Begleitung.

»*Der Wintertag*«, Quartett für Männerstimmen mit Clavierbegleitung, die aber abhanden gekommen und durch eine von Herrn Gottdank in Wien dazu componirte Begleitung ersetzt wurde. Autograf bei Spina. Das Quartett kam in einer Liedertafel des kaufmännischen Gesangvereines in Wien im Jahr 1863 zur ersten öffentlichen Aufführung.

»*Das Abendroth*« (dreistimmig). – »*Bergknappenlied*« (dreistimmig). – »*Im traulichen Kreise*«, Quartett für 2 Soprane, Tenor und Baß. – »*Viel Tausend Sterne prangen*«, Quartett für gemischte Stimmen. – *Schlachtgesang* von Klopfstock, dreistimmiger Männerchor.

»*Gesang der Geister über den Wassern*« von Goethe. Erste Bearbeitung desselben als vierstimmiger Männerchor (1817), zweite Bearbeitung für vierstimmigen Chor mit Clavierbegleitung (1820). »*Der Tanz*« von Schnitzer, Quartett für gemischte Stimmen mit Pianofortebegleitung, componirt 1825 für die Familie Kiesewetter. – »*An die Sonne*«, Chor für gemischte Stimmen mit Clavierbegleitung (1816). – »*Nur wer die Sehnsucht kennt*« aus Goethes W. Meister, Vocal-Quintett für zwei Tenore und drei Bässe, Autograf bei A. Stadler* in Wien. – »*Der Geistertanz*« von Mathisson, Vocal-Männerquartett (Nov. 1816). Aufgeführt zum ersten Mal in einem Concert des Wiener Männergesangvereines am 13. Dec. 1863, Autograf* bei A. Stadler. – »*Am Seegestad in lauen Vollmondsnächten*«, Vocal-Terzett, befindet sich bei A. Stadler. – »*Ruhe schönstes Glück der Erde*«, Vocal-Quartett für 2 Tenore und 2 Bässe, ebenfalls bei A. Stadler. – *Terzett* für Sopran, Tenor und Baß, durch
Vermittlung des Frl. Anna Fröhlich für die Baronin Geymüller in Wien (um 608
1826) comp. und von dieser mit 50 fl. honorirt (verschollen).

»*Punschlied, im Norden zu singen*« von Schiller,(zwei- und dreistimmig), comp. 18. August 1815.

»*Trinklied vor der Schlacht*«, zwei Wechselchöre für Männerstimmen.

»*Leise, leise laßt uns singen*«, comp. für Frl. Fanny Hügel. Autograf* bei J. Hüttenbrenner. – »*Das stille Lied*«, Männerquartett. Autograf angeblich bei Haslinger. – »*Mailied*« von Hölty (I und II); – »*Der Morgenstern*«, »*Jägerlied*«, »*Lützow's wilde Jagd*« von Körner, Autograf bei Petter, für zwei Singstimmen oder zwei Waldhörner. – »*Chor der Engel*«, aus Goethe's Faust (vierstimmig). – »*Todtengräberlied*« von Hölty (dreistimmig). – »Trinklied im Mai« von Hölty (dreistimmig für zwei Sopran und einen Baß). – »*Acht Gesänge*« in canonischer Form, zwei und dreistimmig, auf Strofen des Schiller'schen Gedichtes »Elisium«, im Jahr 1813 im Convict geschrieben.

Cantaten, Psalmen, Hymnen, Oratorien.

»*Mirjam's Siegesgesang*« von Grillparzer, für Solo und gemischten Chor mit Clavierbegleitung (1828), aufgeführt im Schubert-Concert, März 1828. – Die Clavierbegleitung später von Franz Lachner orchestrirt, in welcher Form die Cantate im Jahre 1858 in Wien zur Aufführung gelangte, *op.* 136.

»*Gebet vor der Schlacht*«, von *de la Motte Fouquè*, für Solo und gemischten Chor, comp. 1824 für die Familie Graf Carl Esterhazy in Széléz,*op.* 139.

»*Der Frühlingsmorgen*«, für gemischten Chor, *op.* 158.

»*Prometheus*« von Filipp Dräxler von Carin, für Solo, Chor und Orchester (1816). Ist im Jahre 1828 abhanden gekommen.

»*Italienische Cantate*« (zu Ehren des Frl. Irene Kiesewetter), für Männerchor (am Schluß, Chor gemischter Stimmen), mit Begleitung von zwei Clavieren (1827) (unveröffentlicht.)

»*Cantate*« zu Ehren des 50jährigen Jubiläums des Hofkapellmeisters Salieri (1816), für Solo und Chor mit Clavierbegleitung (unveröffentlicht).

»*Sänger, der vom Herzen singet*«, von A. Stadler, für Sopran, Tenor und Baß mit Pianofortebegleitung, componirt 1819 in Steyr zu Ehren M. Vogl's (Manuscript).

»*Terzett zum Namenstag des Vaters*«, mit Guitarre-Begleitung, 1813 (Manuscript).

»*Gratulationscantate*« (1811), wird von Ferd. Schubert erwähnt.

»*Volkslied*« von Deinhardstein, für Chor und Orchester, comp. für die Zöglinge des Theresianums in Wien und aufgeführt daselbst am 11. Februar 1822 zur Geburtstagfeier des Kaisers Franz. Im Jahre 1848 mit verändertem Text als »Constitutionslied« (auch mit Clavierbegleitung) bei Diabelli als *op.* 157 erschienen.

»*Glaube, Hoffnung und Liebe*« von Reil, für Männer- und gemischten Chor mit Harmoniebegleitung, comp. zur Einweihung der Glocke der heiligen Dreifaltigkeitskirche in der Alservorstadt in Wien (Sept. 1828), derzeit unveröffentlicht.

»*Der* 23. *Psalm*« für Frauenchor mit Pianofortebegleitung, comp. 1828 für die vier Schwestern Fröhlich. Autograf* bei Frl. Anna Fröhlich in Wien,*op.* 132. Ist für Männerstimmen eingerichtet worden.

»*Der* 92. *Psalm*« in hebräischer Sprache, für 2 Bariton, Sopran, Alt und Baß, enthalten ohne Angabe des Componisten in dem »Schir Zion« des Kantors Sulzer in Wien (comp. 1828).

»*Hymne an den heil. Geist*« von Schmiedel, für achtstimmigen Männerchor mit Harmonie- oder Clavierbegleitung, *op.* 154, componirt März 1828. Autograf-Partitur 8 Seiten, in der k. Bibliothek in Berlin.

»*Großes Hallelujah*« von Klopfstock (dreistimmig, mit Clavierbegleitung), Lief. 41.

»*Lazarus*« oder die Feier der Auferstehung. Oratorium aus den comp. für Soli, Chor und Orchester 1820 Autograf* des ersten Theiles bei Spina, Autograf* des zweiten Theiles (von welchem der Schluß fehlt) beim Wiener-Musikverein. Autograf* des letzten Bogens Eigenthum des Herrn J. Herbeck. Zum ersten Mal aufgeführt in Wien im J. 1863.

Claviermusik zu zwei Händen.

»*Erste Walzer*«. Zwei Hefte, *op.* 9 (Der »Trauer-« oder Sehnsuchtswalzer auch vierhändig). Erschienen 1822 bei Cappi u. Diabelli – »*Fantasie in C-Dur*«, comp. um 1820, dem Pianisten Liebenberg de Zittin von Schubert gewidmet, *op.* 15. Erschien 1829 bei Cappi und Diabelli. – »*Walzer, Ländler und Ecossaisen.*« 2 Abtheilungen, *op.* 18, comp. in den J. 1820 – 1833. Autograf* der Ecossaisen (Mai 1820), der »Atzenbrucker« Deutschen (Juli 1821), der zwölf Deutschen (deutsches Tempo, Mai 1823), der Ecossaissen (Jänner 1823) befand sich bei J. Brahms. Erschienen zum großen Theil 1823 bei

Cappi und Diabelli. – In neuester Zeit gab Spina (als *op.* 171) *zwölf Ländler* heraus zu 2 und 4 Händen, das vierhändige Arrangement von Herrn *Julius Epstein* besorgt. – »Ouverture« zu dem Drama »Rosamunde« (richtiger »Zauberharfe«) (1823), ursprünglich für Orchester geschrieben, von den Verlegern (Diabelli) in zwei- und vierhändigem Arrangement für Clavier als *op.* 33 herausgegeben. – »*Erste Sonate*« in *A-Moll, op.* 42 (1825), von
610 Schubert dem Erzherzog Rudolf dedicirt. – »*Galoppe und Ecossaisen*« (*op.* 49). – »*Valses sentimentales*«. 2 Hefte, *op.* 50. – »*Zweite große Sonate*« in *D-Dur, op.* 53, »seinem Freund Carl Maria Bocklet zugeeignet.« – »*Trauermarsch in C-Moll*«, anläßlich des Todes des Kaisers Alexander von Rußland (comp. 1825), *op.* 55 (auch zu 4 Händen). – »*Grande Marche heroique,*« componirt zur Thronbesteigung des Kaisers Nikolaus von Rußland (1825), auch vierhändig, *op.* 66. – »*Wiener Damen-Ländler*« (*hommage aux belles Viennoises) op.* 67. – »Ouverture zu der Oper: *Alfonso und Estrella*«, ursprünglich für Orchester, von Schubert und J. Hüttenbrenner für Clavier arrangirt. Vom Verleger Diabelli als zwei- und vierhändiges Clavierstück *op.* 69 herausgegeben. Tiefe Ouverture bildete im J. 1823 die Einleitung zu »Rosamunde.« – Autograf* bei Spina. – »*Ouverture zu der Oper: Fierrabras*«, ursprünglich für Orchester geschrieben (1823), von Diabelli als *op.* 76 in zwei- und vierhändigem Arrangement herausgegeben. – »*Valses nobles*«, *op.* 77. – »*Fantasie, Andante, Menuetto u. Alegretto*«, *op.* 78, eine Sonate, deren erster Satz »Fantasie« betitelt ist, *op*, 78. Von Schubert dem Bankal-Assessor Josef v. Spaun gewidmet. – »*Impromptus*«, zwei Hefte Clavierstücke, von dem Verleger Haslinger so betitelt, *op.* 90. – »Grazer *Walzer*«, op. 91, componirt zur Erinnerung an den Aufenthalt in Graz (1827). – »*Momens musicals*«, zwei Hefte Clavierstücke, *op.* 94. – »Dritte *Sonate*« in *A-Dur, op.* 120. – »*Vierte Sonate*« in *Es-Dur, op.* 122 (1817). – »*Letzte Walzer*«, *op.* 127. – »Vier *Impromptus*«, *op.* 142, Sonaten, von dem Verleger Haslinger Franz Liszt gewidmet. Autograf angeblich bei Haslinger. – »*Große Sonate in A-Moll*«, *op.* 143, von den Verlegern (Diabelli) Felix Mendelssohn-Bartholdy gewidmet. – »*Adagio und Rondo*«,*op.* 145 (wahrscheinlich ein Fragment). – »*Große Sonate in H-Dur*« (1817), als *op.* 147 von den Verlegern (Diabelli) Sigmund Thalberg gewidmet. Autograf* bei J. Brahms. – »*Sonate* in *A-Moll*«, *op.* 164 (1823). – »*Drei große Sonaten*« (in*C-Moll, A-Dur* und *B-Dur*), angeblich im Jahre 1828 componirt. Schubert wollte sie Hummel dediciren, die Verleger (Diabelli) widmeten sie R. Schumann – »*Reliquie*«, unvollendete Sonate (1825), erschien 1861–62 bei Whistling in Leipzig, der das Autograf besitzt.

Unveröffentlichte Compositionen.

»*Andante* und *Variationen* in *Es*« (1812), Autograf war bei Ferd. Schubert. – »*Zwölf Menuette*« (1812), Autograf bei Ferd. Schubert. – »*Dreißig Menuette mit Trios*«, für den Bruder Ignaz im J. 1813 geschrieben. Verloren gegangen. – »*Zwei Claviersonaten* in *C-* und*F-Dur*« (1815). – »Zwölf Deutsche mit Coda«, 1815, Autograf bei Ferd. Schubert. – »*Zehn Variationen*« (1815), Autograf bei Ferd. Schubert. – »*Sonate* in*E-Moll*« (erster Satz und Scherzo), Autograf mit dem Datum: Juni 1817, 4 Seiten stark, in der k. Bibliothek in Berlin. 611

»*Ecossaisen*« (1816), wahrscheinlich die, von Schubert »als Arrestant des Herrn Witteczek in Erdberg« für Frln. Marie Spaun geschriebenen Tanzstücke.

»*Zwei Scherzi mit Trio*«. – »*Dreizehn Variationen*« über ein Thema aus Anselm Hüttenbrenner's Streichquartett. – »*Variationen*« über ein Thema, welches alle Wiener Componisten variirt haben. – »*Sonate* in F« (1816), Autograf bei Ferd. Schubert. – »*Walzer*« (Deutsche) 1824. – »Walzer« für Josef Hüttenbrenner. – »Alegretto«, »meinem lieben Freund Walcher zur Erinnerung«, comp. 1827, als dieser Wien verließ. Autograf* beim erzherzogl. Hofrath Ferd. Walcher in Wien. – »In *das Stammbuch*« der Frau Anna Mayerhofer von Grünbüchel, geb. Hönig, Tochter des Advokaten *Dr.* Karl Hönig in Wien. – »Adagio« eines Clavierstückes (*G-Dur* $^{4}/_{4}$), comp. 8. April 1815, Autograf* im Besitz des *Dr.* Heinrich v. Kreißle. – »*Sechs Deutsche*«. »Einige Vorzeichen des künftigen Tonkünstlers Franz Schubert« (1814). Geschrieben von Johann Senn, Officier bei Kaiserjäger, 1830 in Innsbruck (angeblich von Schubert).

Claviercompositionen zu vier Händen.

»*Variationen über ein französisches Lied*«, *op.* 10. (comp. um 1822), Ludwig van Beethoven »von seinem Verehrer und Bewunderer« gewidmet. Erschien 1822 bei Cappi u. Diabelli.

»*Sechs Märsche und Trios*« (*op.* 40), »seinem Freund Bernhardt (dem im J. 1844 in Constantinopel gestorbenen Oberarzt und Leiter der mediz. Schule in Galata-Serai) zugeeignet«.

»*Trois Marches heroiques,*« *op.* 27 – »*Erste große Sonate*«, *op.* 30, dem Grafen Palffy gewidmet. – »Ouverture in *As,*« *op.* 34. – »*Variationen über ein Originalthema*« *op.* 35. – »*Drei Militärmärsche*«, *op.* 51. – »*Divertissement à la Hougroise*«, *op.* 54, Frau Lascny, geb. Buchwieser, dedicirt. – »Sechs *Polonaisen*«, 2 Hefte, *op.* 61. – »*Divertissement en forme d'une Marche brillante et raisonnée*«, *op.* 63. – »*Vier Polonaisen mit Trios*«, *op.* 75. – »*Variationen über ein Thema aus der Oper ›Marie‹*« von Herold, *op.* 82, I. Heft. Dem Professor Cajetan Neuhaus gewidmet. Autograf mit dem Datum: Februar

1827. 12 Blätter qu. 4. Partitur aus der Autografen-Sammlung des Cousuls Wagener übernommen von der k. Bibliothek in Berlin. – »*Variationen*« über dasselbe, *op*. 82, 12. Heft. Erschien in neuerer Zeit bei *Schuberth* in Hamburg, welche Firma das Eigenthumsrecht dazu von den Verlegern Haslinger erworben hat. Dieser Theil enthält eine Einleitung u. Variationen. – »*Fantasie in F-Moll*«, *op*. 103; *von den Verlegern* (und nicht wie das Titelblatt glauben macht, von Schubert) der Gräfin Caroline Esterhazy dedicirt. – »*Grand Rondeau*«, *op*. 107, comp. im Juni 1828 für Herrn Domenico Artaria; das
612 Autograf* mit Datum und Namenszug bei Artaria in Wien. – »*Marches characteristiques,*« *op*. 121, von Franz Lißt instrumentirt und in dieser Form in Wien aufgeführt. – »*Notre amitié est invariable*«, *Rondeau, on*. 138. – »*Grand Duo* in *C-Dur*«, *op*. 140 (comp. 1824), Autograf bei Frau Clara Schumann. Instrumentirt vom Concert-Director J. Joachim. Das instrumentirte Werk besitzt Herr Spina. In Leipzig kam das Duo in dieser Form im J. 1864 zur Aufführung. – »*Lebensstürme*«, charakteristisches Allegro (comp. 1828), *op*. 144.

Unveröffentlicht.

»*Drei Fantasien*« aus den Jahren 1810, 1811 und 1813, Autograf war bei Ferd. Schubert. – » *Zwei Ouverturen*« in *C* und *D* (1817). Autograf bei Diabelli. – »Sonate« in *C-Moll* (1814), Autograf bei A. Stadler. – »Fuge« in *E-Moll* (1828), Autograf bei J. Hüttenbrenner – »*Sonate*« in *Es-Moll* (1828), Autograf angeblich bei Diabelli. – »*Sonate*« in *E-Moll* (1817), Autograf bei Landsberg.

Kammermusik.

»*Erstes Streichquartett*« in *A-Moll, op*. 29, in neuester Zeit bei Spina auch in Partitur erschienen.

»*Rondeau brillant*«*pour le Violon et Piano in H-Moll, op*. 70 (1826). Erschien bei Artaria. Das Autograf besitzt Hr. *Balsch*, russischer Edelmann.

»*Trio in B*« (1826), op. 99.

»*Trio in Es*« (November 1827). Erschien 1828 bei Probst in Leipzig. Autograf* bei der Frau Gräfin Rosa v. Almasy in Wien. Das Autograf einer Skizze bei J. Brahms.

»*Clavierquintett*« (für Clavier, Violine, Viola, Cello und Contrabaß), *op*. 114, comp. 1819 für Herrn Paumgartner in Steyr. – »*Zwei Streichquartette*«

in *Es* und *E-Dur, op.* 125. – »*Drei Sonatinen*« für Pianoforte und Violine (1816), *op.* 137. – »*Nocturne*« für Pianoforte, Violine und Cello, *op.* 148. – »*Fantasie*« für Pianoforte und Violine, *op.* 159, *angeblich* für den Violinspieler Swatié (aus Prag) componirt, und von diesem in seinem Concert, 5. Februar 1827, im Operntheater in Wien vorgetragen. Am 3. Jänner 1864 von *Laub* und *Epstein* in Wien in des Ersteren Concert zu Gehör gebracht. – »*Introduction*« über ein Original-Thema für Clavier und Flöte, *op.* 160. Im J. 1824 (wahrscheinlich für den Flötenspieler Ferd. Bogner) componirt.

»*Streichquartett*« in *G-Dur*, comp. vom 20.–30. Juni 1826. In Stimmen bei Spina als *op.* 161 erschienen. Autograf* bei Spina.

»*Duo*« für Clavier und Violine in *A-Dur, op.* 162 (befand steh auf dem
Programm des Schubert-Monument-Concertes März 1864.) 613

»*Streichquintett*« in *C-Dur* (1828), bei Spina in Stimmen als *op.* 163 erschienen.

»*Streichquartett*« in *D-Moll* (1826), Clavierauszug *à* 4 *m.* von R. Franz, bei Witzendorf erschienen.

»*Octett*« für Streich- und Blasinstrumente, comp. 1824 für den Grafen Ferdinand Troyer in Wien. Autograf* bei Spina und daselbst als *op.* 166 im Stich erschienen. Vierhändiges Clavier-Arrangement von S. Leitner (Dr. Leopold v. Sonnleithner), ebenfalls bei Spina.

»*Streichquartett*« in *B-Dur* (1814), von Spina als *op.* 168 in Stimmen herausgegeben. Autograf* bei Spina. Schubert begann Anfangs ein Streichterzett zu componiren, strich dann die vollendeten 10 Zeilen durch, und machte aus dem Terzett ein Quartett und zwar vom 5.–13. September. Aufgeführt wurde dasselbe in einer Quartettproduction Hellmesbergers am 23. Februar 1862.

»*Streichquartett*« in *G-Moll* (comp. 1815 vom 25. März bis 1. April), Autograf* beim Wiener Musikverein. Aufgeführt im November 1863 in einer Hellmesberger'schen Quartett-Production.

»*Quartett-Ouverture*« in *B* (1812), Autograf war bei Ferdinand Schubert. – »Sonate« für Clavier, Violine und Cello (1812), Autograf bei Diabelli. – »*Franz Schubert's Begräbnißfeier*« Octett für zwei Clarinette, zwei Oboen, zwei Fagotte und zwei Hörner (1813), Autograf bei Ferdinand Schubert. – »*Fünf Minuette und sechs Deutsche*« mit Trio für Streichquartett und zwei

Waldhörner (1813), Autograf bei Ferdinand Schubert. – »*Sechs Streichquartette*« in *B* und *C* (1812) in *C*, *B*, *Es* und D (1813) Autograf bei Diabelli. – »*Ein Streichquartett*« (1811), Autograf bei Diabelli. – »*Quintett-Ouverture*«, comp. 1811 für Ferdinand Schubert, Autograf bei diesem. – »*Zwei Streichquartette*« in *D-Dur* und *C-Moll* (1814), Autograf bei Diabelli. – »Trio« für Violine, Viola, und Cello 1816–17, Autograf bei Diabelli. – »*Streichquartett*« in *F* (1816), Autograf bei Diabelli. – »*Sonate*« für Clavier und Violine (1817), Autograf bei Diabelli *op.* 159 oder 162. – Streichquartett in *C-Moll*, erster Satz, 1820. – »*Violinconcert*« in D (1816). Autograf bei Ferdinand Schubert. – »*Polonaisen*« für die Violine (1817), Autograf bei Ferdinand Schubert. – »Polonaisen« für die Violine (1817), Autograf bei Ferdinand Schubert. – »*Sonate*« für Clavier und kleine Harfe (*Arpeggione*) in *A-Moll* (comp. im November 1824). – »*Skizzirte Variationen*« für die Violine in *A-Dur* (December 1817), Autograf bei Ferdinand Schubert. – »*Concert*« für die Violine mit Orchesterbegleitung, comp. für seinen Bruder Ferdinand, Autograf bei Diabelli (wahrscheinlich ein und dasselbe mit dem oben genannten).

Compositionen für Orchester.

»*Ouverturen*« in *C* und *D* (comp. im Mai und November 1817), Autograf
614 bei Spina. – »*Ouverture*« in *B*, Autograf* bei *Dr.* Schneider, in *E-Moll*, in
C-Moll. – »*Drei Menuette und drei Trio*« für Orchester 1813.

»*Sinfonie*« in D, comp. 1813 im Convict, Autograf* bei *Dr.* Schneider.

»*Zwei Sinfonieen*« in *B* (1815 und 1816), die eine davon »ohne Trompeten und Pauken«. Autograf* bei *Dr.* Schneider.

»*Sinfonie*« in D (1815). Das Finale davon 1860 in Wien aufgeführt.

»*Sinfonie* in *C-Moll*« (tragische, comp. 1816), Autograf* bei *Dr.* Schneider. Die ersten zwei Sätze 1860 in Wien aufgeführt.

»*Sinfonie*« in *C* (sechste), comp. 1818, Autograf* bei *Dr.* Schneider. Das *Scherzo* davon 1860 in Wien aufgeführt. Die ganze Sinfonie wurde im December 1828 und Anfangs 1829 zuerst zu Gehör gebracht.

»*Sinfonie*« in *C* (siebente), März 1828, Autograf* beim Wiener Musikverein. Zum erstenmal aufgeführt im Jahr 1839 in Leipzig. Partitur, Stimmen und Clavierauszug bei Breitkopf und Härtel erschienen.

»*Sinfonie*« in *H-Moll* (comp. 1822). Das Autograf besitzt nach einer Mittheilung des Herrn Josef Hüttenbrenner sein Bruder Anselm in Graz, und zwar die ersten beiden Sätze vollständig ausgearbeitet, und ein unvollendetes *Scherzo*. Einen geschriebenen Clavierauszug besitzt Josef Hüttenbrenner. Copien sind nicht vorhanden.

»Sinfonie« in *E*. Nach Ferdinand Schubert existirt davon nur eine Skizze, die 1846 in Felix Mendelssohns Besitz gelangte. Autograf* bei *Dr*. Schneider.

Opern, Singspiele, Melodrame.

»*Des Teufels Lustschloß*«, Zauberoper in drei Acten von August von Kotzebue, 1813 begonnen, 1814 beendet. Autograf* bei *Dr*. Schneider, Autograf* der zweiten Bearbeitung (1814), wovon der zweite Act verloren gegangen, bei J. Hüttenbrenner. Die Ouverture wurde in der Concertaufführung der Operette: »Der häusliche Krieg« als Einleitung dazu gespielt.

»*Fernando*«, Singspiel in Einem Act von Albert Stadler (1815), Autograf* bei *Dr*. Schneider.

»*Der vierjährige Posten*« von Theodor Körner, Operette in einem Act, Autograf* bei *Dr*. Schneider.

»*Die Freunde von Salamanka*«, Singspiel in zwei Acten von Mayrhofer (1815), Autograf* bei *Dr*. Schneider.

»*Claudine von Villabella*«, Oper in drei Acten von Goethe (1815), Autograf* des ersten Actes bei J. Hüttenbrenner; die anderen zwei Acte sind
diesem verloren gegangen. 615

»*Die Bürgschaft*« (nach Schiller), Autor unbekannt. Oper in drei Acten, von welchen der erste ganz, der zweite beinahe vollendet ist, der dritte nicht existirt (1816), Autograf* bei *Dr*. Schneider.

»*Die Zwillinge*«, Singspiel in einem Act nach dem Französischem, Autograf* beim Wiener Musikverein. Clavierauszug, von Ferdinand Schubert verfaßt, bei Josef Freih. von Spaun. Wurde am 14. Juni 1820 in Wien zum erstenmal aufgeführt.

»*Alfonso und Estrella*«, große Oper in drei Acten von Franz von Schober (1820–1822), Autograf* der Oper ohne Ouverture beim Wiener Musikverein. Das Autograf* der Ouverture mit dem Datum December 1823 bei Spina.

Wurde 1855 in Weimar zum erstenmal aufgeführt. Die Ouverture, eine Baß- und Tenorarie sind (letztere in »Auserlesene Sammlung«) bei Diabelli im Clavierauszug erschienen. Autograf zweier Arien bei G. Petter.

»*Fierrabras*«, große Oper in drei Acten von Josef Kupelwieser (1823), Autograf* (ohne Ouverture) bei *Dr.* Schneider. Die Ouverture ist bei Diabelli im Clavierauszug erschienen. Theile der Oper wurden in Wien in Concerten aufgeführt.

»*Der häusliche Krieg*« (Die Verschwornen), Operette in einem Act von J. Castelli (comp. wahrscheinlich um 1823), Autograf unbekannt wo. Eine Copie besitzt *Dr.* Schneider. Autograf eines Duettes daraus bei Petter. Clavierauszug mit Text und andere Arrangements, verfaßt von *Dr.* E. Schneider, erschienen 1862 bei Spina. Das Singspiel gelangte in seinem musikalischen Theil zuerst 1861 in einem Concert des Wiener Musikvereins, als Operette zuerst im Stadttheater in Frankfurt a.M. zur Aufführung.

»*Die Zauberharfe*« (1818–1819), Melodram mit Gesängen und Chören in 3 Acten von Hofmann. Autograf* der Entreacte nach dem ersten und zweiten Aufzug, der Ouverture zum dritten Act und des Nachspieles desselben bei Spina. Eine Romanze und das Finale des zweiten Actes besitzt als Skizze Josef Hüttenbrenner. Die Ouverture erschien als Rosamunde-Ouverture bei Diabelli im Clavierauszug. Das Melodram wurde am 19. August 1820 im Theater an der Wien zum ersten Mal aufgeführt.

»*Sacuntala*«, Oper in drei Acten von Josef Filipp Neumann (1820), zwei Acte skizzirt. Autograf* bei Dr. Schneider.

»*Rosamunde*«, Drama in vier Acten von Helmine Chezy, mit Arien, Chören und Tänzen (1823), Autograf unbekannt. Der Jäger-, Hirten- und Geisterchor, die Romanze und die Ouverture (richtiger »Zauberharfen«-Ouverture) sind als *op.* 26 bei Diabelli erschienen. Das Drama wurde 1823 im Theater an der Wien zum ersten Mal gegeben.

»*Zwei Einlagen*«, eine *Tenorarie* und ein *Duett* für Baß und Tenor in Herold's Oper: »Das Zauberglöckchen.« Eine Copie davon und der Clavier-
616 auszug bei Josef Freiherrn von Spaun.

»*Der Spiegelritter*«, Oper in drei Acten von Kotzebue. Autograf* eines Bruchstückes des ersten Actes beim Wiener-Musikverein (componirt wahrscheinlich um 1815).

»*Der Minnesänger*«, Singspiel, verschollen.

»*Adrast*«, Oper von Mayrhofer (1815), Gedicht verlorengegangen. Nach J. Hüttenbrenners Mittheilung hat Schubert ein Fragment davon in Musik gesetzt Dieß bezeugt auch Alois Fuchs.

»*Der Graf von Gleichen*« (1827–28), Bauernfeld und Lachner erwähnen einer musikalischen Skizze dieser Oper, zu welcher (nach Lachner) Bauernfeld den Text verfaßt hat.

Kirchenmusik.

»*Tantum ergo*« in *C* für gemischten Chor und Orchester, *op.* 45. – »*Erstes Offertorium*« für Sopran- oder Tenorsolo und concertanter Violine- oder Clarinettebegleitung (*op.* 46), »seinem Freund« Tieze gewidmet. – »*Zweites Offertorium*« für Sopransolo mit Orchester (1815), *op.* 47. – »*Messe in* C« für vier Singstimmen und Orchester (1816), seinem Lehrer Michael Holzer dedicirt,*op.* 48. – »*Ein zweites Benedictus*« für obige Messe (Oct. 1828). – »*Antifonen zur Palmenweihe*« (1820) für 4 Singstimmen, mit schwarzer Kreide auf Packpapier geschrieben. Das Autograf besaß Ferdinand Schubert, als *op. 113* bei Diabelli im Stich erschienen. – »*Messe in B*« für 4 Singstimmen und Orchester (1815), als *op.* 141 bei Haslinger im Stich erschienen. – »*Salve regina*« für Männerquartett mit Orgelbegleitung *ad libitum* (1824), *op.* 149, Autograf* beim Wiener-Musikverein. »*Graduale*« für 4 Singstimmen mit Orchester- und Orgelbegleitung, *op.* 150. – »*Drittes Offertorium*« für Sopran- oder Tenorsolo mit Quartett- (oder Clavier-) Begleitung (28. Jänner 1823), *op.* 153. – »*Messe in F*« für 4 Singstimmen und Orchester (1814), Schubert's erste Messe, aufgeführt 1814 in der Lichtenthaler Pfarrkirche. Autograf* bei Dr. Schneider.

»*Ein zweites Dona nobis*« zur *F*-Messe (1815).

»*Messe in G*« für 4 Singstimmen und Orchester (1815), für den Lichtenthaler Chor (1815) componirt. Erschien in Prag bei Marco Berra als Werk Robert Führers (gest. 1861), und von diesem der Erzherzogin Maria Caroline, Aebtissin des Theres. adel. Damenstiftes am Hradschin dedicirt, im Stich.

»*Messe in As*« für 4 Singstimmen und Orchester (1822), Autograf* beim Wiener-Musikverein.

»*Große Messe in Es*« (Juni 1828), Autograf-Partitur 80 Blätter in der königlichen Bibliothek in Berlin, eine Copie bei J. Hüttenbrenner.

»*Deutsche Messe*« in *As*, Textworte von Johann Filipp Neumann für ge-
617 mischten Chor mit Orgel oder Harmoniebegleitung (auch für Männerchor arrangirt), nebst einem Anhang: »Das Gebet des Herrn«, comp. 1827 für die Hörer der politechnischen Schule in Wien. – »Erst es *Stabat mater*« (1815), eine Copie bei Spina. – »*Zweites Stabat mater*« (1816) für Soli, Chor und Orchester. Clavierauszug von Ferdinand Schubert. Copien bei Spaun und Spina. – »*Salve regina*« (1812) und *vier Kyrie* (1812 und 1813), Autograf war bei Ferd. Schubert. »*Salve regina*« für Tenorsolo mit Orchesterbegleitung (Juli 1814.) – »*Magnificat*« 1815. – »*Großes Magnificat*« (25. Sept. 1816) in *C* für Chor und Orchester. Autograf* bei Spina. – *Duett Arie* »*Auguste jam coelestium*« (1816), Autograf* bei Spina. – *Offertorium* (1814). – »*Salve regina*« in *A* (1818). – »*Kirchenarie*« für Tenorsolo und Chor (1828). – »*Requiem*« nur bis zur Fuge des *Kyrie* vollendet (Juli 1816). – »*Meßgesänge*«, vierstimmig, angeblich von Franz Schubert, dreistimmig gesetzt von Ferdinand Schubert. – »*Deutsche Trauermesse*«, angeblich von Franz, aber ohne Zweifel nichts an-
618 deres, als das Requiem von *Ferdinand* Schubert.

Erzählungen aus dem Biedermeier

Biedermeier - das klingt in heutigen Ohren nach langweiligem Spießertum, nach geschmacklosen rosa Teetässchen in Wohnzimmern, die aussehen wie Puppenstuben und in denen es irgendwie nach »Omma« riecht.

Zu Recht. Aber nicht nur.

Biedermeier ist auch die Zeit einer zarten Literatur der Flucht ins Idyll, des Rückzuges ins private Glück und der Tugenden. Die Menschen im Europa nach Napoleon hatten die Nase voll von großen neuen Ideen, das aufstrebende Bürgertum forderte und entwickelte eine eigene Kunst und Kultur für sich, die unabhängig von feudaler Großmannssucht bestehen sollte.

Georg Büchner Lenz **Karl Gutzkow** Wally, die Zweiflerin **Annette von Droste-Hülshoff** Die Judenbuche **Friedrich Hebbel** Matteo **Jeremias Gotthelf** Elsi, die seltsame Magd **Georg Weerth** Fragment eines Romans **Franz Grillparzer** Der arme Spielmann **Eduard Mörike** Mozart auf der Reise nach Prag **Berthold Auerbach** Der Viereckig oder die amerikanische Kiste

ISBN 978-3-8430-1884-5, 444 Seiten, 29,80 €

Erzählungen aus dem Biedermeier II

Annette von Droste-Hülshoff Ledwina **Franz Grillparzer** Das Kloster bei Sendomir **Friedrich Hebbel** Schnock **Eduard Mörike** Der Schatz **Georg Weerth** Leben und Taten des berühmten Ritters Schnapphahnski **Jeremias Gotthelf** Das Erdbeerimareili **Berthold Auerbach** Lucifer

ISBN 978-3-8430-1885-2, 440 Seiten, 29,80 €

Erzählungen aus dem Biedermeier III

Eduard Mörike Lucie Gelmeroth **Annette von Droste-Hülshoff** Westfälische Schilderungen **Annette von Droste-Hülshoff** Bei uns zulande auf dem Lande **Berthold Auerbach** Brosi und Moni **Jeremias Gotthelf** Die schwarze Spinne **Friedrich Hebbel** Anna **Friedrich Hebbel** Die Kuh **Jeremias Gotthelf** Barthli der Korber **Berthold Auerbach** Barfüßele

ISBN 978-3-8430-1886-9, 452 Seiten, 29,80 €

Lightning Source UK Ltd.
Milton Keynes UK
UKOW04f0634131115

262588UK00001B/107/P

9 783843 038430